U0856182

中国哲学年鉴

1990

中国社会科学院哲学研究所编

中国大百科全书出版社上海分社

1990

目　录

研究状况和进展

当前重要哲学论争

辩证唯物主义

历史唯物主义

自然辩证法

新 书 选 介

哲学界概况

哲学界动态

在国外哲学论坛上

国外哲学见闻

中国已故哲学家传略

附　　录

研究状况和进展

当前重要哲学论争

【关于马克思主义自由观的讨论】

中国理论界对这个问题讨论热烈：

一、马克思主义自由观的基本规定性　邓兆明认为，马克思主义自由观的基本思想有：第一，真正现实的自由不是"上帝的恩赐"，而是"自觉的活动"。这种"自觉的活动"就是劳动、物化、对象化或生产实践活动。实践是自由的源泉，自由是实践的产物，又是实践活动本身，只有实践活动才是自由的。"自觉的活动"并不排斥精神的东西，相反把精神的东西包容于自身，作为自身展开的一个不可缺少的因素。因此，马克思主义认为，自由是对必然的认识和对客观世界的改造。这是建立在辩证唯物主义认识论基础上的。第二，自由是具体的、相对的，没有抽象的和绝对的自由。人类自由的程度取决于社会实践水平。马克思从来都把自由同物质条件和精神条件联系在一起。就是说，离开一定的物质条件和精神条件，自由的实现只能是一句空话。因此，马克思主义从来不承认绝对意志的自由或思想的绝对自由。第三，自由是对必然的认识和对客观世界的改造，人类自由的程度，首先取决于对必然认识的程度。第四，自由是主体能动性和受动性的统一。作为主体的人既是一个受动的存在物，又是一个能动的存在物。人的受动性，表明人的自由受到自然和社会条件的规定；而人的能动性，又表明人在自然和社会面前不是无所作为的，人的自由取决于人类自由的实践创造。第五，自由是权利和能力的统一。自由的实现既需要社会提供一定的"权利"条件，又需要主体自身具备实现这种"权利"的能力，社会所赋予主体的自由和民主的权利，只是作为一种可能性而存在，要把这种"可能性"变成现实，就需要主体自身具备相应的实现能力。(《试论马克思主义自由观》，《社会科学(甘肃)》1989年第3期)田盛颐则认为，马克思主义自由观有4个方面的基本内容。(1)自由的领域。自由既不在人的意志里，也不在人的理性里，而是存在于实践的人为世界里。这个世界是以客观世界为基础，实现了人的目的和意向的世界。(2)自由的特性。一是主体性；二是目的性；三是创造性。(3)实现自由的条件。认识必然只是实现自由的必要条件，而不是充分条件。更重要的条件在物质基础和社会行为方面，如掌握财富、社会主义革命和民主制。(4)自由的具体形态。自由在历史上的发展有3个阶段和3种形态，即前资本主义阶段中的共同体自由、个人不自由，资本主义阶段中的个人虚假自由和社会公有制阶段中的个人真正自由。在最后一个阶段，个人完全摆脱必要劳动的束缚，进行的活动不再是致力于克服障碍和阻遏的过程，而是实现自我发展的活动。(《论马克思的自由观》，《学术论坛》1988年第5期)任湘指出，马克思主义的创始人从存在决定思维、思维反映存在这个辩证唯物主义的基本观念的高度出发，把社会实践引入认识论，在唯物主义的基础上继承和改造了黑格尔的自由观，坚持了自由和必然的统一，从而科学地揭示了自由的本质：自由是对必然的认识和运用。毛泽东在新的历史条件下对自由和必然规律的辩证关系又作了新的概括：自由是对必然的认识和对客观世界的改造。马克思主义认为，自由一般区分为哲学自由(意志自由)和政治自由(社会自由)。哲学自由观包括并指导对其他一切领域自由的理解。它们的共同本质都是认识和实践、主体和客体的统一。马克思主义的自由观尤其是它的政治自由观，一般具有3个方面的属性：第一，自由具有强烈的阶级性；第二，自由具有具体的历史性；第三，自由具有发展的无限性。(《简论马克思主义的自由观》，《黄海学刊》1988年第2期)

二、马克思主义自由观的演进过程　王翠英、温映瑞认为，马克思的自由观经历了一个形成和发展的过程。(1)马克思公开发表关于自由的思想，是从1842年发表评普鲁士政府书报检查令的文章开始的。在那篇文章中，他对普鲁士政府禁止出版自由的书报检查制度进行了猛烈的抨击。后来，他又进一步为捍卫出版自由而大声疾呼，把自由看作是“人类天性永恒的贵族”，“自由确实是人所固有的东西”。这种把自由当作人的本性的观点是和当时马克思在哲学上转向人本主义联系在一起的。(2)在《1844年经济学哲学手稿》中，马克思通过对社会经济生活的分析研究以及对人的本质的认识深化，提出了异化劳动理论。他认为，人的本质就是自由自觉的活动。马克思正是从异化劳动和自由劳动(即自由自觉的活动)的对立入手来认识人类自由问题的，这就为他实现自由观上的根本变革展开了内在的逻辑发展线索。尽管这里的自由自觉的活动是一种理想的绝对完美的生产劳动，但从基本思路看，马克思自由观的雏形已开始形成。(3)在以后的著述中，马克思逐步抛弃了自由问题上的人本主义观点和绝对化观点，不再把人的自由自觉活动看作是理想的生产劳动，而把它看作是现实的物质生产劳动。物质生产劳动作为人类自由自觉的活动，主要表现在人对外部世界的认识和改造上。在《资本论》中，马克思提出了自由王国理论，从而实现了自由问题上的根本变革。(《论马克思的自由观》，《西北师大学报》1989年第3期）张广照提出了一种新见解。他认为，理论界把“自由是对必然的认识和对客观世界的改造”作为自由的定义，而这基本上是黑格尔的定义，并没有抓住自由的本质和本质的自由。这个定义主要来源于对恩格斯一段话的误解。恩格斯转述黑格尔“自由是对必然的认识”那段话，并不是恩格斯自由观的全部或主要部分，甚至只要再往下几行就会发现他认为什么是真正的自由。恩格斯说共产主义社会才有真正的人的自由，而黑格尔讲的尚不是真正的人的自由。恩格斯讲自由，从来都不是只讲认识和改造必(自)然，而是同时联系人的自由全面发展的。恩格斯关于“从必然王国进入自由王国的飞跃”等论述，直接源于马克思，与马克思在《资本论》中讲的“真正的自由王国”是一致的。马克思把自由分作两种：一种是指必然王国里的自由，另一种是指存在于必然王国领域的彼岸的、作为目的本身的人类能力的发展。真正的自由王国建立在必然王国里的自由之上而又不同于必然王国领域里的自由，真正的自由是指人的本质方面即社会关系方面的自由。马克思自由观的深刻性、丰富革命性是黑格尔自由观所不了解和反对的。(《简论马克思的自由观》，《攀登》1989年第3期)

三、掌握马克思主义自由观的现实意义 任湘指出，认真研究和正确树立马克思主义的自由观，当前有助于加深理解和自觉贯彻党在社会主义初级阶段的基本路线，克服僵化和自由化这两种错误倾向，在实践中坚持把四项基本原则和改革开放辩证统一起来，为建设有中国特色的社会主义，实现人类“从必然王国到自由王国的飞跃”，作出自己应有的贡献。(《简论马克思主义的自由观》，《黄海学刊》1988年第2期)王翠英、温映瑞认为：首先，马克思的自由观使我们能够澄清在自由问题上的错误认识。依据马克思的自由观，人是一个能动的主体。在人与自然、人与人、人与社会的关系中，它必然通过自己的能动活动，来实现自己的自由意志，寻找自己的价值位置。但是，自由作为主体自我实现的能动活动，又总是以一定的外在必然性(自然的、历史的)为前提而进行的。因而主体自由的实现具有相对性，绝对自由是不存在的。其次，根据马克思的自由观，实现自由是一个历史过程。进行物质生产活动，大力发展生产力是实现自由的根本条件。任何时代的自由，都要受该时代生产力发展水平的制约。中国正处在社会主义的初级阶段，对必然性的认识水平还比较低，生产力水平也还不高。因此，一方面要求我们要建立一个高度民主、自由的社会，首要的前提是大力发展生产力。另一方面，要认真研究在社会主义初级阶段人们自由意识的特点，把争取自由的近期目标和最终目标区分开来，创造一个使每个人的能力都能够得到全面发展的自由、和谐的社会环境，为真正实现人的自由而努力。（《论马克思的自由观》，《西北师大学报》1989年第3期）

（毛成石）

【关于孔子和儒学的研究和争论】 1989年是孔子诞辰2540周年，也是国内外关于孔子和儒学的讨论进入高潮的一年。中国孔子基金会和联合国教科文组织于1989年10月在北京和曲阜两地，举行了规模空前的纪念会和学术讨论会，有20多个国家和地区的300余位学者出席，150余位学者作了学术报告和口头发言。会议期间，江泽民总书记会见了与会者并发表讲话，这是中国共产党领导人首次在国际学术会议上表明对中国传统文化的态度。与会者提交大会的论文有180余篇，而国内外报刊在1989年发表的关于孔子与儒学的论文也达百余篇。论文数量之多，内容之广泛，都是空前的。

一、研究概况 近10年来，在中国大陆、台湾、香港、日本、南朝鲜、新加坡及欧美等国家和地区，学者们常常谈到孔子、儒学及其与中国现代化的关系等问题。其中最值得注意的，是大陆、台港学术界的讨论。大陆学术界主要有3种意见：第一种，强调孔学、儒学的保守性、落后性，给予消极的评价，可说是“五四”运动以来批判中国传统文化的思潮的继续；第二种，强调孔学、儒学的优点，给予积极的评价，可说是中国传统文化在现代的沿续；第三种，主要是对上述两种意见加以综合，着眼点不在现代化的问题，而在史学方面。这3种意见基本上未涉及孔子、儒学的正统地位问题，主要是在对孔学、儒学如何解释和评价的问题上进行讨论。台、港学术界的意见也可分为3派，其中一派被命名为“当代新儒家”，主要特点是肯定千年以来孔子、儒学在中国文化中的正统地位，同时又吸收西学来对儒学加以改造和发展，并承认有继续改造和发展的必要；另一派强调孔学、儒学的不足之处，或主张用道家来取而代之，或主张全盘西化；第三派力图从史学角度来研究孔子与儒学，但对儒学与现代化的关系问题考虑不多。

在这一次孔子学术讨论会上，各国学者共聚一堂，大陆与台港的学者面对面地进行了交流，使上述的各种分歧明朗化。

二、孔子研究进展

1. 关于孔子思想的基本特征。分歧主要集中在孔子学说是人学还是宗法礼学的问题上。很多学者认为孔学是一种人学。乔长路说，孔子代表着春秋战国时期"以人为本"的思潮，这种思潮的特点是重视士农工商等普通人社会地位的提高，强调对人、对普通劳动者的适当爱护与关心，反对对人民的无端迫害、杀戮乃至人殉，重视对人的美好心灵的发展，强调对贫残老弱、鳏寡孤独的人道主义同情与帮助，重视对人生哲学诸命题的探索等等。这一思潮引发了中国文化史上的一个光辉的时代，足以同西方近代的人文主义思潮相比拟。(《一个值得民族自豪的伟大思潮——春秋战国以人为本思潮的兴起及其历史意义》,《哲学研究》1989年第12期)一些学者持相反的意见。蔡尚思认为，孔子是宗法礼学的祖师，他曾主持鲁政而成为以礼治国的典型。孔子的对立面墨子、老子、庄子、许行等人，恰恰都是宗法礼学的反对者与批判者。(《孔子的礼学体系——纪念孔子诞辰二千五百四十周年》,《孔子研究》1989年第3期)陈鼓应也说，孔子所信仰的天具有神性意义，他的天命论是政治权力的神学基础。孔子所谓的道与德局限于礼制的范围之内，他所建立的是维护宗法礼制的带有官方色彩的学说。(《老子与孔子思想比较研究》,《哲学研究》1989年第8期)路德彬和赵杰指出，孔子思想中确有"人的发现"，但这被发现的"人"在孔子礼学的人人关系中被湮没，被扼杀，被否定了，理想人格的修养在他的理论引导下变成一种自戕性活动，修养境界越高，人性丧失越多。这绝非孔子的初衷，但却是孔子学说的理论归宿和悲剧性命运。(《人的发现与失落——再论孔子的人生观》,《东岳论丛》1989年第6期)

不论将孔学看作人学抑或宗法礼学，都不能否认孔学中有礼的内容。而礼的一个重要部分是祭礼，这就涉及到孔学是否带有宗教性的问题。过去有人说孔子是一位宗教学家，并且是儒教的教主；另一些人说孔子是一位无神论者，或说是宗教方面的怀疑论者。保加利亚学者米罗斯拉夫·马林诺夫就此提出新见，认为孔子的天命鬼神观与康德对超自然问题的态度有很多相似之处。孔子不关心超自然生物存在的问题，却又采纳了传统的宗教思想。他的宗教思想不是对宗教本身的研究，而只是一种调整的原则，社会行为应与这原则相和谐。(《在孔子学说里宗教是一个调整原则》,《孔子诞辰2540周年纪念与学术讨论会论文提要》，以下简称《提要》)王葆玹认为，孔子所创立的不是单纯的宗教理论或单纯的哲学理论，而是宗教理论、哲学理论以及政治理论等等的复合体。在孔子所理想的社会图式中，政治与宗教有一种复杂的关系：在社会最高层次，政治与宗教是密切结合的，其中宗教是根本，只要处理好天子与天帝的关系，天下就好比置于掌中了。而在社会中的其他层次，政治与宗教却是分离的。这种理论如果遇到适宜的社会条件，经过一定程度的加工改造，便可导致某种宗教的形成。（《试论孔子学说中的鬼神与祢祀问题》，《世界宗教研究》1989年第4期）

2．孔子思想体系的核心是什么？　在上述争论当中，孔学是人学还是宗法礼学的争论实际上没有得到彻底的解决，于是孔子思想体系的核心是仁还是礼便成为解决问题的关键。周谷城指出，“仁”字不是由“二”、“人”合成，而是由“人”、“人”合成，意即把人当人或“人其人”。（《儒学别解》，《提要》）基于这样的认识，那些主张“孔学即人学”的论者便力图证明“仁”是孔子思想体系的核心。在这点上，国内外学者已作过大量的工作，最近冯友兰又提出创见，认为孔子所讲的“仁”分为两种，一种是四德（仁义礼智）或五常（仁义礼智信）之一，而居其首；另一种是全德之名，包括四德、五常。作为四德之一的仁，是一种伦理学范畴，对它的讨论属于伦理学范围；作为全德之名的仁，是人生的最高精神境界，属于哲学的范围。仁既是全德而包括礼、义诸德，自然比礼重要，而成为孔子思想体系的核心概念了。（《对于孔子所讲的仁的进一步理解和体会》，《孔子研究》1989年第3期）另一方面，凡主张“孔学为宗法礼学”的论者，大都坚持认为孔子思想体系的核心是礼，例如蔡尚思力图证明，孔子学说中礼高于仁、知、信、直诸德，是仁、孝、忠、中和、政治、法律、祭祀、教育、经济、史学等等的主要标准，因而是孔子思想体系的核心。（蔡尚思：同前）胡伟希认为，孔子思想中礼是仁与仪的统一。礼的核心思想是对人的基本权利与人格的尊重，它的外化是一套典礼仪式。（《“礼”：先秦儒家法哲学的根本观念》，《提要》）

一些学者企图从另外的角度来解决仁、礼的纠葛。有些学者一直坚持认为孔子思想体系的核心不是仁、礼，而是中庸。张岱年指出，孔子道德思想中最重要的概念是仁与智，孔子所追求的是“既仁且智”、“仁智合一”的精神境界。（《论孔子的崇高精神境界及其历史影响》，《提要》）金永健认为，仁、礼是孔子提出的塑造理想人性的两条途径，仁以养心，礼以制外，一为内圣，一为外王。按这说法，仁、礼似应并重而缺一不可。（《孔子人性论试述》，《扬州师院学报》1989年第2期）马振铎也强调仁、礼的相通之处，指出孔子并没有提出礼中本来不涵的仁，也不是以仁来补充礼，孔子仁的概念仅仅是对礼所体现的宗法血缘之爱的概括。（《宗法制度和儒学的建立》，《儒学国际学术讨论会论文集》，齐鲁书社1989年版）孙希国说，在孔子学说中仁属伦理学范畴，礼是政治学范畴，不能比较高低。有时礼也作为伦理学范畴出现，但这时它与仁又分别是孔子伦理思想中互相补充的两个方面，亦不能确定高低。（《"仁"、"礼"关系探析》，《兰州大学学报》1989年第2期）

三、儒学研究进展

1．儒学的基本特征与理论框架。上述关于孔子思想基本特征的分歧，在儒学特征的问题上也存在着。牟钟鉴说，儒学是一种社会人生学，是讨论宗法等级社会里关于人的问题的学问。（《孔子与儒学的基本问题》，《提要》）多数学者坚持这种说法，少数学者则提出相反的意见，例如罗炽认为儒学的核心内容是礼，礼起源于原始的巫术礼仪，是晚期氏族统治体系的规范化和系统化，因而早期儒学应是为维护和恢复专制宗法等级制度为目的的政治伦理哲学体系。（《孔子、儒学与中国文化传统》，《湖北大学学报》1989年第6期）

2．儒家仁爱民本思想与西方民主思想的比较。台湾学者多将儒家的仁爱民本思想与西方的民主思想相比拟，例如陈大络认为《礼运》所讲的"天下为公"就是民主政治理论。（《儒家民主法治思想的阐述》，《提要》）大陆学者一般不同意这种说法，但有时也承认仁学与西方民主思想有着某种联系。例如程宜山说，儒家仁学包含着克服封建局限性并接纳自由、民主、平等、人权等近代观念的内在冲动。近代康有为、谭嗣同等人"倡民主"，即是儒家仁学合乎逻辑的发展。（《孔子"仁"学与中国民主观念》，《提要》）美国学者侯服五提出一种见解，指出许多中国人在憧憬一个理想的政府时，往往认定只有西方国家才有民主政治与民主思想，而没有援引中国儒家等学派的"民为贵"思想来作理论根据，这是令人遗憾的。"民为贵"思想有3个缺点：它未规定一个永远可靠的程序来选择最佳人物担任政府首脑，它未提出如何使民意永远有效地对政府决策起支配作用，它未提出一个用和平方式更换不合民意的政府的程序，这与西方民主政治理论是不同的。但"民为贵"思想在中国历史上起过相当有价值的作用，具有一些独特的优点。既然西方民主制度并不象崇拜它的中国人想象得那么美好，而中国也未必具有移植西方思想与制度的必要条件，那么中国人专向西方取经而鄙视土生的"民为贵"思想，便值得重新考虑了。（《中国传统的"民为贵"思想》，《提要》）

3．中庸研究。刘宗碧认为，儒家中庸思想的基点是维持矛盾的同一性，在中国历史上曾长期起着维护社会稳定的作用。中庸思想不是革命的辩证法，但它也包含着一些变化发展的思想。（《中庸辨惑》，《提要》)在1987年曾出现过关于中庸思想的讨论热潮，有人说中庸思想始自殷周，有人说中庸是孔子思想的核心。近来乔卫平就此提出异议，认为孔子讲的中庸的本义是指器物，意在比喻礼乐，并不是固定的思想概念。《礼记·中庸》所讲的中庸之道，只是秦汉后儒的发挥，与孔子原意并不一致。(《〈论语〉“中庸”证异》，《孔子研究》1988年第4期)

四、孔子、儒学的评价及其与中国现代化的关系

1．孔子、儒学的正统地位问题。许多台湾学者认为孔子、儒学是中国文化的正统，最近蔡仁厚在《孔学的常道性格与应变功能》一文中重申了这种论点。基于这样的认识，台湾学者多予儒学与孔子以极高的评价。大陆学者就此提出了异议，例如罗炽说，中国文化传统是由齐鲁、荆楚、吴越、秦晋、燕赵等文化系列相结合的有机复合体，是百家之学的总和。就其源流言，儒学不过是众流之一，只是由于阶级的、历史的原因才成为主流。(《孔子、儒学与中国文化传统》，《湖北大学学报》1989年第6期)艾力农说，全面否定孔子儒学是不对的，但若硬让孔子儒学作为民族文化的精华而加入新的传统文化，抬高其地位，也是行不通的。(《孔子儒家的历史地位和对现代社会的影响》，《提要》)

2．关于现代新儒家的评论。郑家栋对现代新儒家作了系统的介绍和分析，指出这一学派虽以实现民主、发展科学为目的，但它仍不脱离儒家心性之学的基础，沿袭“由内圣推出外王”的思路。按这思路，民主、科学的开发被归结为一种主体的建构或道德主体的自我完善，由这立场不可能指出发展科学、民主的正确途径。要摆脱这种困境，必须打破“内圣外王”的思想格局，但是这样一来，新儒家也就走向了自我否定。这正是新儒家面临的一个无法超越的矛盾。(《儒家与新儒家的命运——“五四”以来文化论战的哲学思考》，《哲学研究》1989年第3期)敏泽承认新儒家有合理的因素，但认为它在总体上是与我们民族文化发展的要求不一致的。近10年来我们对封建主义常常熟视无睹，导致了文革那样的封建法西斯的泛滥，出现了以封建宗法观念为核心的特权思想、裙带关系、家长制、官本位、官倒等等，在这情况下，把儒家文化涂上现代化的油彩，使之重新主宰我们的民族文化与民族精神，显然是不合时宜的。(《关于传统文化与现代化问题——纪念五四运动七十周年》，《哲学研究》1989年第4期)

3．对孔学、儒学如何继承的问题。李奇指出孔子伦理思想的中心命题是“克己复礼”和“为仁由己”，若将其中礼与仁的具体内容排除掉，仅作一般的道德规范来看，这两个命题含有一种具有普遍意义的

理论因素，即“自我意识”与“道德主体观念”，其实质在于肯定道德实践的特性是“自律”，含有道德科学的理论价值。(《孔丘的自我意识与道德主体观念——剖析“克己”与“为仁由己”》，《中国哲学史研究》1989年第4期)

4．孔子、儒学的义利之辩及其与台港经济的关系。长期以来有一种观点，认为孔子只讲义，不讲利，只讲精神修养，轻视物质生活。贾顺先和张小飞就此提出异议，认为孔子并不反对个人私利，只是主张以义取利，反对舍义取利。(《孔子义利观的主旨和价值取向》，《天府新论》1989年第6期)一些台港学者认为，孔学、儒学对台、港、新加坡等地的经济发展起了积极的作用。最近陈立夫又说，儒家主张有德之后始有工、有财，意谓重视道德而相互合作乃是生财的前提；儒家主张“仁政必自经界始”，意谓土地分配应当平均。如此种种，显示出儒家重视经济而且能把握其重点，并由此说明台湾经济发展有赖于儒家教育思想与经济思想的帮助。(《儒家教育思想与我台湾经济发展之关系》，《提要》)这一问题较为复杂，还需要深入研究。

5．儒学在现代文化中的地位问题。陈来指出，儒学的问题在于它需要一个合理的定位，即需要找到一个合理的结构，使儒学在其中获得适当的地位。现代社会发展的重要趋向不是一元化，而是多元化，所以必须从一个多元互动的立场上来理解儒学现代化的课题。中国的现代化需要民主、法制、科学等，但这并不等于说应由儒家提供这一切。从多元文化的角度，促进儒学的发展绝非意味着要恢复它在中世纪的一统地位。而且儒学作为一个摆脱了政治化角色的人文学派恢复其影响力，对已确立了独立价值地位的科学等不会有任何不利的影响。(《多元文化结构中的儒学及其定位》，《天津社会科学》1989年第1期) (张新京)

辩证唯物主义

【辩证唯物主义研究概述】 从总体上看，1989年关于辩证唯物主义的研究工作，基本上沿袭着上一年甚至前几年的课题。然而在研究方向和研究方法上的更新，往往会使古老的课题获得新鲜的内容。1989年关于辩证唯物主义的研究进展，主要即表现在这个方面。

譬如说，近一年来关于实践范畴的研究之所以能够获得某些可喜的成果，固然与对实践唯物主义的讨论有直接的关系。但是，倘若不超越认识论的范围，进而在马克思主义哲学关于人的学说和社会本体论的视野内来考察之，大概就很难设想，如何能揭示实践范畴本身所具有的多层次、多方面的哲学内涵。如果不对实践范畴作总体性的考察，即如果不是从社会历史及其发展的角度来考察人们的社会实践，大概在主客体关系的分析上，也就很难突破业已流行多年的那种把主客体之间的实践关系与其认识关系和价值关系相并列的模式，而后者的要害正在于把人的认识看作外在于人们的社会实践的一种活动，实质上是割裂了认识和实践的内在联系。再譬如说，如果对价值范畴仅作静态的考察，而不能把价值关系置于人们社会实践的全过程来进行分析，则其发生、进展和实现的过程也就很难搞清楚。倘若我们以这样的角度来看待1989年中国哲学界关于辩证唯物主义的研究进展，而不把自己的视野仅仅局限于是否提出新的论题，是否发生了引起普遍关切的争论的范围，那么，这种进展还是明显可见的。

当然，在1989年度，中国从事辩证唯物主义研究的哲学工作者也提出了一些新的研究课题。例如，关于哲学假说、关于哲学发展模式的问题，过去人们就很少论及，即使偶尔谈到，也未曾加以详细的阐发。而在本年度，若干中青年哲学工作者却对这些问题进行了大胆而又审慎的探讨。本年度出版的辩证唯物主义专著虽然也有若干种，但有相当份量并发生较大影响的为数不多。关于实践唯物主义的争论虽然仍在进行，但其进展似乎也不太显著。 （马　公）

【方法和方法论探讨】 方法和方法论是最近10年中国哲学研究的重要课题之一。近年来，围绕方法和方法论出版了大量的文献，其中所涉及的，主要有下列几方面的问题：

方法论系统 韦诚认为，中国学术界有关方法论的著述虽已日渐增多，但大都局限于各种方法在不同领域里的结构、功能或作用的微观分析。他认为，应把方法论作为一个独立的系统，从宏观上做全面的分析和探讨。韦诚从宏观把握方法论系统的目标出发，对方法论系统的层次、网络模型和方法论系统理论的价值评估提出了自己的看法。韦诚认为，根据方法论的概括程度和运用范围的不同，可将它们按水平方向从高级到低级划分为5个层次，即哲学方法论、科学方法论、理论方法论、具体方法论和公理或原则方法论。在整个方法论系统中，哲学方法论是最高层次的方法论，乃是统摄其他较低层次方法论的原则和前提。它有两个基本特征：其一是普遍性和整体性；其二是前提性和基础性。科学方法论是从某一个角度探讨社会科学共同适用或分别适用的一些方法。所谓理论方法论，说的是任何一种科学理论体系一旦臻于成熟，其理论的逻辑过程就可能对其他科学领域发生方法论的功能。具体方法论所探讨的，则

是各门科学专门或特定的方法或技术。所谓公理或原则方法论，实即关于公理方法的理论；而公理或原则方法，则是指：以某些公理或原则作为科学理论的初始前提，而科学理论的其他定律和结论，均是按逻辑方法从这些公理或原则推导出来的。上述5个层次的方法论，既有水平方向由低级到高级的发展，也有横向的彼此联系，由此形成为一个纵横交错的网络结构。它不仅具有整体性，而且是一个开放性的系统、自组织系统和富有创造性的发生系统。他还提出，对于方法论系统理论的价值评估，应遵循下列两个最基本的原则或标准，这就是：看它是否实现了系统内部的最优化选择；看它的解释力和预测力高低。(《方法论系统探》，《徽州社会科学》1988年第2期)

哲学研究中的假说方法 假说方法在自然科学中早已被广泛应用，但这种方法是否也适用于哲学研究？郭战认为，对于强调哲学的科学本性的学者，特别是对于那些科学家兼哲学家的学者来说，哲学假说的存在是不成问题的。例如美国科学哲学家瓦托夫斯基在他所提出的三类假说中，就把“形而上学的假说”包括在内。(见《科学思想的概念基础——科学哲学导论》第262～263页）而他所谓的形而上学假说，显然属于哲学假说。郭战还肯定地论断：马克思主义哲学不仅不否认哲学假说的存在，而且它本身的一些组成部分就明显地经历过哲学假说的阶段。列宁曾经说过：“自从《资本论》问世以来，唯物主义历史观已经不是假设而是科学地证明了的原理。”(《列宁选集》第1卷第10页）郭战由此断定：“既然马克思主义哲学在其创立过程中经历过哲学假说的阶段，那么在它的进一步发展过程中就不可能不提出新的哲学假说。哲学的产生和发展离不开假说，这并非个别的、偶然的现象，而是普遍存在的事实。也许可以套用恩格斯那段话：只要哲学在思维着，它的发展形式就是假说。”(《哲学研究中的假说方法》，《现代哲学》1988年第2期)

郭战认为，哲学假说的发展过程，大致可分为如下几个阶段：(1)发现问题；(2)探求解法；(3)建构假说；(4)论证假说；(5)评价、发表和检验。他还比较详细地阐明了建构哲学假说和论证哲学假说的过程和基本原则。他认为，在建构哲学假说时，人们总是自觉或不自觉地遵循某种原则或尺度。这些原则的主要之点贯穿于哲学假说的发展全过程，从选题、求解、建构直到论证、评价、发表和检验，都以不同方式体现着这些原则，如客观性原则、创新原则、系统原则、审美原则等等。建构的结果，是形成简要、清晰的系统陈述，可据以导出一系列新结论，并对相关学说产生重要影响。

哲学假说的核心形态，是在新的哲学理论中被称为“基本思想”的那些内容。哲学假说的论证，主要包括科学属性论证和价值属性论证两个方面；前一个方面又包括客观性论证、系统性论证、逻辑性论证和具体科学论证，而后一个方面则包括独创性、社会效益和审美价值的论证，等等。（同上）

关于抽象-具体方法的新探讨 抽象-具体方法（以下简称“上升法”）在中国哲学界已讨论多年。但徐明明认为，以往的研究偏重于上升法的逻辑行程和各个环节等问题，而对于它的意义和作用，特别是它在科学研究中的方法功能却重视不够。徐明明认为，上升法作为一种科学研究的方法，具有下列功能：第一，它深化了从感性到理性的认识论模式，具体揭示了科学认识中思维活动的进程和总体顺序，阐明了科学研究中感性具体、抽象规定和思维具体这些基本的思维发展环节之间的辩证关系，为科学研究提供了思考步骤。这种思考步骤是根据辩证思维的规律提出来的，因而对各门学科的科学研究都普遍有效。第二，上升法在某种意义上是科学研究的理想道路或合理道路，它从思维形式的角度指明了科学研究各个阶段所应达到的水平，因而也就为评价和检验科学理论提供了一个方面的标准。第三，上升法既不同于分析法，也不同于综合法，而是将分析与综合、归纳与演绎等包含于一身的一种综合性方法。另一方面，上升法还指明了科学研究中思维的发展规律。这样，它就从辩证思维规律的角度，指明了运用各种思维方法的步骤、指向或目标。（《抽象-具体方法新探》，《宁波师院学报》1988年第4期）

“多元互补方法”的探讨 多元主义的方法论是美国科学哲学家费耶阿本德首先明确提出来的，其宗旨在于强调：我们在方法的选择上必须保持开放，而不能作茧自缚，囿于某一种“认识论药方”。他的这种主张，可以用一句话来概括，那就是“怎么都行”。所谓互补方法，乃源于量子力学中的互补原理的泛化和升华。纪德尚、王国岭认为，费耶阿本德所主张的“怎么都行”的多元主义方法论，否定了科学的理性精神，具有浓厚的非理性主义的色彩。但另一方面，它又是对以往在科学研究中盛行的一元主义方法论的一种反动，揭示了后者的局限性。事实上，任何一种科学方法都有它特定的适用范围，并且科学方法也总是历史地发展着的。在这种意义上，科学研究的方法应该是多元并用的。互补原理的提出受到科学家们普遍的高度评价，这一原理在改变科学世界图景的同时，也改变了科学家们的思维方式，成为本世纪最革命的思想之一。基于以上分析，纪、王认为，我们也可以批判地吸取多元主义方法论的精华，并把它与具有普遍的哲学意义的互补范畴有机地结合起来，以构成适用于科学认识活动的多元互补方法。显然，多元互补方法既不是多元主义方法论的简单复归，也不是多元方法与互补方法的简单叠加，而是两者在更高水平上的辩证综合。

纪德尚、王国岭还提出，“体现认识过程辩证思维的多元互补方法，可以理解为将诸种方法视为系统中的各个要素，在主体认识过程中，由这些方法要素构成的方法系统既是多元的，又是相互补充的。这种方法的方法论功能，源于方法系统整体与方法要素、方法要素与方法要素以及方法系统与认识活动环境之间的相互作用，正是这种相互作用构成了人们认识过程中的种种实在的多元互补方法”。纪、王还认为，多元互补方法的提出，适应了现代科学发展的内在要求，具有以下几个显著的特点：(1)方法的多元性；(2)多种方法的互补性；(3)方法的系统性；(4)方法的动态性；(5)多种方法的协同性。(《多元互补方法初探》，《郑州大学学报》1989年第2期)

比较方法的研究　关于比较方法的研究进展，本年鉴1988年的有关条目已作过一些介绍。值得注意的是，对比较方法的研究兴趣，在中国哲学界至今仍很浓厚，各地报刊发表的有关论文的数量仍比较多。

有关比较方法的研究进展，首先表现在对比较方法的实质和意义有了更为具体的认识，提出了各种不同的观点。门振浦认为，比较方法的实质表现在：“当人们要深入认识某一特定对象时，往往是首先把这一对象与其他对象进行比较，以发现其间的共同点或差异点。这种在思维中用以确定对象之间的共同点或差异点的逻辑方法就是比较”。(《论比较》，《北京师院学报》1988年第3期)颜迈的观点与此相近，认为“比较的本质是研究事物的异同”，即一方面，通过比较找出事物的共性，从而把不同的事物联系起来，另一方面，通过比较发现相似事物的差异，显示出事物的个性，从而把相似的事物区别开来。(《比较方法论》，《贵州民族学院学报》1989年第2期)梁冲珍则认为，比较的实质并不在于同中求异和异中求同，而在于通过对杂多的个别事物的比较，经过科学的抽象寻求每一事物的普遍性，掌握个别中存在的共同的同一本质，以获得真理性认识，以便指导实践。“因此，通过个别的比较而获得对一般的认识，这才是比较的实质”。(《关于比较方法的思考》，《学术交流》1989年第3期)

对比较方法的意义和功能提出了一些不同的看法，这大概可以说是关于比较方法研究的又一个进展。门振浦认为，比较的基本功能是识同辨异，比较方法的意义则表现于：它在一切领域都有着广泛的应用。(同前)颜迈对比较方法之功能的分析，似乎更细密、更具体些。他引用了大量的科学史料，并据此认为比较方法的功能表现在，它是：(1)科学分类的前提；(2)科学发现的催化剂；(3)了解事物历史的钥匙。(同前)

门、梁对比较的形式或类型，也提出了不同的看法。门振浦认为，比较有下列几个主要的类型：(1)同类比较和异类比较；(2)形同实异的比较和大同小异的比较；(3)纵向比较和横向比较；(4)直接比较和间接比较；(5)宏观比较和微观比较；(6)综合比较。(同前)梁冲珍认为，比较主要有两种不同的形式或类型，这就是：求同比较和求异比较。求同比较方法在于寻求同类事物的一般，即事物的共性；求异比较方法则在于寻求事物的个别，即事物的个性。(同前)

这里需要指出的是，所谓泛系方法，原本是中国学者吴学谋提出来的。最近几年来，虽然作者本人就这个问题还在不断地进行阐发，而且也有若干论者对此提出过一些评论性意见，如《中国社会科学》在1989年第1期上还发表了长篇评论，但哲学界同仁对泛系方法的哲学意义是否认同和在何种程度上认同，还有待于进一步讨论和争鸣。

(且　干)

【哲学发展模式的探讨】 中国哲学界关于哲学发展模式的研究，近年来主要涉及下列三方面的问题：

哲学模式的特征　孙正聿认为，在全部知识体系中，哲学始终是一种批判性的自我意识。所谓哲学模式，就是一种对其他理论模式具有批判性、启发性、调节性和引导性的特殊理论模式。它着眼于现实与过去、未来的历史联系，人的物质需要和精神需要相互渗透的历史发展，人与自然、个人与社会、理想与现实、自由与必然等基本关系的历史进程，着眼于人类对自己的观念和行为的自我反省和自我批判。哲学的客体不是经验事实，而是关于经验事实的各种理论模式。哲学对各种理论模式的反思，本质上是以批判的方式考察各种理论模式的认识论前提和价值论前提，展现它们的片面性和狭隘性，指出它们的保守性和暂时性，揭露它们的内在矛盾，使之处于自我反省的紧张状态，推动思想的扩展和深化。哲学模式作为一种批判性的知识形式，其批判不只是指向其他理论模式，而且永远指向自身。因此，新的哲学模式必须自觉地表达当代哲学中所存在的重大争论和原则分歧。(《简论哲学模式更新》,《哲学动态》1988年第8期)

哲学变革的结构　刘仲林认为，哲学变革不是简单地由一种理论取代另一种理论，因此他不赞成那种认为今天应该用一种新的哲学理论去取代唯物辩证法的观点。按照他的理解，既然经典哲学理论并没有过时，而是带有局限性，那么新的哲学理论形式便只能在经典理论成果的基础上，谋求在新方向上的变革和发展。(《哲学革命的结构》，《天津师大学报》1989年第1期)

辩证法的基本历史形式 一般认为，辩证法在其历史的发展中，曾先后经历了3种形式，即古代朴素的辩证法、以黑格尔为代表的唯心辩证法和马克思主义的唯物主义辩证法。然而蔡起元、刘可风认为，按照辩证法内在的依据——辩证法自身本性和功能的展开和实现程度，亦可将辩证法划分为下列3种依次递进的基本历史形式，即感性辩证法——知性辩证法——理性辩证法，由此便形成了由感性到知性，再到理性的辩证法发展模式。

蔡、刘认为，感性辩证法是关于世界第一特性——动变性的整体表象。可以说，感性辩证法更确切地表达了古希腊辩证法所达到的认识程度。因为古希腊辩证法是建立在人对世界本性的感性认识的基础上的，不管古希腊哲人们提出了多少辩证命题，然而他们关于世界动变性的思想则无疑是最富于成果的，是他们揭示的辩证法的第一个真理。然而感性辩证法对世界辩证本性的认识，在总体上还处于整体表象阶段，思想没有分化，它外在地把握原始综合的感性实体，尚未形成自觉的理论体系，它所容纳的大多数概念术语皆具直接的感性性质。

知性辩证法是关于动变的本质矛盾性的抽象规定，14～18世纪的辩证法即是这种以知性思维方式建立起来的辩证法的第二个基本历史形式。这种辩证法的特征在于：它对矛盾作了知性的规定，从而提供了具有普遍性和确定性的辩证概念，它以静态方式把对象的各个方面、各种关系分解为独立因素加以抽象的考察，从而把矛盾概念固定化、现象化了，矛盾被理解为普遍差异、二律背反，并把矛盾看作世界的最后本质，而不超越和扬弃矛盾。

理性辩证法是关于矛盾本质的否定性的辩证法。它没有离开矛盾，而是由静态转入动态，由抽象变为具体(思维具体)，最后积极地扬弃矛盾，因而是对世界辩证本性的更深一级的认识。黑格尔的辩证法即属于理性辩证法的范畴，否定性是其最基本的特征；马克思把黑格尔辩证法按其本性还原为自觉的唯物辩证法，在否定性辩证法历史形式中实现了由神秘幻觉到现实，由封闭到开放，由唯心到唯物的革命性转变。(《略论辩证法的基本历史形式》，《江汉论坛》1989年第3期)

除了上述三方面的问题而外，近一年来关于哲学发展模式的探讨还涉及哲学变革的本质究竟是什么(例如究竟是思维方式，还是哲学

理论体系由以出发的初始原则的变化?)等问题。　(且　干)

【实践范畴再探讨】 自从1978年5月开展真理标准的讨论以来，在最近10年中国发表的哲学文献中,关于实践的结构和功能，以及由此而引发出来的关于主客体的关系，关于实践标准的确定性和不确定性及其与逻辑标准的关系,等等，总之,围绕实践范畴所进行的哲学研究可谓声势浩大，有关这个范畴的论文和讨论报道也难以尽数。尽管如此,近年来，由于中国哲学界进行了关于实践唯物主义的讨论，由于许多哲学工作者对社会哲学发生了浓厚的兴趣，实践范畴再一次成为中国哲学界普遍关切的一个热点。概括起来说，这方面所取得的研究进展虽然还不能令人满意，但下列几个方面却也不能不引起人们的重视:

实践概念的内涵　多年来，在中国和苏联的哲学著作中，"实践"主要是作为一个认识论的范畴而加以阐述的。给人的印象是，实践概念似乎主要甚至只具有认识论的意义。近年来，中国许多学者对这种倾向提出了批评，并从不同角度对实践概念的丰富内涵进行了探讨。

谢遐龄首先考察了康德著作中的实践概念。他认为,在康德那里,实践概念有三重涵义，即技能、道德和法权。不过,在康德看来,测量的、观察和实验的、生产的技术，乃至"家庭的、地方的和国家的经济,社交艺术,饮食规范,或是一般的幸福学，甚至那对癖好的克服和对嗜欲的控制等等，都不能算到实践哲学里去"，"因为在上述的它们全体之中,只包含着技能的法则(因而它们只是技术地实践的)","它们仅作为理论哲学(即自然科学)的引伸而服从于那些指示的"。谢遐龄认为,在康德的三大批判中，基本上只阐发了"道德的"这层涵义；而实践概念的第三层涵义——"法权的"，只是在《道德形而上学》这本著作中才得到比较充分的揭示。在法权问题上,康德区分了"意会的占有"和"经验的占有"。而在实践的关系上,占有一个对象是把它作为物自体（即意会体)来占有的,这与"经验的占有"即把对象作为现象体占有(如把它消费掉）是不同的。谢遐龄据此认为,在康德哲学中，"法权乃是纯粹实践理性的、在自由法则下的意志之概念"。他还认为，"康德哲学中'实践的'概念涵义与马克思哲学中'社会的'概念涵义大体相当，至少有着源流关系。尤其德国古典哲学中实践概念之'法权的'涵义与马克思哲学中'社会的'概念关系更为密切"。(《略论马克思哲学中的实践概念》,《学术月刊》1989年第3期)

基于以上的分析,谢遐龄指出,决不能把马克思的实践概念单纯阐释为技能，那等于把马克思看作康德以前的人物——把实践看作人们改造自然之行动的观点，即属于这一类。把实践单纯释为道德也不行，那等于把马克思曲解为儒学代表人物。即使进展到阐释实践为法权，仍停留在德国古典哲学所达到的水平。必须从“法权主体的消解”这个问题的解决上去领悟马克思的实践概念的新义。而在马克思看来，能够消解法权主体、具有新性质的劳动便是自由活动。这里所谓自由，乃是相对由外在目的(吃、穿等肉体需要)强制支配的劳动而言，它已经不再是那种作为谋生手段的异化劳动，而是吸引人的劳动，是个人的自我实现。总之，谢遐龄认为，坚持实践概念的前三层意义——技能、道德和法权，表现的是生活态度上的“资产阶级的狭隘眼光”，在这种生活态度下，生活堕落为生活的手段；马克思的实践概念的新义是自由活动。当然，实践概念的这层新义并不排斥其前三层意义，而是把这个概念发展过程中所展示的全部规定性都包含于自身之内。这样，实践概念便内涵了四重意义——技能、道德、法权、自由活动；其中自由活动则是其最根本的规定。(同上)

衣俊卿认为，马克思的实践范畴不只是，而且首先不是认识论范畴，他从对象化劳动和异化劳动两个方面揭示了人是实践的存在物，把实践理解为“自由自觉的活动”。这样一种实践范畴具有深刻的人本主义和本体论的内涵。值得注意的是，马克思在《关于费尔巴哈的提纲》中，归纳了实践的多重内涵。衣俊卿断定，这个提纲的第1条和第11条把实践确立为哲学的立足点和视角及理论与实际内在结合的契机；第2条揭示了实践的认识论内涵；第3条和第6条规定了实践的人本主义内涵；第4条、第8条和第10条则涉及到实践的本体论内涵。衣俊卿还着重分析了实践范畴之人本主义和本体论的内涵。他认为，“实践”既具有描述功能，也具有规范功能，乃是人“是什么”和“应如何”的统一，是人的具体特征和总体性的统一。因为一方面，就每一个历史断面而言，具体的实践活动的方式及其成果（包括人在这些活动中所形成的各种社会关系），的确是人所是的东西，就此而言，实践作为规定着人的“类的特征”的自由自觉的活动，揭示了人“是什么”的问题；另一方面，由于作为自由自觉活动的实践，其本性就在于对给定性的不断扬弃，因此，正是在人的现实存在(实践总体，人的世界）中包含着人的超越、人的未来，即人“应如何”的导向。这也就是说，人的一切，人的过去、现在和未来，人的发展与变化，都是在历史性的实践总体中展开的。正是在这个意义上，人是自由的创造性的实践存在物。实践范畴的人本主义的内涵便在于此。衣俊卿还认为，古往今来的积累性的实践不仅是人的活动总体，而且是人的世界的总体。就是说，人所能感受、认识、把握并赖以生存的一切存在物均是人的实践活动的结果，均为人的实践活动所变形、改造或过滤。在这种意义上，实践具有本体论的内涵。(《论实践的多重哲学内涵》，《吉林大学社会科学学报》1989年第3期)

徐崇温早于1988年就曾提出，实践范畴具有本体论的意义，应当把实践提升到世界本原的行列中去。但是他认为，必须始终坚持自然界的优先地位，坚持劳动实践所受的自然制约性。(参阅本年鉴1989年有关条目)很明显，他对实践范畴之本体论内涵的理解是有别于衣俊卿的观点的。不过，衣俊卿对本体和本体论也作出了自己的限定。他说："我们所说的本体论从根本上说是关于存在的学说，但是，由于人在宇宙中的主体地位的限制，我们不可能揭示作为自在存在的世界总体根基的宇宙本体，而只能揭示人存在于其中的世界的统一的、自洽的根基。实践正是这种意义上的本体。"(《论实践的多重哲学内涵》，《吉林大学社会科学学报》1989年第3期)

实践的结构 近10年来，中国哲学界关于实践结构的研究取得了很大成绩。如果说，前几年关于实践结构的分析主要集中于它的静态或解剖结构的话，那么近年来的研究进展则表现在：从社会历史的实践总体或矛盾关系的角度对实践结构进行了探讨。

王鹏令认为，从社会历史的实践总体的角度看，完整的实践活动不仅包含着人对外部世界的物质变换活动，而且包含着人对客体的认识活动和评价活动。(《论客体及其在科学认识中的符号化》，《哲学研究》1988年第10期) 衣俊卿认为，在通常的辩证唯物主义论著中，虽然引入了"实践——认识——实践"的公式，但它实质上是把认识与实践当作分立的过程看待的。他也认为，认识过程本质上不是独立的，而是内在于实践活动的，不但现代科学实验和生产的发展揭示了这一点，即使迄今为止仍然存在的精神生产与物质生产的分裂，在马克思看来也是在未来将被扬弃的特定历史阶段的异化现象。因此他认为，应当抛弃那种把认识活动从实践活动中分立出去的观点，主张把实践视作包含主体与客体、纯粹的认识活动与现实的对象化活动于自身之内的人类活动的总体。(同前)

宗坤明分析了实践的三重矛盾，以这三重矛盾作为实践的内在要素，对实践进行了结构分析。他认为，主体与客体、主观与客观、实践的规律性与能动性之间的矛盾，构成了实践的三重矛盾；而实践的内聚力与耗散性则是上述三重矛盾的现实枢纽。主体和客体、主观和客观的相互作用，在实践的过程中被其内聚力和耗散性的矛盾所熔炼、所激发，从而形成、展示实践的规律性和能动性。而实践的规律性和能动性作为前两种矛盾的最高统一，又通过主体的活动支配着上述两种矛盾的展开，从而不断酿成新的规律性的内容，促进历史的进步。(《论实践的三重矛盾》，《徐州教育学院学报》1989年第1期)

实践的分类 生产活动、阶级斗争和科学实验，是毛泽东所作出的关于实践基本类型的划分。对此学术界一般无疑义。然而依据不同的划分标准，把实践分为不同的类型也是完全可能的。隋军提出，以实践的目的与结果各自的差异及其间关系的不同作为参照标准，可将实践划分为"常规型实践"、"创造型实践"和"变态型实践"这3种类型。

所谓常规型实践，系指以重复或模仿以往的某种活动为目的，并使之物化为预期结果的实践活动。所谓创造型实践，系指一种以明确的创新意识为目的，并使之物化为预期结果的实践活动。而所谓变态型实践，则是指那些目的没有物化为预期结果的实践活动。上述3种实践活动相互依赖、相互渗透、相互作用，并在一定条件下相互转化。它们各自具有不同的作用和地位。常规型实践既具有完善作用，同时也具有抑制创新意识和想象力，僵化思维定势和活动方式的作用。创造型实践是人类实践活动的最本质的特征，是人类智慧和力量之最深刻、最集中的表现。变态型实践则具有一种引发作用，即通过某种中介环节，这种实践可能引导和激发出创造型的实践，这在科学史和生产史上是有大量实例可资证明的。(《实践分类探析》，《南京政治学院学报》1989年第2期) (且 干)

【主客体及其关系问题】 这个问题是中国哲学界最近若干年来众所瞩目的热点之一。现将近一年来的研究进展分为以下3个方面简述：

主体和主体性 什么是主体？什么是客体？所谓主体性和主体性原则又意味着什么？对这3个彼此相关的问题，哲学界一直众说纷纭。1988年以来，许多研究工作者力图对主体和主体性概念作出严格的界定，以澄清围绕上述3个问题所存在的语义混乱。

陈志良认为，马克思通过对旧哲学的革命批判，实现了由精神主体向现实的感性活动主体的转变。在他那里，主体被确定为"社会化了的人类"，"历史中行动的人"。因此，从总体上看，所谓主体就是社会，即"处于社会关系中的人本身"，而客体则是自然界。(《释主体性原则》，《哲学动态》1988年第3期)他还据此提出，所谓主体性原则，其内涵就在于肯定：人类是主体存在物，把所有其他一切都当作人类的有用物，而人类只是从其内在需要、内在尺度出发来把握和占有之。主张将上述根本观点贯穿到一切领域、一切方面，即为主体性原则。这一原则的革命意义是：不再把自然、社会和思维的发展看作某种脱离人、外在于人的运动过程，而是把它们看作在人的主体性活动过程中对人生成的，是人类主体自组织活动的产物。（同上）

关于主体性，李鹏程提出，就人在现实世界中的认识和实践关系而言，可将主体性划分为以下3个层次：(1)在人与自然的关系中，人的主体性表现为科学技术的发展；(2)在人与人的关系中，人的主体性则表现为社会主义条件下的经济、政治民主和伦理观念的建设；(3)在人与其自身反思的关系中，人类精神史、文化史、宗教史以曲折的方式反映了人在历史过程中主体性因素的不断提高。（《论人的主体性层次》，《江海学刊》1988年第3期）欧阳康认为，自决、自主、自控是人作为社会活动主体的3个最基本的特征，也是人的主体性在实际活动中的几个发展阶段。（《论人的主体地位与主体意识》，《江海学刊》1988年第1期）

与上述论者不同，罗明星著文论述了主体的客体性。他认为，任何主体都要受自身客体性的制约，其成因主要是因为能动的主体同时必然被另一个主体规定为客体，并体现于以下两个方面：(1)由于人总是社会的人，即与他人处在各种各样的社会关系中。因此，主体与客体的区分总是相对的，当一个人在一定层次上作为主体出现时，又总是作为他人的客体而存在的。(2)即使在同一个层次上，当主体的指向物是活性客体（即部分或整体地以人为其构成内容的客体）时，主、客体之间也会出现一种互为主客体的关系。（《试论主体的客体性》，《荆州师专学报》1988年第3期）

认识客体的分类 对于客体，可以有多种划分方法。如按照客体的性质，可将客体分为自然界和人类；按存在性质，可将客体分为物质和精神；按科学性质，可将客体分为自然科学、社会科学和思维科学；等等。叶海平认为，上述种种划分，对于思维方式的转换来说，并不能够成为界限分明的客体。他主张将认识客体分为两类，即“改造客体”和“观察客体”，似亦可称作“显客体”和“潜客体”。

所谓改造客体，是指人们通过改造它来获得理性认识、并运用理性认识改变客观对象的客体。一般说来，它包括所有可以直接接触、直接观察、直接体验，运用科技手段可施以物质力量，借助一定物质手段可加以分解、制作和观察的客体，其范围主要是指科学的宏观领域。所谓观察客体，是指那些包括运用全部科技手段都无法直接观察的客体，亦可称之为“求之以观察的客体”。观察客体又可分为两种：(1)现象性观察客体，其表现形式包括：具有一定现象形态，却无法观察它的内部形态的客体；具有短暂、局部、个别的现象形态，却无法观察它漫长的演化过程的客体。(2)非现象观察客体，即不具有直接的现象形态，而又有待于观察的客体。非现象观察客体又可分为两种：(1)常态非现象客体，它们是以自然的存在、运动方式而成为主体求之观察的对象的。(2)是以人为作用而存在的方式成为主体求之观察的对象的（例如在人工创造的低温环境下，许多金属都具有超导性，等等）。观察客体的范围主要是科学的宏观和微观领域。(《两类认识客体的划分和哲学思维方式的转换》，《学术月刊》1989年第4期)

叶海平认为，既然观察客体是无法直接观察的，那么，当它们被提到科学研究的议事日程上来的时候，问题的出现就并不直接导致针对某一客体的感性材料的收集，因为此时人们所面对的是一种可能存在着的客体，是一种需要进行想象和推测的客体。理性的猜想成为人们探求观察客体的基本方法。而所谓理性猜想则包括：(1)常规科学猜想，系指在原有理论范围内为解决矛盾而进行的猜想；(2)非常规猜想，这是一种针对原有理论与反常事实之间的矛盾，寻求理论突破的猜想。(同前)

主-客体关系　自从主、客体及其相互关系的问题，被作为一个普遍关切和极其重要的问题郑重地提到中国哲学工作者面前以来，在最近若干年中，认为在主、客体之间存在着实践、认识和价值这三重并列关系的观点颇为流行，并被广泛地加以应用。1987年，王鹏令在《中国社会科学》第3期上发表《面向主体和科学》，首次对这种流行的观点提出质疑，并提出了不同的看法；尔后，又在1988年第10期《哲学研究》上发表《论客体及其在科学认识中的符号化》一文，就主客体关系问题进一步阐述了自己的观点。他认为，实践本身包含着主体多方面、多层次的活动，因而由主体所建立起来的主客体关系也是多方面多层次的。从总体上说，主体的实践活动可划分为物质变换活动、认识活动和评价活动这三个方面；相应地，在主体的实践活动中也生成了主体对客体的三重关系，即物质变换关系、认识关系和价值关系；而主体对客体的实践关系则是上述三重关系的综合或统一。按照这种观点，主体对客体的认识关系和价值关系与它们之间的物质变换关系一样，都只不过是实践关系的内在分化和内在环节，因而决不能把主体对客体的物质变换关系、认识关系和价值关系与作为这些关系之综合或统一的实践关系相分离、相并列。实际上，在人们社会历史的实践过程中，主体对客体的物质变换关系、认识关系和价值关系也是有机地联系在一起的，从实践关系中排除掉认识关系和价值关系，无异于把人们的实践活动等同于纯粹自然物自在的运动。这是因为：第一，尽管到目前为止，由于精神生产和物质生产的分裂，所以人们仍然有理由把精神生产和物质生产及其主体相对地划分开，但是如果从社会总体和社会历史的发展过程来看，相对独立的精神生产毕竟是社会历史的实践活动的一个方面或一个环节；更何况，这种分裂、对立或异化，毕竟只是特定历史阶段的产物。第二，就人们现有的实践活动来说，既然实践目的的形成不能不以主体对客体业已达到的科学认识和价值评估为前提，既然主体在自身的实践过程中必须对客体进行再认识和再评价，用以不断地校正、修改甚至重建自己的目的及作为目的之具体化的计划、方案等等，那也就表明，人在自己的实践活动中，必然不断地生成着主体对客体的认识关系和价值关系。

（旦　千）

【价值范畴研究】 近一年来，关于价值范畴的研究进展，主要表现在两个方面：其一是对价值范畴进行了动态的考察；其二是对价值领域里的认识活动的特殊性，进行了初步的分析。

张南认为，研究价值范畴不能仅仅局限于那种完成形态的价值关系，最要紧的是研究具体价值关系运动的全过程。他认为，价值过程有其自身发生的起点。不过，这一起点并非现实的主客体关系，而是一种观念性的设定，是在观念中设想的一种主客体关系，即一种可能意义上的主客体关系——价值目标。事实上，主体只有首先在观念上确定了价值目标，才可能凭借自己特殊的能动性，在现实中建立起价值关系，才可能有价值关系的全部运动过程及其最后结果，达到客体满足主体需要的目的。主体设定价值目标，其首要的前提便是他自身的评价能力和评价活动。然而主体绝不可能在对客体毫无所知的情况下对客体作出评价，要对客体进行评价必须认识自身的需要和客体的属性。因此，在比较浅显的意义上，认识成果是主体设定价值目标的前提条件；而在深层的意义上，主体的认识能力和认识活动则是设定价值目标的前提条件。由于主体对客体属性和自身需要的认识皆以社会实践为基础，所以不言而喻，价值目标的设定也不能不以实践活动为前提——这虽然是一个间接性的前提，却又是一个更为根本的前提。价值目标只有在现实的实践活动中才能实现。但是，价值关系首先应当在观念中与实践关系结合起来，即在主体设定实践关系运动的观念模式的同时，设定价值关系运动的观念模式，并将其熔铸于实践关系运动的观念模式之中。这就是观念中的价值关系运动。价值关系运动的观念模型借助于主体的实践活动，在主体现实的实践活动中转变为现实的价值关系运动。这是一个质的飞跃，一个具有转折性意义的突变。论者认为，从整体上看，价值关系运动形成了一个具有信息反馈机制的自我调节系统。论者还描述了这一自调节系统的3种反馈形式。(《论价值关系运动过程》,《晋阳学刊》1988年第6期)

商学群认为，了解价值领域认识的特殊性,既可以深化认识论,也有利于人们正确认识事物和自身行为的价值。他认为,在价值领域,不论就认识的对象、认识的形式或认识的检验过程来说,都有其独特性。

首先，人的认识包含着对客体之本体属性和价值属性的认识；与此相应，对客体之本体属性的认识和对客体之价值属性的认识，便构成了人的认识过程的两个环节。但就认识的对象来说，对客体之本体属性的认识所要把握的，是事物的自然本质，是事物本身所固有的不以人的意志为转移的必然性；而对客体价值属性的认识所要把握的，则是事物的"人化"本质，是事物在人类的意志和行为的干预下为人类意志服务的必然性。显然，只认识前一种必然性，还不足以说明人与客观外界的关系；只有认识这两种必然性，才能全面地说明人与客观外界的关系。由此也不难明白，在阐述人的认识的发展方向时，如果只讲从感性认识向理性认识的发展，那还不能全面地概括人的认识发展的全过程。因为在感性向理性发展的基础上，还有一个由认识事物的本体属性向认识事物的价值属性的发展方向。

其次,不仅在感性认识阶段,而且在思维过程中，价值领域的认识形式也有其固有的特点。因为第一,这个领域的思维表现为以感知和情绪为基础的思维;第二,这个领域的思维表现为"双边思维"，即对客体功用的感知和情绪的思维;第三,这个领域的思维表现为对比思维，即对自身的需求和客体的功用进行对比的思维;第四,该领域的思维表现为"选择"思维，即在自身的情绪或对客体功用的感知、自身的需求或事物的功用之间进行选择的思维。

最后,在价值领域里,实践对认识的检验过程也具有特殊性。论者指出，通常我们谈到实践是检验认识的真理性的标准时，指的仅仅是人们按照对事物本体属性的认识来改造事物并创造价值的那种实践。实际上，主体对客体价值属性的认识，只有通过主体消费价值的实践活动才能得到检验。他还认为，把消费价值的活动纳入实践范畴，乃是研究价值领域认识的前提和基础。所谓通过消费价值的实践活动的结果来检验人们的价值认识和价值评价，其中包括两层含义：(1)是看价值认识、价值评价与消费价值的实践活动之直接具体的结果是否相一致；(2)是看价值认识、价值评价与其所反映的消费价值的实践的结果在整个消费价值的实践体系中的客观地位是否相一致。(《价值领域认识的特殊性探讨》,《湖北师范学院学报》1989年第2期)

(且 干)

【关于超前意识的研究】 关于超前意识的问题近两年来正引起哲学界的注意。对超前意识是否存在、如何表述、其特点、作用、理论的和实践的意义等问题的探讨已初步展开，但还未形成争论。主要有以下几个观点：

承认超前意识是不是就否定了存在决定意识？ 孙洪敏认为，承认超前意识是在肯定存在不依赖于意识，意识是存在的反映的前提下，承认在客观事物尚未出现时，意识可能把它想象出来、创造出来。(《论超前意识》,《社会科学辑刊》1988年第5期)

何谓超前意识 孙洪敏认为，超前意识是指先于客观事物出现而出现、先于客观事物的发展变化而发生变化的意识。(同上)张光成从与实践的关系来规定超前意识，即理想图式是指导实践的观念，是在人的活动过程之初已经观念地存在着的作为活动结果的“表象”。它是观念形态的人化自然，这种人化自然是对客体可变性、合目的性的反映。它又是实践过程的超前反映，是人在意识中超前进行了的实践过程。(《理想图式简论》,《求是学刊》1988年第5期)周文彬、林翠英认为超前认识就是具有预见性的认识和理论。(《超前认识与再认识》,《华东师大学报》1988年第5期)杜理认为，超前认识是主体在实践活动基础上，通过把握客体运动规律的人脑思维活动所产生的对客体运动的趋势和前景的能动的反映。(《超前认识：反映性与创造性、现实性与超越性的统一》,《中州学刊》1989年第4期)

超前意识的产生、形成、发生过程 孙洪敏认为超前意识的出现依赖于意识的能动性和一定的客观条件，并受后者的制约。就是说超前意识产生于人类生存发展的需要和人们对客观事物的认识。(同前)张光成对他的理想图式的形成过程作了心理学、逻辑学考察。他认为理想图式形成是知、情、意多种意识因素，逻辑思维、形象思维和灵感思维多种认知功能综合作用的结果。可以从列宁提出的辩证法、认识论、逻辑学一致的思想出发，运用辩证法五对范畴的能动作用来刻画理想图式形成的逻辑历程。(1)初级阶段，即获取材料阶段，用现象与本质、原因与结果、必然与偶然三对范畴来概括。(2)高级阶段，即运演加工材料阶段，则用现实与可能、内容与形式范畴来揭示这一阶段的实质。(同前)叶海平、徐云望认为,超前思维发生过程大致可分为3个阶段:(1)在原有理论与反常事实矛盾的基础上提出问题,判断矛盾的性质并寻找解决矛盾的突破口。(2)运用逻辑思维、非逻辑思维、潜意识思维进行想象和构思,在非理性因素影响下,在观念上形成观察客体现象形态的“心理意象”。(3)探求现象背后的原因。进一步深化超前思维,形成系统的理论假说。(《论认识的主体性、超前性和验证性》,《江西社会科学》1989年第3期)

关于超前意识的特点 众说不一。周文彬、林翠英概括为5个特点:创造性、风险性、争议性、模糊性、特大功用性。(同前)刘进富认为,除了创造性以外,超前认识还有指向事物发展和人们活动的未来这一基本特征,和一定程度不确定性兼容不具体性的特点。(《超前认识的特点》,《争鸣》1989年第5期)杜理认为超前认识最主要特征有两个:超越性与创造性。超越性通过主体反映客体活动的3个侧面而区别于同步认识,即(1)反映指向的超前性;(2)认识形式的跳跃性;(3)反映结果的或然性。创造性特征通过中介、目的、决策、创新4个功能,展现出实践的观念模型。这两个特征互相联系,前者是后者的认识基础,后者是前者的实践功能。他认为超前认识还有反映性与现实性两个特点。(同前)叶海平、徐云望认为,超前思维的主要特点是:(1)创造性和预见性;(2)可误性和猜测性。这是因为超前思维的成果在一定程度上包含主观臆造成分。同时,想象构思中设定的条件常超越日常经验,很多属于主观假设和估算。这就使它与实践产生脱节,从而引发出如何提高超前思维的精确性和可靠性的途径问题。(同前)周文彬、林翠英认为逻辑论证、思想实验和科学的定量分析是从超前认识到实践不可缺少的环节。它能克服超前认识的相对性和局限性。具体说就是用发展着的实践检验、清除与之不相符合的主观成分,用新的认识对超前认识进行再认识。(同前)

超前意识的作用 孙洪敏认为,超前意识在人类认识世界、改造世界过程中所起的作用非常之广大。人的一切行动都是有意识有目的的,其中就包含超前意识。超前意识对社会前进起推动作用。社会变革能否成功,取决于超前意识所支配的力量是否大于落后意识所支配的力量。但并非一切超前意识都具有创造世界的积极作用,它也有是否与客观规律相符合的正误之别。即使以正确的超前意识作指导,也还要具备某些具体条件。所以不能因为行动没有成功,就断言超前意识不正确。(同前)

超前意识的意义 从理论上讲,孙洪敏认为,只有明确超前意识,才能正确回答存在和意识的关系问题。(同前)周文彬、林翠英认为马克思主义认识论是能动的反映论，是反映与创造的辩证统一。但如果否认或排除超前意识，把认识与当前的客观实际简单地符合，实际上是把辩证唯物主义认识论降低到机械唯物论的水平。这样的理论认识实质是脱离实际的。从实践上看,实现超前意识,可提高人们驾驭整个事物发展变化的能力。(同前)

叶海平、徐云望和周文彬等文都论及实现超前意识还必须具备主客观条件和意识主体的道德素养。

(杨晓廉)

历史唯物主义

【历史唯物主义研究概述】 1989年，在历史唯物主义研究领域内历史过程的主客体问题仍在继续讨论，几种观点的分歧仍在争论，并且趋于明朗；一些历史唯物主义的基本理论观点的研究散见于报刊，没有形成新的争论；有一些新的研究热点开始出现，但还没有形成讨论。

相应于哲学体系中的实践唯物主义之争，在历史唯物主义领域之内的主要热点还在主、客体的研究。1989年的研究进展主要侧重点是一方面继续在基本概念的规定性方面进行讨论，另一方面将研究扩展到一些更为具体的论题之中，以期从这些研究中获得新的论证。比如，关于历史主、客体与历史过程、社会形态和历史规律之间的关系问题，关于主体性研究和现代教育的关系，等等。这些讨论无疑扩展了研究问题的思路。

关于社会认识论的研究一直作为历史唯物主义研究的一个新角度而继续受到重视。1989年召开了全国第1届社会认识论讨论会。除了继续在社会认识论的性质、对象等基本问题上展开深入研究以外，也出现了将论题具体化的趋势，一系列社会认识的具体问题和各种社会认识领域的认识论分析，开始进入研究的视野。

在历史唯物主义理论的传统研究领域中，对一些基本概念问题的讨论还在继续。如历史唯物主义的对象、性质和职能问题，在1988年的研究中已经表现出来的对历史唯物主义的现代发展的重视，将历史唯物主义放在历史哲学等新的视角上加以理解的趋向还在继续发展。但是可以看出，历史唯物主义基本理论概念的研究尚未出现突破，大部分论题比较陈旧。

随着改革的深入发展，中国思想文化领域的各种争论日益激烈，反映在历史唯物主义理论的研究中，出现了关于意识形态这个概念的新的讨论。有关文章认为，应该结合西方意识形态理论的发展，对马克思主义的意识形态理论进行重新研究，积极地回答中国目前社会实践中提出来的有关意识形态的问题，以便更好地分析、认识和总结社会主义初级阶段意识形态运动规律，加强意识形态的建设，适合改革进程的需要。

1989年是“五四”运动70周年。几年以前一直在热烈讨论的文化问题重新趋向高潮，以中国社会科学院哲学所“哲学与文化”课题组发表的研究提纲为代表，这一问题的研究再次引人注目。在试图以历史唯物主义观点来解剖文化现象的同时，理论本身也得到了丰富。

1989年是普遍期望出现理论上的突破而又未能实现突破的一年。改革是一个不可逆转的趋势，理论上的变革和发展也是一个必然的趋势，长期的蕴酿必能结出丰硕的成果。（张晓明）

【关于历史过程的主客体问题】

1988年底至1989年底，关于历史过程的主客体问题的讨论，除对历史主客体的规定性及其相互关系的研究有所深化以外，还把这种研究与历史唯物论的其他范畴联系起来考察，在理论探讨的深度和广度方面均有可喜进展。

一、历史主客体讨论的根据 有人认为，从客体转向主体，这从认识领域扩大和深化角度来看是进步的，但从唯物史观创立一个半世纪以后，重新从唯心论、从抽象的人文主义角度提出这个问题，又是一种倒退倾向。（陈先达：《历史的主客体》，《天津社联学刊》1988年第8期）有人则认为，哲学的主体化即哲学的变革有其现实根据：首先是思想解放引起了对哲学自身的反思，来自实践和西方哲学两方面的挑战使我们愈感哲学的贫困；第二是科技的进步、社会的发展导致各领域都提出了新问题，这些问题无不交织主客体关系而要求予以回答；第三是改革的时代需要激发人的奋发进取和锐意创新的精神。（丁绍华：《哲学主体化与主体意识的觉醒》，《安庆师院学报》1989年第1期）还有人论述了主客体理论在西方哲学史和马克思主义哲学史中形成的历史过程，认为社会主客体的确立反映了马克思主义哲学与一切旧哲学的根本差别，它是与马克思主义哲学的实践性和社会性本质相联系的。（胡海波：《社会主体的方法论构想》，《东北师大学报》1989年第1期）

二、关于历史主体和客体的规定性 有人认为，历史主体是指有意识认识、改造客观对象以满足自身需要的历史活动中的个人、集团和社会主体等。不同层次的历史主体的能动性大小表现形式存在差别，但从历史过程中看均具体表现为目的性、选择性和创造性，它们构成历史形成和发展的必要条件，是推动历史和社会前进的因素，其发挥程度及其对社会发展的作用又受到社会经济、政治和文化等条件的制约。（陈晓琳：《历史主体能动性的基本特征》，《陕西师大学报》1989年第2期）但也有人不同意上述见解，认为历史主体不是特指人的个体、人的群体或族类，而是人的各种存在形态的科学抽象，是人的所有存在形态的有机统一；而历史客体作为历史主体对象化物质活动的结果、作品，人的本质力量的对象化，由三部分构成：实体性客体，关系性客体，精神性客体。（林剑：《历史主客体若干问题之我见》，《哲学动态》1989年第3期）有的论者则具体讨论了社会主义历史阶段的主客体问题，即社会主义主体系统以人为中心，可概括为：个人主体、集体主体和社会主体，其核心是马克思主义政党领导下成为国家和社会主人的广大人民群众。社会主义客体系统指社会主义主体认识和实践的对象，它包括社会主义的自然条件、社会生产力和生产关系、上层建筑和经济基础，以及由此构成的社会主义社会基本矛盾运动。（张江明：《社会主义主体和客体的辩证关系》，《学术研究》（广州）1989年第3期）

三、历史主客体与历史过程、社会形态和历史规律的关系　有的论者把历史主客体与历史发展过程联系起来，认为历史作为客体过程表现为客观前提条件发展的过程和社会形态不断更迭的过程；历史作为主体过程表现为人的社会活动的系列过程，因为所谓历史规律即“人们自己社会活动的规律”。而历史全部过程正是社会主体与社会客体的相互作用过程。所谓历史发展的自发性和自觉性不是主客体某一单方面作用的结果，而是相互作用造成的，即不能把历史运动自发性归结为客体性，把自觉性归结为主体性。在主客体的交互作用过程中，需要、利益和价值评价起着一种中介作用。（辛敬良：《历史过程的主客体及其相互作用》，《复旦学报》1988年第6期）有的论者则认为，社会形态是历史主体与客体的统一，历史主客体的相互作用的规律是社会历史发展的最普遍的规律，也是解释社会形态的最根本的依据。马克思是用客体（生产力和生产关系）与主体（历史主体的主体性的发展程度）相统一的标准来划分社会形态的。只有坚持主客体标准，才能真正体现历史唯物论与历史辩证法的统一，既有助于把握某一社会形态的基本特征及其不同发展阶段上的特征，又能在更深层次上理解客体标准。（黎永泰：《论划分社会形态的主客体标准》，《江海学刊》1988年第5期）还有人指出，历史规律也存在于历史主体的活动之中，这是本体论意义的统一，即历史主体的活动是历史规律的载体；历史活动主体在社会活动中对历史规律的认知是认识论意义的统一；历史活动主体对历史规律的运用和驾驭是实践意义的统一。历史主体活动与历史规律相互统一的历史发展过程，即人类从必然王国走向自由王国的过程。(穆怀中：《从历史主体活动与社会规律的统一看历史唯物主义的对象与体系》,《辽宁大学学报》1989年第1期）有的论者则在历史规律与历史趋势之间作了区别，认为历史规律不以人的意志为转移，但人却能影响社会发展趋势：人所追求的价值目标，人对规律的认识程度，人的价值目标的一致性和对规律的一致性，都影响着社会发展的趋势。人对事物发展趋势的控制和改变有两种情况：通过控制规律起作用的方向或通过规律起作用的范围达到对事物发展趋势的控制。(沈晓阳：《规律·趋势·人的活动》,《哲学研究》1989年第6期）

四、历史主体性的规定 某些人认为，人的主体性即人作为社会活动主体的本质属性，主要由能动性、创造性和自主性构成，它在人类历史发展过程中既有全面与片面之分，亦有程度高低之分。具体的主体是多种属性的综合，它是本质属性与非本质属性（即受动性、重复性、适应性）的统一。否认本质属性会把主客体混淆起来，否认非本质属性则会把主客体绝对对立起来。人的主体性是在本质属性与非本质属性的相互作用中发展的。(袁贵仁：《人的主体性的辩证法》,《江海学刊》1988年第5期）也有的人引入了当代西方哲学的思想，认为人的主体性是人作为总体性存在物的本性之直接的反映，揭示了人同世界的关系或人在宇宙中的地位。它不同于主观性，也不与客观性离异，其真正座标应位于自然性和神性之间。自然性即自在性、给定性，绝对必然性和偶然性是其存在的基本形式；神性即绝对自由、创造性和目的性的化身，它是理想化人性的对外投射，是人对永恒、完善的内在渴望的外化。从自然性角度看，人的活动是自由的，有目的性和创造性，具有类神的特征；从神性角度看，人在尘世中永远有限，受外物的束缚。这就决定人的悲剧命运：人是有限的，不完善的，却渴求无限和完善，人就这样处于一种自我分裂中。这种双重导向在具体历史过程中揭示了人的主体性的双重内涵：一方面是人对自然控制增强，人与自然分化，人的本质力量不断获得、拓展；另一方面是人的自我分裂，人的社会活动与社会关系的固定化、异己化，人的本质力量的丧失、弱化。(衣俊卿：《论人的主体性的双重内涵》,《社会科学战线》1989年第2期）

五、人的主体性与人的全面发展以及与现代教育的关系 有的文章认为，关于马克思的人的全面发展的概念，过去主要是从社会的视野把个人作为客体的角度来理解的，即：生产力的高度发展是人全面发展的物质基础，合理的社会关系是人全面发展的基本条件，全面发展的教育是人全面发展的主要条件，教育与生产劳动相结合是人全面发展的根本途径。该文作者认为上述只是人全面发展的外部条件，非内在条件；唯有人的主体意识和主体能力才构成了人全面发展的内在因素和必要条件。（张继良：《北京师范大学学报》1989年第4期）也有的文章认为，现代教育以其自身的优势和特点极大地促进了人的主体性的发展。因为所谓主体性的根本特性即在于人的能动性、自主性和创造性；人的主体性——个性结构包括主体意识和主体能力，它是人的主体性赖以存在和发挥的内在机制，也是衡量人的主体性高低程度的标志。而现代教育以其全面性为人的一般主体性的发展提供了全面的深厚、扎实的基础，这就在于人的主体性的重要基础是人的生理-心理-文化结构的全面、和谐、充分自由的发展；并且，现代教育还以其科学性、民主性、开放性为人的主体性的发展提供了条件。（储皖中：《论人的主体性的发展与现代教育自主性原则的建立》，《北京师范大学学报》1989年第4期）

六、关于社会主体活动的方法论原则　有的论者认为，人类活动由社会主体、社会客体及作为联系上述二者的活动方法或手段三项要素构成。论者从人类活动的总体关系中引述出马克思主义的本质特征——实践性，认为要加强对社会主体改造世界的实践方法和方法论的研究，提出了自己对社会主体方法论原则的构想：客体性原则，即社会客体作为社会主体活动对象，具有不以社会主体意识为转移的客观实在性，即客体性原则规定的是社会主体活动"本应如此"的问题；主体性原则规定的是"应当如此"的问题，它具有自主性和创造性本质；和谐性原则，即把主客体统一起来，在实践中彼此渗透，相互制约，具有真与善相统一的美的本性；现实性原则，即实践活动方法论建立在现实的实践活动之上。（胡海波：同上）

七、主体活动的选择性与非选择性及社会生活的特点、本质问题　有人提出，选择性普遍存在于一切生命活动中，其特点在于自觉性，它是主观能动性的体现；非选择性即主体活动具有不以主体的主观意志为转移的性质，即客观必然性、不可避免性，表明主体活动受到种种主客观条件限制。二者虽为一对现实矛盾，但主体任何活动都是选择性和非选择性的统一，它就体现在人类能动活动的自我制约上，其统一的客观根据是事物的根本性质、基本发展趋势，其统一的主观根据则是主体自身的状况。（廖光焰：《试论主体活动的选择性与非选择性的内在统一》，《四川师范大学学报》1989年第3期）还有人从历史主客体问题的角度，讨论了社会生活的特点及本质；社会生活具有主体性、单一性和随机性3个特点；社会生活本质问题上有3种观点：社会无客体论，社会无主体论及社会生活实践论。作者认为唯有把社会生活的本质理解为实践的，才能解决社会主客体（等同历史主客体）的统一性问题，和社会的起源和基础问题，才能揭示社会生活的基本内容，即实践活动。（陈先达：同上）

（范 进）

【社会认识论与社会辩证法】 在1989年召开的“首次社会认识论学术研讨会”前后和期间，一些人对社会认识论的研究对象、途径和方法等理论问题进行了探讨。此外，1989年还举行了“第5次全国社会主义社会辩证法学术研讨会”，对社会主义社会辩证法的研究亦有新的推动。

一、关于社会认识论的若干问题 1.社会认识论的界说及研究对象。夏甄陶指出，社会认识论并不直接等同于关于一般社会性认识的广义的一般哲学认识论，不是广义地以一般社会性认识为研究对象。社会认识论是关于人们如何认识社会的理论，它以人们对社会的认识为研究对象。社会认识论虽然并不直接等同于一般哲学认识论，却是从哲学认识论的角度，考察人民认识社会的特殊活动结构、活动方式、活动方法、活动规律和这种认识的发生发展过程，揭示人们认识社会的“自己构成自己”的特殊道路。（《我们需要社会认识论》，《哲学动态》1989年第6期）他的这种观点得到不少人原则上的赞同，但也有人指出，根本不存在一门独立的“社会认识论”。其理由是，独立于历史认识论和人本认识论之外的社会认识论是不可能的。另有人认为，社会认识论很难与一般认识论区分开来；同时，我们已经有了唯物史观这一认识社会的完备学科，没有必要另立一门社会认识论。（李明华：《全国首次“社会认识论”学术研讨会综述》，《哲学动态》1989年第6期）2.社会认识过程中的价值因素。价值因素在社会认识中有着举足轻重的作用，如何评价价值因素对社会认识的影响？一种意见认为，科学的社会认识应当尽量摆脱“价值的纠缠”，坚定地从全社会和绝大多数人的需要和利益出发，尽可能客观地考察社会现象和社会历史问题。另一种意见认为，社会价值客体与自然价值客体不同，它没有中立性，它只满足部分社会集团的利益，而牺牲另一部分人的利益。还有一种意见认为，尽管不同的主体有不同的价值尺度，因而影响了人们认识的正确性，但随着社会实践的发展，最终总会有一种以社会为主体的客体价值尺度。（李明华：同上）李剑锋从价值环境对人格发展的作用入手分析了社会认识过程中的价值因素。他指出，一切价值客体无不具有二重性，即内在价值和外在价值，其内在价值是由它们自身的功能和属性决定，其外在价值是由它们的内在价值决定，这是一条社会总价值规律。如果一个社会中各种客体的外在价值和内在价值基本一致，那么这个社会就必然会形成一种以名副其实的价值事实为基础的"适度价值环境"。在适度价值环境中，人们会根据名符其实的价值事实，选择正确合理的价值参考系，最后实现自身的内在价值和外在价值的统一。反之，也存在着"不适度的价值环境"，其带来的结果也是相反的。（《价值环境与人格导向》，《社会科学研究》1989年第4期）3.关于各种社会认识领域的认识论分析。欧阳康在这方面开展了一系列有价值的研究工作。例如，他从社会认识论角度对历史认识中若干基本问题作了分析。他认为，在历史认识过程中始终贯穿着的一对基本矛盾是现实与历史的矛盾。人们在现实的时间和空间中持续地思考和研究着历史客体，在思想上接近那个已逝的客体，在观念中理解和再现它们，思维过程的这种逆向运动是历史认识过程的最本质的特征。（《历史认识论》，《社会科学战线》1989年第3期）同样，他也从社会认识论的角度对社会规划问题作了初步分析。他指出，人类认识的全部运动，是一种向着实践目的的运动，人类根据实践的需要来认识各种条件和对象，对实践目的和实施方式做出观念的预测和建构。实践观念是人类掌握世界的实践方式在观念中超前反映和事先建构。实践观念在内容上有对象性知识、预见性目的和实施性方案3个方面。相应地，一般意义上的社会规划活动大体上包含着这3种基本形式，即以了解社会现实状况为己任的社会统计和观察，以勾画未来理想前景和活动目的为己任的目标设计和决策，以确定合理有效的行动方案为主要任务的行为决策。（《理想社会的探索与建构——社会规划活动的认识论分析》，《福建论坛》1989年第5期）4.社会科学研究中若干认识论问题。在讨论社会认识论的对象问题时，有人曾指出，社会认识论是社会科学的认识论，其对象不仅是认识活动，而且还包括各门社会科学对社会的认识。（李明华：同上）尽管这种说法有待讨论，但社会科学研究中的认识论问题开始受到人们的关注。陶远华列出了社会科学研究中9个认识论问题："社会测不准"问题——研究者所得的关于社会的感性材料是否可靠问题，座标原点与利益的认识效应问题，情感信息问题，描述的模糊性与精确性问题，社会科学实验问题，社会科学研究中的证据问题，个体与整体问题，政治与认识问题，社会科学理论的合理性问题。（《社会科学研究中的几个认识论问题》，《哲学动态》1989年第9期）这些问题有待今后探讨。

二、关于社会主义社会辩证法的研究 1.研究社会主义社会辩证法的逻辑起点是什么?一些人认为,社会主义社会辩证法研究的起点应当是矛盾。但对此又有3种不同的理解,一是理解为社会主义社会中的普遍矛盾;二是理解为基本矛盾;三是理解为非对抗性的矛盾。另外还有其他观点,例如,认为社会主义社会辩证法的逻辑起点应当是现实社会主义社会中那些对人的实践有重大影响的基本关系,如社会制度、体制与经济基础及上层建筑的关系构成的社会主义宏观结构等。(吕伟利:《记第五次全国社会主义社会辩证法学术研讨会》,《哲学动态》1989年第7期)张江明认为,研究社会主义社会辩证法的逻辑起点是非对抗性矛盾,其理由是,非对抗性矛盾是社会主义的本质矛盾,是社会主义社会一切矛盾的基础和细胞。而如果把普遍矛盾和基本矛盾当作逻辑起点,就过于一般化,不容易把它的特性表述出来。(《社会主义社会辩证法的研究对象和方法》,《社会科学辑刊》1989年第2、3期)2.关于现实社会主义基本矛盾和主要矛盾。针对国内理论界一种对社会主义基本矛盾持否定态度的观点,有人提出,可以从社会主义各国的体制改革的共同趋势中概括出社会的基本矛盾,即现实社会主义条件下生产的社会化水平与公有制具体形式之间的矛盾。有人认为,现实社会主义基本矛盾是利益群体的重组与传统的社会控制模式之间的矛盾。还有人认为,社会主义主要矛盾是人民内部矛盾。针对目前理论界和国内习用的“我国现阶段的主要矛盾是人民不断增长的物质文化需要同落后的社会生产的矛盾”这一提法,有人提出,这主要是人与自然的矛盾。(吕伟利:同上)

除了上述两大方面的问题,有人还从社会辩证法作为历史唯物主义的延续和补充的角度,对它的构想和若干基本理论问题作了初步探讨。柳昌清提出社会辩证法具有三个基本规律,它们分别为:“惯性——冲动性”规律、“协调——发展”规律和“价值——价值实现”规律。(《关于社会辩证法的探索和构想》、《有关社会辩证法基本规律的几个问题》,《学习论坛》1988年第5期、1989年第1期)

(吴 米)

【关于历史唯物主义基本理论的思考】 1989年,理论界出现了一些有关历史唯物主义基本理论的新的提法和新的理论成果,但未形成讨论。现介绍如下。

一、历史唯物主义的对象、性质和职能 杨耕提出,确定历史唯物主义的哲学性质的标准在于它所研究的问题与哲学基本问题的联系之中。把研究客体放到与意识的关系之中,研究我们怎样才能正确认识客体及其规律的问题,是现代哲学所特有的研究方式和任务。因此，作为科学的历史哲学，历史唯物主义并不是对历史规律的客观描述，而是把研究客体放到与意识的关系之中，研究我们怎样才能正确认识历史本质及其一般规律的问题。对于历史唯物主义来说，具有原则性意义的，正是“意识与社会存在或客观历史”的关系问题，否则它就不成其为历史哲学；同时历史研究中所遇到的一切问题，只有同意识与社会存在或客观历史的关系问题联系起来加以理解和考虑时，才能得到哲学的规定。

杨耕并且区分了“历史本体论”和“历史认识论”两个概念。他认为，历史本体论是探讨历史的本质的理论，它主要揭示历史现象中的本源和派生关系，在这里，意识和社会存在都作为历史哲学的最高范畴出现了。历史认识论是研究作为认识主体的人对于以人为主体的各种历史现象的认识过程及其一般规律的理论，它主要揭示意识和社会存在如何达到一致的辩证的逻辑和途径。历史唯物主义应扬弃历史本体论和历史认识论之分，并且同时实现这双重的职能。杨耕同时认为，历史唯物主义是关于历史的最高抽象，但同时，它的研究对象应有其具体的体现。这就是历史的主体和客体。历史唯物主义的任务就是要对历史主体和历史客体的认识关系和改造关系以及这两种关系之间的关系进行反思。(《关于历史唯物主义对象、性质和职能的沉思》,《教学与研究》1989年第1期)

二、关于“五种生产方式”的讨论 1989年又有不少文章继续论述这一重要问题，其中杨生民和叶险明的两篇较有代表性。杨生民认为，“五种生产方式”说是从斯大林开始正式形成，并作为一种模式固定化的。

杨生民根据马克思的论著以及有关史料，指出了“五种生产方式”说的三大理论失误。(1)它忽视了各个民族、地区和国家的横向的联系、影响、斗争对人类历史发展所起的巨大推动作用。然而，人类的历史既是在各个民族、国家纵向的生产力与生产关系的矛盾运动中发展起来的，也是在各个民族、国家横向的联系、影响、斗争中发展起来的。离开了横向的互相作用，单靠各个国家、民族自身的纵向发展，有些也是发展不起来的。(2)它忽视了在生产力基本相同的状况下，可以形成不同的生产关系、社会制度，忽视了商品经济、商品生产对于社会发展的巨大作用。如果把生产力视为决定生产关系的唯一因素，忽视其他因素的作用，对于许多历史现象便无法作出科学合理的解释。(3)斯大林对自然条件、地理环境对于社会发展的影响之解释也是片面的。在一定条件下，自然条件对社会发展可以起决定作用。杨生民还指出了“五种生产方式”说的内在矛盾。他问道，既然随着生产力的发展，生产关系也“与此相适应而变更和发展”，并由此产生出五种生产方式，那么人类社会就应有与五种基本生产关系相适应的五种不同的生产力发展水平，但在人类历史上却很难找出这样五种不同的生产力发展水平。杨生民还顾及到了中国的问题。他认为，中国奴隶制与封建制分期问题长期讨论而得不到解决的根本原因，就是因为奴隶制与封建制二者在生产力方面没有界限，在生产关系方面二者界限小得难以区分。可以说，二者基本上是在同一种生产力水平上滋生出来的两种相近的生产关系和社会制度。如果我们把生产力标准坚持到底，按生产力标准划分，那就可以把二者列入同一社会形态。

杨生民最后断言，迄今为止，在人类历史上没有一个民族、国家依次更替地经历过五种生产方式。以这一学说为指导研究历史的一个显著功能就是以西欧历史为模式，削足适履，改造别国历史。尤有甚者，搞综合年代学，欧洲奴隶制何时发生、发展、衰亡，要让东方各国历史也照此办理，这简直可以说是肆意歪曲东方历史了。(《论五种生产方式说的理论失误、内部矛盾与彼此更替》，《北京师范学院学报》1989年第1期)

叶险明则提出了另外一条思路。他认为，生产力与生产关系的关系系统大体上有3个层面：生产的国际关系、生产的民族内部关系和生产的民族间关系。前者构成了生产力与生产关系的关系系统的国际性，而后者则构成了这一关系系统的民族性。与生产力和生产关系的关系系统相适应，人们可以从生产的国际关系构成、生产的民族内部关系构成和生产的民族间关系构成这3个既相联系又相区别的视角上，考察生产力与生产关系的关系系统。

马克思从生产的国际关系构成的角度，把各个民族和国家的生产力与生产关系的关系系统作为一个完整的单位来加以考察，并由此将人类社会的循序递进发展划分为五个阶段。叶险明并且由此出发提出了如下看法：(1)“五阶段论”所揭示的人类社会循序递进的方向具有不可逆性。一是其总方向的不可逆性，二是其阶段性方向的不可逆性。(2)世界上绝大多数民族和国家都未依次经历过独立的奴隶、封建和资本主义社会。但如果从国际关系构成的角度看，上述事实并非“跨越”。它也不能作为推翻“五阶段论”的证明。(3)从生产的国际关系构成角度看，在世界历史总体发展的过程中并不存在着什么“逾越”，但却存在着“互补关系”。这种关系具有两种含义，一是泛指各民族和国家以及它们的生产力与生产关系的关系系统间的相互联系、相互作用；二是专指在奴隶、封建和资本主义时代中最能体现这三个时代的性质的、典型的、生产相对发达的民族和国家的存在及其发展，必须以生产相对落后的奴隶、封建和资本主义社会的民族和国家的存在为前提。(4)"五阶段论"的划分单位是世界历史时代，而不是民族和国家。马克思在《政治经济学批判》序言中所讲的"社会经济形态"，指的是特定的世界历史时代及其性质，而不是处于同一历史时代中的不同类型的民族和国家。(《世界历史时代与"跨越"问题》,《哲学研究》1989年第9期) (安延明)

【文化研究中的历史观问题】 几年来的文化研究始终围绕着一个基本问题，即社会发展与文化变革的关系问题。而这一问题实质上是个历史观问题。1989年，关于这一问题的研究逐渐走向深入。

一、关于文化变革的实质

"哲学与文化"课题组发表的《实践与文化——"哲学与文化"研究提纲》(《哲学研究》1989年第1期)中提出，文化的变革不能归结为文化心理结构的变革。该提纲认为，文化变革能否实现有赖于实践是否提供了一个超越原来参照系统的新的参照系统。历史提供的"机会"常常以"危机"的形式出现：当人们不改变自己的旧传统就不能保住自己已经取得的文明果实时，就会造成普遍的危机感。在这个关头，能动的选择具有现实的意义。个体的能动性主要表现于把历史提供的可能变为现实。在这个世界各民族间普遍交往、改革浪潮席卷全球的时代，伴随着由于意识到自己经济与科技落后而产生的危机感和超越世界先进水平的强烈愿望而出现的"文化热"，其焦点一开始就集中在文化变革和现代化的关系上。对国外文化的先进成果的引进和消化，归根到底也取决于对社会关系的改革是否造成了能实现这种引进和消化的客观机制。而无论是文化的变革，还是社会结构的变革，都必须以活动结构的变革为中介。这就产生了文化变革、活动结构的变革和社会结构变革三者之间的关系问题。

有的研究者认为，"心理的层面"是文化结构的"深层"、"核心"，"最为保守"，因而将文化变革的实质归结为文化心理结构的变革。"哲学与文化"课题组的提纲对这种文化心理"积淀"说提出了质疑：文化的积淀首先是在社会规范中的积淀，还是在个体大脑物质层中的积淀？如果认为是后者，而个体又是必死的，这种说法就难免给人以神秘感。如果文化积累只是个人心理上的沉积，那么它就会随着前一代人退出历史舞台而消失，心理层面的东西又何以成为"最保守的东西"，文化观念的变革又何以成为艰难的任务?

该提纲还指出，现实文化的现实冲突不是发生在西方历史文献和中国历史文献的字面上，而是发生在改革和开放的实践中。各种文化价值体系的优劣和长短只有借助于改革、开放实践中所提供的客观价值尺度才能做出公正的判断。传统的优劣、外来文化的优劣、都将在世界交往、改革和开放的实践中经受考验而决定取舍。

二、“五四”新文化运动的评价中的历史观问题 对“五四”新文化运动的重新评价，是80年代中期以来文化研究热潮的继续，其中一个根本性的问题是历史观问题，即在解释历史时是从观念出发去解释现实，还是从现实出发去解释观念。有的论者在评价“五四”运动时，将思想启蒙同救亡运动对立起来，认为救亡“压倒”了启蒙。其实，这种论点的思想理论渊源可追溯到“五四”前后关于文化问题的评论中。当时有所谓“东方文化派”和“西化派”。两个派别怀有一种共同的观点和信念：文化的最深刻根源在观念之中，社会危机和民族危机本质上是文化危机；单靠文化学术的改造和文化意识的培育就可造成社会合理化的运动，而文化运动的根本使命是造就一代文化精英。

刘奔、张智彦对上述论点进行了分析，指出：无论是过去的“东方文化派”和“西化派”，还是今天的启蒙运动“中断”论者和传统“断裂”论者，都无法摆脱一种逻辑上的矛盾：他们一方面力图在文化问题和社会变革的直接实践之间划一条泾渭分明的界限，另一方面却又总是从所谓“文化层面”去说明民族的危机和振兴、政治的腐败和开明、经济的落后和先进，并从观念文化中寻找救世良方。在这种自相矛盾的表现背后，有一个非常明确的观点：所谓文化，不过是以自身为本体的观念自己产生自己的独立运动，并独立地构成全部社会历史发展的最深刻根源；不可以从社会实际出发去解释观念，而只能从观念出发去解释社会历史的一切。

刘奔、张智彦认为：1.文化的形成和变革，当然不能离开人们的、特别是知识分子的精神创造。但是，从归根到底的意义上说，文化只能是实践的产物。文化具有认识功能、积累社会知识和经验的功能、评价功能，而所有这些功能都从属于一个基本功能：通过塑造适合于一定时代的个人而形成、发展和实现人作为类的本质力量。文化的这种功能只有通过社会实践活动才能实现，即只有当文化本身成为实践活动的内在要素时才能实现。2.文化作为积累、传递和实现人的本质力量的一种机制，是以一定的价值关系系统为核心的一整套规范的结构和功能的统一。虽然文化可以相对划分为物化形态的文化、规范形态的文化、观念形态的文化，但三者不是截然分开、各自独立存在，而是以处于核心地位的价值关系为媒介而互相贯通的。3.作为文化整体之核心的价值系统，并不象一些人所执信的那样，是仅仅根源于“意欲”、“人生观”或所谓“深层心理结构”，而是深深扎根于由社会经济政治结构所决定的人们或社会集团之间的利害关系之中。因此，一定的文化总是以一定的社会关系结构为依托才得以存在和延续的；它一旦形成，又成为一种“定势”，制约着人们的思维方式和行为方式，并对相应的社会结构起维护和调节作用。由此决定，所谓文化史不过是整个社会历史的一个侧面；离开社会历史，文化史就无法独立存在。文化变革虽然必须以思想启蒙为先导，但最终必须借助社会结构的实际改造才能真正实现。历史证明，当社会结构成为历史进步的桎梏并引起严重的社会危机时，就会使文化价值系统本身的矛盾和冲突激化，并酿成价值危机，只有在这种情况下，思想启蒙运动才有可能发生。思想启蒙如果不能使人们普遍地形成对当下迫切现实问题的自觉意识，文化变革也只能流于空谈。所以说，在评价一场文化运动的意义时，应当从实际出发去解释观念，而不是相反。（《历史·现实·历史观——五四运动及其评价的反思》，《哲学研究》1989年第5期）

三、文化史观和唯物史观的关系　商友仁将文化归结为以下3种类型，即物质——技术文化，制度——行为文化，精神——心态文化。物质——技术文化的水平和特点集中体现为经济类型；制度——行为文化决定了社会的结构；精神——心态文化的核心是特定的价值观念体系。这3种文化相互制约和渗透，构成一个特定的文化综合体，这就是文化形态。

商友仁认为，把一切社会现象都看成是文化现象，用文化模式来概括一个特定时代特定社会的历史面貌，用文化形态的差异来区分不同时代、不同民族的社会异质性，用文化变异来表述社会的进步和发展，总之用一套文化的概念体系来解释历史，这就是文化史观。

商友仁进一步指出了文化史观与唯物史观的关系，认为唯物史观作为马克思主义历史学的理论基础，它与文化史观并不是互相排斥和对立的。我们是在唯物史观的基础上接受文化史观的，文化史观是对唯物史观的一种补充，它丰富和发展了马克思主义的历史学理论。商友仁最后认为，马克思创立唯物史观是他对人类思想的一个重大贡献，但到了斯大林写《辩证唯物主义和历史唯物主义》时，唯物史观却被曲解为经济决定论，马克思关于历史发展规律的思想被曲解为带有宿命论色彩的历史预成论。这种唯物史观见物不见人，抹煞各民族各地区历史发展的多样性。而正是文化史观纠正了这种曲解。文化史观把每个特定的社会当作一个有机的整体——文化形态来研究。在承认物质生产的终极作用的前提下，确认各种文化因素都有不可替代的地位和作用。各种文化现象组成了一个大系统，相互制约。经济类型决定了文化形态的总特征，而在经济类型之上形成的一套基本价值观念又必然外化为一套有特征的文化制度。各种文化形态的异质性决定了不同民族的历史命运。(《试论文化史观》,《学习与探索》1989年第5期)

(周月琴)

自然辩证法

【自然辩证法研究概述】 1989年，国内自然辩证法研究有一些新的进展，主要体现在科学哲学、生态学哲学、医学哲学等具体科学哲学研究中，对一些问题进行了较为深入的探讨，并开始了一些新的课题研究。

科学实在论问题和科学的合理性问题是当代科学哲学中极为重要的问题。1989年，中国学者对这两方面的问题有较为集中的研究，并提出了一些新的见解。董光璧综述了量子力学诠释中实在论与反实在论之间的争论，提出了一种关于物理实在的理论，这种理论基于物理学的事实，协调实在论和实证论这两种极端的物理实在观，并重数学实在和物理实在。在科学合理性问题上，徐向东认为，从认知的角度看，人的认识活动有一个复杂的信息处理过程，这个活动的合理性涉及认知的合理性、选择的合理性以及预言与决策的合理性等。只有从科学认知活动的各个方面全面考虑，才能解决科学合理性问题。

1989年，生态学哲学的研究较为热烈，学者们主要探讨了人与自然的关系问题、生态文化问题和生态伦理学问题。余谋昌认为，人与自然的关系是生态学哲学的根本问题。生态哲学用人与自然关系的分析作为观察现实事物和理解现实世界的依据，从人、社会和自然相互作用的分析提供关于世界的科学图景。他还强调，文化是人类区别于动物的存在方式，人用文化改变自然从而适应自然。传统文化的最重要特点是以人类中心主义为价值取向，以人统治自然为指导思想，它的发展产生了威胁人和自然界的严重问题，这就需要转变文化发展的方向，这种转变形成一种新形式的文化称为“生态文化”。在生态伦理学方面，他认为，要把道德上的权利概念扩大到自然界的实体和过程，承认自然界的利益。但人类不能不开发和利用自然界，这是一种道德难题。他提出如下标准来调节人类行为：人类对生物的行为以维护物种的存在为标准；人类对待生态系统的行为以维护基本生态过程和完善生命维持系统为标准。严高鸿指出，应该承认，自然环境参与了对社会发展的决定作用，因为当我们说生产力是社会发展的决定力量时，这里的生产力包括直接来源于自然环境的劳动对象和劳动资料。王锐生论述了有关环境整体主义的争论，他认为，不能完全否认环境整体主义，因为没有它就不会有环境保护和环境意识；拯救全球生态环境是一种全球性人道主义，但是，当人类的温饱问题还未完全解决时，作为人类而超出以人为中心的立场，只从生物中心立场来考虑环境问题，乃是不明智的。

在医学哲学方面，6名中国学者于1989年3月出席了在西德召开的首届国际医学未来学术研讨会，同与会的各国学者一起探讨了有关基本保健、残疾人医护、高技术医疗、医学说明模型和生殖技术等重要问题。 （范瑞平）

【科学哲学研究新进展】 1989年国内科学哲学研究有了新的进展。学术界不仅继续探讨科学合理性和科学理论评价等问题，而且开始重视对科学实在论、科学与价值的关系的研究，出现了一批高质量的论文。在评介当代西方科学哲学流派的现状和动向方面，有些学者也提出了一些新见解。

一、关于科学实在论问题 顾速的《科学是对实在的合理解释吗?》(《自然辩证法通讯》1989年第4期)一文概括了当代西方科学实在论与反实在论的论战。这个论战集中在这样一些基本问题上：如何论证从可观察物经由仪器、工具、理论和推理方法而推导出不可观察实体这个过程的合理性？如何看待科学理论的发展和更替？范弗拉森等经验论者和劳丹等反实在论者认为这个过程是不合理的，因而对实体的存在持怀疑态度，主张没有实在论解释的科学理论可以获得成功。普特南、列普林等实在论者则坚持这个过程的合理性和这些实体的实在性，相信只有实在论才能解释科学的成功。作者认为，关于实在论的哲学争论不一定与每个科学家的具体实践直接相关，但这并不否定科学家潜意识中世界观的作用。香港学者文思慧在《一个科学实在论的论证》(《自然辩证法通讯》1989年第1期)一文中指出，有4个广为人接受的看法：(1)科学解释是一项科学工作；(2)科学理论以能被广泛地印证者为较优秀；(3)科学的工作是寻求真理(企图了解世界真象)的工作；(4)整合力强的理论是一个科学解释要成为可被接受所必须引用的。反实在论对上述第1及第3种看法的反对和对第4种看法的存疑使科学实在论面临严峻的挑战。作者强调，采用“实在论”的观点不是基于内部自圆其说的论辩，而是要成功地说明上述4个论题之间的理论关系，从而使实在论具有相当的说服力。作者通过这种曲折的途径证明科学实在论观点。董光璧在《EPR实验——实在论和实证论的争论》(《自然辩证法研究》1989年第4期)一文中，综合评述了量子力学诠释中实在论与反实在论的争论，并提出一种关于物理实在的理论。有两种实在，即经验的实在和理论的实在或数学实在。经验的实在属于感知世界，依赖于我们的感知而存在，理论的实在属于理论世界，不依赖于我们的感知而存在。物理实在理论协调实在论和实证论两种极端的物理实在观，并重数学实在和物理实在。这种观点不是基于形而上学的考虑，而是基于物理学的事实。

二、关于科学与价值的关系问题 杨建飞在《价值标准和价值选择对科学活动的作用》(《科学技术与辩证法》1989年第3期)一文中，探讨了主体的价值标准对科学认识的制约和影响。作者从几个方面概括了价值标准和判断的作用：规范科学主体对科学对象的态度、取舍和理解；决定科学理论的评价；影响科学理论体系的表述方式和风格；构成主体推动科学理论发展和提出新思想的驱动力。科学活动的价值特征是尚待我们从不同层次、不同方面加以研究的新课题。

三、关于科学合理性问题 王新力在《科学合理性的辩护问题》(《自然辩证法通讯》1989年第3期)一文中论述，传统的科学合理性辩护以基础主义认识论为铺垫，属于权威辩护，因此它无法摆脱绝对主义和相对主义的两难选择。作者接受奎因的自然化认识论的影响，提出科学合理性的自然化辩护。这是一种可修正的、递增的、经验性的非确定性辩护；一种良性的循环辩护。徐向东的《认识、理论与评价》(《自然辩证法通讯》1989年第3期)一文指出，正确地理解科学进步的合理性，不仅需要分析科学理论体系及其发展变化，而且也需要分析科学理论的形成及认知主体的认知活动。从认知的角度看，人的认识活动有一个复杂的信息处理过程，这个活动的合理性涉及认知的合理性、选择的合理性以及预言与决策的合理性等。因此只有从科学认知活动的各个方面全面考虑才能解决科学合理性问题。

四、关于科学理论评价问题 郑玉玲在《论科学理论的经验评价》(《哲学研究》1989年第9期)一文中指出，科学经验对科学理论的评价包括两个部分：各单项经验的直接评价；支持被评价理论的背景理论的经验总体，通过背景理论而完成的评价。随着近代科学的发展，经验对理论评价的作用，越来越渗透在背景理论的作用之中。背景理论把经过评价而选择的理论纳入自身，势必在新的理论评价中起着更积极的作用。作者认为，马赫实证主义和逻辑经验主义，均致力于科学经验总体的评价作用，但他们忽视了科学理论向经验的渗透。以库恩为代表的历史主义和以夏皮尔为代表的新历史主义，分别突出了工具论和实在论的评价，但他们基本上放弃了经验总体的评价作用。因此，他们都没能彻底地解决科学理论评价问题。

关于科学说明、科学目标、科学发现和证明等问题的研究，也取得一些重要的成果。邱仁宗的《说明模型和医学上的说明》、林定夷的《关于科学的虚幻目标》、张大松的《发现之友学派多路寻求发现与证明统一关系探微》等论文颇值得重视。

五、关于逻辑经验主义的研究 洪谦的《关于逻辑经验论的几个问题》(《自然辩证法通讯》1989年第1期)提出如下一些观点：逻辑经验论之所以产生于奥地利是由于马赫的功绩，但马赫的实证论与维也纳学派的“科学世界观”并不是一致的。维特根斯坦的《逻辑哲学论》对维也纳学派的发展起了积极作用，但是说维也纳学派就是维特根斯坦的哲学也不免言过其实。奎因对综合命题和分析命题的二分法的批评没有为卡尔纳普、魏斯曼、费格尔所接受；他对还原论的指责在理论上有可取之处，但对卡尔纳普来说，似乎有点无的放矢。郭贵春在《20世纪西方经验主义思潮的演变》(《自然辩证法通讯》1989年第4期)一文中，阐述了西方经验主义从“传统经验主义——新经验主义——历史经验主义——实在论的经验论”的历史发展线索。摆脱休谟问题的困境是一个不衰的主题，西方经验主义采取的从具体经验到抽象分析、从理论陈述到历史范畴、从微观认识到宏观认识的“节节后退”的策略，并没有真正找到逃脱休谟问题的出路。

六、关于波普尔和证伪主义研究 台湾学者林正弘的《论波普尔的基本陈述句》(《自然辩证法研究》1989年第1期)一文，探讨了基本陈述句在波普尔科学哲学中所具有的联系理论与经验的功能。作者认为，波普尔对基本陈述句所做的解说相当杂乱，问题的产生是由于他把“潜在否证者”与“容易取得观察者一致认定的陈述”这两个概念混合在一起，而用“基本陈述句”一词来涵盖这两个概念。为此，作者提供了一个关于基本陈述句的修正方案。

七、关于库恩的研究 章士嵘在《认知科学与库恩的“范式”》(《自然辩证法通讯》1989年第3期)一文中，从认知科学的角度分析库恩的范式概念，试图对范式的内在的张力，从结构、功能和信息等不同的视角，作出统一的理解和解释。作者阐明，范式是认知结构与文化结构的统一、表达功能与传播功能的统一、主观信息与客观信息的统一。

八、关于劳丹的研究 殷正坤

的《认知价值在科学合理性中的作用》(《自然辩证法通讯》1989年第3期)一文中指出,劳丹对科学合理性的探索又达到了一个新的阶段。劳丹使科学合理性的研究深入到探讨认知价值合理性的领域。网状辩护模型说明了科学中高度的意见一致的形成机制,克服了预设主义和相对主义,体现了系统论的思想。作者认为,劳丹对科学合理性的探索仍存在一些值得探讨和改进的地方。孟建伟在《论劳丹的科学价值论》(《自然辩证法研究》1989年第3期)一文中指出,劳丹的科学合理性网状模型,从几个方面发展了他自己的以解决问题为中心的科学进步合理性理论。网状模型揭示了科学变化的结构和机制;说明了科学合理性标准的多元性,随着理论的变化而变化;恰当地描述了科学变化中连续和间断、批判和继承的特征。作者认为,劳丹没有解决科学合理性问题,这是由于他割裂了真理和价值的辩证关系。

这一年里,还出现了一批选题较为新颖的论文,诸如邱仁宗的《分析哲学和科学哲学的关系》、郏斌祥的《科学文化观的兴起》、顾速的《科学理性与现代化》等。这些论文为科学哲学研究开辟了新的视野。(施雁飞)

【生态学哲学研究的进展】

一、人与自然关系的研究　有的论者指出,人与自然的关系是生态学哲学的根本问题。生态哲学用人与自然关系的分析作为观察现实事物和理解现实世界的依据,从人、社会和自然相互作用的分析提供关于世界的科学图景。它所强调的是,人和自然作为统一的世界,两者是不可分割的:一方面人作用于自然界,使自然界人化;另方面自然界作用于人,人的自然化。因而,既不是人统治自然,也不是自然界统治人,而是两者相互作用,相互依赖,相互渗透,主张人统治自然的哲学发展为尊重自然、人与自然和谐发展的哲学。(余谋昌:《改革中要注意处理人与自然的关系》,《岭南学刊》1989年第4期)有的论者从人类社会与自然环境关系的研究重新评价地理环境决定论,认为应该承认自然环境参与了对社会发展的决定作用。因为当我们说生产力是社会发展的决定力量时,是包括直接来源于自然环境的劳动对象和劳动资料的,即它们参与了对社会发展的决定作用。也就是说,自然环境对社会发展的作用不止是"加速或延缓"社会的进程,而是自然环境通过生产力来影响社会发展,通过生产力参与对社会发展的决定作用。而且,它对社会发展的影响并不是"逐渐退缩"或"越来越小",而是呈"不断增强"的趋势。(严高鸿:《论人类社会与自然环境的关系》,《哲学研究》1989年第4期)

二、生态文化问题　有的论者从文化的角度研究人与自然的关系，提出“生态文化”概念。文化是人类区别于动物的存在方式，人用文化改变自然从而适应自然。如果把迄今的文化称为传统文化，它的最重要特点是，以人类中心主义为价值取向，以人统治自然为指导思想。因为各种形式的文化，有一个共同的前提和出发点，即主张把人和自然分开，并为了人的利益征服自然和主宰自然，为人类统治自然指明道路和提供手段，整个现代文明是在人统治自然的思想的基础上发展起来的。传统文化沿着这个方向发展，构成了对人和自然界的严重挑战。这就是文化上的熵危机。这是传统文化的必然后果。这就使人类面临一个分叉口，需要转变文化发展的方向。这是一次深刻的文化转向或价值观转向。这种转变形成一种新形式的文化称为“生态文化”。它已经在各种文化形式中有所表现。人和自然和谐发展与共同进化集中表现了生态文化的发展方向。（余谋昌：《生态文化问题》，《自然辩证法研究》1989年第4期）

三、生态伦理学研究　生态伦理学是新的道德哲学，它开拓了道德研究的新领域。有的论者对环境整体主义进行研究，把整体主义观点应用于环境问题，主要是环境问题上的价值论和道义论。对此有许多不同的论点，包括对环境整体主义的谴责。王锐生认为，不能完全否定环境整体主义，因为如果没有环境整体主义就不会有环境保护和环境意识；拯救全球生态环境是一种全球性人道主义；但是，当人类的温饱问题还未完全得到解决时，作为人类而超出以人为中心的立场，只从生物中心立场来考虑环境问题，这是不明智的。（《关于环境整体主义的一场争论》，《哲学动态》1989年第8期）

王正平从人与自然的关系探讨了道德价值的问题，认为当前为了调节人与自然之间的冲突，需要重新认识人与自然的利益关系，重新规约人类对自然生态的行为，提出“人与自然之间的利益关系”概念。他认为，人与自然之间的关系之所以具有道德价值，反映并调节人与自然关系的道德之所以有产生和发展的必要和可能，是根源于人与自然之间的利益关系。论者主要就自然界对人的利益作了论证。（《论人与自然关系的道德问题》，《哲学研究》1989年第5期）

有的论者认为，人与自然间的利益关系的研究是生态伦理学的根本问题，一方面要认识自然界对人的利益，另方面要把道德上的权利概念扩大到自然界的实体和过程，确认它们在一种自然状态中持续存在的权利，即承认自然界的利益。但是，从人类的利益考虑，为了自己的生存和发展，不能不开发利用自然界。这是一种道德难题。为此，论者提出生态伦理学的道德标准，以便对人类行为进行调节。这个标准是：人类对生物的行为以维护物种的存在为标准；人类对待生态系统的行为以维护基本生态过程和完善生命维持系统为标准。它的主要目标是：(1)保护基本生态过程和生命维持系统；(2)保护遗传多样性，世界上所有遗传物质的种质都要受到保护；(3)从而能保证人类对生态系统和生物物种的持续利用。(佘谋昌：《生态文化问题》，同上)

四、关于生态系统的物质运动

关于"生态平衡"概念，有的论者指出，传统的关于生态平衡的观念有片面性，它只注意到生态系统乃至自然环境之生态结构的平衡方面，而没有看到一定条件下具有建设作用的非平衡方面，没有把非平衡的进化过程与退化过程加以区别，一概予以否定。生态平衡虽然是自然环境中的普遍现象，但不是唯一的。以不平衡为特征的生态演替在自然界中同样具有普遍性。因此，生态系统以及自然环境之生态结构的本质特征并不能仅仅归结为"平衡"，而是生态平衡与生态演替这两种对立规定的统一。考虑到生态演替的主要方向是进化，因此这种统一可以称为"生态发展"或"生态进化"。长期以来，人类发展的主要倾向是从生物圈吸取负熵流来增加社会系统的有序程度。随着科学技术和生产力的巨大发展，人类从生物圈吸取负熵流的规模和速度，已经接近生物圈从宇宙背景转换负熵流的能力，在这个时代，必须也必然要发生转折，即从掘取生物圈现有的负熵流转变为大规模增强生物圈从宇宙背景转变宇宙负熵流的功能，使社会有序程度的提高建立在生物圈有序程度同时提高的基础上。(陈贻安：《"生态平衡说"辨析》，《自然辩证法研究》1989年第1期)

有的论者对"生态灾变"进行研究。灾变和渐变是自然界物质运动的两种普遍形式。但是，在相当长的历史时期内，物质运动的灾变现象研究不受重视。传统生态学研究很少注意灾变这种运动形式，这就难于对生态进化作出科学说明。论者研究了生态灾变的客观性，生态灾变的机制，以及生态灾变的主要特征，并从而说明生态灾变与渐变的关系。论者指出，生态系统发展变化的过程中，生态灾变和渐变都是存在的，两者常表现为相互转化、相互交替。生态灾变是急剧的变化；生态渐变是缓慢逐渐的变化。但是这一范畴不等于质变与量变。因为灾变包含一定的量变和质变，同样渐变也包含一定的量变和质变。渐变论适用于稳定时期。但稳定性又终将被打破。"打破平衡是对种系渐进论的一种选择"(R.胡艾克斯)。这时，灾变使渐变过程中断。灾变不仅破坏旧事物，例如生态灾变使老的物种灭绝，旧的生态系统衰亡，而且对于新事物的产生，即更先进的物种出现，新的生态系统的建立，具有重大的作用。它是新的更先进的生态系统产生的重要形式。它在破旧创新的过程中推动了生态系统进化的进程。（余谋昌：《生态灾变和渐变》，《天地生综合研究》，科学出版社1989年版）　（沙　棘）

心　理　学

【心理学研究概述】　1989年间，对心理学基本理论和哲学问题的研究有不少新的进展，最值得重视的有以下几个方面：

一、尽管所谓“弗洛伊德热”已逐渐降温，但1989年间仍发表了不少评述弗洛伊德主义和新弗洛伊德主义的论文。从论述的内容和发展的方向看，对西方心理学中这一以研究无意识理论为核心的非理性主义思潮的无原则性的颂扬的论文大为减少，分析和批判的比重大大加强，而且，这种分析、批判性的研究较之以往更为深入和全面。

二、对现代西方人本主义心理学创始人马斯洛的内在价值观、其中主要是对他的需要层次和自我实现的理论的分析和研究也有所进展，发表了一些论文，其中，有不少新的批判性的论点。

三、关于列宁的反映论和皮亚杰的发生认识论（特别是其中所提出的建构论）的相互关系问题的论争仍在继续。在对一些重大原则性问题的理解上——不论对列宁的反映论基本原理或皮亚杰的发生认识论的主要观点的理解上，还是对二者的相互关系的认识上——还没有取得比较一致的看法，仍然存在着不同的、甚至是尖锐对立的见解。

四、对现代认知心理学的研究正在逐步深入地进行；心理学界对现代西方心理学主要学派的基本理论的理解水平，有了一定的提高。

五、关于跨文化心理学研究是心理学界不少学者共同关注的问题，1989年间发表了一些结合中国社会情况和文化特征来分析这一问题的论文。　（赵璧如）

【关于列宁的反映论和皮亚杰的发生认识论的3种不同看法】　1989年内，在哲学理论界，关于列宁反映论和皮亚杰的发生认识论的相互关系问题的学术争论仍在继续。对这个问题的理解，概括地说有3种不同的看法。

朱智贤在《反映论和心理学》（《北京师范大学学报》1989年第1期）中，从心理学中的哲学问题的角度对这个问题发表了自己的看法。他认为，马克思主义反映论（包括列宁的反映论）是唯一正确的反映论，是心理学的理论基石。其基本特点是承认人的心理反映的决定性、社会性、主体性、发展性、能动性和系统性。

他对那种试图用皮亚杰的建构论取代反映论的观点评论说：有些人学习了皮亚杰的心理学理论，于是就要用“建构论”来代替列宁的反映论，似乎皮亚杰的带有浓厚的生物学意义的“建构论”（即认识结构是由图式、同化、顺应、平衡等因素组成的，随着这个结构在主客体相互作用下不断重建，从最简单的感觉运动图式而逐步过渡到比较复杂的运算，即建构了新的、高级的结构）比列宁的反映论高得多。朱智贤认为，皮亚杰强调人的认识的主体性、能动性，是有积极的和辩证意义的，应当积极吸取。但是，要真正理解人的反映的主体性、能动性，只有把个体放在社会生活、整个历史文化、特别是人的社会实践中去，才能做到。

王鹏令在《从符号学的观点看马克思主义认识论的生长点》（《理论信息报》1989年7月24日）一文中，强调符号学是马克思主义认识论的生长点，坚持建构和反映的结合。他认为，认识的主体既建构客体，同时也反映客体。就是说，在人的认识过程中，既有建构活动，也包含着反映活动。所谓建构，是指主体凭借内在的认知结构“同化”客体，并通过重建现有的认知结构以“顺应”客体的过程。所谓反映则是指，从其产生的生理机制和最初的形式（知觉、表象）来说，人的认识是主体通过大脑的神经生理反射活动，在自己的头脑中复制或模写外界客体的过程。因此，把人的认识仅仅归结为反映固然是有片面性的，但从根本上否弃反映范畴也难成立。他认为 建构和反映是在主体的符号活动中实现的。他进一步写道：建构说，强调的是认识的主体性，把人的认识归源于人的“实物动作”；反映论强调的，是人的认识的客观来源或基础，而符号学强调的则是建构和反映的结合。因此，符号学认识论可能为揭示这种统一提供一把钥匙，因而它也许恰恰构成了马克思主义认识论的一个生长点。

杜丽燕在《皮亚杰的动态体系——发生认识论研究述评之一》（《哲学动态》1989年第2期）一文中，提出了皮亚杰的公设和反映论的公设存在着尖锐对立的观点。

他认为，反映论的根本弊病在于，从现成存在的主体和客体出发，经过中介活动的（外在的）作用，在横断面上循环往复。它无法使主体与客体克服绝对对立状态，达到内在统一。何以出现这种状态呢？在皮亚杰看来，在只顾及认识其最后结果的静状中，有一个基本公设，即假定在所有的认识水平上都存在着一个认识论意义上的主体，存在着相对于主体并作为客体而存在的客体，也存在着主体与客体之间起媒介作用的中介物。面对这些现成存在的元素，人们就只能问，主体是受教于他以外之物，还是主体一开始就具有一些内部生成结构，并把这些结构强加于客体。这是对认识问题的古典论述，它得以成立的前提是，现存的主体与客体是绝对对立的。而皮亚杰的发生认识论却没有这样一个公设。皮亚杰认为，认识的发展经历了从无到有的过程，与之相应，主体、客体和中介也经历了发展的过程。认识伊始，主体与客体处于未分化的原始同一状态，认识发生和发展过程，就是主体与客体不断分化、不断进行重建的过程，即以活动为前提建构主体、建构客体的过程，这是皮亚杰动态体系的根本之所在。不言而喻，它与反映论的公设尖锐对立。杜丽燕根据以上的论述，作出了“反映论的体系无法容纳皮亚杰的理论”和发生认识论“也无法克服反映论体系固有的弊病”的结论。（刘慧群）

【对信息加工的认知心理学的研究】 1989年，对认知心理学的研究，主要集中在关于认知心理学理论的思想根源、认知心理学的方法论及认知心理学的贡献等方面。

一、认知心理学理论的思想根源 史忠植在《认知的信息加工理论》（《哲学动态》1989年第6期）一文中指出，信息加工理论的思想根源很多：有来自人类工程将人看作是决策者和信息传递者的类比，按照这种类比，人是作为信息的积极寻求者和决策者而置身于各种信息流之中；有来自通讯工程关于信息论和通讯通道的思想，这种思想倾向于心灵主义和结构主义；有来自计算机科学将人看作是符号操纵系统和计算机类比的思想，它并不是将人脑与机器直接类比，而是通过对其深层机制的说明来发展各种模拟技术；有来自于语言学关于区分语言能力和语言行为、区分创造性和有规律性的思想，尤其是作为计算机科学和语言学的交叉的计算语言学为信息加工的描述提供了方法和工具。作者还指出，信息加工理论的思想来源的基本观念是：(1)符号操纵器观念，即认为人是一种通用符号操纵器，可用一些基本的符号计算操作来说明人的智能行为；(2)表达（或表示）的观念，认为符号的主要功能是用来表达意义；(3)系统方法的观念，即把人看成是一个自然系统，把智能行为看成是该系统各组成部分之间相互作用的合成；(4)建构-创造过程的观念，即把人看成是信息的积极寻求者、建构者和创造者；(5)天赋能力的观念，即把人的行为看成是天赋能力与经验学习相互作用的结果；(6)智力测时和子系统的分离性观念，强调对信息加工时间的测量；(7)充分条件观念，即注意人们完成认知任务的机制的充分条件。张世英在《苏联心理学家对现代认知心理学产生根源的分析》(《心理学探新》1989年第1期)一文中指出，在考查认知心理学的产生根源时，以心理学的历史发展为线索的纵向分析，可以使我们更清楚地看出心理学本身的内部矛盾发展是产生认知心理学的重要原因。这种内部的矛盾发展可以从哲学传统、早期实验心理学以及反心理主义派别3个方面看出来。张世英认为，中国学者在分析认知心理学的产生根源时，更着重于近因而较少强调远因，而苏联学者对远因的分析则可能弥补我们的某些不足。

二、认知心理学的方法论 方俊明在《当代认知心理学的理论与研究方法》(《陕西师大学报》1988年第4期)一文中指出，认知心理学在批判和继承传统心理学研究方法的基础上，吸收了现代科学技术成果，形成了一种比较完整的研究方法，即实验、模拟、理论分析相结合的综合研究法。实验方法主要有潜在性资料实验、眼动实验和口述报告实验；模拟和理论分析主要有程序缩减、流程分析、程序模拟。他认为，认知心理学充分利用了现代科学技术和吸收了其它学科，尤其是计算机科学、人工智能和语言学的研究成果，这就使得它在研究方法上有较大突破，为心理学的研究，尤其是思维过程的研究开辟了一条新的道路。

三、认知心理学的贡献 乐国安在《对现代认知心理学的理论思考》(《天津师大学报》1989年第3期)一文中指出，作为一个新兴的心理学流派，认知心理学的主要贡献在于：(1)打破了行为论心理学对研究人的内部心理活动过程的禁忌，从这个意义上来说，它扩大了心理学的研究范围。(2)吸收了现代科学技术的新成就，这对深入开展心理学一些领域(如思维)的研究无疑具有很好的促进作用。(3) 20多年来认知心理学围绕着人的感知觉、记忆、注意、想象、思维、言语等心理活动方面进行了大量的实验研究，其结果大大丰富了科学心理学的内容。(4)在具体研究方法中采用了被试者的自我观察法，表现了对行为论心理学的反抗，较之于传统意识心理学的内省法有所进步。(5)认知心理学关于人的某些认知过程的研究结果，能够提高人工智能的水平，因此，它对社会的进步和发展具有积极意义。 (乐国安)

【马斯洛人本主义心理学理论述评】 近年来，马斯洛的以自我实现为最高目标的动机层次理论在中国学术界得到广泛传播。1989年间，发表了一些评述马斯洛人本主义心理学的论文，其中，除了对他的基本理论观点进行阐述和分析外，还提出了一些批评论点。朱智贤在谈到当前西方心理学关于主体性的某些论点时，对人本主义关于人的理论提出了批评，认为人本主义心理学家们强调“人”,强调“个人”,反对把人看成本能的人,看成是白鼠,从动机上说,是有一定积极意义的,但他们只把人看成抽象的人，而不是作为社会关系总和的人,因此,他们所标榜的什么“自我实现”、“自我完善”一类的美好理想,在资本主义条件下,最终也只是一种“理想”而已。(《反映论与心理学》,《北京师范大学学报》1989年第1期）迟克举从阶级观点出发，在将马克思的需要理论与马斯洛的需要理论加以对比时指出:两种需要的阶级性不同,马斯洛的需要层次是建立在资产阶级价值观基础上的，他强调人的内在价值(指基本需要的满足)，重视个人对其价值的自我实现。而马克思的需要理论是无产阶级世界观的一部分，从这一理论出发,马克思认为,人的价值有两个方面，一是个人价值,即个人从社会索取,满足其基本需要,二是其外在价值,即个人对社会的责任和贡献。人们基本需要的满足具有社会性和历史性，是与其在一定历史条件下对社会贡献同时实现的。(《马克思与马斯洛关于人的需要理论之同异》,《社会科学》(上海)1989年第1期)张一兵对马斯洛人本主义心理学的整个理论系统的内在结构做了评论,指出:纵观马斯洛人本主义心理学的整个内在构架,我们不能不说,马斯洛的所谓科学人本主义在总体上是非科学的。这是由于他的全部理论逻辑丧失了社会基础。从本体论上看，需要本身就是历史的产物，远古时代人的需要肯定不同于现代人的需要。同样是作为生理需要的饥饿，“但是用刀叉吃熟肉来解除的饥饿不同于手、指甲和牙齿啃生肉来解除的饥饿”(《马克思恩格斯全集》第46卷上册20页）也许任何一个时代中的人都有自己的高峰体验，但体验本身的价值取向和主体意境是不可能同一的。说到底，就是马斯洛自己罗列的作为人性达到的最高境界的自我实现的规定，谁能保证在未来社会中不被超越或扬弃为一种低层次的需要环节呢？这也是马斯洛“科学人本主义”哲学中的逻辑矛盾的病源。人性的实现、个体与类、应该与现实的矛盾都不是抽象的理论问题，而是一个历史实践发展的问题。(《马斯洛人本主义心理学的哲学确证》,《人文杂志》1989年第3期)

(陆　群)

【对弗洛伊德精神分析学说的评论】1988、1989年间，在报刊上所发表的研究心理学基本理论和哲学问题的论文中，数量最多的是评论弗洛伊德精神分析学说方面的，同前几年相比，这些文章中宣扬他的理论的分量少了,批判的成分逐渐增多，且愈益深入。学者们在对弗洛伊德精神分析学说的评论中所提出的否定性论点基本上趋于一致。

刘长兴在《弗洛伊德无意识论浅析》(《长白学刊》1989年第4期)中对弗洛伊德的无意识理论批评说：弗氏的无意识论具有几点较突出的缺陷和错误：第一，带有浓厚的神秘主义色彩。承认无意识及本能的作用是合理的，但弗氏进一步把潜意识片面地夸大为脱离了物质、脱离了自然的神化的绝对，把无意识的作用说得玄而又玄，特别是在对人的过失行为及梦的具体解析过程中，带有主观臆造、牵强附会的成分，有时竟然和算命卜卦相去不远。第二，带有严重的唯性论或泛性论倾向。弗氏认为，在人的潜意识所包含的各种欲望和本能中，起主要作用的是性欲，这种性本能在人类整个心理活动中处于主导地位，这就是他的“里比多”理论。他还把这种理论推而广之，以此来解释人类社会历史活动，这就陷入了“生物决定论”的泥潭。第三，带有明显的非理性色彩。在意识和无意识的关系上，弗氏片面地夸大无意识的作用，否定意识的主导作用。意识和无意识虽然有显著区别，但又有内在联系，在人的心理过程中，意识是起主导作用的。人之区别于动物的主要一点就在于人的活动是有意识、有理性的。动物靠本能生存，人则主要靠理性生活。因此，强调本能、无意识作用，势必导致对理性、知识作用的贬低和否定，从而把人降低到动物的水平。第四，带有历史唯心主义倾向。弗氏把人的本能、欲望视为人类历史活动及人类文化发展的根源和动力，实际上是将社会的东西心理学化，将心理的东西生物学化。历史唯物主义认为：经济条件归根到底制约着历史发展。因为政治、法律、哲学、宗教、文学、艺术等发展是以经济发展为基础的。显然，弗氏的观点是与此相背离的，实质上是心理因素决定历史的历史唯心主义。张焕庭指出：弗洛伊德精神分析心理学说是欧洲19世纪末资本主义走向帝国主义时代的产物。具体反映了资本主义社会的意识形态。而在科学技术飞速发展的今天，在各种边缘科学崛起、自然科学和社会科学相互渗透的情况下，竭力宣扬弗洛伊德精神分析心理学说的基本观点，已非常不合时宜。弗洛伊德精神分析心理学说，是由治疗精神病、主要是癔病发展起来的，它对精神病病因作了深入分析，了解病患者的心理活动的状况，在这方面，它是有成就的，它的方法也有着可资参考的价值。但是，将对病人的心理分析所得的结论，推广到一般健康人身上，是难以说明问题的真象的。张焕庭还写道：弗洛伊德把无意识、潜意识与意识割裂开来、各自独立起来，并把它们看作是性欲、欲望的贮存所，他制造出“本我”、“自我”、“超我”、“里比多”等一套术语来说明人格形成与发展，这完全是主观主义的、非科学的。弗洛伊德喜爱欧洲的古典文学、历史、文化等，并对此有较深的研究，因而在他的学说中经常以古希腊神话中的故事和洪荒时代的传说作例证。这就把心理学推向神秘化和“自由联想”的境地。弗洛伊德精神分析学说的要害问题，是它只重视人物的精神现象，忽视人的精神现象发生的生理机制。虽然弗洛伊德在青年时代曾做过动物生理解剖，但他在分析人的心理产生的原因时，却片面地从人的精神现象出发作结论，而看不到人的心理活动的社会背景和生理机制，使心理变成一种纯现象，这显然是不符合实际的。（《对弗洛伊德精神分析心理学的一点看法》，《心理探新》1988年第4期）

（鲁　明）

【跨文化心理学的研究】 近年来，心理学界发表了不少论述关于跨文化心理学研究的论文，提出了一些对心理学发展有现实意义的论点。

万方明在《跨文化心理学的兴起和对我国心理学的启示》（《西北师大学报》1989年第4期）一文中谈到跨文化心理学的基本概念。他认为：跨文化心理学是指比较研究两个或多个社会或文化背景中，个体或群体心理发展和变化的规律，从而找出哪些是适用于任何社会或文化背景中人类行为的普遍法则，哪些是仅适用于特殊文化背景中人类行为的特殊法则。它的研究目的在于查明人类的心理在多大程度上是以相同的方式发展的；用什么来解释不同社会和文化之间人们明显的个性和认知特征方面的差异；用心理因素能够解释哪些文化的变异或用文化因素能够解释哪些心理变异。他还谈到研究在我国文化背景和社会制度中人的心理特征的重大意义，他指出：中国的心理学研究目前在很大程度上仍然处于引进和模仿西方心理学的水平上。近年来中国出版的相当数量的教科书、教学参考书都是从西方心理学家的著作中翻译或编译的，即使是中国人自己写的，也是大量引用西方的理论和研究，很少能看到中国人自己的研究成果。那么，西方的社会心理学理论是否具有跨文化意义呢？是否完全适合于中国人呢？可以肯定地说，至少其中的一部分只具有文化相对意义。中国的文化是独特的，中国人在社会生活中表现出的行为无不打上中国文化的印记。中国的社会文化与西方文化相比，差别是极为显著的，这与中国的历史、文化传统、社会结构、经济条件、价值观念、生活习俗等有极大的关系。这些文化因素不会因社会变革、政治体制和意识形态的变化而轻易发生改变，它具有很大的稳定性。因此生活于其中的中国人，他们的行为方式、态度和情感、价值取向、生活准则以及受风俗文化影响而表现出的“义气”、“缘份”、“节气”、“面子”等等，无不带有深深的中国文化的印记。这种印记或称为“国民性”、“民族精神”、“中国人的心理”，它表现着占世界1/5人口的心理特征，其研究结果比西方社会任何一个国家的研究更具有世界意义，无论是修正西方学者的结论，或是支持了西方学者的结论，对心理科学的发展以及进一步了解中国人的心理特征都是重要的贡献。中国的心理学家对此有义不容辞的责任，这也是中国心理学家走向世界的必由之路。与上述有关论述相联系，万明钢和童长江在《跨文化心理学研究与民族教育理论》（《教育研究》1988年第2期）一文中在结合中国民族教育问题谈论跨文化心理学研究的重要性时写道：中国是一个幅员广阔的多民族国家，由于历史和地理等方面的原因，各民族的政治经济和文化发展水平极不平衡，语言、宗教、生活习俗也有相当大的差异，即使在同一民族或同一文化背景中，文化发展的水平也存在着较大的差别，而我们则习惯于用社会制度的同一性来代替各民族文化发展的差异性和多元性。在教育上表现为用全国统一的目标、统一的模式、统一的课程教材和统一的评价标准来要求不同文化背景中的各少数民族，这种不顾文化的多元性和各民族的具体特点的统一要求是从民族教育的内部条件上阻碍了教育发展的根本原因。他们认为，心理学领域的跨文化研究，具有很大的理论意义和实际意义。为了建立科学的民族教育理论和体制，心理学工作者应该首先查明各民族儿童心理发展的特点，及各年龄阶段儿童心理发展的水平，研究各少数民族的文化特点、个体接受文化影响的内在机制。

（唐热风）

马克思主义哲学史

【马克思主义哲学史研究概述】 1989年，对马哲史上一系列重大问题开展了积极的争论，对马哲史传统体系的反思，取得了一定的积极成果。

近几年来，理论界对以下五大问题展开了热烈的讨论：(一)实践唯物主义问题；(二)人道主义问题；(三)社会发展阶段问题；(四)东方社会理论问题；(五)“西方马克思主义”问题。这5个问题相互联系、相互交错，核心问题是实践唯物主义问题，亦即怎样正确理解马克思主义哲学的实质问题。在实践唯物主义讨论中，学者们提出了各种各样的理解。每一种观点的代表人物，一方面不断地为自己的观点作实证性论证，另一方面又与有悖于自己观点的其他所有观点进行讨论。目前看来已有几个基本观点，得到了理论界不少人的认同。它们是：1.马克思主义哲学是继承了历史上唯物主义哲学的合理传统、又与一切旧唯物主义有着本质区别的新唯物主义；2.斯大林哲学体系对马克思主义哲学的理解，大有问题；3.坚持马克思的实践唯物主义，就要既反对自然主义的倾向，又反对唯实践主义的倾向。

一些学者对马克思主义哲学史传统体系本身提出了批评。其中有代表性的意见有：1.把马哲史的对象变成少数革命领袖哲学思想史，排除了大多数职业哲学家和非职业哲学家（包括作为集团的其他革命领袖）几代人对马哲史的贡献，是一种典型的“英雄史观”。2.把马哲史的内容变成理论上一个接一个贡献和发展的直线性和单线性历史，排除了其中的历史局限、思想差异和理论争论，排除了转折和起伏、反思和超越，不能充分体现马克思主义哲学进程随着时代发展所表现出来的曲折性、丰富性和多样性。（王阴庭：《“马克思主义哲学史”改革的若干问题》，《学术界》1989年第1期；张翼星：《应当克服直线性和单线的模式——当前马克思主义哲学史研究刍议》，《哲学动态》1989年第6期）

在争论和反思的基础上，孙伯鍨等提出了一个以实践唯物主义为核心的马克思主义哲学新体系的设想。（孙伯鍨、姚顺良、张一兵：《马克思主义哲学的历史还原与新的理论建构》，《江海学刊》1989年第3期）这种尝试，对于重新认识马克思主义哲学的历史进程，不无启迪意义。

1989年8月5～11日，由中国马克思主义哲学史学会、内蒙古自治区哲学会、包头市哲学会发起，在包头市召开了纪念《唯物主义和经验批判主义》发表80周年学术讨论会。与会者着重讨论了《唯批》的认识论思想和哲学的党性原则问题。（陈志尚：《纪念〈唯物主义和经验批判主义〉发表80周年学术会议纪要》，《哲学动态》1989年第10期）

本年度还出版了一批学术研究著作。除已经专文介绍的以外，还有黄枬森任主编、马云鹏、赵守智、曹霞升任副主编，集体撰写的《科学的社会历史观与改革》（黑龙江人民出版社1989年版），张念丰的《斯大林思想评述》（中国政法大学出版社1989年版），靳辉明、荣剑的《超越与趋同——马克思的东方社会理论及其当代思考》（中国人民大学出版社1988年版），等等。

（黄凤炎）

【马克思东方社会理论研究】 马克思的东方社会理论是一个未被充分阐释的研究领域。下面介绍一下本年度研究和讨论中的几个问题。

一、何谓东方社会理论　有学者指出，所谓东方社会理论是相对于西方社会理论而言。西方社会理论主要以英、法、德三国为背景，是马克思关于欧洲，特别是关于西欧的历史发展和现实资本主义状况及未来向共产主义过渡的全面系统的理论，具体说来就是我们所熟悉的关于人类社会发展的规律、动力、社会形态的依次更迭和关于共产主义及其过渡条件、途径的学说。它构成历史唯物主义的核心。东方社会理论与此不同，它主要以占世界人口绝大多数和广大地区的东方世界为背景，特别是以印度、俄国和中国为典型，是马克思关于东方社会的历史发展、现实社会状况及未来走向共产主义的理论。现在我们接触到的马克思关于东方社会必须经过资本主义发展阶段的观点，关于东方各国普遍存在亚细亚生产方式的认识，70年代中期以后马克思关于东方各国可以跳越“卡夫丁峡谷”的论断等等，都属于东方社会理论的内容。（张奎良：《论马克思的东方社会理论》，《中国社会科学》1989年第2期）

二、东方社会理论提出的动机和依据 一种意见认为，巴黎公社革命失败以后，欧洲再也没有出现革命形势。欧美主要资本主义国家生产力迅速发展，政治上也形成了长期稳定的局面。马克思越来越感到他预期的欧美革命无望了。与欧美相反，东方各国随着列强的入侵却显示出深厚的革命潜力和诱人的美好前景。这就使马克思的注意力逐渐由西方转向东方，他期望通过对东方社会的研究开辟一条走向新社会的道路，打破西方世界的沉闷局面，在东方找到实现革命理想的牢固支点。正是出于这样的动机，马克思花了大量时间研究东方社会的历史和现实，表述了对东方落后国家的独特历史和今后走向新社会的基本看法，形成了较为系统的东方社会学说。（张奎良：《马克思的东方社会学说与中国的社会主义初级阶段理论》，《社会科学（沪）》1989年第3期）

另一种意见认为，由于马克思为对整个西方资本主义世界的忧心如焚的情绪所困扰，他放弃了早年对西方社会的冷静的解剖，而对东方世界的所谓原始生命力发生了兴趣，他试图找到一条迥异于西方而又能将人类引向光明未来的大道。他在沉重的社会责任感中艰难地思索着，好象没有了早年的那种决断的勇气，好象在有意无意地回避资本主义社会发展中的灾难、罪恶与可怕的波折，而对东方式的田园风光，东方式的宁静和谐留连不已。可见，马克思关于东方社会发展道路的设想，在某种程度上受到了他的迫切的社会使命感的牵累，是一种主观情绪的直接产物。（钱宏鸣：《关于跨越资本主义“卡夫丁峡谷”问题——马克思东方社会理论研究综述》，《毛泽东哲学思想研究》1989年第1期）

第三种意见与前两种意见相反，认为马克思在一个相当长的时间内研究了俄国问题和俄国的农村公社，最初并不是为了一般地解决东方社会发展的道路问题，和为东方社会革命高潮的到来从理论上作出准备。因此谈不上有的人所说的反映那种“西方不亮东方亮”的心理状态。恰恰相反，作为无产阶级的伟大革命家，马克思是将俄国问题放在欧洲革命问题这个总体中来考虑并进行研究的。沙皇专制制度的命运与俄国革命的前途，与德国以至欧洲的革命和工人运动的前途息息相关，马克思对19世纪下半期欧洲革命形势的研究也离不开对俄国问题的深入研究。马克思对俄国农村公社的研究既是他的俄国问题研究的一部分，又是他对东方公社和日耳曼公社研究的继续。他所以能提出关于俄国公社发展的理论，是他长期研究俄国问题、特别是农村公社的概括总结。说那不过是马克思短暂的一种“主观情绪的直接产物”，是毫无根据的。（赵仲英：《马克思关于俄国农村公社发展道路的理论与现实意义》，《哲学研究》1989年第7期）

马克思提出东方社会理论的依据主要有3条：(1) 马克思首先在理论上否定了资本主义的普遍意义，他在给俄国《祖国纪事》杂志编辑部和女革命家查苏利奇的信中一再说，《资本论》中所描述的资本主义产生的历史必然性“明确地限于西欧各国”。(2)东方社会农村公社的特殊性，其中包括它的孤立性，各公社彼此隔绝、缺少联系，自给自足的自然经济，很少进行商品交换，这种孤立的农村公社是东方专制制度的自然基础等等，意味着东方社会在历史上应走与西方社会完全不同的发展道路。在社会形态依次更迭的次序中，东方社会应有自己固有的社会结构和演化机制。(3) 70年代中期以后，马克思通过对俄国农村公社的研究，提出了东方社会有可能跳越资本主义“卡夫丁峡谷”的设想。（张奎良：《马克思的东方社会理论》，《中国社会科学》1989年第2期；毛秀芝：《马克思的东方社会理论初探》，《求是学刊》1988年第6期）

三、东方社会理论的意义　一种意见认为，马克思关于东方社会发展道路的理论，更多的是提出问题，而不是最终解决问题，但这并不影响这一理论所具有的方法论意义。因为，它突破了马克思在50年代得出的东方社会必须走资本主义道路的结论，阐明了社会发展道路的多样性，体现了社会历史发展的普遍性和特殊性的统一。根据普遍性和特殊性相一致的方法论原则，强调按照具体情况分析具体问题，这样才能找到打开社会历史发展大门的钥匙。（马俊迈、李淑华：《马克思对东方社会发展道路的探索及其方法论意义》，《理论与现代化》1989年第6期）

第二种意见认为，马克思关于跨越资本主义“卡夫丁峡谷”的新设想不仅是他对自己先前理论的反思和突破，而且对于把握社会主义初级阶段理论也具有重大现实意义。(1) 按照马克思先前的“世界历史”思想，一切民族和国家都将突破封闭状态，程度不同地卷入到世界历史的洪流中来，这就形成了马克思的一元的历史观。而马克思晚年的东方社会理论认为，人类世界从古至今就分为西方和东方两个世界，它们的具体历史特点不同，未来向新社会过渡的根据和途径也不同。这样，大一统的一元历史观被突破了，多元化的历史观被提出来了。(2) 马克思用社会生活条件来唯物地分析历史，提出了五大社会形态的学说。可是到了晚年他的这个认识动摇了。在他的心目中，五大社会形态只对西方社会才适用，而东方社会自原生形态以来，没有明显的奴隶制度和封建制度的区别，还可能跳过资本主义阶段。这样，五大社会形态学说对东方就不适用了。(3)根据唯物史观，人类社会发展的根本机制在于生产力与生产关系和经济基础与上层建筑的矛盾运动，这是衡量历史的根本尺度。可是当马克思晚年断言东方社会可以跳越“卡夫丁峡谷”时，人道主义却成了马克思规划历史的尺度和出发点。这样，历史尺度由一元变成了多元。(4)马克思在《政治经济学批判》序言中说得很清楚，社会主义是资本主义成果在另一形式下的延伸，它的使命和性质是被资本主义矛盾所严格决定的。可是在马克思晚年的东方社会理论中，社会主义却不是发端于资本主义固有的矛盾，而是在前资本主义或是在资本主义没有充分发展的条件下，出于人道主义考虑而由村社公有制演变而来的。可见，社会主义对马克思来说不是严格决定的，后人在社会主义实践中有较大选择和创新的自由。鉴于上述各点，我们可以得到的教益至少有：首先，要分清东西方两个世界，不能忽视东方的国情而照搬马克思西方世界的理论。其次，资本主义制度是可以跳越的，与资本主义相连带的肯定成就是不能跳越的。因此，要充分利用资本主义的一切肯定成果。(张奎良：《马克思晚年的困惑》，《光明日报》1989年5月29日；《马克思的东方社会学说与中国的社会主义初级阶段理论》，《社会科学(沪)》1989年第3期；《马克思的东方社会理论》，《中国社会科学》1989年第2期)

第三种意见认为，第二种意见的基本观点是站不住脚的，并逐一进行了反驳。(1) 革命预言的落空与唯物史观理论本身毫无关系。(2) 所谓马克思为摆脱“困惑”，放弃了《资本论》的写作，转而去研究东方社会和人类学，这是不符合事实的。事实是，马克思有意拖延《资本论》的写作，主要是为了使它以更科学、更完善的面貌出现，而绝不是放弃它。(3)马克思从未说过"一切民族和国家都将经历资本主义"这样的话。(4)所谓马克思的"东方社会可以跳过资本主义阶段"的新观点根本不是什么因"不能容忍现实与他的理论之间的巨大反差"而作的"突破性探索"。这个问题本身原是由俄国革命者提起的，马克思不过是根据唯物史观和辩证法的基本原理作了自己的答复罢了。其内容也并不是强调东方社会可以跳过资本主义阶段这个观点，而是强调不能用形而上学的观点去看待这个问题。(5)马克思花了不少的精力研究东方社会和人类学，其原因是：第一，这与写《资本论》有直接的关系。第二，当时俄国、中国等许多东方国家与西方世界在经济上和政治上有着密切的联系，东方国家的发展前途直接影响着西方的革命。第三，研究人类学问题，主要是为了进一步丰富和发展历史唯物主义。(6)不能把作为社会唯一基础的物质本源同社会发展形态混为一谈。至于不同民族各自的社会发展形态，马克思从来没有说过必须遵循绝对同一的模式。(7)马克思对不同的社会发展形态作了区分，他只是想通过不同民族之间的外在比较，从整个人类这个整体的角度上来描述出一个大体的进化过程，而不是指每一个民族自身的内在发展都必将经历这些阶段。马克思指的是"类"而不是指"个体"的进化过程。(8)马克思从来没有用人道主义取代唯物史观。(9)社会历史发展的道路是有自己的客观必然性的。但是，某些外在的原因必然给这个客观必然性穿上五颜六色的外衣。从必然性和偶然性的结合上去看待社会历史的发展，就可以说：社会主义是严格决定论的，同时又不是严格决定论的。(王学元：《所谓"马克思晚年的困惑"是不存在的——评张奎良同志〈马克思晚年的困惑〉一文》，《光明日报》1989年8月14日)

(成　石　丰　义)

【关于实践唯物主义讨论的新进展】从一开始就呈现出百家争鸣格局的关于实践唯物主义的讨论，在本年度除不同观点的学者各自论证自己见解的合理性、同时反驳其他所有观点的偏颇性之外，对实践唯物主义问题又提出了多种新的理解。现将几种主要的新理解记述如下：

一、实践唯物主义是物质本体论与实践本体论的统一　王正萍、李崇富认为，马克思主义哲学本体论，扬弃了唯客体主义和唯灵论的僵硬对峙，它以世界的物质统一性为前提，以社会物质实践为核心，从自在自然与人化自然和社会存在、客体和主体的历史统一中，来把握整个世界的物质本质。这种本体论不仅是其整个体系的前提，而且是其中一以贯之的和不断深化的本质。因之，这种本体论是有层次的，是历史和逻辑地发展的。在世界观上，是物质本体论，在社会历史观上，是物质实践本体论，也就是社会存在本体论。物质本体论是这一体系最终的基础和前提，而物质实践本体论则是物质本体论历史和逻辑的发展。它们统一于辩证和历史的唯物主义一元论。物质实践本体论高于物质本体论。但如果用物质实践本体论否定或取代物质本体论，那就同哲学的世界观性质，同人类认识世界的总秩序是相悖谬的。由生产劳动实践所直接、间接决定的社会实践的多样性，以及由此形成的社会生活、社会关系的丰富性，归根到底，都取决于实践本体论与物质本体论的统一性。否则，“实践的唯物主义”就不能算是现代唯物主义，当然也不可能是科学形态的“唯物主义一元论”。（《略论物质本体论与实践本体论的统一》，《哲学动态》1989年第3期）

二、实践唯物主义是马克思的哲学世界观，辩证唯物主义是对马克思哲学世界观的偏离 徐崇温认为，马克思创立的哲学世界观是实践唯物主义。它既高度强调实践的伟大历史作用和世界观意义，又始终坚持唯物主义。既反对自然主义的“物质本体论”，又反对唯实践主义的“实践本体论”。他指出，“辩证唯物主义”概念是狄慈根于1886年首先提出来的。1891年，普列汉诺夫也使用了这一名称。对此，恩格斯生前并没有表示过赞许。以后，普列汉诺夫说明了他把马克思主义哲学世界观称作“辩证唯物主义”，是来源于对恩格斯“现代唯物主义”的理解和分析。而“现代唯物主义”与“实践唯物主义”并不完全一致。在列宁的哲学思想中，有一些是和实践唯物主义思想一致的，有些则不是。如对旧唯物主义主要缺点的分析，同样没有按照《提纲》的精神来阐述。列宁还把赫拉克利特的排斥人的实践的原始的、自发的唯物主义，说成是对马克思主义哲学世界观——“辩证唯物主义”的绝妙说明。斯大林进而把它奉为建构马克思主义哲学世界观的重要基石，于是出现了把人的实践从世界观中排除出去的哲学体系。以上说明，在马哲史上，从实践唯物主义到辩证唯物主义，并不是马克思主义哲学“内部分化”的进步的表现，而是一种对马克思哲学世界观的偏离。（《马克思的哲学世界观是实践唯物主义》，《求是》1989年第3期）

三、实践唯物主义只是马克思主义哲学的表层结构，主体唯物主义才是它的深层结构 冯景源不同意用“实践唯物主义”定义马克思主义哲学的流行说法，认为从马克思主义哲学发展的历史和现代研究的成果来看，“实践唯物主义”只是这一哲学的表层结构，以主体为本质特征的主体唯物主义才是它的深层结构。主体唯物主义是由主体理论、价值理论和异化理论构成的有机整体。主体理论是在改造以往哲学(特别是黑格尔哲学)的基础上形成的崭新形态的唯物主义。主体在实践的形式下对客观世界的物质改造活动,既不是为实践而实践,也不是为改造物质而改造物质,而是在这种实践、改造活动的前提下,实现人和客观对象之间的价值关系。主客体关系离开了价值关系则成为一种空虚的外在形式,而价值关系才是主客体关系的深层内容。价值关系之所以又是一种异化关系,是因为价值所表示的是主体活动的物化或对象化关系。物化或对象化在私有制形式下,形成物对人的统治,即客体对主体的异化关系。异化理论不仅研究异化在私有制下的形成和发展,更主要的是探讨异化的克服。在异化的克服中,要使主体从对异化存在的消极旁观者,变为主动的认识者和克服者,实现主体人的自由全面发展。(《主体唯物主义:马克思主义元哲学的实质》,《江海学刊》1989年第2期)

四、实践唯物主义是科学理性和人道主义的结合点 王鹏令认为,实践作为人和社会的存在方式,不仅是一种受外在必然性制约的客观活动,它作为人和社会的一种合目的性的自主活动,还是人们争取自由和实现自己的价值追求的根本方式,亦即个人和社会借以得到发展的根本方式。就是说,合规律性的实践活动本身就体现着科学精神,而自为的即自由自觉的实践活动本身即体现着人道主义。正是在这种意义上,我们说,实践范畴本身即内涵着科学理性和人道主义这两个方面。事实上,科学理性和人道主义及其矛盾的解决,归根到底都必须付诸实践。可以说,实践恰恰构成了科学理性和人道主义的凝结点。因此,从实践出发并按照实践唯物主义的原则来建构马克思主义哲学的理论体系,便有可能把科学理性和人道主义结合起来,使之在马克思主义哲学中达到互补,从而以哲学理论的形式体现出当前时代精神的这两个基本方面的统一。(《寻求科学理性和人道主义的统一——再论实践唯物主义的意义》,《哲学动态》1989年第5期)

五、实践唯物主义与旧唯物主义的对立,不是认识论或本体论上的对立,而是政治学意义上实践变革与理论解释的对立 肖中舟不同意从认识论或本体论的角度理解实践唯物主义中的"实践",主张从政治学意义上揭示马克思实践观的本质。他认为,"实践"作为马克思新世界观的一个基本范畴,其内涵是指那些旨在变革和推翻现存制度的社会政治革命。"实践"与"革命"是同等程度的范畴。马克思从世界观的高度将"直观"与"实践"对立起来,但这种对立并不是认识论或本体论上的对立,而是对现存制度的两种政治态度的对立。根据马克思的一贯思想，“直观”作为旧唯物主义的根本缺陷，是指它们仅仅满足于对现存事物的正确理解和解释，而不主张对它们实行任何现实的、感性的变革。而“实践”作为他自己新哲学的本质特征，是指它竭力主张对现存事物的实际的变革或革命。这正如他本人所说的：“对实践的唯物主义者，即共产主义者说来，全部问题都在于使现存世界革命化，实际地反对和改变事物的现状”。在这里，马克思实际上用“共产主义”一词规定了“实践”的政治本质。从“社会革命”的意义上把握马克思实践观的实质，就可以对马克思在《提纲》等著作中阐发的思想获得完整一致的理解。首先，由于马克思的“实践”是那种实际地反对和推翻现存制度的革命行动，这就决定了他不仅坚决反对旧唯物主义的“直观”保守态度，而且还坚决反对唯心主义的抽象的“精神实践”或精神革命。其次，由于马克思赋予实践以政治学的本质，所以他认为“环境的改变和人的活动的一致，只能被看作并合理地理解为革命的实践”。根据马克思的阶级斗争学说，社会环境的变更和人的活动的一致也就是社会革命。再次，当马克思以这种富于革命性的实践作为自己世界观的出发点时，必然会认为现存的社会制度“应当在理论上受到批判，并在实践中受到革命改造”。又次，马克思之所以认为“社会生活在本质上是实践的”，是因为在他看来，阶级斗争是人类社会生活的本质。最后，只有从政治学的角度把握马克思实践观的本质，才能深刻理解马克思的“实践唯物主义”与旧唯物主义的对立不是纯粹认识论意义上的真理与谬误的对立，而是实践变革与理论解释的对立。（《论马克思的实践观——兼谈马克思的“实践唯物主义”》，《现代哲学》1988年第4期）

（黄凤炎）

【关于“西方马克思主义”论战的新特点】 1989年“西方马克思主义”论战的特点，在于论战双方都把马克思的实践唯物主义作为评判“西方马克思主义”的论理尺度，由于双方对实践唯物主义的理解存在根本分歧，又使关于实践唯物主义的争论和关于“西方马克思主义”的争论结合在一起，呈现出一种复杂的态势。

徐崇温在一系列关于实践唯物主义的文章中，反复强调实践唯物主义是马克思的哲学世界观，它包括相互联系的两个基本点，即既强调劳动实践具有创造财富、改造世界的伟大历史作用，把劳动实践引进存在论、世界观，又始终坚持外部自然界的优先地位，坚持劳动实践所受的自然制约性。他根据这种理解，对卢卡奇的《历史和阶级意识》进行了批评和分析。

杜章智、翁寒松等人对徐崇温提出的实践唯物主义评价尺度，表示了不同意见，并进行了具体的反驳。翁寒松写道，在评判“西方马克思主义”的尺度方面，大家都强调用马克思主义来分析“西方马克思主义”，但究竟是以实践唯物主义为尺度，还是以“旧哲学教科书”之类的“旧哲学”为尺度呢？我国的“西方马克思主义”研究格局长期得不到突破的根本原因在于此。徐崇温也谈“实践唯物主义”，但他实际上完全是拿着“旧哲学”的“实物钝器”去总体敲击“西方马克思主义”。他之所以坚持就思潮来说“西方马克思主义”不是马克思主义，以卢卡奇《历史和阶级意识》为代表的“黑格尔主义的马克思主义”不是马克思主义，一个根本的原因就在这里。徐崇温承认“实践唯物主义”，却又反对实践本体，硬把人——社会——自然“三位一体”的“世界”加以肢解，非要把作为本体的客观存在“物”——“世界”等同于与无形的精神相对应的有形物或有形物的总体，非要强调外部自然界的优先地位，这不就是马克思在《论纲》中批评的那种旧唯物主义倾向吗？翁寒松断言，在马克思一生的著作中根本不存在“外部自然界的优先地位”的思想；事实上马克思认为“在人类历史——人类社会的生产活动——中生成的自然界是人的现实的自然界”；已经为人的实践所对象化指向的“第二自然”和尚处于人的活动作用以外的作为潜在的“第二自然”的“第一自然”，都逻辑地包容在人的实践框架之中。因此，从哲学意义上说，不存在游离于实践统摄的自然，不存在“世界”以外的“世界”，不存在“本体”以外的“本体”。据此，翁寒松得出结论说，卢卡奇、南斯拉夫“实践派”等等在恢复马克思主义哲学的权威方面做出了历史性的、决定性的贡献，他们开辟的思想道路就是我们理论工作者今天正在进行的改革之路，从这个意义上说，徐崇温意义上的“西方马克思主义”概念，的确是到了该废弃的时候了。（《当前“西方马克思主义”问题新争论之我见》，《马克思主义研究》1989年第1期）

杜章智与周稳明、翁寒松联名写文章，说卢卡奇的《历史和阶级意识》不是什么“黑格尔主义的马克思主义”，而是马克思的实践唯物主义。其理由是：首先，这本书是卢卡奇对当时西方的革命运动进行马克思主义的理论反思的结果。他尖锐地批判了第二国际理论家的自然主义倾向，要求从历史实践的高度解释自然和历史，恢复马克思主义的方法论基础。为了研究具体的和历史的辩证法，就必须从它的奠基人黑格尔着手。多讲几句黑格尔，不等于“以黑格尔主义改造马克思主义”。其次，这本书所强调的恰恰是黑格尔哲学与马克思主义哲学相联系的那部分精华，即辩证法的生动的历史实践本质。卢卡奇的“总体性”概念，矛头直指第二国际的庸俗经济决定论，要求对人类社会生活进行整体的全面的理解，即不以自然本体论的思想解释历史，而是将主体与客体的全部社会运动作为历史的基础，突出了人类物质活动存在的实践性、社会性。在这本书中，卢卡奇还将主客体之间的辩证运动通俗化为社会历史过程，这表明，其“总体性”概念突出了人类社会运动高于自然历程这个特点，从而贴近了马克思的实践概念。按照马克思的本意，实践首先被确定为作为人类社会存在的社会历史过程。而历史——人类的社会实践，即被看作物质总体运动的一种形式。这种理解并不在于说明人类社会史是自然史中的一个阶段，而在于强调哲学的本体意义上的人与自然关系的社会（活动）性质，因为马克思主义哲学所说的作为本体的“世界”，决不单单是自然界，而是自然、社会和思维三位一体的“世界”，这种三位一体恰恰是通过实践达成或表现出来的，实践就是这种三位一体的实际状态。这样一来，人类社会实践获得了哲学本体的意义，标志着马克思主义哲学完成了对旧哲学的自然本体论的超越。相应地，卢卡奇阐发了为马克思所高度赞赏的黑格尔的“实体即主体”的思想，把无产阶级的意识发展和整个人类的意识发展贯通起来，把无产阶级的阶级实践与整个人类的文明进化统一起来，最终把共产主义运动哲学地解释成全人类物质的和精神的自我解放的总体工程。他的这些工作，无疑有助于理解马克思主义的本质。（《如何看待卢卡奇》，《人民日报》1989年1月27日）

徐崇温对上述观点作出了否定性评价。他认为，《历史和阶级意识》提出的，是抽象的唯心主义的实践观，不是马克思的实践唯物主义。其理由有三点：首先，它提出“自然是一个社会的范畴”的命题。这个命题在考察作为物化历史的“第二自然”时，忘记了考察“第一自然”在人类生活中的作用，在力求解决自然和历史的两分法时，干脆忘却了自然；在要求废除主体和客体的两分法时，完全否认了客观性的要求。这个命题意味着把自然甚至一切存在都归结为人类活动、甚至人类意识的产物，把自然先于人类诞生的历史颠倒过来，撇开了人类社会的物质自然基础，否定了自然辩证法的客观存在，并把马克思主义变成一种纯粹的人类学和社会哲学。其次，《历史和阶级意识》主张意识即实践。它认为无产阶级一旦具备了由其阶级地位所赋予的阶级意识、自我意识，便成为历史的同一的主体和客体。由此出发，它把无产阶级革命归结为意识的一种活动，并认为意识形态斗争在推翻资本主义中具有首要地位。徐崇温认为，《历史和阶级意识》抹煞思想和行动、思维和存在之间的原则区别，把意识本身说成是能够变革对象的实践，是和马克思的实践唯物主义格格不入的。马克思声明，思想根本不能实现什么东西。为了实现思想，就要有使用实践力量的人。最后，《历史和阶级意识》的实践观不以劳动为基础，还把实验和工业排除在外。这几个基本点表明，《历史和阶级意识》虽然有志于在反对第二国际的自然主义中恢复实践在马克思主义中的推动力，但这种实践观却毕竟是一种抽象的和唯心主义的实践观，而并不是马克思的实践唯物主义。杜章智、翁寒松硬把这种抽象的唯心主义的实践观说成是马克思的实践唯物主义，是令人不解的。进一步，徐崇温认为，马克思的实践唯物主义，不是实践本体论。因为马克思在强调实践的伟大历史作用和世界观意义时，不仅没有把物质自然界从世界观中排除出去，相反还强调指出：在这种情况下，外部自然界的优先地位仍然会保持着。徐崇温引证马克思的大量论述，确认"坚持外部自然界的优先地位"是马克思的一贯思想，是实践唯物主义的一个基本的、不可缺少的组成部分。要是丢弃了这个基本内容，实践唯物主义就不再成为实践唯物主义，而会变成翁寒松那样的用实践包容自然、统摄自然，只要实践，不要唯物主义的实践本体论了。(《不要把唯心实践观说成实践唯物主义——评杜章智、翁寒松等同志的青年卢卡奇观》，《马克思主义研究》1989年第3期)

张西平也认为，卢卡奇的实践概念有着致命的弱点，即把实践完全归于无产阶级意识。这种阶级意识概念恐怕不象杜章智所说的把"无产阶级的意识发展和整个人类的意识发展贯通起来"。这点卢卡奇讲得极明白。他说"在这本书中，革命的实践概念表现为一种夸张的高潮，与其说它符合真正的马克思主义理论，不如讲它更接近流行于共产主义左派中的救世主义的乌托邦主义"。从这个角度看，把这种实践说成是实践唯物主义显然是不妥的。(《要客观地认识卢卡奇和西方马克思主义的关系——兼与杜章智等同志商榷》，《马克思主义研究》1989年第2期) (黄凤炎)

【对《唯物主义和经验批判主义》一书的研究】 列宁在《唯物主义和经验批判主义》中所阐述的反映论，究竟是辩证唯物主义的能动的反映论，还是旧唯物主义的机械的直观反映论？1989年理论界对这个问题作了进一步研究。

1989年夏，中国马克思主义哲学史学会等单位共同举办纪念列宁的《唯批》发表80周年学术会议。与会学者一致认为，列宁在《唯批》中阐述的认识论思想，是对马克思、恩格斯认识论思想的继承和发展。那种指责《唯批》停留在旧唯物主义水平，是直观的机械的反映论，是对马克思认识论思想的倒退等观点，不符合事实，是错误的。《唯批》论述的是辩证唯物主义认识论，是能动的革命的反映论，它表现在以下几点：(一)它坚持本体论和认识论的统一，坚持认识论的唯物主义前提，主张反映论是辩证唯物主义认识论的基础。同时进一步发挥了恩格斯关于哲学基本问题的理论，明确指出在认识论上存在着两条基本路线，即：唯物主义主张从物到感觉、思想，而唯心主义则主张从思想和感觉到物。(二)它遵循马克思和恩格斯有关实践对认识重要作用的论述，明确提出"把人类实践的总和当作认识论的基础"；认为"生活、实践的观点，应该是认识论的首要的和基本的观点。"(三)它把辩证法运用于认识论，强调在认识论上应该辩证地思考，既要反对形而上学机械论和绝对主义，又要反对相对主义和折中主义。(四)它坚持辩证唯物主义和历史唯物主义的统一，坚持认识论和历史观的统一，反对修正主义者主张用马赫主义认识论取代辩证唯物主义认识论而和马克思主义历史观"结合"的企图。(五)它为建立既辩证又唯物的科学认识论体系提供了一个初步模型。这些都是旧唯物主义直观反映论所不可能有，只有辩证唯物主义认识论才独具的内容。(陈志尚：《坚持和发展马克思主义认识论——纪念〈唯物主义和经验批判主义〉发表80周年学术会议简介》，《人民日报》1989年10月13日)朱保全撰文认为，只有全面地分析和理解列宁的这部著作，才有可能找到正确的答案。他从下述3个方面作了分析，认为：列宁在这部著作中坚持的是能动的、辩证唯物主义反映论。(一)从写作背景和写作意图来看，这部著作既是一部批判唯心主义的著作，又是一部介绍辩证唯物主义的著作。(二)从基本内容和基本精神来看，列宁在其中实现了自己的写作意图，贯彻和体现了辩证唯物主义的基本原则。这主要表现在以下两个方面：1.贯串全书的原则是用辩证唯物主义观点批判经验批判主义；2.结合对经验批判主义的批判阐述辩证唯物主义原理，这些论述是历史发展新经验和科学发展新成果的结晶，闪烁着辩证唯物主义的光芒。(三)从批判对象和批判方法来看，列宁的反映论也是辩证唯物主义的。由于《唯批》的主要批判对象是唯心主义，这就决定了列宁在运用和阐述辩证唯物主义观点时不能不侧重在辩证唯物主义的唯物方面。这种侧重点是由历史条件决定的。(《是机械的反映论还是能动的反映论？——正确理解列宁的〈唯物主义和经验批判主义〉》，《理论教育》1989年第5期）金守庚驳斥了王若水认为列宁的反映论就是直观反映论的两个"论据"。王若水的"论据"之一：

列宁认为,"物、世界、环境是不依赖于我们而存在的",每一个认识对象都是第一性的,这就必然导致直观反映论。而恩格斯所说的第一性的自然界,是指人类出现以前的自然界,不是指已经人化了的自然界。后者不能说是第一性的。因为它们既是客体,又是主体,互相依赖,互相转化。金文驳斥道,首先,查查恩格斯的原文,恩格斯并非单指人类出现以前的自然界对于精神是第一性的,而且也指现今我们周围的自然界对于精神也是第一性的。其次,王若水认为,"人化了的自然界"、"社会的物"等作为人造物,是人类实践的产物。如果没有人、人的需要、人的意志、人的劳动,这张桌子就不会出现,因而不能说是第一性的。在这里,王若水提出的问题已经超出了什么是第一性、什么是第二性这个认识论基本问题的范围。列宁明确讲过,物质和意识的对立,只有在什么是第一性什么是第二性这个认识论基本问题的范围内才有绝对的意义,一旦超出这个范围,物质和意识的对立无疑是相对的。物质和意识的关系还有第二个层次,即物质和意识在实践基础上的相互依赖和相互转化关系,这里存在着物质和意识关系的双向性。在这种双向关系中,物质的第一性即客观实在性也没有变化。但必须把物质和意识的关系的这两种不同层次、不同范围的问题区分清楚,否则就会带来混乱。王若水的"论据"之二是:列宁"翻来复去"强调"客观实在……为我们的感觉所复写、摄影、反映",把"反映"和"复写"、"摄影"作为同义语,把主体看作是白板、是受纳的容器,等等。这就表明,列宁的反映论是直观反映论。金文驳斥道,在列宁的《唯批》中,象"翻来复去"地强调意识是客观实在的反映、复写、摄影一样,也"翻来复去"地强调要正确地理解认识论和实践标准的关系。至于列宁强调意识是客观实在的反映、复写、摄影,同把主体看作是白板、受纳的容器等等,毫不相关。问题也不在于"反映"同"复写"、"摄影"有什么区别,而在于它们的哲学意义无非是说明,物质是意识的泉源以及意识同被意识的对象有某种相似性。这就是同唯心主义和不可知论划清了界限的唯物主义一般原理,这同唯物主义反映论的一种特殊形式即直观反映论不能混为一谈。辩证唯物主义的反映论在承认这些原理的同时,进一步揭示了意识反映物质过程的能动性和辩证性。但是,在强调主体实践的作用时,不能因此否定意识的泉源是客观实在。诚然,认识是主客观相互作用的产物,但它毕竟不能不是客体的多少近似的反映。(《列宁的反映论是直观的反映论吗?——同王若水等同志商榷》,《党校论坛》1989年第1期)陈柏灵认为,《唯批》的反映论思想既不能等同于费尔巴哈的直观反映论，也不是成熟的辩证唯物主义能动反映论，它在马克思主义认识论发展中具有自己的特殊性。为什么《唯批》的反映论思想没有达到成熟的辩证唯物主义能动反映论的高度？因为，一方面，从《唯批》产生的背景、哲学任务和它的主题思想看，列宁把自己的最大注意力集中在与主观唯心主义的斗争。《唯批》有意识地、明确地就唯物主义的基础问题作文章，反复地、多角度地论述"一般唯物主义"原理同马赫主观唯心主义观点的直接对立。《唯批》在涉及旧唯物主义者的观点时，着重指出的是他们与马克思、恩格斯观点的一致性，很少或不提他们观点的局限性；在正面论述和阐释马克思、恩格斯的观点时，《唯批》强调的是他们与一切唯物主义者的一致之处，而不是强调他们高出于旧唯物主义者的地方。《唯批》大量地、反复地或主要地论述一般唯物主义原理，势必冲淡或减轻了它的反映论思想的辩证唯物主义分量，这是不容否认的客观事实。另一方面，从《唯批》对辩证唯物主义能动反映论必须涉及的原理的实际论述看，不能说列宁的阐述是充分的、完善的、成熟的。例如，关于"认识是个过程，应当辩证思考"的重要思想，书中对此仅是作为重要结论而提出的，实际上既没有详细论证，又没有进一步扩大展开，对于认识如何实现辩证思考，认识过程中感性认识与理性认识如何过渡、转换，理性认识如何向实践飞跃，其间有无中介环节等等，都没有提到。至于说作为辩证唯物主义能动反映论必须包容于其中的其他一些重要内容，如关于认识主体在认识中的地位、作用及其与认识客体构成的双向运动关系，关于反映过程的内部机制，认识过程中价值、审美、目的、意志等非理性因素的意义和作用等等，则几乎没有谈到，有的则是作者明显地有意避开的。由此可见，《唯批》的反映论思想有其辩证的、能动的内容，但与后来《哲学笔记》的水准比，其差距是明显的。(《关于正确评价〈唯物主义与经验批判主义〉的若干问题》，《中国社会科学》1989年第6期） （曾盛林）

【毛泽东哲学思想研究概述】 1989年，毛泽东哲学思想研究工作者对近年来的研究工作进行了理论反思，并在具体课题的研究上取得了一些新的进展和成果。

一、对近10年来毛泽东哲学思想研究状况的基本估计 绝大多数研究者认为，十一届三中全会以来毛泽东哲学思想研究取得了可喜的成就。其主要表现是：研究方向正确，坚持了实事求是的思想原则；研究内容由以往对单篇著作或某些论断的诠释，进到对毛泽东哲学思想整体的系统研究和深入探讨，初步形成了多角度、多层次的研究格局；研究成果在数量和质量上都超过了以往各个时期；在专业研究机构和队伍的建设上也有所发展，一批思想敏锐、勇于探索、矢志不移地从事毛泽东哲学思想研究的年轻人脱颖而出，活跃在学术理论战线上；等等。在充分肯定这些成就的同时，也应清醒地看到在学科建设和研究工作中存在的主要问题、缺陷和不足。一是资产阶级自由化思潮的干扰和影响。集中表现在近几年来一些人以虚无主义态度对待毛泽东哲学思想和整个毛泽东思想，认为它是一种僵化、封闭的体系，在新民主主义革命时期是适用的，但在社会主义时期则是失败的、过时的，对现代化建设没有任何积极作用，甚至有人认为，马列主义中国化实际上是马列主义封建化。他们企图利用毛泽东晚年的错误来极力贬低乃至全盘否定毛泽东思想。在这种错误思潮的影响下，社会上不少人，包括相当一部分青年学生对学习、研究和宣传毛泽东哲学思想的兴趣越来越淡薄，不仅认为它可有可无，甚至加以非难和嘲讽。有的人虽然也搞研究，但采取的是非理性主义的态度和方法，单纯从个人感情、恩怨出发，以情感判断代替科学的理性分析，或抓住一点，不及其余，从而得出错误的结论。上述这些错误思想和态度，严重干扰了毛泽东哲学思想研究工作，起了消极、有害的作用。二是研究方法的滞后。近10年来毛泽东哲学思想研究突破了过去那种教条主义的注经式的方法，这是一个历史的进步。但大多数研究者仍采取以“两论”为本位的原理加例子，或以马恩列斯毛为序的纵向的研究和叙述方法。这对于恢复毛泽东哲学思想本来面目，阐明它的基本原理及其在马哲史上的历史地位是有积极作用的，问题在于仅仅停留于这种研究方法，便很难适应新时期的改革开放和现代化建设实践对理论工作提出的任务和要求，因此必须改进和更新我们的研究方法，使之现代化和多样化。三是研究者自身的心理负担。毛泽东哲学思想研究是一个政治敏感性较强的领域，许多理论问题常常和政治问题交织在一起，加上“文革”期间对待学术理论问题的“左”的做法所造成的后果和影响，使得不少研究者思想顾虑重重，不能进一步解放思想、大胆探索，这也在一定程度上妨碍着党的实事求是路线和百家争鸣方针的贯彻。

关于今后如何进一步开创毛泽东哲学思想研究的新局面问题，一些研究者指出，首先必须继续端正对待毛泽东哲学思想的认识和态度。当前主要是要反对和清除资产阶级自由化思潮及其影响，同时也要防止和克服思想僵化。其次，研究工作要坚持面向世界、面向未来、面向现代化，特别要立足现实，努力探讨和研究新情况、新问题，在实践中坚持和发展毛泽东哲学思想。再次，要逐步更新和完善研究方法。要在认真贯彻理论联系实际、历史和逻辑相统一、实事求是这些马克思主义的基本方法论的前提和基础上，积极吸收和运用现代科学方法，做到多层次、多样化。最后，要提倡专业哲学工作者和实际工作者联合，把毛泽东哲学思想的深入研究和提高工作同广泛的宣传、教育和普及工作结合起来，相互促进，充分发挥毛泽东哲学思想的理论活力及其对实践活动的巨大指导作用。（韦日平：《十年来毛泽东哲学思想述评》，《毛泽东哲学思想研究》1989年第5期；夏煜煊：《学习江泽民国庆讲话，坚持和发展毛泽东思想》，《毛泽东思想研究》1989年第4期）

二、毛泽东晚期哲学思想研究

近几年来，对毛泽东晚年实践和晚期思想理论的研讨，逐渐成为国内外学术界的一个热门课题。在如何评价毛泽东晚期哲学思想方面，目前主要有3种不同意见。一种意见认为，毛泽东晚期哲学思想是完全错误的，应该全部否定。另一种意见认为，毛泽东晚期哲学思想是在曲折中发展的。他的晚年错误主要是在实践中，在制定方针政策中违背了毛泽东思想包括他的哲学思想的正确理论原则。再一种意见认为，毛泽东晚期哲学思想从总体上看，离开了辩证唯物主义和历史唯物主义，是为他的"左"倾路线提供理论根据的，其错误是主要的，但在某些方面包含着正确的成份，在个别观点上有新的提炼和概括。持这种意见的学者进一步指出，毛泽东晚期哲学思想中的正确部分主要是：1957年提出的社会主义社会基本矛盾和两类矛盾的学说；从认识论上论述了主动权的问题和人的主观能动性与客观规律之间的关系；在1962年扩大的中央工作会议上对实践与认识、民主与集中、必然与自由的关系问题的深刻阐述；关于"两变"即物质与精神在实践基础上辩证转化的思想；关于量变中的部分质变观点；对"天才论"的批判以及对"才能"的论述；提倡哲学解放，让哲学变为群众手里的尖锐武器；提出要发展马克思主义，特别指出进入社会主义时代，出现了一系列新问题，单有《实践论》《矛盾论》而不能写出新著作，创造新理论，是不行的，等等。至于毛泽东晚期哲学思想上的错误，则集中表现在：一是经验主义的唯意志论，导致在实际工作中严重违反了客观规律；二是阶级斗争理论和实践的绝对化和扩大化。此外，还表现在对"唯生产力论"的错误批判，提倡和接受个人崇拜，对对立统一规律的片面解释，不承认量变质变规律、否定之否定规律，以及脱离唯物主义前提讲辩证法，使之带有主观随意性倾向，等等。（宏鸣、致钰：《毛泽东晚期思想研究综述》，《毛泽东哲学思想研究》1989年

第4期；高烈：《毛泽东晚期哲学思想评述》，《南京大学学报》1988年第4期）

三、关于毛泽东哲学思想的比较研究　这是近几年来国内外有关学者特别注重的研究课题和研究方法。诸如毛泽东军事辩证法思想与资产阶级军事理论家克劳塞维茨战争哲学思想的比较研究，毛泽东与恩格斯战争方法论的比较研究，毛泽东哲学与"西方马克思主义"的比较研究，毛泽东与斯大林哲学思想的比较研究等等，涉及到古今中外诸多人物和思想。从目前已取得的研究成果来看，这种比较研究的方法如能运用得当，对扩展和深化毛泽东哲学思想研究无疑是有积极作用的。在这方面一些研究者做了有益的尝试，如李君如在《毛泽东与斯大林哲学的关系》（《毛泽东思想研究》1989年第1期）一文中指出，毛泽东与斯大林最基本的、首要的区别在于建构哲学理论体系的目的不同。斯大林要建立一种具有绝对的普遍意义的马列主义哲学体系，毛泽东所要建立的是一个能着重解决中国革命特殊性问题的马列主义哲学体系。由此决定了两者在理论观点上的3个最突出的主要的区别。即1．毛泽东以主体与客体的关系，以及由此而产生的主观与客观、认识与实践的关系，作为哲学认识论的中心范畴；斯大林则以物质与意识的关系作为哲学认识论的中心范畴。2．中心范畴的区别集中表现在能动反映论与被动反映论的不同上。在斯大林那里，既没有象毛泽东那样突出实践是认识的基础，也没有突出认识是一个能动的反映过程，因而难以同直观的被动的反映论划清界限。3．在辩证法方面，毛泽东突出的是被列宁称之为辩证法核心的矛盾规律，强调矛盾的同一性，尤其是对立面在一定条件下相互转化的思想；斯大林则仅仅把矛盾规律当作辩证法的一个特征看待；在论述矛盾问题时又把矛盾等同于"对立面的斗争"，而不讲对立面的统一和相互转化。作者也列举了毛泽东与斯大林哲学的相同或相通之处。如马列主义哲学基本范畴是一致的；都主张理论与实践相结合，哲学要为政治服务；并且两者都过于突出哲学的政治性；等等。但作者仍强调指出，毛泽东与斯大林哲学思想的区别是显著的，在内容体系上前者比后者要丰富得多，更具独创性。王德存、孙秉文在《斯大林与毛泽东的辩证法模式比较》（《毛泽东哲学思想研究》1989年第2期）一文中认为，斯大林在1938年撰写的《联共（布）党史》4章2节中提供的是一个扭曲形态的辩证法模式，总体看是对列宁辩证法思想的倒退；毛泽东则遵循了列宁的哲学遗嘱，并吸收了30年代苏联学者研究辩证法的成果，从多层次、多方面展开了以矛盾系统为特征的辩证法模式。这两种辩证法模式的形成，意味着在列宁逝世以后，马克思主义辩证法的发展出现了严重分歧，其实质在于是否全面、准确地阐发对立统一规律。对此，毛泽东在1957年曾经作过说明，并对斯大林关于事物联系的观点和只讲对立面斗争、不讲对立面统一的形而上学片面性提出了批评。遗憾的是，毛泽东的辩证法自50年代末以后也逐渐偏离了正确的思想轨道，转到了片面突出对立面斗争的思想倾向上，可以说这在某种程度上是向斯大林斗争哲学的复归。出现这种情况的主要原因就在于毛泽东晚年对国内外阶级斗争形势和一系列重大事件作出了错误的判断，在政治路线上长期坚持以阶级斗争为纲，这不能不在他的哲学思想上、特别是他的辩证法思想侧重点的倾斜和转移上反映出来。作者最后还从斯大林和毛泽东的辩证法模式比较研究中，概括总结出几条深刻的教训。

（申　柯）

【邓小平哲学思想研究概述】 1989年，学术界对邓小平哲学思想的研究出现了一个新的特点，就是在多年来发表单篇论文的基础上，出版了3本研究邓小平哲学思想的专著。这3本专著的出版，表明了对邓小平哲学思想研究的深入。

一、关于邓小平哲学思想的形成问题　李长福认为：要完满地解答邓小平哲学思想的形成与分期问题还欠缺资料，不过，有一点是可以肯定的，即：邓小平的以实事求是为核心的哲学思想，是同他的革命经历分不开的。少年时期的邓小平在“五四”运动的影响下，参加抵制日货的活动，15岁便在“工业救国”的思潮影响下，到法国勤工俭学。但实践证明，“工业救国”的观点只是一种幼稚的政治主张。在法国，邓小平在赵世炎、周恩来等的影响下，积极学习马列主义，进行各种政治宣传活动，并于1922年参加了旅欧中国少年共产党，他于1924年下半年加入中国共产党，并担任青年团旅欧总支部领导成员的职务。邓小平的唯物主义的哲学思想是在这一时期形成的。加入中国共产党，是他的马克思主义的唯物史观形成的重要标志。1926年初，邓小平离法赴苏，此间，他刻苦钻研马列主义基本理论，于1927年春回到祖国。之后，他列席参加了中共中央召开的紧急会议，会上，批判了陈独秀的右倾投降主义。1929年夏，邓小平以中央代表的身份同张云逸、韦拔群等准备并成功地发动了百色起义。1931年，邓小平写了《七军工作报告》，总结了百色起义前后的经验教训。百色起义前后几年，邓小平既目睹了陈独秀右倾机会主义造成的失败，也看到了李立三的“左”倾机会主义给党造成的损失。1932年冬，邓小平同毛泽覃、谢唯俊、古柏等人坚持从实际出发，执行以毛泽东为代表的正确路线，反对"城市中心论"，反对军事冒险主义，坚持向敌人力量薄弱的广大农村发展及一系列正确主张，这标志着邓小平的以实事求是为核心的哲学思想的形成。(《邓小平哲学思想研究》，中国国际广播出版社1989年版）在对邓小平哲学思想的形成与分期的问题上，理论界还处于刚刚开始探索的阶段，尚未见到研究这一问题的文章。

二、照辩证法办事　照辩证法办事，是邓小平哲学思想的重要内容。李长福结合邓小平提出的"一个中心，两个基本点"，阐述了它所包含的丰富的唯物辩证法观点，指出："一个中心，两个基本点"构成了党的十一届三中全会以来的路线、方针、政策的主体，它的哲学基础是实事求是，是辩证唯物主义和历史唯物主义。"一个中心，两个基本点"的中心是发展中国社会主义生产力，这也是历史唯物主义的出发点，因为从历史唯物主义的观点来看，是生产力决定生产关系。但是，只有一个中心还不行，还必须坚持四项基本原则和坚持改革开放这两个基本点。因为坚持四项基本原则是社会主义的质的要求，不是可有可无的，因而，它是立国之本；而改革是对中国社会主义制度的完善和发展，开放，是把中国的社会主义建设，置身于世界经济的发展之中，使中国的社会主义充满活力，因而，改革开放又是富国之路。从两个基本点的关系来看，又相互关联，二者不可偏废。从"一个中心，两个基本点"的内部关系来看，没有"一个中心"，也就没有两个基本点，因为如果不坚持以生产力为中心，长期贫穷下去，两个基本点也很难坚持；同样，如果不坚持两个基本点，一个中心也将迷失社会主义的方向。可见，"一个中心，两个基本点"体现了唯物辩证法的普遍联系与发展的观点。(同上书)

邓兆明论述了邓小平唯物辩证法思想，对邓小平如何把辩证法运用于建设有中国特色的社会主义实践，如何区分、处理对抗性矛盾与非对抗性矛盾，如何处理破与立的关系、政治与经济的关系、独立自主与对外开放的关系、计划经济与市场调节的关系、经济建设与改善人民生活的关系、红与专的关系等方面作了评介。(《〈邓小平哲学思想〉在兰出版》，《社会科学》1989年第5期)

袁训忠主编的《邓小平的哲学思想研究》一书以"民主政治建设的辩证法"、"一国两制的科学构想——政治哲学的辩证法"、"当代世界战争与和平辩证法的昭示"为题目，阐述了邓小平的照辩证法办事的哲学思想。指出：邓小平强调"没有民主就没有社会主义，就没有社会主义现代化"(《邓小平文选》第154页)从而把社会主义民主政治确立为社会主义的重要特征。这就不仅对科学社会主义理论作出了新的贡献，而且运用唯物辩证法思想，从各个方面解决了民主政治建设的任务、重点、途径等问题，丰富了马克思主义哲学。（《邓小平的哲学思想研究》第191页）作者指出："一国两制"的科学构想，是对传统的单一制国家结构形式的突破，也是对马克思主义哲学的重大发展；邓小平对当今世界战争与和平的分析与预测，揭示了当今世界的主题，指出了中国搞四化建设的国际环境，为我们树立了运用唯物辩证法观察分析国际问题的典范。

三、邓小平对毛泽东哲学思想的继承、丰富与发展 李长福从以下几个方面阐述了邓小平对毛泽东哲学思想的发展：

1．邓小平为重新确立党的实事求是的思想路线做出重大贡献：他领导了关于真理标准问题的讨论，为党的十一届三中全会重新确立党的思想路线做出重大贡献；

2．结合邓小平提出的建设有中国特色的社会主义理论，阐述了邓小平对关于矛盾的特殊性的理论的继承、运用与发展；

3．结合我党的工作重点转移问题，阐述了邓小平关于确立主要矛盾的理论的继承、运用与发展；

4．结合邓小平提出的"一国两制"的构想，探讨了邓小平对关于矛盾的同一性的理论的继承、运用与发展；

5．结合邓小平提出的"我们多年来一直强调战争的危险。但是，现在我们的观点有点变化。我们感到，虽然战争的危险还存在，但是制约战争的力量有了可喜的发展"（《建设有中国特色的社会主义》增订本，第95页）的论断，阐述了邓小平对关于非对抗性矛盾战略地位问题的理论的发展与贡献；

6．结合邓小平提出的坚持四项基本原则，反对资产阶级自由化；"我们要有两手，一手就是坚持对外开放和对内搞活经济的政策，一手就是坚持打击经济犯罪活动"（《邓小平文选》第359页）等有关指示，阐述了邓小平对关于矛盾双方对立统一关系的理论的继承、运用与发展；

7．从中苏关系的正常化，阐述了邓小平对关于矛盾转化理论的重大贡献；

8．阐述了邓小平对于马克思主义的认识论的坚持、运用与发展，并着重阐述了邓小平对认识主体的理论的发展与贡献。例如：邓小平在总结历史经验中指出，毛泽东有过个人说了算数的搞"一言堂"的失误。这一失误，使领袖的认识主体，由数人组成的集团，变成了一个人说了算数的个人，这就大大限制了主体的认识能力，不可能不失误。因此，要完善集体领导的制度；邓小平提倡干部革命化、年轻化、知识化、专业化，这当然有助于提高干部的认识能力；邓小平号召全国人民做有理想、有道德、有文化、有纪律的四有新人，这当然有利于提高全国人民这一最大的认识主体的认识能力；邓小平提出："教育要面向现代化、面向世界、面向未来"。(《建设有中国特色的社会主义》增订本，第21页)可见，邓小平主张认识是开放型的，而不是封闭型的。

袁训忠主编的一书认为："邓小平的哲学思想，继承了马克思主义哲学、毛泽东哲学思想的基本原理但又有着自己的特点。它是中国社会主义建设时期的时代精神的精华，是建设有中国特色的社会主义的实践的哲学、改革的哲学、开放的哲学、求实的哲学。可以说'求实'是邓小平的哲学思想的本质特征。它以求实为核心，把马克思主义的彻底唯物论和彻底辩证法结合起来"。(《邓小平的哲学思想研究》第 8 页)

(李 之)

中国哲学史

【中国哲学史研究概述】 1989 年，关于中国哲学史的研究和争论仍很热烈，并有一批专著出版。

关于儒学与中国传统文化，过去的争论主要集中在如何评价与继承的问题上，而 1989 年则以如何认识和解释传统文化为争论的重点。人们注意到，"中国传统文化"一词的外延远比儒学宽广。从地域上说，中国文化传统是齐鲁、荆楚、吴越、秦晋、燕赵等文化的复合体，儒学只限于其中的鲁文化的范围；从学派上说，中国文化传统是百家的总和，而先秦儒家不过是百家之一。再考虑西汉时期有道家与儒家的对立，魏晋玄学之继承道家胜过继承儒家，南北朝隋唐时期佛道两教又与儒家分庭抗礼，那么儒学是不是中国文化的传统或主流，以及何为传统，便成为学者们关心的问题。一些学者认为儒家在传统文化中占有核心的位置，另一些学者则强调传统文化中道家与道教的重要性，或强调宋以前的文化比宋元明清文化更值得继承和借鉴。有人就孔子学说中仁礼的关系以及鬼神的问题提出新说，使学术界关于儒学的看法略有改变。当然，在这里，能够成为定论的见解是不多的，旧的问题和争论泯没了，新的问题和争论又出现了。不过可以肯定，人们关于传统文化的理解已达到了新的水平。

人们一般承认《周易》在传统文化中的重要地位，因而在传统文化中儒道孰优孰劣的争论当中，如何解释《周易》便成为关键的问题。1989 年，《哲学研究》等刊物就这问题连续发表文章，展开了引人注目的讨论。例如，陈鼓应的文章提出新说，论证《易经》对老子的影响超过对孔子的影响，《易传》思想与老子一致，是道家系统的作品。这对他的道家优于儒家的观点，显然有着加强的作用。有些学者声称孔子未曾学《易》，亦未编集《易传》，倾向于支持陈说；有些学者试图证明《周易》《易传》与儒家学派有密切的联系，倾向于反对陈说。与此同时，另一种争论也在进行着。有些学者根据新出土的文物资料，说明《周易》卦爻符号起源于古代的九字和六字，这一见解实际上是对“有象而后有数”的传统说法提出了挑战。有的学者则由考古成果引出相反的结论，认为数字只有在卦爻象征符号之后才能产生。值得注意的是，易学领域里考古派的争论与义理派的争论往往交叉进行，例如李学勤提出马王堆帛书《易传》中的《缪和》《昭力》两篇当为楚人所传，与孔子三传弟子馯臂子弓可能有关，这一发现似有利于《易传》源出儒门的旧说，亦似有利于《易传》源出道家而道家为楚文化的新说，显然有可能将人们的研究和争论引向较深的层次。

上述传统文化中儒道优劣问题的提出，对道家与道教的研究起了很大的刺激作用。《哲学研究》等刊物近两年连续发表文章，讨论关于道家的各种问题，成为学者们注意的焦点。有的文章将道家渊源上溯到周初吕尚，有的文章认为道家起源于夏代文化。有的文章从文化地理的角度，将道家划入楚文化的范围；有的文章将道家看作齐文化的主流，强调齐国《管子》一书与稷下学派在道家系统中的重要性。这些探索促进了人们关于老子、庄子哲学体系与范畴的研究，亦使大家对道教的研究工作更为重视。关于道教，1989年的研究主要集中在道书的编撰、《道藏》的形成及三洞体系的起源等问题上。自南朝始，直到近年，“道经多数是剽窃佛经”一直是学术界的定论，并且一直影响着人们对佛道关系的看法。而在1989年，有的学者通过深入的考证，说明“道士剽窃佛经”的旧说乃是误解，这在整个中国传统文化研究当中可说是个重要的成果。有些学者研究了道教典籍与思想中的“三洞”体系，使人们对道教的全貌有了更清楚的了解。有些学者致力于专题史和道教断代史，取得了显著的成功。有些学者与社会上的气功热相呼应，研究了道教修炼方法中的内丹理论，发表了大量的专著和论文，成就颇为可观。总的看来，1989年是道家与道教研究取得重大进展的一年，如果说还有不足的话，那就是关于道家与道教的区分尚不十分明确，今后需要加强这方面的研究。

关于汉代哲学，论文不多，但有两部重要的专著出版，这就是周桂钿的《董学探微》与郑万耕的《太玄校释》。关于魏晋玄学，仅有的几篇论文主要探讨玄学渊源及其与经学的关系问题。关于宋明理学的研究有些进展，例如有人指出程朱理学直到明代才成为官方尊崇的统治思想，这使那种强调理学的官方色彩与保守色彩的成见变得有些可疑了。关于中国佛学，研究主要集中在佛教中国化问题、禅宗六祖慧能与七祖神会的关系问题及藏密各派的一些问题上。关于近代哲学与少数民族哲学的研究，也有一些成果。

（王葆玹）

【关于《周易》的研究和争论】

1988～1989年，关于易学的研究和争论主要是围绕着这样几个问题：《易经》卦爻符号与卦爻辞是怎样产生的？《周易》象数的性质如何？《周易》的编纂、流传究竟与孔子有没有关系？《易传》究竟是儒家的作品还是道家的作品？下面分别加以介绍。

一、关于《易经》卦爻符号与卦爻辞 陈道德研究了近10余年出土的文物资料，认为阜阳汉简上的卦画是最古的写法，马王堆帛书上的卦画次之，通行本《周易》的卦画是最后一种写法。这些情况证明《周易》的阴爻符号与阳爻符号起源于古代的“九”字和“六”字，而六十四卦的产生应在八卦之先。《易传》作者利用卦爻符号并用象征的语义关系建立了一个哲学解释系统，八卦是这种解释分析的产物。（《论〈周易〉符号的象征意义》，《湖北大学学报》1989年第5期）韩永贤根据考古资料作出了与此相反的结论，认为那种关于卦爻符号来源于数字的论断是将因果倒置了，历史上的真实次序是卦爻符号在先，数字在后。卦爻符号是由结绳发展而成，然后又被直观的音、形、义具备的象形文字所代替。（《八卦记号的起源》，《内蒙古民族师院学报》1989年第4期）刘文英认为，卦字的主要成分是“圭”，是观测日影的仪器。周人用日影的长短变化来把握阴阳消长的规律，阴阳两爻的符号便是由摹拟日影形状而成。（《“易”的抽象和“易”的秘密——圭表和日影的启示》，《天府新论》1988年第2期）鲁凡若木认为，古人在观测天文星象、山川地理及社会生活时，对这些观测加以总结，逐渐形成了八卦符号。八卦符号是原始时代记号文明的产物，有多重意指，我们可以说它是占筮符号或天文地理符号，也可以说它是结绳或龟卜筹算的发展。（《八卦的起源与原始思维》，《内蒙古民族师院学报》1989年第4期）李大用将西周甲骨文与卦爻符号作了比较，认为卦爻辞不是堆砌筮辞的迷信的典籍，而是从文王到成王的兴周灭商进程及其成败因由的记录，是中国最初的史册，开《春秋》的先河。它又是一部有组织有系统的文学作品，是《诗经》得以产生的艺术渊源。（《从西周甲骨文探索〈周易〉卦爻辞的性质》，《中国哲学史研究》1988年第4期）

二、关于象数 上述李大用关于《易经》是文学作品的说法，由来已久，过去人们一直将《易》之象征与《诗》之比兴相比较，强调两者之间的共同点。李炳海就此进行了分析，指出两者不但有共同点，也有差异点,例如《诗经》不是每篇每句都用比兴,《易经》却是每卦每爻都用象征;《诗》中用于比兴的事物在不同篇章有不同含义,而《易》中同一象征物所暗示的意义是前后一致、固定不变的;这正是文学与巫术、哲学的区别。(《〈诗经〉的比兴与〈周易〉卦爻辞的象征》,《东北师大学报》1989年第4期)周瀚光研究了历代易学中关于"数"的通则,指出《周易》有一个以倚数为本、极数为用、逆数为目的数理思想体系,所谓倚数即凭藉于数,极数即穷尽数的变化,逆数即"知来"之数。(《论〈周易〉"倚数—极数—逆数"的数理观》,《华东师范大学学报》1988年第6期)唐明邦研究了贯穿于历代易学中的象数思维模式,指出这种模式的基本特征是取象比类,它的致思准则是阴阳对称、刚柔调和。这种思维模式有注重序列、节律与整体思维等优点,也有机械论、循环论、直觉主义、超逻辑思维等方面的局限性。(《易学传统中的象数思维模式》,《中国哲学史研究》1989年第4期)

三、关于《周易》与儒道的关系

今本《论语》中孔子自称"五十以学易,可以无大过矣",其中的"易"字,《经典释文》说《鲁论语》作"亦",很多学者据此断言《周易》的编辑流传与孔子无关。周乾溁认为,《论语》中"五十"二字为"卒"字之误,"卒"义为"其",这样,"卒以学易"中的"易"字便肯定无误了。(《"五十以学易"之谜》,《孔子研究》1989年第1期)李大用也说明孔子与《周易》有过深广的关系,孔子曾学《易》而知天命,以《周易》为准则,整理《诗》《书》而作《春秋》,并曾破除占筮迷信,自觉运用《周易》义理来论说人事。(《周易思想新探——兼论孔子与〈周易〉的关系》,《孔子研究》1989年第3期)韩仲民指出,马王堆帛书《系辞》卷后佚书《要》中记载了孔子与子贡关于《周易》的问答,证明《易传》源自孔子而出于孔子后学。其问答的内容表明,孔子学《易》不是为了占筮,而是为了阐述思想。(《帛书〈系辞〉浅说——兼论易传的编纂》,《孔子研究》1988年第4期)在这方面,陈鼓应提出一种引人注目的新说,他认为孔、老思想都源出《易经》,但老子所受《易经》的影响大于孔子。《易经》是占筮之书,《易传》是哲学作品,老子在两者之间起着承上启下的作用。《易传》中有天动地静、刚柔相推、易知简能、原始要终、太极阴阳、道德、道器、言意、变通诸说,以及"精气"、"神"、"几"等概念,这些都与老子思想一脉相承,因而《易传》应是道家系统的作品。(《〈易传·系辞〉所受老子思想的影响——兼论〈易传〉乃道家系统之作》,《哲学研究》1989年第1期)吕绍纲驳斥了这种说法,认为陈氏未作深入的论证,只是在哲学观点、概念和命题上将《易传》思想与老子思想作了一般性比较，他的结论是不能令人信服的。《易传》是儒家作品，它的思想体系与老子不同，例如老子兼讲常道与非常道，《易传》则只讲非常道；老子论德是引导人们“为道日损”，《易传》论德是鼓励人们“为学日益”；老子不崇拜上帝鬼神，《易传》则提倡对上帝鬼神的祭祀。老子思想渊源可以上溯到殷易《坤乾》，绝不可能是《易经》与《易传》的发展中介。（《〈易大传〉与〈老子〉是两个根本不同的思想体系——兼与陈鼓应先生商榷》，《哲学研究》1989年第8期）另外，有些学者将《易传》纳入楚文化的范围，例如李学勤指出，马王堆帛书《易传》有《缪和》《昭力》两篇，“昭”、“缪”都是楚氏，故帛书《易传》当为楚人所传，与孔子三传弟子楚人馯臂子弓可能有关。（《帛书〈系辞〉略论》，《齐鲁学刊》1989年第4期）

四、关于易学研究方法　刘正认为，近10年来人们研究易学的方法主要有古典派、现代派两种。古典派分象数、义理、训诂考订三类，其中象数、义理的方法都是用《周易》本史去解释《周易》前史，显得陈旧乏力；训诂考证方法延袭了宋人改字改经的做法，臆断性强，更不足信。现代派方法包括马列派、科学派、考古派，马列派往往忽视现代哲学与古代易学有着不同的坐标系；科学派将现代科学的很多理论比附为易学，实际上是今天的科学对《易经》哲学的主观认同；考古派是被动型的方法，没有出土文物就陷于停顿状态，有了又容易陷入矛盾状态。各种方法都忽视了一个事实，即在从《周易》前史向《周易》本史的过渡中，人类思维进程的发展及其文字体现——《周易》及其思想，有别于后代的逻辑思维体系。这些情况表明，当今易学研究正处于困境之中。（《当代易学研究的困境》，《哲学研究》1989年第10期）

（王葆玹）

【关于道家学派渊源问题的讨论】1988、1989两年，《哲学研究》等学术刊物连续发表关于道家的论文，组织了关于道家渊源问题的讨论，形成了继“儒学热”、“文化热”之后的学术新潮，引起了中外学者与广大读者的兴趣。这场讨论主要围绕着3个问题进行：(1)从文化史的角度来看，道家学派究竟是起源于周初太公，还是起源于夏代文化？(2)从文化地理的角度来看，道家究竟是属于齐文化的范围，还是属于楚文化的范围？(3)道家代表人物老子究竟是哪一时期的人物，是在孔子之先还是在孔子之后？下面分别加以介绍。

一、从文化史的角度考察道家渊源问题　王明两次著文，论述道家与周初太公吕尚的联系。他认为太公路线是“尊贤尚功”，不讲究宗法情感与血缘关系，主张“天道无亲，常与善人”，天下“唯有道者取之”,这些学说孕育着后来道家以及墨家、法家、兵家的一些思想。《汉书·艺文志》著录《太公》二百三十七篇,其为道家性质,殆无疑义。(《周初齐鲁两条文化路线的发展和影响》,《哲学研究》1988年第7期;《再论齐文化的发展》,《中国哲学史研究》1989年第3期)王博认为,殷周文化共同构成了儒家的思想来源,而夏族文化则保持着独立发展的性格。到了春秋时期,夏族文化并未销声匿迹,它由一个伟大的继承者和发展者而得到了光复,这个继承与发展者就是老子。老子尚黑,尚慈,尚俭,尚水,尚忠信,尚愚朴,这与夏道有着惊人的一致性。老子声称“知其雄,守其雌”,这里的雌、雄分别是父道与母道的象征;老子主张“复归于婴儿”,婴儿的特点是“知其父,守其母”。而从现存的史料来看,夏族文化保留着较多的母权因素,亦可说是中国文明社会的婴儿状态,这与老子的说法也都是一致的。老子说:“失道而后德,失德而后仁,失仁而后义,失义而后礼”,其中的“道”是夏道,由道而德而仁而义而礼既是一个逻辑上价值丧失的过程,也是由夏而商而周的历史实际进程。(《老子与夏族文化》,《哲学研究》1989年第1期)

二、从文化地理考察道家渊源问题　王明既将道家渊源上溯到周初太公吕尚,自然要将道家划入太公开创的齐国文化的范围。他指出,太公路线发展到战国时期,产生了以齐都临淄稷下为文化中心的学派。而齐文化在学术流派上的孳乳,主要表现为道家思想。它的特征至少有这样几项:任用贤才,不依氏族宗法情感定亲疏;提倡功利,重视国计民生,不片面鼓吹仁义道德;表现出特殊的军事才能与政治经济谋略,其中包括兵家与法家思想的主要内容。总的看来,齐文化主要是道家的文化,西周初年以太公望为代表;鲁文化主要是儒家的文化,西周初年以周公旦为代表。到了春秋战国,道家文化以老聃为代表,儒家文化以孔丘为代表。这表明儒道两家的起源同样古远,都有流派繁衍的复杂问题。(《再论齐文化的发展》,《中国哲学史研究》1989年第3期)丁原明的看法与此一致,他研究了齐国诸多学派何为主流的问题,认为判断哪一家思想为齐学主流,一是看这一家在齐国有没有形成人物传系,二是看这一学派可曾留下完整的理论体系或著作。根据这两条标准,齐国不仅先后出现了一批推崇道术的统治者,如姜尚、管仲、晏婴等,并且还汇集了一批黄老学者,如田骈、接子、环渊、慎到、宋钘、尹文等。另外,齐国还出现了反映齐学的巨著《管子》,该书的基本特点是“尊黄帝,重道法,用礼义,尚无为”,具有明显的黄老倾向。因此,齐学的主流不是方士之学,而是黄老之学。(《齐学与汉初黄老之学》,

《管子学刊》1988年第4期）陈鼓应坚持一种与此不同的观点，他援引任继愈关于“荆楚文化的特点莫过于《楚辞》、《老子》及受《老子》影响的庄周”的论述，重申老子属于楚文化的见解，认为鲁文化受周文化的影响最深，这就形成了孔子思想的保守性；而老子则近于楚文化之风，对周代礼制文化深为不满。（《老子与孔子思想比较研究》，《哲学研究》1989年第8期）有趣的是，陈鼓应援引王博关于老子属夏族文化的见解，来支持自己的论点，而王博在论证老子属夏文化的同时，却又强调老子与越国文化的联系，指出汉初具有道家倾向的《淮南子》中，用老子的柔弱胜刚强说来解释越王勾践灭吴的得胜之道。他又说，越文化是夏文化的一支，而《国语》所述越人思想莫不与老子思想冥合无间，可作为老子思想与夏族文化有渊源关系的一个证明。（《老子与夏族文化》，《哲学研究》1989年第1期）

三、老子的时代问题　陈鼓应在1988年曾著文论证老学先于孔学，使沉寂很久的孔老先后的论战有再度开始的可能。在这当中，《老子》历来被看作是单一的著作，而陈梦白提出新见，认为《老子》一书是由4种不同时期的老学著作汇编而成。这4种著作各有体系，但无篇题，连书直落，经长期流传而模糊了本来面目，被认为是上下两篇的著作。他所说的4种著作分别是：(1)甲篇，由今本《老子》1章至13章，作者可能是太史儋；(2)乙篇，由今本《老子》14章至24章；(3)丙篇，由今本《老子》25章至37章；(4)丁篇，即《德经》，由38章至81章，作者可能是詹何。其中丁篇出现最晚，《老子》的抄录者是以丁篇为主体，后附甲、乙、丙3篇。（《论组成〈老子〉书的四种老学著作》，《福建论坛》1989年第4期）　（王葆玹）

【老庄宇宙论、认识论及人生哲学研究】　1988年以来，学术界对先秦道家老庄哲学继续展开广泛而热烈的讨论，并于1989年10月在安徽蒙城召开了“全国首届庄子学术研讨会”。据不完全统计，在各种刊物上公开发表的老庄研究论文多达120篇以上。其中关于老庄宇宙论、认识论、人生哲学诸方面的探讨，方法上有所突破，较以前更为深入，取得了新的进展。

一、《老子》宇宙论研究　查中林认为，老子受到神话传说的影响，用“玄牝”象征深远的、看不见的生育万物的器官。以“玄牝”为天地之根，明显反映出以女性神祇为天地根的思想。老子以女性生殖的方式象征宇宙的生成过程。“道”是老子对宇宙万物根源及其生长发育规律的一种素朴的概括。“道生一”是说“道”就是“一”，是大胚胎。“一生二”应是胚胎与母体的对立，而非阴阳对立。胚胎长成，从母体娩出，这时孩子与哺母的对立，仍是“一生二”。孩子已生出，宇宙万物已成形，就是“三”，就是“万物”。胚胎和万物都是“道”的体现。老子汲取宗教抽象出至上神的思维方式，抽象出最高的哲学范畴——“道”，以自然无为的“道”的孕育生成过程代替了人格神创造天地万物，以哲学思考代替了宗教信仰。（《说“始”——兼谈老子的宇宙生成论》，《南充师院学报》1988年第3期）

赵云龙认为，老子作为宇宙本原的“无”，是独立于人的意识之外的客观实在，它的本质是物，它的特点是超感官而存在，即表现为虚无。作为宇宙的本原，“无”即“道”，但“道”有时候又表示规律或者法则，在这种情况下，“道”就不再等于“无”。（《〈老子〉中的“无”辨析》，《学习与探索》1989年第2期）

赵尚弘认为，老子“天下万物生于有，有生于无”的哲学命题，与现代宇宙学中“宇宙起源于无”的结论有极大的相似性。两者反映了相同的宇宙观，道出了宇宙起源的真谛。“道”和“无”同义，都是宇宙万物的根源。“道”从本质上讲是一种物质，但又不同于一般可通过感官感知的具体东西，恍恍惚惚，不可捉摸，是一种更高形态上的物质，是天地万物共有的一种基本性质。从“道”中产生万物，是“道”自然运行的结果，“道”具有某种能动性。“道”又有“规律”的含义，万物本来统一为一个整体，各种具体事物之间相互联系正是“道”的各种表现形式。现代宇宙学的发展，正向老子所提出的宇宙观方向趋进。（《也谈“道”及宇宙的起源和统一》，《社会科学》（甘肃）1989年第3期）

二、《老子》认识论研究　康中乾认为：《老子》的“道”的提出，标志着人们在当时条件下关于天人关系问题的认识的深化，反映了人对“天”的一种自觉的理性思考，表现了人们在更高的认识水平上企图把主体（人）和客体（天）统一起来的一种尝试，代表了主体如何把握客体的新的探索方向。《老子》真正把握“道”的方法是理性直观。《老子》中自觉地探索了从经验认识到理性认识和理性直观这一认识过程。从“道”范畴的形成过程分析，《老子》的认识论结构是：感性经验→理性认识→理性直观。从“道”观察的角度来分析，《老子》的认识论结构是：理性直观→物→对物的理性认识。《老子》认识论的总体结构是：感性经验→理性认识→理性直观。（《〈老子〉认识论之我见》，《哲学研究》1988年第9期）

周立升认为，老子的认识论包含两个层次。一为关于道（“母”）的知识系统，一为关于物（“子”）的知识系统。“闻道”和“为学”是与之相应的两种截然不同的认识途径。老子把传统的气功养生术升华为哲学理论，故从本源上考察，其认识论也是在经验综合的基础上形成的。但是它一旦形成却表现出反经验及直觉主义的特色。这就决定了老子关于知识的价值取向是推崇“闻道”、贬斥“为学”。由老子开端的传统的直觉思维，缺少逻辑思想作为前提条件，是一种思维超越的整体性模式。传统哲学之所以没有形成逻辑思维的定势以推动实证科学的发展，与老子有着直接或间接的关系。(《论老子“得母”“知子”的认识系统》,《文史哲》1989年第4期)

三、《庄子》认识论研究　李坚认为，庄子并未主张事物的本质或本体不可知，因此，庄子认识论不是不可知论。但庄子认识论包含相对主义、神秘主义因素，这不是通常意义上的可知论，而是比较特殊的可知论。庄子否定的不是一般的可知论，而是独断论和狭隘经验论。庄子认识论的主流和归宿是包含某些不可知论因素的不彻底的可知论。(《论庄子认识论不是不可知论》,《辽宁大学学报》1988年第5期)

饶东原认为，庄子齐一观所赖以形成的认识途径，就认识的客体而论，它具有本根性、流变性、无限性、共同性，从而取消了客体的封域；就认识的主体而论，人生的虚幻性，认识的不确定性，直接取消了主体的封域。不管是从本体上摧毁，还是从认识上摧毁，庄子都善于从异中求“同”，从个性中找到共性，同亦同，不同亦同，然后攻其一点，不及其余，比而同之。(《从〈齐物论〉的两个体系探索庄子齐一观的认识根源》,《湖南师大社会科学学报》1989年第2期)

高正认为，《庄子·齐物论》“以指喻指”句之“指”，其含义即“认识”。庄子用主张无认识(非指)的直接不可知论，来批评公孙龙子将具体认识(物指)自抽象认识(指)中分离出来并加以否定的间接不可知论。一切顺应自然，天地自然之道就是认识，故曰“天地一指也”。所谓“一与言为二”，云宇宙本体(一)与人的认识(言)共为二者；“二与一为三”中，“二”乃特指“言”，云作为“二”的认识与作为“一”的本体相接触，则产生相对认识之成果，就是“为我之物”(“三”)。此即“物谓之而然”。物体之大小、寿夭，乃因“彼”、“此”相对而方显。若把握“彼是莫得其偶”的“道枢”，事物彼此不得相对，相通为一，合为一体，取消比较，则大小、寿夭尽失，时间、空间与“我”，皆“齐一”于无限。(《〈庄子·齐物论〉窥管》,《中国哲学史研究》1989年第3期)

四、《庄子》人生哲学研究　林君庄认为，把自然本性的自由发展看成是幸福，这是庄子的人格追求。庄子极力主张摆脱社会人际关系，去寻求个体的价值。庄子实际上是留恋人生、保全自己的，但表面上似乎对人生无所谓，要超越世俗，要做“无待”的人；又装着“无已”，似乎不想到自己，而实际上对人生、对个人的存在十分留恋。这种对人生的放松态度、“假消极状态”是假象，在这假象下大量的心理过程在展开，精神状态在形成，自由理想在浮现。（《简述庄子人生哲学的特点》，《理论学习月刊》1989年第4期）

贾云平认为：庄子哲学以个体为全部逻辑演化的起点，按照个体在物我关系上“有己”与“无己”的不同发展方向，分别通过命运的无理性强制和神秘的体道过程，使人进入悲剧舞台和逍遥世界。无论是悲剧人生还是逍遥人生，其出发点都起始于个体，分别仅在于前者之个体意识到自身的规定性，后者则渊源于个体对自我规定的忘却上。但是当悲剧人生的主体一“知命”，从而放弃一切努力，摆脱“有待”之后，两种人生态度及其精神实质也就无差别了，虚无主义成为共同的特色。（《庄子人生哲学的结构分析》，《中山大学研究生学刊》1988年第4期）

（文　山）

【两汉哲学研究】　近年来，两汉哲学的研究成果概略介绍如下：

一、对“天人感应”思想的研究　冯禹在《论天人感应思想的四个类型》（《孔子研究》1989年第1期）一文中认为，从对“天”的不同理解和“感应”的不同方式看，由墨翟最先提出、由董仲舒加以完成和系统阐述的天人感应思想，是对西周时期的上天赏善罚恶观念和产生于西周末年、流行于春秋战国时期的同类相感思想的综合。此种天人感应的“天”，不再单纯地表现为有意志的至上神或自然界，而是以自然为外貌的有意志的至上神；感应的方式不是天帝直接监察人的行为，并据此决定赏罚，也不是人的行为与自然界现象之间以类为基础的因果联系，而是“天”通过一系列自然现象来表达自己的意志，对统治者进行告诫或奖赏。

二、《淮南子》与《春秋繁露》的比较研究　李宗桂在《论〈淮南子〉与〈春秋繁露〉的思想同异》（《中国哲学史研究》1989年第4期）一文中有感于学术界多着眼于两书的相异，重点剖析了两书的相同之处：（一）两书的运思旨趣皆是“究天人、通古今”，目的都是“务为治”；（二）都承认天人相通，宣扬天人感应；（三）就思维方式而言，两书皆以天地人相互参照，从宏观着眼，突出整体观念，并以直观类推为其建构理论体系的方法。

三、学术史研究　所谓学术史研究是指对学派源流进行评述。卢钟锋的文章《汉代的儒学独尊与学术史的研究》（《孔子研究》1989年第1期）认为，汉初学术史研究主要是为当时的儒、道之争服务的，以推崇道家学说的《淮南子·要略》和《论六家要旨》为其代表作。自汉武帝独尊儒学以来，学术史研究发生了重大的变化:(一)由《史记》开其端,在正史中设《儒林传》记儒者之行,述儒者之业;(二)由《汉书》开其端,设《艺文志》记儒家之流派,述经学之源流。卢文还认为,《艺文志》将《六经》置于诸子之首,又视其为诸子学说之大原,以为诸子“其言虽殊”,然“合其要归,亦《六经》之支与流裔”。《艺文志》这一观点可称为“诸子(学说)出于《六经》说”。唯此说才真正回答了中国古代学术的起源问题,而“诸子出于王宫”说只涉及了诸子的出身问题。

四、易学研究　易学分为义理与象数两大学派,而西汉孟喜、京房等人的卦气说被公认为是象数学说的核心部分。王葆玹的文章《西汉易学卦气说源流考》(《中国哲学史研究》1989年第4期)认为,卦气说是逐渐形成的,其过程可分为5个阶段:第一阶段,魏相以坎、离、震、兑配四时,坤、艮配中土,可说是四正卦说的雏形,为卦气说的起源。第二阶段,孟喜延袭了四正卦说,又进一步将四卦的二十四爻配二十四气,并放弃了坤艮配中土的说法,提出“十二月卦”的概念,以十二卦配十二月,十二卦的七十二爻配七十二候,使卦气理论初具规模。第三阶段,焦延寿以六十四卦配三百六十四日,其中坎、离、震、兑,一卦主一日,其余六十卦共三百六十爻,一爻主一日。第四阶段,京房对孟、焦两说进行了综合改造,以八卦配八节,其中四正分主冬至、夏至、春分、秋分;以四正之外的六十卦每卦主六日七分,改称十二月卦为十二辟卦,每卦亦主六日七分,只是在名称等方面强调它的重要性。第五阶段,京房弟子段嘉等人又以焦说订正京说,以坎、离、震、兑各主八十分之七十三日,颐、晋、井、大畜各主五日十四分,其余五十六卦,每卦六日七分。在这一发展过程中,旧的理论未因新理论的出现而消失,而是与新的理论并行,于是五个阶段的学说又代表着卦气学说中的五个流派。东汉以至隋唐人们议论卦气往往相互矛盾,就是由上述五种学说的对峙与发展造成的。

五、王符研究　人物研究的热点是王符。甘肃《社会科学》于1989年第1至2期集中发表了一批研究王符的文章,大致代表了研究王符的现有水平。黄开国的题为《充满唯物主义的唯心主义哲学体系》一文认为,王符的哲学思想较集中地反映在《本训篇》中。该篇提出了一个道生气、气生万物、万物生规律的世界生成模式。这一模式含有一个深刻的矛盾:道生气,说明王符把精神实体的道看成比气更根本的东西,因而是唯心主义的;气生万物,万物生规律强调元气自化产生万物,万物产生后,才有万物的规律,这又否定了道对万物、规律的决定作用,因而是唯物主义的。但不能因此便说王符哲学是二元论。根据道、气、物、规律的排列层次可知，王符是把精神实体的道作为最高范畴。因此，王符哲学从根本上说是唯心主义的，但其中容纳了许多唯物主义的东西。高新民的文章《天人之辨的演化与王符哲学的意》则认为，王符继承和发挥了先秦两汉以来关于天人学说的积极成果，把物质性的气做为宇宙万物的本源。罗传芳的文章《王符的天人宇宙图式与社会历史观》也认为，王符在世界的本原上坚持具有唯物主义色彩的元气论。王步贵的文章《王符人性思想发微》在概述了两汉诸子的人性思想后指出，王符的人性思想是对“性相近，习相远”的继承和发展，所以他特别强调学习的重要性。王符还强调人有假外物达到自已目的的本性，对人的主体性有所发挥。钮恬的文章《王符本末论刍议》认为，王符以社会分工为依据，肯定农、工、商各自的作用，强调各业皆有本有末，改变了以农桑为本、工商为末的传统观点。本末论以民、国为本位，以是否利国富民作为划分“本”与“末”的标准。本末论又是道德论、治国论的基础，王符认为经济状况决定着人们的善恶，人们的善恶又直接关系国家的安危、社会的治乱，而贫富又为本末所制约。因此，守本离末在王符的思想中有很重要的地位。华友根的文章《王符法律思想初探》认为，王符提出的立法宗旨是“令善人劝其德而乐其政，邪人痛其祸而悔其行”。从这一宗旨出发，他反对严刑峻法，滥赦，重视德教，基本不出德主刑辅，以法助教的圈子。王符又提出了公法、信法，敬法等主张，强调君王应该奉公立法，依法进行统治并尊重法律，这在当时具有进步意义。李纯远的文章《王符人口思想探析》认为，王符有关人口的思想有3部分内容：(1)反对浮末奢侈，重视劳动时间；(2)注重教化，强调以教育促成人的道德素质的转化，以提高人口素质；(3)主张移民实边，以巩固边防，开发边疆。王生平的文章《王符梦论》认为，尽管最早论梦的不是王符，但王符是最先对梦具有自觉意识的人。王符将梦分为10类：直梦、象梦、精梦、想梦、人梦、感梦、时梦、反梦、病梦、性梦。王符的贡献在于他新提出了反梦、人梦、性梦3项，由反梦对梦的可信性提出了质疑，这就打破了梦必占验的巫术迷信；由人梦尖锐地指出了反映在梦中的阶级差异；由性梦指出梦的多义性来自占梦者的差异性。王生平还认为，梦的研究在中哲史研究中尚属空白，若能予以重视，将有助于开拓思维的视野。（陈　静）

【魏晋玄学研究】 1989年，关于玄学的讨论不甚热烈，不过仍有些研究成果值得注意。

一、*玄学思想渊源*　过去学术界基本上肯定汉魏之际的名理学在玄学形成过程中的促进作用，张家成在此基础上专门研究了汉魏名理学的内容和性质，强调指出玄学虽是儒道两家思想自身发展的结果，但从思想发展的内在逻辑来看，主要借助于一种新的思想方法即名理学方法的发现和运用，才使玄学一反统治两汉思想界200多年的经学思潮而成为思想界的主流。(《名理学方法与汉魏思想变迁》，《华东师范大学学报》1988年第6期)王葆玹从玄学著述形式等角度说明了玄学的渊源，认为西汉初期的司马季主已经兼论《周易》《老子》和《庄子》，正是玄学所依据的经典，号称三玄。这有助于说明汉初黄老之学对魏晋玄学的影响，可能比人们在过去所估计的要大一些。(《三玄小考》，《中国哲学史研究》1989年第2期)龚杰专从易学的角度说明玄学的形成，指出曹魏时期郑玄、王肃两家易学的斗争很激烈。郑玄将今文易学与古文易学综合为一，但未超出经学的范围。王肃则曾注释《太玄》，受过黄老之学的影响，主张"无为而治"，用道家的无为学说改造了儒家的天道观，从而成为从汉代经学到魏晋玄学的过渡性人物。(《简论汉魏的郑学与王学》，《人文杂志》1989年第1期)张善文认为，《周易》中《彖》《象》分附六十四卦是郑玄的创造，而今本的编次主要是由王弼而定，并由此揭示出从费氏易学到郑玄易学、再到玄学中的王弼易学的发展线索。(《王弼改定周易体制考》，《福建师范大学学报》1989年第2期)王葆玹也认为，玄学代表作《周易》王注的问题，首推编次的改变。王弼以前《彖》《象》已分附六十四卦之下，至王弼注经．始将《彖》与大《象》分附卦辞之下，将小《象》分附相应的爻辞之下，将《文言》分附于《乾》《坤》两卦之下。(同前)

二、玄学与政治的关系　关于玄学形成的社会政治原因，过去有人上溯到曹操的名法之治，有人上溯到汉魏禅代之际魏文帝的改制。李书吉倾向于前者，他认为玄学继承和发挥了曹操3次求贤令的思想。曹操的政治转变动摇了东汉名教之治，为玄学的出现创造了条件。(《汉魏时期的政治与玄学的形成》，《山西大学学报》1989年第1期)周桂钿认为，曹魏九品中正制度企图安定社会却导致社会的混乱，荣华富贵失去稳定性，上层人物精神空虚，反映在哲学上就是玄学。玄学与经学是两个极端，一方是僵化，一方是自由化，都有弊病。(《玄学的产生原因与分派》，《社会科学》〔甘肃〕1989年第3期)余敦康指出，魏晋玄学并非为既定的社会秩序进行辩护，亦非毫无政治功用可言，它的实质内容是对合理的社会政治人生作不懈的追求，提供一种着眼于批判和调整的内圣外王之道。这是一种相当高明的决策思想和领导艺术，但不大适合专制君主的口味。君主只有在受到客观条件制约的情况下，才能被迫采取这种限制君权的做法。这情况有助于说明玄学为何在曹魏、西晋无补于现实，却在东晋南朝收到成效。(《郭象的时代与玄学的主题》,《孔子研究》1988年第3期)

三、玄学的本体论与本体范畴 迄今为止，多数学者承认玄学的核心内容是本体论，但对这种本体论的解释多种多样。章启群认为，玄学本体论受佛学的影响，是老庄思想与佛教思想的结合。在关于"道"的解释上,道家与玄学不同,道家认为道是客观外在的太一，玄学家认为道是无,相当于佛学的空。道家的既有辩证色彩又有相对主义的"高下相形"、"万物齐一"说，与佛学中抹杀时空与物物界限的理论结合起来，在玄学家那里发展为时空的相对主义和虚无主义。(《意境本体探微》,《文史哲》1989年第1期)周积明认为，魏晋南朝时期的玄学、佛学、道教以及美学、文学、艺术、史学等等,都有一个共同的主题,即对超越形下事物的形而上的自在本体的追求。这是一种文化精神，它的产生原因只能从当时的社会变化当中去寻找。(《形而上之自在本体的追求——论魏晋南朝文化特质》,《江汉论坛》1989年第1期) 在玄学当中，郭象所讲的"玄冥"是个复杂的概念。高晨阳认为，郭象哲学的最高范畴是"独化"，它代表着事物存在的某种状态，玄冥则是界定独化的范畴,也可以说是个"形式"范畴。在本体论的意义上，玄冥是对万有在其本性自足基础上的独化状态的界定；在人生论的意义上，玄冥是对人在精神领域里的独化状态的界定；在社会历史观的意义上，玄冥是对社会的独化状态的界定。(《玄冥》,《中国哲学史研究》1989年第2期) (玄 观)

【宋明理学研究】 1989年，中国哲学史界对宋明理学的研究继续深入,除出版《理学范畴系统》(人民出版社1989年7月版)等专著和文集外,还发表了一系列论文,提出不少有见地的学术观点。兹择要叙述如下。

一、综论理学 在综合考察宋明理学方面，引起研究者兴趣的主要问题是：

(一)理学是何时成为封建社会统治思想的?唐宇元认为,程朱理学被统治阶级接受并确立为统治思想,成为官方哲学,既不是在南宋末年,也不是在元代,而是在明代。作者认为,由北宋兴起的理学,至南宋朱熹集其大成，才形成所谓程朱理学，亦称朱学。但直至南宋末年庆元党禁解除之后,朱学才被开放,受到某些统治者的尊重，但这种尊重还说不上成为统治阶级的统治思想。其后,到元延祐年间,朱学才被列为试士的科试程式,而成为官学；但这种所谓官学，只是说它被官方列为试士的标准而已，也并不意味着元代独尊朱学，已经作为元代的统治思想。只有到明初的明成祖，朱学才以钦定三部理学《大全》的形式，诏颁天下，不仅成为试士标准，而且作为"帝王之治"、"用之于国"的社会统治思想。这时朱学才真正成为统治阶级的统治思想，成为统治阶级支配性的正宗哲学。总之，南宋是朱学的形成时期，元代是朱学成为统治思想的预立时期，明初才是朱学成为统治思想的确立时期。(《程朱理学何时成为统治阶级的统治思想》，《中国哲学史研究》1989年第1期)

(二) 理学与自然科学的关系如何?张岂之、董英哲提出，理学与自然科学既非毫无关系，亦非完全表现为互相促进的关系。理学的形成和发展以一定的自然科学为基础。理学开山祖师周敦颐的《太极图·易说》就吸收了作为近代化学先驱的炼丹术，使儒学的哲学化迈出了关键性的第一步；张载也是在吸收自然科学成果的基础上建立了他的本体论；朱熹所具有的丰富的自然科学知识，对其哲学体系的形成起了促进作用。自然科学犹如一个强有力的杠杆，推动着理学的发展。不可否认，理学对自然科学的发展也起到了一定程度的促进作用。这是因为，理学发扬了早期儒学中重视人的独立思考、兼综百家和重视文化研究的优良传统；理学发扬了儒学思想中的理性主义精神；理学中包含着丰富的朴素辩证思维；这些都有利于自然科学的发展。当然，由于理学家们一般都比较轻视自然科学，加之理学所具有的神秘主义和独断主义，也成为障碍性因素，阻碍了自然科学的发展。(《宋明理学与自然科学》，《人文杂志》1989年第4期)

(三) 导致理学衰落的原因何在?崔大华指出，导致理学与时代发展、与人的现实生活背离的理论因素存在于它的本体论和修养方法中。第一，以"存天理灭人欲"为主要理论结论和道德追求的理学，否定了人性中本来应是动力因素的积极方面，即黑格尔所说的那种意欲、需要、热情等人的历史主动精神，必然要陷入困境；第二，理学漠视人的道德进步中的知识因素，对异己学术思想和知识文化抱着冷漠排斥的态度，自我封闭，造成中国传统文化发展的停滞。这就是理学衰落的两个理论因素。(《理学衰落的两个理论因素》，《哲学研究》1989年第3期)

二、学派研究　程朱学派的研究较引人注目。二程学术思想的某些新的方面受到注意。王国轩探讨了二程与朱熹《四书集注》的关系。作者对《集注》所辑他注作了统计，指出《集注》征引历代注家50余人，其中引二程239处，居首位；二程弟子及后学居次位，次第是尹焞99处，杨时72处，范祖禹69处，谢良佐48处，胡安国42处，等等。《集注》还直接利用二程的研究成果，如《大学》首章即以程颐改定本为准，“亲民”作“新民”，并以明明德、新民、止于至善为“大学之纲领”，后文又列专章，以“释新民”。这说明“新”、“亲”两字不是校勘问题，而是涉及理学体系的问题。通过《集注》可以看出，二程提出了一系列范畴和命题，构成一个完整的理学体系，即以天理为本体，以天道运行为枢纽，使理贯通于人和万物之中，赋予人以性和未发之情。但由于人是禀气和五行而成形，因此具有气质之性，气质之性有善有恶。本体理为仁义礼智，气质之性使人有物欲和私意，只有不断地向内求索，节制物欲，改变气质，才有可能复其本性，达到至善的天德境界。然后扩充此心，由亲亲而仁民，由仁民而爱物，这样由天德走向王道。(《二程与〈四书集注〉研究》，《中州学刊》1989年第1期)

关于朱熹理学，魏琪指出，朱熹哲学体系的核心“天理世界”及哲学组织原则“理一分殊”均受启或借鉴于华严宗；哲学认识论“格物穷理”、“居敬持志”来自佛教的“渐修”和“顿悟”以及道教的“主敬”理论；心性论则显然受“佛性论”的影响。新儒学不是宗教，它与佛道教有着根本的区别。朱熹在其哲学体系中援用佛道学说，在于改造和复兴儒学，使之重新在政治上和理论上占据优势。(《朱熹的哲学与宗教》，《世界宗教研究》1989年第4期)李甦平指出，朱熹哲学的“理”这一基本范畴在日本经历了3次嬗变。第1次演变发生在德川前期，以贝原益轩和新井白石为代表的日本朱子学主气派，将朱熹经验的“理”嬗变为具有经验合理主义(经验理性主义)色彩的哲学。第2次演变是以伊藤仁斋和荻生徂徕为代表的日本古学派，通过批判朱熹形而上的“理”，使之成为具有唯物论、经验论色彩的概念，为日本实证主义的发展铺平了道路。第3次演变发生于明治初期，由日本近代哲学之父西周用西方实证主义哲学改造了东方朱熹的“理”观念，使之成为日本资本主义现代化的指导思想。(《朱熹“理”范畴在日本的嬗变及其与日本现代化的关联》，《中国人民大学学报》1989年第4期)

陆王心学研究也较多。滕复指出，在明代之前，心学在浙江已有相当发展，并经历了3个阶段：在陆九渊建立心学体系之前，浙江便有心学思想萌芽，并作为心学的先导，对象山心学的创立产生重要影响；与陆九渊同时代，亦有浙江学者为象山心学同调，相互切磋和发明，对心学之创立颇有贡献；以后象山心学又以浙江为其重要的传播地区之一，从而为明代阳明心学的产生准备了深厚的地方文化环境和思想基础。(《阳明前的浙江心学》，《浙江学刊》1989年第1期)日本学者冈田武彦分析了明末阳明心学3个派别的思想要旨。现成派始于王龙溪、王心斋,由逻近溪传于周海门;他们提倡良知现成说,强调在本体上用工夫,以顿悟为绝对方法。归寂派始于聂双江,经过罗念庵、刘两峰,传至万思默、王塘南;他们把良知分为虚寂之体与感应之用,根据阳明良知说立本达用的本旨,提倡把达用作为脱离人为安排、私意放恣而成为基于本体的自然的东西的归寂说。修证派则是钱绪山、邹东廓和欧阳南野等人的学说;他们以体会王学的真精神,矫正现成、归寂二派的流弊为己任,主张本体与工夫合一,提倡在工夫上修证本体之要。但统观明末思想界,只有现成派风靡社会,因为这派的思想较好地适合了时代潮流,与宋以来理学发展趋势和王学发展方向相符。惟其如此,明末社会的纲纪紊乱,其责任应归于现成派及其亚流之处甚多。(《明末儒学的发展》,《哲学译丛》1989年第3期)

三、著作研究　这方面的研究主要偏重于理学史著作。叶建华探讨了朱熹编撰《渊源录》的目的、取材特点及其学术价值,指出它称得上是我国第一部学术思想史专著,其最大特点在于通过传记的形式,按照师承传授关系来谱列学术界人物。(《朱熹〈伊洛渊源录〉初探》,《社会科学辑刊》1989年第4期)马涛探讨了孙奇逢编纂《理学宗传》的体例特点,揭示了孙奇逢在学脉宗派上调停于朱陆之间的倾向,指出《理学宗传》是从《伊洛渊源录》始,到《宋元学案》止的理学史著作发展的中间环节。(《论〈理学宗传〉对理学的总结及其历史地位》,《河北学刊》1989年第5期)　(江　安)

【中国少数民族哲学史研究概况】

近一年来,在中国少数民族哲学思想研究方面,发表了10余篇论文,涉及到蒙古、回、彝、纳西、维吾尔等民族的哲学思想,提出了新人物、新观点,某些方面有深入。简述如下。

一、蒙古族哲学思想史研究

程川新在《浅析博明的哲学思想》(《内蒙古社会科学》1989年第3期)一文中,对18世纪蒙古族学者博明的哲学思想作了分析,这是蒙古族哲学思想史研究中提出的新的人物。作者认为博明在《西斋偶得》一书中将“物”看作是哲学的最高本体,选取《易传》中的8种物质即乾为天、坤为地、离为火、坎为水、震为雷、艮为山、兑为泽、巽为风作为构成世界万物的最基本材料,而说“天地阴阳之体也,水火阴阳之用也”等语,则是把“气”看成是世界万物的根源,说明他的哲学思想是朴素唯物主义的。该文还论及了博明的认识论、辩证法等思想,肯定他在蒙古族哲学及社会思想史上有不可忽视的地位。

格·孟和在《论蒙古族哲学史的逻辑起点》(《内蒙古师大学报》1989年第3期)一文中,认为确定蒙古族哲学史的逻辑起点,必须是蒙古族历史发展的实际过程,而《蒙古秘史》一书则提供了这方面的充分资料、珍贵线索,以及重要依据。在这个意义上,可把《蒙古秘史》哲学思想的逻辑起点看作是蒙古族哲学思想史的逻辑起点。而蒙古族哲学的逻辑起点,实际上就是蒙古族哲学“思想进程”从何开始的问题。因此,作为哲学史的逻辑起点,须具备4个条件:第一,作为逻辑起点的那个时代必须具备哲学思想产生的社会历史条件,必须回答和解决时代所提出或面临的重大问题,进而反映人类在改造客观世界的实践中理性认识的不断进步;第二,这一时期所作的哲学思考还必须总结过去哲学思想萌芽,初步具备哲学认识的特点,并成为以后哲学思想发展的基础和线索;第三,要具备理论思维的特征,能够以“普遍的理智概念”把握事物的因果联系,提出指导社会实践的“普遍原则”;第四,这些思想和“普遍原则”必须是通过个人的认识反映当时人们认识世界和改造世界的积极成果。对于蒙古族来说,这4个条件是在朵奔篾儿干、阿阑豁阿、孛端察儿时期逐渐形成的,它主要表现在感光生子的神话和五箭训子以及孛端察儿的毕力格箴言中。从此,蒙古族开始进入了“哲学思考”的时代,哲学思想不断形成,丰富而发展起来。

二、回族哲学思想研究　金宜久在《王岱舆的伊斯兰哲学本体论》(《宁夏社会科学》1989年第1期)一文中,通过对《正教真诠》《清真大学》等著作的分析,探研了中国伊斯兰教学者王岱舆的哲学思想。作者称王岱舆的哲学为“真一哲学”;真一是“无始原有”,“原有者,能造万物”,“超乎万物”,“单独无偶,固为原主”。因而,从哲学上说,真一是一种精神实体;从宗教上说,则为“真主”。真一虽是纯粹的、抽象的、无形的,但却具有丰富的、具体的内涵,以至外延,即其自身有本然——本分——本为等3种不同的品格。本然即真一的本体;本为即真一之用,是创造的本能或造化作用;本分是处于本然与本为之间的一种状态。真一就是通过本然——本分——本为的内在自我变化过程,逐渐转向外部,从一到多、从自我到非我、从主体到客体,完成自我外化而造出宇宙万物。但真一并不直接创造万物,与宇宙万物不发生直接关系。起着直接造化并与宇宙万物发生联系的,是“数一”即真一的“余光”和“代理”。数一源自真一,为“有始之原宗”,“诸有之种子”,它经过“元勋”、“代理”、“代书”三种不同阶段的内在变化,最后变为“天地万物之果”。作者指出,王岱舆的真一哲学是精神派生物质的,其思想内核没有违背伊斯兰教的基本教义，只是它的思想外壳、表述方式，使用的某些术语、概念及其论证方式，有别于中国伊斯兰教的传统说法。而这一点，说明他也受到儒家思想、特别是宋明理学的影响。

三、彝族哲学思想研究　普同金在《〈宇宙人文论〉的哲学思想》(《云南民族学院学报》1989年第6期)一文中，对《宇宙人文论》一书的哲学思想作了较系统的剖析。作者指出，该书的思想体系的主要倾向为宇宙生成论，但也涉及到宇宙构成论即哲学上的本体论问题，如说"万事万物的总根子是清浊二气，天地由它形成，哎哺、且舍由它产生，……人和各种事物都出现了，知识也由之产生"，这就朴素地肯定了世界的统一性在于它的物质性。从这种本体论出发，它提出了一个宇宙生成论的世界图式，有2个具体演化的方式，一是由清浊二气而生天地、五行，再由五行生成万物，"五行自身变成各种事物；一是清浊二气生成天地后，就有了哎和哺，进而产生四方八角，由四方八角产生四时八节，产生金木水火土五行，五行又产生万物，后"就产生了会动的生命"。这显然均属朴素唯物主义范畴。由于该书受了象数学思想影响，并与河图洛书相比附，使其所勾画的世界发展规律的模式具有神秘主义倾向。关于《宇宙人文论》中天人关系的观点，作者认为有两个内容：一是"人生天为本"的思想，即认为人是自然界的产物，并依赖于自然；二是"人与天结合"，而人又能超越自然的思想，即人能创造并享受福禄生活。最后，作者分析了《宇宙人文论》的"眼有所见，心有所思"的认识论思想，说明它回答了从物质到认识的反映论原则。　　(萧万源)

【中国佛教研究综述】　1989年是佛教研究的丰收之年，据不完全统计，在全国各种学术刊物上发表的有关佛教的论文有近百篇之多，其中对佛教的中国化问题、禅宗思想、神会思想、佛性论等问题进行了探讨。现分别概述如下。

一、关于佛教的中国化问题　方立天认为，佛教的中国化就是佛教和中国现实紧密结合、受中国政治、经济、文化制约的过程，可分为4个时期：(1)汉代——佛道时期：当时中国人认为佛教是和中国传统的道家黄老之学、神仙方术一致的一种宗教，以佛教和道术相比附是这一时期的主要特征；(2)魏晋南北朝——佛玄时期，当时一些佛教学者吸收玄学的观点和本末体用的思维方式，来阐发佛教般若学的空的思想，形成了六家七宗。佛教依附于玄学，以玄解佛，后又以佛补玄，是这一时期的主要特征；(3)隋唐——创宗时期：当时的佛教徒在与儒道既斗争又融合的矛盾运动中，创立了中国化的佛教宗派。创宗以后，中国化进一步向纵深发展；(4)五代以后——三教合一时期：宋明时期的著名僧人都宣传三教一致的思想，导致了佛教中国化的结局，即佛教在思想上与儒道的界限变得模糊了，佛道的民间信仰融合起来了。金代产生的全真道教把儒家的《孝经》、佛教的《般若心经》和道教的《道德经》作为立教的经典，竭力提倡三教合一，对这结局的出现起了促进作用。佛教中国化的基本途径和方式是翻译经典、讲习经义、编撰佛典和判教立宗，其重要特点和规律有5个方面：(1)佛教中国化是一个渐进的过程；(2)佛教中国化是一个双向选择的过程；(3)佛教具有实现中国化的自我组织机制；(4)中国封建时代的政治、经济和文化具有强大的制约力和融摄力；(5)佛教中国化有两重命运：在中国古代，佛教中国化的程度愈高，流传就愈久；同时，佛教愈中国化，就愈丧失其独立存在的意义。这是一种特异的、难以排解和克服的矛盾。(《佛教中国化的历程》，《世界宗教研究》1989年第3期)

李尚全认为，佛教的中国化大致为6个阶段：(1)龟兹语系佛教(西域佛教)；(2)禅数之学；(3)般若学；(4)学派崛起；(5)宗派林立；(6)甲、儒式佛教；乙、藏傣语系佛教。其中前4个阶段是当时的知识分子把佛教移植到中国的简单过程，历时400多年，但始终未走出封建士大夫文化圈。(《简论佛教的中国化》，《兰州学刊》1989年第4期)

董新亚认为，民族融合的进程是佛教兴盛并中国化的主要原因。作为宗教的佛教学说之所以能为中国社会各阶层所接受，其关键在于其中的平等思想，这是佛教中国化的思想基础所在。并指出，佛教的中国化完成于隋唐时期。(《论佛教的中国化问题》，《人文杂志》1989年第2期)

尤西林认为，佛教中国化不应只看作是中国本土儒道思想与印度文化结合的结果。学术界流行的这一解释忽略了宗教本身内在运动的规律性。佛教中国化的实质主要是印度经文的实践化亦即宗教化问题。禅宗以实践体验性之禅统摄戒定慧，有效地完成了从释译佛经的佛学到佛教实践的转移，这是禅宗之所以能够实现佛教中国化的根本原因。(《从佛学到佛教：佛教中国化的实质》，《陕西师大学报》1989年第3期)

二、关于禅宗的研究　黄燕生在《唐代净众——保唐禅派概述》(《世界宗教研究》1989年第4期)一文中，通过对敦煌禅宗文献的研究，指出流行在四川成都一带的早期禅宗派别唐代净众——保唐禅派是兼南北两宗特色的派系。其传法门人有4代，在历史上发生过一定的影响，甚至远播西藏地区。“无忆、无念、莫妄”是它的禅法体系总纲，思想理论与慧能相近，同时又有神秀北宗的特点。无相、无住等传人曾为该宗发展作出贡献，然因政治上缺靠山、经济上少资助，理论与实践偏激，加之受地理环境的限制，最后很快便湮没无闻了。刘少春在《禅宗对陆王心学教育思想的影响》（《沈阳师范学院学报》1989年第2期）一文中认为，禅宗对士大夫阶层的思维方式、审美情趣及表达习惯产生了深远的影响，对陆王心学的影响尤为显著。禅宗认为“性中万法皆见，一切法自在性”，意即世界上万事万物存在于每个人的意念或心中，对世界的认识只须追求佛性即可达到，陆象山的“宇宙便是吾心，吾心即是宇宙”说以及陆王的“心即理”说，都与禅宗的思想一脉相承。陆王的“求理于心”的教育主张，也与禅宗的“佛向性中求”的学说有着直接的联系。此外，禅宗有以神秘直觉主义为特征的认识方式，陆王则提出“存心”、“养心”、“求放心”等直觉认识的教育主张；禅宗认为每个人心都是佛，是禅，王阳明则认为固存于心的“良知”是至高无上的权威；禅师“以心传心”教授禅旨，提倡心领神会，注重于接受者的内心状态，陆王则有注重心教的教育思想。

禅宗是印度佛教和中国儒、道思想结合的产物。方立天在《禅悟思维简论》（《五台山研究》1989年第1期）一文中，从理论思维的高度，精辟论述了禅悟思维的发展过程及其特点。蒙培元在《禅宗心性论试析》（《中国社会科学院研究生院学报》1989年第3期）一文中，对禅宗之以“不立文字”、“直指人心”为口号，以“明心见性”为根本宗旨，进行了具体的分析。这种心性合一、体用合一的宗教实践理论，一方面具有宗教神学的神秘性，另一方面却最少宗教的庄严性，它已变成完全世俗化的宗教，因而更符合广大士民的需要。这种心性论再前进一步，就将走向宗教哲学的反面，而这正是理学心性论所要解决的问题。

三、对神会哲学思想的研究

郭朋根据敦煌写本《神会语录》，对神会思想的“佛性”、“无念法”、“顿渐”、“真如”、“定慧”、“因缘”与“自然”进行了剖析，指出他基本上是个“知解宗徒”，虽然为南宗争正统地位的斗争起了不少作用，但不应把他推崇过高。（《神会思想简论》，《世界宗教研究》1989年第1期）袁家耀在《论神会的佛教哲学》（《五台山研究》1989年第2期）一文中，从佛性论、顿悟论和解脱论3个方面，对神会的佛教哲学思想作了分析。他指出，佛性论是神会学说的理论基础，神会认为佛性“非色非不色”，不生不灭，故称为常，为本；顿悟论是神会学说的核心内容，神会认为，理想人生的实现主要不在于外在的修炼，而在于内在的觉悟；众生具有本觉性和本觉心，所以成佛就是反求诸己，发明本心；“见性成佛”是神会重要的认识论题之一；解脱论是神会学说的宗教归宿，此论旨在弘扬自然究竟、自在解脱的主张。由于神会特别重视本觉真心的“了了常知”，所以曾被其反对派斥之为“知解宗徒”。从文化史上看，神会佛教哲学的进步意义就在于企图把彼岸世界移植到现实世界，又把现实世界凝缩为自我世界，明确提出“世界即心也”，这样就把对彼岸世界的追求转化为内心反求。这在一定的条件下，就会走向宗教信仰的反面，成为促进理性思考，追求精神自由的酵母，发展下去就会引向无神论。

潘桂明在《也谈神会在禅宗史上的地位》(《南京大学学报》1989年第4期)一文中指出，慧能是禅宗的实际创始人，他对佛教的贡献远在神会之上。神会思想的主体部分与慧能一致，《神会语录》基本上是《坛经》的翻版。那种断言慧能与神会共创禅宗的说法，表面上似是否定了胡适的“神会建立禅宗”说，其实是以折衷的方式表达了与胡适类似的观点。当然，我们也不能抹杀神会在禅宗史上的作用。神会是为南宗争法统的先锋，是初期禅宗教义的积极宣传者，他针对神秀系的学究习气和重视渐修实践的特点，在北宗势力区内大力宣传、阐发了慧能的基本思想，应该承认他在慧能禅的传播上有重要的贡献。神会的地位早在《宋高僧传》《景德传灯录》《五灯会元》等史籍中作出肯定，敦煌有关资料的发现和整理为我们提供了神会与普寂门下辩论的详细内容，但对神会个人的评价并不起实质性的作用。

四、对佛性论的研究　潘桂明在《对中国佛性思想的系统阐述——评赖永海著〈中国佛性论〉》(《江海学刊》1989年第2期)一文中，对赖永海《中国佛性论》(上海人民出版社1988年版)一书进行了评论，指出该书在两个重要问题上的论述值得注意：(1)关于佛性本有、始有问题，书中认为，“本有”说主张佛体理极，性自天然，一切众生，本自觉悟，不假造作，终必成佛；始有说则认为清净佛果，从妙因生，众生觉性，待缘始起，破障开悟，当来作佛。两者的差别是：主本有者主要以理性和因性释佛性，从成佛的可能性去说佛性；始有说则是望果说佛性，从成佛的现实性去释佛性。(2)关于天台性具、华严性起学说，书中认为，天台宗佛性思想可归结为性具说，它的特点不在众生本具佛性上，而在于众生所本具的佛性的性质上，它主张佛性不但具善性，而且本具恶法。成佛不一定是真心，妄心也能作佛。这种思想在佛教界可说是惊世骇俗，但它并不等于反对修善，劝人作恶。华严佛性思想的中心是“性起”说，它的特点在于认为众生万物之佛性本明纯净、毫无染污，意即佛性为纯善，唯是净法，是清净至善之圆明体、本觉知。

五、对西夏佛教和藏传佛教的研究 史金波在《西夏佛教新证四种》(《世界宗教研究》1989年第1期)中,对西夏佛教的4个问题进行了新的论证:(1)首先考证出宋代西夏也曾刻印过汉文大藏经,其应属该时代我国所刊刻不多的几种汉文大藏经之一(可称《西夏藏》),并论述了它的意义。(2)考证出《华严忏仪》等几部经典为西夏人所辑,指出了它对中国佛学的贡献。(3)从多方面补充论证了西夏时已设封帝师之说,探讨了它的意义和影响。(4)考察了西夏在藏传佛教东传中的特殊地位。

《菩提道次第广论》是西藏佛教格鲁派(dge lugs pa)创始人宗喀巴所著重要著作之一,体现了他在显宗方面的思想体系,是黄教教义的核心思想。李冀诚在《宗喀巴及其〈菩提道次第广论〉——兼谈黄教修习法》(《世界宗教研究》1989年第1期)一文中,对该论的结构、内容、特点及其传播翻译作了全面介绍,从中可以了解西藏佛教特别是黄教的修习法和指导思想。作者指出,该论以其3个要点为骨干,称为"三种要道",即出离心、菩提心和清净见。出离心就是"厌离三有(三界生死)希求涅槃的心",又名"求解脱心";菩提心即求"真道"之心,求"正觉"之心;清净见又称"离增益"、"中观正见"或"中道正见"。宗喀巴认为,世间一切法都是"待缘而生"的,均为"无自性",无实体,不是实有的。但众生由于"妄执习气",把"无自性"的法,执为有自性(不待缘而起的法则有自性),认为是实有,这就是"增益执",也叫"有见"或"常见"。一切法虽"无自性"都不是实有,但一切事物又都是因为因缘而起的,并非全无,可是这种"有",并非"实有",因缘散则为"无","缘起即性空,性空即缘起"。若认为"诸法既无实性(自性),就该完全什么都没有",这就是"损减执",也称"无见"或"断见",与"增益执"是相对立的见解。宗喀巴认为这"断"(无)、"常"(有)二见都不合于佛教的真谛,"偏于一边",所以佛家又称作"边见"。正确的见解应该是"中观正见",即"中道"。(李冀诚)

【道教研究进展】 1989年,关于道教的讨论仍呈增长的趋势,这主要表现在以下几个方面。

一、道教典籍的研究 胡道静在《〈道藏〉的编集与出版》(《上海道教》(创刊号)1989年第1～2期合刊)一文中,对《道藏》的基本内容、编刻的历史以及《道藏》以外的现存道书作了介绍。王卡在《道教典籍之流传与现状》(《中国哲学史研究》1989年第1期)一文中,也对道书的流传、编集及分类作了概述。马晓宏在《道藏等诸本所收吕洞宾书目简注》(《中国道教》1988年第3期)一文中,专对北宋至清代托名吕洞宾的著作进行了考察。石衍丰在《道教"三洞"源流识微》(《上海道教》1989年第1～2期合刊)一文中,对《道藏》分类所依据的"三洞"说的源流提出新解,认为其形成于东晋至刘宋时期,开始单指《大洞真经》或《灵宝经》,信奉者称"三洞弟子",至刘宋时受佛教"三藏"分类法的影响,吸收《太平经》和《灵宝经》"共成三通"之意,归为三洞。杨福程通过仔细统计,确认《抱朴子·遐览篇》所记道书为260种,1 298卷,而后陆修静的《三洞经书目录》反而少了208卷,至《玄都经目》虽有增加,但多为道士自己的著作。这证明关于道士剽窃佛经成倍地大造道经的旧说纯属误解。(《谈〈抱朴子·遐览篇〉的道书数目》,《社会科学战线》1988年第4期)

除了概述之外,对个别道书的研究也在继续。刘序琦认为,《太平经》并非反映农民阶级的思想和要求,而是东汉末期地主阶级自救活动的产物,目的是挽救东汉王朝垂危的统治。它不是追求整个社会的"太平",而是为帝王"致太平",其中所谓周穷救急的思想不过是地主阶级为其剥削罩上一层温情脉脉的面纱而已。(《再论太平经思想的几个问题》,《江西师范大学学报》1989年第1期)辛玉璞认为,《太平经》中保存了一定的民主思想,其思想内容可归结为平等和公财,最高表现是无君论,它是原始的民主遗风在当时历史条件下的表现和发展。(《关于太平经的民主思想》,《西北大学学报》1989年第2期)

二、道教神学和道教哲学的探索　石衍丰认为,道教奉神的源流与道教的发展是同步的。南北朝时期道教神系趋向统一,基本上确定"元始天尊"为最高神,至隋唐五代以"三清"为最高神的奉神系统形成,宋代以后才完成道教的庞杂神系。(《道教奉神的演变与神系的形成》,《四川文物》1988年第2期)王家祐的《梓潼神历史探微》(《中国道教》1988年第3期)考察了文昌帝君的演变,认为梓潼与文昌同出氐族,合二而一是氐汉文化的融汇。唐代皇帝因政治需要封梓潼神为王,宋明以来文昌完全成了封建神,掌人间禄命。王卡在《元始天王与盘古氏开天辟地》(《世界宗教研究》1989年第3期)一文中认为,"元始天王"是葛洪在早期道教崇拜太上大道君的基础上,吸收南方少数民族中流传的盘古开天神话而塑造的道教最高神灵。后来的元始天尊则是融合了元始天王、太上道君及佛教世尊的名号而形成的。

关于道教哲学的研究,李刚的《道教哲学刍议》(《哲学研究》1989年第10期)认为,道教哲学以个人为本位,追求个体生命的永恒性。它围绕神仙学形成了一套独特的范畴和命题,长生成仙是道教哲学的核心命题。胡孚琛的《葛洪的哲学思想概说》（《孔子研究》1988年第4期）对《抱朴子内篇》的道教哲学进行了研究，认为中国哲学史上究天人之际的学问，在道教中也有体现，并探讨了道教中天人关系的思想。同时还对道教哲学的认识论、物类变化观、重生思想进行了论述。

三、道教源流的研究　朱越利《从〈山海经〉看道教神学的远源》（《世界宗教研究》1989年第1期）一文分析了《山海经》中的有关长生信仰、神仙、彼岸世界、仪礼与方术的资料，证明我国古代神话和原始宗教信仰是道教神学的远源。金棹著《东汉道教的救世说与医学》（《世界宗教研究》1989年第1期）一文，探讨了秦汉医学对早期道教的影响。刘仲宇著《道教与玄学歧异简论》（《上海道教》1989年第1～2期合刊）一文，剖析了道教和玄学表面的相同之点和本质上的歧异之点。胡孚琛《葛洪的思想脉络和心理特征》（《社会科学辑刊》1989年第5期）一文，从心理学的角度，对晋代道教学者葛洪的思想进行了研究。郭树森的《试析隋唐五代道教道论的哲理化》（《江西社会科学》1989年第3期）对成玄英、王玄览、司马承祯、吴筠、谭峭的道论进行了分析，认为他们在宗教哲学上向义理方面迈了一大步，从而为内丹的兴起奠定了理论基础，把道教养生术引上了新途。卢国龙著《志在“虚静”的思想道路》（《中国哲学史研究》1989年第2期）一文，对唐代道士李荣关于《道德经》《西升经》的注文进行了分析，认为本体论、修养论、知识论在虚静之义上的统一是唐代道教哲学的特征。詹石窗的《全真道的创立及其特点》（《中国哲学史研究》1989年第1期）对王重阳创教及全真教特点进行了分析，认为王重阳所创全真教，并不是纯粹的民族意识或遗民意识，而是既有符合民众精神寄托需要的一面，又有为王朝服务的一面。卿希泰和詹石窗的《净明道新探》（《上海道教》1989年第1～2期合刊）论述了净明忠孝道的创立和流传过程及其特点。詹石窗还对明末流行于福建的民间宗教三一教和道教的关系作了研究。（《论三一教的道教特色》，《世界宗教研究》1989年第3期）李养正对近代著名道教学者陈撄宁先生的历史和思想作了评介，认为陈氏是一位驰名中外的仙道养生学家，他的遗著是研究内丹养生学的宝贵资料。（《陈撄宁先生评传》，《世界宗教研究》1989年第2期）

四、道教内丹学的研究　胡孚琛的《道教史上的内丹学》（《世界宗教研究》1989年第2期）认为，内丹学是一种融道教宇宙观、人生哲学、人体科学为一体的理论体系和行为模式。该文回溯了内丹学产生、形成、发展的过程，剖析了道教内丹不同流派的特点，同时，还对内丹的基本理论、修炼要旨和具体丹法作了介绍。陈兵著《中华气功在道教中的发展》(《世界宗教研究》1989年第4期)一文,论述了气功在道教中的发展概况、道教气功功法、道教对气功理论的贡献、道教与气功治病,以及道教气功的影响。他认为道教文献中所见的气功功法,多达数百种,以静功为主,亦含有动功。道教气功入静法,大略可分为炼神、炼气、存思、守窍、内丹5大类,并分别作了概述。丁贻庄在《从〈参同契〉到〈悟真篇〉》(《社会科学研究》1989年第2期)一文中,探讨了道教内丹学从《参同契》到《悟真篇》之间900多年的曲折、摸索和发展、成熟的过程。张伯端继施肩吾、崔希范、陈抟、林太古之后,著《悟真篇》等,使内丹成为一个既有理论,又有功法,内容丰富,行之有效的传统气功流派。

五、道教通史和断代史 卿希泰主编的《中国道教史》(第一卷)(四川人民出版社1988年版)按道教本身发展的过程编写,第一卷至南北朝止,以后还有三卷。这是一项国家重点科研项目,又是一种开拓性的工作。书中材料丰富翔实,史论结合,是中国目前最详细的道教史著作。

卿希泰的《道教文化新探》(四川人民出版社1988年版)一书,收集了作者的24篇论文,其中未发表的4篇,既反映了作者的治学道路和思想历程,又表明了作者目前的研究重点。李远国著《道教气功养生学》(四川社会科学出版社1988年版)一书,搜集了道教文献中各类气功养生术、内丹著作,按时代顺序,阐明了这些道书、养生家、内丹家的哲学思想和养生理论,分析了不同流派的思想观点和炼养方法。胡孚琛著《魏晋神仙道教——抱朴子内篇研究》(人民出版社1989年版),是一本涉及道教多种研究领域的学术专著。李养正著《道教概说》(中华书局1989年版)一书,对道教的历史、教理教义、斋戒科仪、修炼方术及宗派作了介绍。

(华胥生)

【“五四”运动与中国现代哲学】

1989年,学术理论界为纪念“五四”运动70周年发表了近千篇研究文章,从不同的方面探讨“五四”运动的意义和影响。其中一个重要的内容,就是“五四”运动与中国现代哲学、现代思维方式之间的关系。不少研究者就这方面的问题发表了自己的看法。

一、“五四”运动与中国现代哲学的发生和发展 胡伟希认为:中国现代哲学的三大主流——中国的马克思主义、实证主义与新儒家思潮的发生和发展,同“五四”运动有着密切的内在联系。马克思主义在“五四”运动后的影响逐渐扩大,并逐步运用于中国社会实际,它与“五四”运动的双重变奏——反帝爱国斗争——具有密切的联系。中国的马克思主义在“五四”运动中得以诞生，并借“五四”运动的声威与影响而得以广泛传播，到了三四十年代，它终于与民众，尤其是中国农民的反抗运动相结合，汇成一股改造社会的巨大洪流，推翻了旧中国。“五四”时期，西方实证主义思潮也在中国得到传播和发展，其主要倡导者是胡适。胡适引进的是杜威的实用主义，它强调科学与方法，主张用社会改良代替激烈的社会革命，在伦理道德领域，倡导个性解放与自由主义。这种思潮尽管与当时民众的思想水平有相当的距离，但它对“五四”以后的中国知识界、文化界却一直发挥着深远而持久的影响。中国传统文化在“五四”新文化运动中，经受西方思潮的冲击，更处于风雨飘摇之中，如何使中国传统文化在变化了的时代求得生存与发展，就成为现代新儒家思考和为之奋斗的目标。新儒家思潮发轫于“五四”新文化运动，是对“五四”时期全盘西化论的挑战与反动，它自觉于传统文化的继承，注重对传统文化的重新阐释，其主要成果在纯学术方面，而与社会变革的现实相隔较远。（《“五四”运动与中国现代哲学主流》，《理论信息报》1989年5月22日）徐素华认为：伟大的“五四”运动，空前地解放了人们的思想，大量地引进了西方的新哲学、新思潮，从根本上动摇了中国传统哲学的统治地位，结束了其一统天下的局面。“五四”运动在哲学领域的最伟大的历史功绩，就是去旧迎新，尽管它去旧并不彻底，迎新也很庞杂，但这是历史发展之必然。“五四”时期从西方引入的各种哲学思潮，成为中国现代哲学形成和发展的基础。正是在这个基础上，不同程度地吸收和利用中国传统哲学的某些成分，形成了在性质上完全不同于中国传统哲学的新的哲学理论和体系，这表明中国哲学的发展进入了一个新的阶段，即现代哲学阶段。“五四”时期所引进的西方哲学思想，大致可分为无产阶级哲学和资产阶级哲学两大类，由此也就决定了“五四”运动后中国现代哲学的主体由中国现代无产阶级哲学（即马克思主义哲学）和中国现代资产阶级哲学两大哲学派别构成。这两大哲学派别的形成和发展，以及它们之间的矛盾冲突，就是中国现代哲学运动的主要内容。“五四”运动后的中国哲学舞台上，除上述两大哲学派别的活动外，仍然时时有中国传统哲学与之相抗争，但中国传统哲学终未成为中国现代哲学舞台上的主角。（《“五四”运动与中国现代哲学》，《孔子研究》1989年第2期）

二、“五四”运动与中国马克思主义哲学、中国资产阶级哲学的特点 李维武认为：马克思主义哲学是在科学主义思潮崛起之后才开始在中国传播发展的，“五四”时期马克思主义哲学的发展与科学主义思潮有很大的联系，这主要表现在3个方面：1.中国的马克思主义者习惯于把马克思主义哲学看作是“科学”，而不是“形而上学”；2.中国马克思主义哲学在发展过程中表现出强烈的认识论化、方法论化的倾向；3.科学主义化倾向导致了对于马克思主义哲学的片面理解，这种影响在历史上虽然产生过积极的作用，但它也给马克思主义哲学留下了许多在今天亟待解决的问题。我们要推进马克思主义哲学在中国的发展，必须扬弃科学主义化倾向。(《新文化运动的回顾与展望》，《高校社会科学》1989年第3期)吕希晨认为：全面评价“五四”以来的中国资产阶级哲学文化，关系到我们能否全面、正确地继承“五四”以来的优秀文化传统。因为，第一，中国现代资产阶级所提供的文化哲学观念，从主观愿望来说，都是为了挽救中国而设计的救国方案，我们应该把其主观上力图救国与客观上不现实加以适当区别；第二，中国现代资产阶级哲学和文化一般都有反封建的意义；第三，中国现代资产阶级哲学和文化都强调理性主义，强调科学与民主的重要性，所有这些都应适当给予肯定。(《天津市中哲史学会纪念“五四”研讨会综述》，《理论与现代化》1989年第3期)

三、“五四”运动与思维方式

邝柏林认为：“五四”时期的新派人物鲜明地举起“科学”的旗帜，以近代科学方法去批判和取代传统的思维方式，把中国近代思维方式的变革发展到了一个更深的层次，推向了一个新的高度，为后来接受马克思主义唯物史观——唯物辩证的思维方式，奠定了一定的思想基础。“五四”时期思维方式变革的基本内容表现在4个方面：(1)倡导由西学兴起的近代的科学实证、分析和逻辑思维，批判传统的整体直观思维和教条主义的经学方法；(2)用源于西方的科学进化论，取代传统的循环变易、中庸和谐思想；(3)主张创造性精神，反对传统的因循守旧的思想；(4)随着马克思主义在中国的传播，开始从近代思维方式向更科学的现代唯物辩证的思维方式转变。由于“五四”新文化运动时间短促，变革传统思维方式的工作总的来说还是较肤浅的，对传统思维方式缺乏具体的、系统的深入分析，新派人物往往是简单地以西方近代科学方法去取代它，这是不能完成转换传统思维方式的任务的。“五四”时期倡导的科学实证思维方式有4个局限性：(1)科学实证思维的分析是机械性的，不是辩证的分析与综合；(2)科学实证思维的进化观认为事物都是直线发展的，这是一种形而上学的直线思维；(3)科学实证思维片面地强调矛盾的斗争性，否认中庸、和谐与统一；(4)科学实证思维带有明显的夸大科学作用的科学主义倾向，忽视人文主义、人的价值和人的情感需要的意义。(《“五四新文化运动与中国现代哲学”学术讨论会综述》,《中国哲学史研究》1989年第3期)羊涤生则从另一个角度指出:“五四”人物在哲学上的局限性,主要表现为非此即彼式的文化思维方式。他们认为文化似乎可以任意取舍或移植,他们对无论是社会还是个人,包括他们自身在内都是传统的产物这一点认识不深。这种笼统或简单化的思维方式使他们批判多、抄袭多而理论建树较少。从历史的发展看,这种文化思维方式的影响是长期的,后来出现的陈序经的“全盘西化”和王明的“全盘苏化”则是这种思维方式的进一步发展。(《“五四新文化运动与中国现代哲学”学术讨论会综述》,《中国哲学史研究》1989年第3期)昌切撰文认为:“五四”以后持续不断的文化批判所采用的以政治概念为轴心构筑的文化批判模式,是由中国现代有机整体思维方式所决定的。中国现代有机整体思维方式,不是中国传统有机整体思维方式的原样模本,它剔除了中国传统有机整体思维方式的内容,完整地保有其有机整体的形式特征,并摄取和变易了马克思主义哲学的有机整体观或普遍联系的观点。可以说,中国现代有机整体思维方式是中国传统思维方式与马克思主义哲学的有机整体观或普遍联系观点相融合的产物。(《“五四”文学精神与现代有机整体思维方式》,《华中师范大学学报》1989年第4期)

(钟献渠)

【对新时期10年哲学发展的初步研究】 以1978年5月开始的真理标准问题的讨论为转折点,中国哲学的发展进入了一个新时期,到1988年,新时期的中国哲学已走过了10年的历程。对这10年的哲学研究究竟如何估价?最近,一些学者撰文从宏观上对10年哲学的发展进行了简要的回顾和评论。

一、10年哲学的总体估价及发展阶段 有人认为,新时期10年的哲学是贫困的。但从已发表的文章来看,多数人认为,尽管新时期10年哲学发展受到资产阶级自由化的干扰,但是,10年来中国哲学研究的主流是好的。黄枬森认为,10年来中国理论界解放思想,大胆探索,对许多问题展开了深入的讨论,取得了巨大的成就。尽管理论的发展还不适应实践发展的需要,但同解放后的30年比较起来,人们都异口同声地承认,这10年是中国理论发展的黄金时代,也可以说是马克思主义哲学发展的黄金时代。马克思主义哲学发展的成就主要表现在对老问题的探讨、对新问题的研究、对应用哲学的开创和发展等方面。(《十年来马克思主义哲学在中国的发展》,《高校社会科学》1989年第1期)李君如指出:10年马克思主义哲学研究取得了重大的成果,首先是通过真理标准的讨论，重新恢复和确立了毛泽东倡导的实事求是的思想路线。同时，哲学研究出现了前所未有的百家争鸣的局面，哲学出现了两种新的走向，一是哲学的视野逐渐投向人自身，对于人与世界关系的研究、主体在与世界联系中的能动性的研究引起了哲学界的广泛重视；二是哲学视野日益投向现代化与改革开放这一历史潮流。这些哲学研究推动了中国社会主义现代化建设。(《历史财富和哲学研究》，《毛泽东哲学思想研究》1989年第6期)关于10年的哲学研究，有人认为大致经历了如下几个阶段：(1)关于真理标准问题的讨论：1978～1980年；(2)关于人道主义和异化问题的讨论：1980～1984年；(3)关于中国传统文化与现代化问题的讨论：1985～1988年；(4)经过前8年的酝酿，哲学界开始了对传统哲学体系和哲学观念的变革：1987～1988年。(包霄林、李景瑞：《哲学与历史之镜——十年哲学发展的简要回顾》，《光明日报》1988年12月12日、12月26日)还有人从哲学研究思维方式变革的角度，把10年哲学研究划分为3个阶段：(1)反思批判传统哲学的一些基本观点、原理和体系的片面性、陈旧性阶段，约从1978年到1981年。真理标准的讨论，突破了教条主义的束缚，哲学界首先对“一分为二”与“合二为一”、“思维与存在同一性”等问题，展开了讨论，从对实际工作中的唯心主义和形而上学的批判，发展到对毛泽东晚年哲学思想中的错误观点的批判，进而依据当代自然科学和社会实践提出的问题对马克思主义哲学教科书的体系、观点、原理提出批评，同时，试图建立一元化的新体系。这个阶段及稍后几年，中国哲学教学领域出版了一百多种大同小异的教科书，总的来说，并未摆脱传统哲学思维模式。(2)以“实践是检验真理的标准”的讨论与“关于人性和人道主义问题”的讨论为契机，讨论了人在马克思主义哲学中的地位、哲学是物质本体论还是人的哲学、人和哲学的关系、主体和客体的关系、哲学的基本问题究竟是什么、怎样正确理解马克思主义哲学实质，等等。这是一个从传统哲学思维向哲学主体化思维转变的阶段，约从1982年到1984年。(3)超越传统思维模式，转向主体性原则，以实践主体和系统整体思维方式，全面研究哲学的阶段，大约是1984年以后。我国哲学的主流，走上了从主体活动即主客体关系方面来研究人对客体的反映建构、研究历史唯物主义的一切问题的道路。(李茂：《哲学：从传统走向革新——十年来我国哲学研究状况和趋势述评》，《社会科学述评》1988年第5、6期)

二、对资产阶级自由化思潮在哲学界表现的认识　许多论者在文章中指出，对新时期中国哲学研究所取得的成绩，应理直气壮地肯定，同时也要清醒地认识到，资产阶级自由化思潮严重影响和干扰了马克思主义哲学的研究。余继坤指出，近几年，哲学界资产阶级自由化思潮的表现在于：(1)用“僵化”、“保守”等字眼攻击马克思主义哲学，用“过时论”极力贬低马克思主义哲学的地位和作用；(2)反对马克思主义哲学的阶级性和党性；(3)鼓吹“马克思主义哲学是一个学派”，公开否定马克思主义哲学的指导作用；(4)肢解马克思主义哲学关于生产力与生产关系、经济基础和上层建筑之间辩证关系的原理，把生产力标准庸俗化、唯一化；(5)宣扬历史唯心论，鼓吹文化决定论、地理环境决定论、技术决定论、“精英”决定论，否定历史唯物论；(6)极力反对马克思主义哲学关于阶级斗争的理论和阶级分析方法，为资本主义“和平演变”战略制造舆论；(7)反对马克思主义哲学关于民主的阶级性观点，攻击、贬低社会主义民主，鼓吹民主的超阶级性，美化和宣扬资产阶级民主；(8)反对历史唯物论关于社会意识相对独立性的原理，以及在对待文化遗产上的关于批判与继承的原则，全盘否定中华民族优秀的文化传统，全盘肯定、美化西方资产阶级文化，等等。(《回顾与思考：十年哲学的发展》，《毛泽东哲学思想研究》1989年第5期)。

三、10年哲学发展的缺陷　新时期10年的哲学研究除了受资产阶级自由化思潮的干扰以外，还存在若干问题。有的人谈到，中国哲学界的现状还不能令人满意，管理体制的弊病，学科之间的壁垒，门户之见的阻隔，学术以外的干扰，都是明显的。更严重的问题还在于研究者的知识结构不合理，对于现代科技成果和现代西方哲学的进展，许多人至今仍比较陌生。哲学需要扎扎实实地研究，然而近年来，哲学论著和文章也开始出现了“短、平、快”的势头，急功近利的社会情绪也在骚扰着哲学队伍。(包霄林、李景瑞：《哲学与历史之镜——十年哲学发展的简要回顾》，同上)陈卫平、高瑞泉认为，同其他学科(如经济学、文学)相比，10年哲学最为相形见绌之处，就是没有形成各种流派(学派)纷呈的繁荣局面，其原因是多方面的。从新时期10年的哲学争论来看，由于概念混淆而妨碍了理论深层的交锋，是这些哲学争论的显著缺点；还未明确地找到将西方文化的理论成果转化成我们当代哲学的内在机制；一些研究者缺乏独立的人格，尽管每次争论都发表许多文章，但其中大量的文章只是对某种权威观点的解释和发挥，这些都极大地妨碍了有个人独特风格的哲学理论流派的形成。(《评新时期十年的五次哲学争论》，《华东师范大学学报》1989年第1期)

毫无疑问，新时期10年的哲学

研究是中国当代哲学史上重要的一页，目前的研究还是初步的，有待于我们做更深入的探讨。 （张利民）

外国哲学

【外国哲学史研究概述】 1989年，外国哲学史的研究取得了一定的成果。出版了一批著作：贺麟的《德国三大哲人的爱国主义》；宋祖良的《青年黑格尔的哲学思想》；王天成的《创造思维理论——德国古典哲学创造思维理论的精华》；武斌编写的《性灵之光：西方大哲学家轶事》；陶济的《欧洲哲学史著名命题史话》；国内著名学者多人撰写的论文集《外国哲学》（第10辑）；吕世伦著的《黑格尔法律思想研究》，等等。

1989年有关外国哲学史的研究共发表了论文百余篇，其中既有学术界著名专家学者的佳作，也有后起新秀的颇有见解的新作。发表的论文在内容上有较大的拓宽，几乎涉及全部西方哲学史的重要哲学家，并特别集中于对康德、黑格尔、费希特、洛克、笛卡尔、亚里士多德等大哲学家的思想的深入研究，提出了新见解，取得了新进展。

1989年外国哲学史研究的另一个引人注目的成果是对西方著名哲学著作的译介工作。出版了译著10余部，其中有享誉西方的：弗里曼特勒编的《信仰的时代》（中世纪哲学家）；桑迪拉纳编的《冒险的时代》（文艺复兴时期哲学家）；汉莫普希尔编的《理性的时代》（17世纪哲学家）；柏林编的《启蒙的时代》（18世纪哲学家）；阿金编的《思想体系的时代》（19世纪哲学家）；狄德罗的《怀疑论者的漫步》；司退斯的《黑格尔哲学》；塞克斯都恩坡里可的《悬疑与宁静——皮浪主义文集》。

此外，1989年10月初，中国社会科学院哲学研究所费希特哲学课题组邀请院内外学者14人举行了“从康德到费希特”的讨论会。与会学者就费希特哲学的形成和康德与费希特的关系进行了热烈的讨论。

（程志民）

【古希腊罗马哲学研究】 1989年，国内哲学界对古希腊罗马哲学的研究工作，无论是在广度上还是在深度上都有较大进展。乔根锁的论文《古希腊罗马哲学与宗教》（《西南民族学院学报》1989年第3期）探讨了古希腊罗马哲学与宗教的关系。乔根锁认为，古希腊罗马哲学，表现了人类对宗教神话及各种迷信思想的觉醒与超越，代表了那个时代理性的、科学的、世俗的、自由的、积极进取的伟大精神。但是，几百年之后，基督教神学却被奉为独尊，取古希腊罗马哲学而代之，信仰代替了理性，宗教代替了科学，哲学成了神学的婢女，古希腊罗马文化被摧残殆尽，欧洲因而进入了长达千年的黑暗与愚昧的时代。古希腊罗马哲学是如何坠入宗教神学中去的呢？作者从哲学发展史的角度对这个问题进行了深入的研究。他认为，古希腊罗马哲学诞生和成长于神学气息浓烈的奴隶社会，深受原始神话和宗教化的影响及东方神学的渗透。作为人类青少年时期的思维成果，它不仅受社会历史条件的局限，而且还受到认识主体思维水平的制约，有着不可避免的缺陷。基督教神学的许多成分就是在古希腊罗马哲学的一些理论因素中孕育和发展出来的。恩格斯指出，新的世界宗教，即基督教，已经从普遍化了的东方神学和庸俗化了的古希腊哲学，特别是斯多葛派哲学中悄悄地产生了。没有古希腊罗马文化，基督教是不可思议的。

苗力田的《亚里士多德全集序》(《哲学研究》1989年第7期)一文指出，古希腊哲学是西方哲学的故乡，亚里士多德是古希腊哲学的集大成者，他所创立的学派，被称为漫步学派。亚里士多德把希腊哲学爱智慧的精神，也就是追求知识，不懈询问，无穷探索的精神，充实和具体化了，发扬光大达到顶峰。亚氏哲学尊重经验，跟随现象，继而归于理智和思维。他认为，求知是所有人的本性，人对感觉的喜爱就是证明。他把理智置于灵魂中的最崇高地位，把它看做本原。理智通过分享思想对象而思想自身。被思想的东西生成于接触和思想。所以思想和被思想的东西是同一的。思想就是对被思想者的接受，对本质的接受。在具有对象时思想就实现着。思辨是最大的快乐，是至高无上的快乐。智慧、哲学是思辨科学。首先，在哲学的起源上，在它和创制科学的关系上，亚氏把智慧规定为最初原因和本源的科学；其次，亚氏又在哲学的对象上，从哲学和其他具体科学的关系上，把它规定为关于作为存在的存在的科学。这就是说，哲学是一种普通科学，而不是一种特殊科学。

此外，刘天喜的《古希腊哲学产生和衰落原因之我见》(《延安大学学报》1989年第2期)一文论述了古希腊哲学的兴衰过程。 (程志民)

【笛卡尔哲学研究】 李步楼在《笛卡尔的二元论和现代分析哲学中的身心关系问题》(《青海社会科学》1989年第1期)一文中认为，近代哲学中，笛卡尔第一次提出了身心二元论的系统理论。他对这个问题的解决虽然是不正确的，但比较充分地揭示了身心关系问题的矛盾和困难，为以后的哲学家们研究这个问题提供了重要的理论教训和思考的线索。现代西方分析哲学家们一般都对他的观点持批评态度，但他的身心理论中的矛盾和困难又是他们不可回避的问题，并成为新的身心理论的生长点和刺激物。

作者认为，笛卡尔的身心二元论主要有3个论点：(1)心灵的本质是思考，它是一个思考着的实体；(2)

身体也是一个实体，它的本质是具有广延性；(3)我的心灵与我所具有的身体紧密相联，相互作用；心灵和肉体是两个独立的实体。笛卡尔的身心二元论无法说明精神和物质既然是两种完全不同的东西，这二者怎么会有一致性。笛卡尔用松果腺中的动物精神来说明这种一致性不但牵强，而且自相矛盾，并会得出灵魂不灭的荒谬结论。尽管如此，笛卡尔的二元论在哲学史上仍有不可磨灭的功绩。首先，他以其特有的形式肯定了人的价值、理性和自由，把人和物、人和动物严格地区别开来。其次，他以极其鲜明的形式提出了物质和意识的关系问题，并把对这个问题的回答同当时的物理学、生理学、心理学、解剖学和医学等方面的研究成果紧密地联系起来了。

卓新平的《笛卡尔与近现代西方哲学的反思——兼论西方宗教观的发展》(《中国社会科学院研究生院学报》1989年第3期)一文比较系统地论述了笛卡尔哲学对近现代西方哲学的影响。作者指出，笛卡尔用一句“我思故我在”的名言宣布了西方哲学史上主体性哲学的开始。然而，中世纪神学的回光反照，西方传统的深远影响，却又使笛卡尔这样的近代思想巨人成为一个双重的巨人、矛盾的巨人。在他身上，虽然展现出新时代思想萌芽的勃勃生机，却也打着传统观念的深深印记。而其精神深蕴之处的悬而未决、模糊不清，使他一方面被近代经验论和唯理论同尊为鼻祖，另一方面又被双方在更高层次上诘难和扬弃。后来的西方思想家，如斯宾诺莎、莱布尼兹、康德、费希特、黑格尔、洛克、贝克莱和休谟等人，都对笛卡尔的思想进行了深刻的反思。笛卡尔想借助理性的威力摆脱传统神学的羁绊，这不仅导致了传统基督教神学的衰落，并且刺激了近代西方哲学的多元发展。探讨笛卡尔在西方思想界留下的不绝回音，追溯这一精神历程上的串串脚步，对我们了解西方近现代乃至当代哲学的发展，无疑有着重要的启迪作用。

(程志民)

【德国古典哲学和德国文化研究】

德国古典哲学的研究工作在中国外国哲学史的研究中历来是一个重点。1989年的德国古典哲学研究工作进展平稳。

一、德国哲学和德国文化的双重性问题一直引起人们的广泛注意

陈锐对这个问题作了探索性的研究。他认为，德国文化尤其是德国古典哲学，一般都具有一种深刻的双重性，一种内在的矛盾和分裂。人们往往把这种双重性归于近代德国资本主义发展的缓慢、德国资产阶级的软弱和妥协。实际上，这仅是一个方面。从更广的意义上说，德国哲学的双重性深深植根于德意志民族的历史和文化之中。德意志以泛神论、宗教、非理性主义与文明世

界中的科学、民主、理性相对抗。贯穿于德国人自身中的，就是这两种传统和倾向的冲突。德国哲学和文化中的双重矛盾特征不过是这两条对立传统的展现。(《德国文化和德国哲学的双重性》,《学术月刊》1989年第5期)

二、康德哲学的主体性问题

韦卓民认为,康德哲学的影响很深,一直到现在,谈哲学的人们,不论是赞成还是反对,都还要提到康德。最近二、三十年的自然科学哲学书籍,也无一不涉及到康德的思想。康德在《纯粹理性批判》中替人类知识加上的种种限制，使"物自在"陷入了不可知论的泥坑。可是他在他的《实践理性批判》中，谈到"实践理性"即人们的实际行动和道德实践时，认识的一切限制又都突破了。在《判断力批判》中，人被描写为自由的、不受自然所拘束的。这与他在《纯粹理性批判》中把人看作受自然法则限制、人和自然相隔离、受束缚等等,是相对立的。可是，康德认为，这种对立是表面的，在人的本质上可以统一起来。在人的审美的情感中,无主亦无客,主客的对立就统一起来了。(《康德《纯粹理性批判》的主要内容及有关问题的提法》,《华中师范大学学报》1989年第1期)

温纯如认为，康德把主体作二重化的划分，展现出主体的内在矛盾性，由此导致了认识的双向性运动。康德的主体二重化实际揭示了主体的有限与无限、能动与受动、功能与实在、先验与经验、超越与限制等矛盾，这种主体的内在矛盾性正是认识双向性运动的根本原因。由于这种矛盾性，主体最高认识能力理性不满足认识的有限性而无穷地追求认识的无限性，表现了认识的有限与无限的矛盾运动，而这种认识过程不仅是认识从有限真理向绝对真理的无限进展，而且也是对主体自身反复进行追根究底的认识过程。由于主体内在的矛盾性，主体的自主性、能动性、自觉性、统一性、创造性就必然克服和超出认识过程主体与对象的被动性、杂多性、限制性等束缚。正是主体的这种内在矛盾性的不断对立统一，才使主体不断对自身进行超越。康德虽然对理性超验作了限制，但是理性的本性就是超越有限去把握无限性，二律背反必然产生,也表现了主体有"自我超越"的能力。在认识中,主体的"自我超越"不是只凭主体自身的抽象思辨，而是对感性材料的综合，在科学知识形成中主体不断认识自身、超越自身。因此，我们可以说，康德的先验论表述了这样的思想：人认识世界的过程也就是认识自身的过程，人创造世界的过程也就是创造自身的过程。(《论康德主体的二重化与认识过程的双向性》,《求是学刊》1989年第4期)

程惠莲认为,康德的"哥白尼式革命"集中体现了主体能动性思想,并从康德的“哥白尼式革命”的动因、内容、效果3个方面出发，详尽探讨了康德关于主体能动性思想的实质及其在哲学发展中的影响。作者认为，哥白尼的日心说启发康德确立了“对象必须与认识符合”的根本原则，创建了以主体能动性为中心的批判哲学，这是康德倡导“哥白尼式革命”的重要动因之一。另一个动因是康德洞察到经验论和唯理论的片面性，试图以新的思路解决两者的对立。康德“哥白尼式革命”的主要内容有：(1)“综合”和“分析”区别中的主体能动性思想；(2)认识是以主体为主导的主体与客体互相作用的思想；(3)感性、知性、理性区别中的主体能动性思想。(《康德“哥白尼式革命”的主体能动性思想》,《湖北大学学报》1989年第3期)

三、黑格尔哲学研究　冒从虎、部庭台认为，黑格尔哲学不仅是西方古典哲学的总汇、西方现代哲学的出发点，而且是马克思主义哲学的直接理论前提。认真挖掘、继承这份历史遗产，是一项长期的任务。但是，黑格尔哲学对马克思主义哲学有没有消极影响？它对于当代马克思主义哲学的发展是否是一个沉重的精神负担？回答应当是肯定的。当代马克思主义哲学的发展从根本上说，是要更新马克思主义哲学现有的思维方式，以适应当代社会生活和现代科学技术的发展。从思想渊源而言，马克思主义哲学的现有思维方式来自黑格尔。当然，不能把发展马克思主义哲学统统归结为一个黑格尔问题。但是，从一定意义上说，不超越黑格尔，不清算黑格尔哲学消极方面的影响，就不可能实现马克思主义哲学思维方式的更新。黑格尔的辩证法并不是包罗万象的神律，它只是辩证法发展史上的一个阶段，总的来说已经陈旧了。为黑格尔的一整套思维方式死死捆住，是把遗产当包袱，不思进取的表现。更重要的是，黑格尔哲学的不少非辩证思维方式侵入了马克思主义哲学，被人们当作辩证法思想加以信奉。作者从当代马克思主义哲学发展的角度，讨论了黑格尔哲学中的整体主义、理性主义、认知主义和绝对主义等非辩证思维方式及其对马克思主义哲学的影响。作者认为，今天对黑格尔的再超越，全面研究和清算黑格尔哲学在当代的影响，对于马克思主义哲学发展已是十分紧迫、不容延误的了。(《黑格尔哲学：一个沉重的精神负担》,《学术月刊》1989年第5期)

对于黑格尔的宗教哲学，国内一直很少研究，薛华的《关于黑格尔的宗教哲学》(《国外社会科学》1989年第3期)一文填补了这个空白。他认为，宗教研究在欧洲近代史上是一个极重要的方面。在某种意义上我们可以说，近代哲学是宗教研究的一个结果。离开宗教理解和批判，不可能有什么康德哲学，不可能有费希特哲学和谢林哲学，自然也不可能有什么黑格尔哲学。就黑格尔而言，事情不只指黑格尔体系中有一部分是宗教哲学，而是指他的整个哲学的发生、发展，他的整个哲学的一种内在方面都和宗教问题纽结在一起。甚至黑格尔哲学的解体，也与宗教问题联在一起。众所周知，青年黑格尔派是宗教批判者，而马克思则从宗教批判转向现实批判。但是，马克思的现实批判，是否同宗教问题毫不相干，这依然是一个问题。事实上马克思只是扬弃宗教，而不是从自身完全清洗了宗教。至少我们不能不承认，在对马克思主义的误解和误用上，包含着误解和误用了宗教。

作者认为，黑格尔把哲学理解为宗教的扬弃，他的宗教哲学的论证是较全面的，它将有助于我们全面地扬弃宗教。这也许是他的宗教哲学在我们这个非神的、同时狂信的世界所具有的意义。这首先要求我们去追寻宗教原初性的含义，并对它作哲学的把握，而这又是出于这样一种前提：如果我们成为神的拯救者的话。（程志民）

【东方哲学研究概述】 1989年，学术界在对印度、日本、朝鲜哲学的研究方面取得一些成绩，其基本情况如下：

一、印度哲学研究概述 1989年是中国印度哲学研究丰收的一年。从数量上讲，出版专著1本，发表论文20余篇；从质量上讲，研究水平比以前有显著提高。

（一）对印度传统哲学的研究。对印度传统哲学诸领域的研究仍是1989年中国印度哲学研究界关注的热点。在吠陀、奥义书研究方面，方广锠的《从吠陀到奥义书》（《南亚研究》1989年第3期）一文对吠陀、奥义书时期印度人神关系的演变作了考察，从而探索了印度哲学是怎样从宗教中孕育、产生的。在印度佛教研究方面，黄夏年的《觉音的〈清净道论〉及其禅法》（《南亚研究》1989年第1期）一文主要研究了《清净道论》在上座部佛教中的地位与作用以及《清净道论》所阐述的禅法。在六派哲学研究方面，巫白慧的《印度吠檀多主义哲学》（《南亚研究》1989年第1期）是一篇力作。作者指出与中国哲学相比，印度哲学在其发展长河中很少接受印度本土以外的哲学思想的影响；与西方哲学相比，印度迄今仍保持其古老的哲学传统并作为其意识形态的支柱。作者翻译了印度吠檀多的早期奠基人之一—侨荼波陀的《圣教论》（第1章）。（《东方文化集刊》第1辑，商务印书馆1989年7月版）《圣教论》的翻译为中国印度哲学研究者提供了又一篇重要的研究史料。在近现代哲学研究方面，黄心川的

《赛义德·阿赫默德·汗的宗教和哲学思想述评》(《南亚研究》1989年第3期)介绍了印度近现代伊斯兰教宗教改革运动——阿里加运动的主要创始人之一赛义德·阿赫默德·汗的哲学宗教理论、社会思想及这种思想赖以产生的社会背景。彭树智的《甘地的农村经济思想及其道德观》(《南亚研究》1989年第2期)则力图从甘地的农村经济思想的角度来讨论他的道德观。宫静在本年连续发表了两篇关于泰戈尔的研究论文:《泰戈尔哲学思想的渊源及其特点》(《南亚研究》1989年第3期)、《论泰戈尔的人生观》(《东方文化集刊》第1辑)

(二)比较研究的发展。1989年发表的主要论文有:宫静的《略论古代印度、中国、希腊的灵魂观》(《东方哲学研究》总第9期),该文在比较了三大思想体系对灵魂的不同观念后,总结出几点共同的规律:1.人类灵魂观的产生有其共同的认识根源,古代的灵魂仅是人们对自已认识的初级阶段。2.对灵魂的解释存在着两种基本不同的观点,或强调其客观物质性,或强调其主观精神性,两者都有片面性。3.关于灵魂与肉体的关系,东西方都出现断、常两见。作者认为,形成以上三点共同规律的根本原因在于人类认识水平具有平行发展的特点。张锡麟将孔子的仁学与古印度泰米尔思想家瓦鲁瓦尔的道德哲学作了比较,(《论孔子的仁学和瓦鲁瓦尔的道德哲学》,《南亚研究》1989年第4期)认为两者在伦理思想上存在的许多共同点,显示了东方国家古代文明中伦理思想的共同特点,而它们之间的不同之处则是古代中印两国不同民族文化中存在差异的必然反映。

(三)对印度哲学的综合研究。姚卫群近年来一直从事从总体对印度哲学之诸种理论与范畴进行综合性研究。1989年发表了3篇论文:《古代印度哲学流派的社会伦理思想》(《东方哲学研究》总第9期)、《印度古代哲学中的辩证思维初探》(《南亚研究》1989年第4期)、《印度古代哲学中的量论》(《东方文化集刊》第1辑)

二、日本哲学研究概述 1989年是中国日本哲学研究硕果累累的一年,除发表诸多论文外,更可喜的是出版了3部专著;另一方面,日本哲学研究学者李今山、王守华、刘文柱等相继赴日考察,与日本学者展开了广泛的学术交流。

(一)日本哲学史研究著作、论文 自70年代中期恢复日本哲学研究以来,经过十几年的研究累积,终于结出第一批硕果,出版了《日本哲学史教程》(王守华、卞崇道著,山东大学出版社1989年版)、《日本近代哲学史纲》(金熙德著,延边大学出版社1989年版)和《日本近代十大哲学家》(铃木正、卞崇道等著,上海人民出版社1989年版)。

《日本哲学史教程》(略称《教程》)由3篇14章组成,该书对上至日本最早的古代神话传说中的哲学思想萌芽,下至最近的80年代新思潮,都作了简明的描述、分析和评价,该书在客观编写日本哲学史的同时,也不乏著者的独到见地。比如在第四章"神道哲学思想"中,对各派神道哲学思想的概述以及对神道哲学特点的五点归纳,不但在我国,就是在日本也是少见的。(见《教程》第140～156页)又如对日本朱子学派哲学思想的论述,突破了以往中外学者以"六个学派"及师承关系来记述的框框,提出以主气的唯物主义与主理的唯心主义两大阵营来记述的新观点。在近代哲学篇中,对津田真道和大西祝哲学思想的整理与概述为国内首例,对和辻哲郎人学伦理学和三木清人学唯物史观的评价也与他人迥异其趣。对于马克思主义哲学在日本的传播与发展,《教程》也作了介绍,肯定其在日本哲学史上应该占有的地位。

1989年,还发表了不少关于日本哲学史的研究论文。关于日本古代哲学,有王忠灏的《安藤昌益的社会政治学说》(《日本研究》1989年第2期)、李甦平的《朱熹"理"范畴在日本的嬗变及其与日本现代化的关联》(《中国人民大学学报》1989年第4期)。关于近代日本哲学,有崔新京的《论福泽谕吉的启蒙哲学思想》(《日本研究》1989年第2期)、《穆勒和西周伦理思想的比较》(《日本问题》1989年第5期)、《刍议加藤弘之哲学思想的基本性质和历史作用》(《日本研究》1989年第4期)、赵乃章、平波的《评田边元的科学论和目的论哲学》(《外国问题研究》1989年第3期)、战军的《评"世界史的哲学"》(同上刊1989年第2期)、翁美琪的《西田几多郎的伦理观与宗教观评议》(《浙江学刊》1989年第3期)和冯锦中的《试论日本近代著名宗教哲学家清泽满之》(《辽宁大学学报》1989年第3期)。值得提及的是在中日比较哲学研究上,李甦平在近作《转机与革新——论中国畸儒朱之瑜》(中国人民大学出版社1989年版)一书中,辟专章"中日文化交流的灿烂一页——朱之瑜与日本文化",论述朱之瑜对日本朱子学派、古学派和水户学派的影响。著者通过翔实的史料,分析日本当时学术发展与朱之瑜的密切关系,指出,日本朱子学两大派(主气派、主理派)中主气派着重继承、发展了朱之瑜的"实学"思想,经国济民是其主要宗旨,主博学、尊知识、倡实行、蓄经验是其基本特征,由此构成了有别于中国朱子学而别具风姿的日本朱子学。

(二)战后日本哲学研究。战后日本哲学已为中国越来越多的学者所关注,发表的论文有卞崇道的《日本哲学家铃木亨》(《国外社会科学》1989年第1期)、《当代日本哲学家山本晴义》(《东方哲学研究》1987～1988年合刊号)、李树琦的《逻辑主义和分析哲学之在日本的回顾》(《东方哲学研究》1987～1988年合刊号)、刘翠兰的《当代存在主义在日本的影响》(《外国问题研究》1989年第1期)、周林东的《汤川秀树的科学哲学思想》(《哲学研究》1989年第5期)、丘成的《日本哲学界关于实践唯物主义的讨论》(《哲学研究》1989年第4期)、魏英敏的《日本人的实践伦理》(《社会科学家》1989年第3期)和焦润明的《试论日本传统价值观》(《辽宁大学学报》1989年第6期)等。

对于中国的日本哲学研究，日本学者寄予莫大的关心，并进行认真地评价。高桥文博教授于1988年8月参加在承德召开的中华全国日本哲学会学术讨论会后，发表了《海外学会报告——中国的日本思想研究》(《冈山大学教养学部纪要》1989年第2期)，在详细介绍中方学者的论文要点的基础上，高桥评论说，中国的日本思想研究是从试图积极地回答中国社会主义现代化这一时代课题这样一种主体性态度出发的；同时，研究者不是把基于自身哲学立场的价值评价同研究对象的评价直接结合起来，而是通过对日本思想这一对象的客观、冷静的研究，阐明它在历史中的完整意义，从而保持了开放的学术态度。

三、朝鲜哲学史研究概况

1989年，中国的朝鲜哲学史的研究较活跃，不仅发表了一批质量较高的论文，也出版了一批专著。

1989年8月，延边大学召开了第1届朝鲜学国际学术讨论会，为大会的召开出版了《朝鲜学研究》第1卷，会后出版了《朝鲜学国际学术讨论会论文集》(以下简称《论文集》)。这里，对这一年中国的朝鲜哲学史研究作一概述。

对古代朝鲜哲学史的研究，朱红星发表了《论古代朝鲜灵魂崇拜和唯心主义世界观的形成》(《论文集》，延边大学出版社1989年版)。作者认为，此问题是探讨朝鲜哲学世界观形成的起点，作者根据大量史料考证，指出，从思维发展的角度看，图腾先于灵魂崇拜、太阳神崇拜先于天神崇拜，对两者混为一谈的传统观念作一澄清，对深入探讨朝鲜哲学世界观的形成有所启示。对李朝后半期哲学史的研究，朱七星发表了《论朝鲜实学思想的产生发展及其特点》(《朝鲜学研究》第1卷)、《论朝鲜阳明学派及其代表郑齐斗》(《论文集》，同上)。作者对朝鲜实学和阳明学派的历史演变及其特点，第一次作出了系统地概括，提出了一些见解。对朝鲜伦理思想的研究，李洪淳发表了《从比较侧面看朝鲜新儒学的伦理思想》(《论文集》，同上)一文。作者从中朝新儒学的伦理思想的比较中概括了朝鲜新儒学伦理思想的特点，这对我国朝鲜伦理思想研究具有开拓性的意义。

金京振发表的《朝鲜民族孝道观述评》(《论文集》，同上)一文，用比较中朝孝道观的方法，对朝鲜孝道观的内容、特点和实质作了深刻的阐述。

在这一年出版的专著有朱红星、李洪淳、朱七星撰写的《朝鲜哲学思想史》(延边人民出版社1989年版）是中国建国以来第一部阐述朝鲜哲学思想史的专著。作者运用马列主义立场、观点和方法，对各时期哲学派别、哲学思想及其历史作用逐个重新作了评价，并阐述了朝鲜哲学思想发展的客观规律。本书对朝鲜哲学史的研究具有开拓性的意义。

（方广锠　宗　述　朱启星）

【现代外国哲学研究概述】　1989年，中国哲学界在苏联东欧哲学研究和介绍方面呈现活跃局面，在西方哲学研究和介绍方面趋向于平稳。

苏联东欧哲学　苏联东欧改革给苏联东欧哲学带来的推动与激发引起中国理论界的密切关注。中国苏联哲学研究者注意从总体上把握苏联哲学的变化，对苏联哲学1985年以来的新动向和新趋势进行了追踪性的研究和介绍，围绕着苏联哲学力求恢复马列主义哲学的批判性和革命性、人和人道主义、对社会主义理论和实践的再认识、认识论中的新进展、新哲学教科书等问题，发表了许多文章。

4月末5月初召开的第3次全国苏联和东欧哲学讨论会集中地体现了中国苏联东欧哲学研究者近年来研究的进展情况和水平。联邦德国和美国学者的到会和发言，使中国学者获得了一次了解西方对苏联东欧哲学和意识形态研究水平的机会。联邦德国和美国学者对会议的长篇报道，有助于世界各国学术界了解中国、苏联和东欧哲学研究的当前状况。

中国与苏联东欧之间的学术交流有明显加强。3月份，中国社会科学院哲学所和民主德国科学院哲学所举行了首次双边学术讨论会，探讨了马克思主义哲学在当代的发展，马克思主义哲学与德国古典哲学的关系等问题。10月份，苏联哲学家代表团在30年之后首次访华，中国学者访问了苏联；10月下旬在中国人民大学举行了中苏两国学者有关马克思主义哲学体系问题讨论会。此外，还有苏联哲学家小组8～9月份对山西思维科学研究所等单位的访问和5月捷克斯洛伐克访问学者对京沪哲学单位的访问。

《哲学动态》杂志发表了综合介绍中国近年来对匈牙利哲学家卢卡奇、对原民主德国哲学家布洛赫的研究进展情况的文章。

西方哲学　年内出版了一些中国哲学工作者在多年研究基础上写

成的有关西方哲学的专著，其中有洪谦的《维也纳学派哲学》（商务印书馆1989年版）、杜任之、涂纪亮主编的《当代英美哲学》（中国社会科学出版社1988年版）、涂纪亮的《英美语言哲学概论》（人民出版社1989年版）和他主编的《分析哲学》（上海人民出版社1989年版）、车铭洲、王元明的《现代西方的时代精神》（中国青年出版社1989年版）、王克千的《价值的探求（现代西方哲学文化价值观）》（黑龙江教育出版社1989年版）和骆天银的《当代西方哲学思潮评介》（成都电讯工程学院出版社1989年版）等。洪谦的作品系统扼要地介绍和评述了维也纳学派的理论原则和思想方法，阐发了该学派对传统形而上学问题的基本观点，为了解维也纳学派的哲学思想提供了一把钥匙。《当代英美哲学》详细地介绍了第二次世界大战后广泛流行于英国和美国的主要哲学流派，以马克思主义为指导，以哲学问题为中心，对各流派产生的背景、基本理论和历史演变、研究现状和面临困难，做了分析和介绍。《英美语言哲学概论》在中国首次对西方哲学中的语言哲学这个专题进行全面而系统的论述。车铭洲和王元明的著作，试图从马克思主义立场出发，对影响当代西方社会、科学、一般思想文化和人们日常生活的哲学思潮，从其作为西方时代精神体现的角度，做出简要明快的阐述。王克千的作品对现代西方价值理论的发生、演化和现状做了专题的阐发。骆天银在多年教学和研究基础上写成的作品，对现代西方哲学中最主要的流派做了深入浅出的阐述。

皮亚杰的发生认识论近年来引起中国哲学工作者的广泛兴趣。杜丽杰发表在《哲学动态》上的一组有关皮亚杰发生认识论的研究和介绍文章，详细而深入地阐述皮亚杰发生认识论的基本原理和中国学者研究的进展情况。

西方历史哲学，近年来受到中国史学界和哲学界有关学者的关注。国内近年来已发表了有关维科、汤因比和科林伍德等西方历史哲学代表人物的研究和介绍文章。《哲学动态》第8期和第11期发表文章，分别介绍了中国对历史哲学的研究和对科林伍德历史哲学的研究的进展情况。12月，在京有关单位在中国人民大学举行了“纪念汤因比诞辰一百周年”小型座谈会，介绍了国内外对汤因比文明形态理论的研究情况，讨论了成立“中国汤因比文明研究会”的有关问题。

中国的现代外国哲学研究，近年来正在逐步向纵深发展。各地区省市的现代外国哲学研究力量逐渐成长。6月份，在成都召开了四川省首届现代外国哲学讨论会，成立了四川省现代外国哲学学会，对推动省一级的现代外国哲学研究的发展起到了良好作用。（贾泽林）

【苏联哲学研究概述】 1989年，苏联哲学研究有3个特点：1.学术活动频繁。4月28日至5月4日在湖南召开第3次全国苏联哲学讨论会；10月苏联哲学家代表团访华，在中国社科院等处举行大型报告会和学术讨论会；10月20～24日在中国人民大学举行了中苏学者哲学研讨会。2.具有强烈的现实感。多数研究者把目光集中于与苏联社会改革关系密切的哲学问题，如人的问题、对社会主义的再认识问题等等。3.以客观介绍为主。研究者们在介绍苏联哲学的成果和动向方面作了大量工作，为深入研究提供了丰富的资料。但与此同时，也反映出许多作者的理论深度不够，在评价苏联哲学的理论、观点、命题时缺乏较严密的论证，没能揭示出苏联哲学某些新观点、新命题的理论内涵。

1989年中国的苏联哲学研究主要在4个方面展开。

一、对苏联哲学的总体把握　贾泽林在《改革中的苏联哲学》(《求是》1989年第7期)一文中认为，处在"转折"和"改革"之中，是目前苏联哲学的总特征。他由此入手，清理了改革前苏联哲学的发展脉络，对改革后的苏联哲学作了总体概括和评价。他指出，围绕德波林学派的斗争、斯大林《论辩证唯物主义和历史唯物主义》的发表和关于亚历山大洛夫《西欧哲学史》一书的全苏哲学讨论会，是涉及苏联哲学发展全局的3个重大事件。它们把苏联哲学一步步推向保守、僵化、脱离生活的深渊，使它在一次次扮演政治的婢女的同时，越来越受到人们的冷落。苏联哲学的改革，从根本上说是恢复哲学对一切提出质疑和批判的本性，目前苏联哲学向人的问题的转向、对马克思主义经典作家理论的重新认识、对自己过去对西方哲学和本国哲学史态度的检讨、对社会主义理论和实践的重新理解与评价等皆源于此。此外，由贾泽林主持的国家"七·五"重点项目《80年代苏联哲学》一书也已进入最后完成阶段。该书以深入分析苏联哲学最新成果为重点，全面总结苏联哲学系统内各分科10年来的发展。

二、人和人道主义问题　一些研究者十分注意苏联哲学界对人和人道主义问题的研究。赵国复认为，苏联理论界对人的问题的研究大体经历了3个发展时期：从50年代末至60年代初为第一时期，其特点是从科社角度研究人，阐述人作为社会生产力在苏联建设中的作用；从60年代中至70年代末为第二时期，其特点是在讨论主-客体关系和人与自然关系的同时，从研究主体、主体活动和主体能动性入手，分析人性、人的本质、人的价值和使命、人的需要、利益、能力、目的性和人的全面发展等问题；从80年代初至现在为第三时期，其特点是在继续研究上述问题的同时，把对人进行综合研究提上了日程。（第三次苏联哲学讨论会论文）冯申认为，目前随着苏联对人的研究的深入，出现了两类引人注目的现象。一是用人本主义研究方法说明人对外界、对自己生存的客观领域的态度，以及人的精神道德活动的规律性和机制，这是当前研究人的问题的焦点之一。二是强调人与自然界相互作用的和谐化问题，苏联哲学家从哲学上分析现代生态形势，说明人的发展中生物性和社会性的辩证关系，并与其他学科结合对人及其未来的问题进行系统的综合研究，对全球性问题提出切合实际的解决办法。（第三次苏联哲学讨论会论文）张凡琪指出，苏联对人的问题的研究具有深刻丰富的理论含义。如对“人的活动”范畴的研究就对已有的哲学理论大厦产生了震动效应。它打破了辩唯、历唯分列的状况，促进了哲学立足点的转移和新哲学“解释原则”的建立，扩大了哲学思维“场”的范围，为把诸如“人的存在”、“理解”等问题纳入哲学并重新理解一切问题和重建理论大厦提供了可能性。此外，无论从哲学史还是从理论上看，人的问题都是苏联哲学与西方哲学、俄国传统哲学的联系点，对该问题的研究已开始推动苏联哲学与西方哲学、俄国传统哲学的“对话”，很可能在新条件下引起吸收、消化西方思想、创造具有民族色彩的新思想的又一个高潮（19世纪中、后期曾有过这样的高潮）。（第三次苏联哲学讨论会论文）马积华认为，苏联近年来对人道主义的研究较之过去有三点突破：1.突出人道主义的共同性，强调人类的整体性；2.以承认全人类价值的优先地位丰富了马克思主义人道主义的内容；3.提出人道主义构成社会主义制度的本质，以人道主义的实现为标准确定过去的社会主义的性质，绘制改革的蓝图。（《探索与争鸣》1989年第5期）

三、社会主义社会的辩证法

马积华在《苏联理论界对生产力和生产关系辩证法的新认识》（《现代哲学》1989年第1期）一文中指出，研究生产力与生产关系的辩证法是研究社会主义矛盾理论的关键。苏联理论界近来在这方面的研究有重大进展和突破，这主要表现在3个方面：（1）确认生产力和生产关系的辩证矛盾是社会主义发展的主要动力；（2）批判了“完全适合论”和“自动适应论”，提出了“动态适应论”；（3）批评了过去对生产关系的解释中的二大缺陷——对生产关系的内容作狭窄单一的理解、忽视生产关系与人的经济利益的关系，强调生产关系是包含诸多因素的系统，突出它与人们经济利益的关系，从而对“生产关系”概念作了新的解释。

国内研究者普遍认为，苏联当前对社会主义的研究的重大进展在于根据马克思主义人道主义观点重新认识和确定社会主义的本质，指出现行制度与社会主义本质的背离，提出了建立能够确保人的权利全面实现、人的自由全面发展、人的利益得到充分重视的社会机制的目标。同时，研究者们也看到了苏联的社会主义研究尚面临许多理论困难的事实。

四、认识论与自然辩证法 1. 认识论。孙慕天在《开拓认识论研究的新领域》(《北方论丛》1989年第5期)一文中认为，1985年以来，苏联科学认识论的研究出现了两个崭新的趋势：(1)根据"新思维"重新评价科学认识论在马克思主义哲学中的地位和作用，完成了从"客观存在中心论"向"人-存在关系中心论"的观念转变，真正自觉到了"认识论的本质是科学认识论"这一观念的深刻意义和真正价值。(2)从社会文化角度重新研究科学认识论。这一新导向引出了3个新课题：从社会文化系统重新定义科学，探讨科学认识的本质；把"内史"与"外史"结合起来研究科学认识的动力问题；引入科学价值论，研究科学的理解问题。陈洪良在《当代苏联科学认识研究三大特点》(《求索》1989年第5期)一文中认为：苏联当代科学认识研究完全面对科技革命的新问题，追踪当代科学问题进行哲学探索，并且在动力学水平上对科学认识运动作全面研究。因此，苏联的科学认识论可被称为"非经典科学认识论"，它展示了辩证唯物主义科学认识论的一种新形态。他归纳出苏联科学认识研究的三大特点：开放的可知论、认识的运动论、认识的动力学。

2. 自然辩证法。一些研究工作者对苏联自然科学哲学问题的研究做了广泛的介绍。潘仁在《苏联生物学哲学问题研究的基本动向评介》(《科学技术与辩证法》1989年第2期)中将苏联关于生物进化哲学问题的观点归纳为4种：继承发展论、整体进化论、辩证统一论、质疑修正论，并对每一种观点作了介绍。范习新在《苏联现代宇宙学研究》(《国外社会科学》1989年第7期)中就爆胀宇宙理论的哲学问题，如世界图景问题、宇宙有限无限问题、物质从"无"自然产生问题等，对苏联学者的观点进行了评介。

（张凡琪）

逻 辑 学

【逻辑学研究概述】 1989年逻辑学研究，主要在以下几方面有进展：

一、形式逻辑 随着语义学、指号学、自然语言逻辑研究的开展，人们对逻辑研究的对象提出新的看法，由此引起一些争论。这一年发表的有关论文主要有3种看法：一种认为，逻辑是研究语言的；一种认为，逻辑是研究思维形式及其规律的；一种认为，逻辑是研究推理、主要是研究推理形式的。

在现代逻辑研究方面，出版了一些专著。主要有朱水林的《现代逻辑引论》，李树琦等的《现代逻辑学》，杨百顺主编的《现代逻辑启蒙》。这些专著概述了现代逻辑的涵义、范围和发展趋势，系统地介绍了现代逻辑的主要内容。在出版的许多逻辑教材中，突破了传统逻辑的框框，加入了许多现代逻辑的新知识，一些教材还打破了概念、判断、推理这种传统体系，以推理为核心来讲解逻辑，使人感到面目一新。

二、辩证逻辑 辩证逻辑的研究集中在3个方面：1.辩证逻辑的研究途径和方向，2.辩证逻辑的应用，3.辩证逻辑的形式化。发表了一批专著和论文。这一年出版的主要著作有：梁庆寅的《辩证逻辑学》，张世珊的《辩证逻辑学》和于惠棠的《辩证思维逻辑学》。在这些著作和论文中，对辩证逻辑与辩证法的基本规律的关系，辩证逻辑的方法，辩证法的基本内容，辩证逻辑原理和方法的应用都有一些新的探讨和论述。

三、归纳逻辑 归纳逻辑的研究可分为两个方面。在理论方面，研究介绍了卡尔纳普晚年给出的归纳逻辑公理系统，评述了J. 科恩的归纳逻辑理论，比较了专家系统中的不确定推理与归纳逻辑的关系，比较了古典归纳逻辑和现代归纳逻辑。在应用方面，分析探讨了归纳法与科学决策的关系，以及归纳法在科学决策中的应用问题。此外，中国科学工作者在基础理论、归纳逻辑与人工智能相嫁接等方面进行了初步探索，发表了一批研究成果。

四、中国逻辑史 这方面的研究取得一些新的进展。1.在《墨经》研究中有一些新的提法。有人认为《墨经》逻辑只能算是"语言逻辑"，不能算是形式逻辑，因为它虽然提出了"名"、"辞"、"说"，却没有自觉地把它们作为思维形式对待，没有讨论其形式结构。有人认为《墨经》的"说知"，就是一种与三段论相同性质的演绎推理之知。有人认为，"是而然"的侔不是附性法而是复杂概念推理。2.在比较中、西逻辑史的研究方面发表了一批论文，并且出版了第1本专著《比较逻辑史研究》(杨百顺著)。3.因明的研究有了较大的发展。刚出版的《因明新探》(刘培育等编)收入了论文、译文22篇，反映了80年代初期这方面的研究成果。今年发表的一批论文对《因明正理门论》的研究得出一些新的成果，譬如提出了对"同品"、"异品"的新定义，论证了陈那的三支论式和三段论是互不包含、互相独立的两种推理形式，等等。此外，对"藏传因明"的概念，对藏传因明的分期和成就，对因三相的本质和独立性，对九句因中的"有"、"有非有"的含义等问题进行了研究。对建国40年因明研究的发展情况进行了回顾与总结。

五、语言逻辑研究 出版了王维贤、李先焜、陈宗明的《语言逻辑引论》。这是中国研究自然语言逻辑系统理论的一部专著。10月份召开的中国逻辑学会逻辑与语言研究会成立10周年纪念大会上，共收到30多篇论文，反映了中国逻辑学者在这一领域取得的成果，特别是一些人开始利用现代逻辑的理论知识来研究自然语言中的推理形式，利用内涵逻辑和深层结构的理论来研究自然语言的语义方面，利用现代指号学的理论来研究自然语言的语用方面，这些都是可喜的进步。

（王 路）

【关于逻辑研究对象的讨论】 传统逻辑一般认为逻辑研究的对象是思维形式和思维规律，现代逻辑一般认为逻辑研究的对象是推理，并且主要是推理形式。近年来出现了一些不同的看法，围绕逻辑研究的对象这一问题展开了一些讨论。

李先焜认为，传统逻辑的看法只是一种历史的观念，而且是一种不太科学的观点。逻辑研究的对象是语言。他认为，从逻辑史看，逻辑科学的产生与发展都是与研究语言有关。亚里士多德的逻辑著作《工具论》大部分是讨论语言问题。中国先秦的《墨经》《正名》《白马论》主要是谈名辩问题，即语言问题。中世纪逻辑学家往往以“论辩术”一词来代替逻辑一词，而论辩术显然也跟语言有密切联系。中世纪的逻辑著作研究了大量的语言问题，譬如极其重要的指代学说就是直接从语言的运用中概括出来的。现代逻辑则更加明确地排斥所谓思维问题。它使用人工语言，研究的主要对象还是语言。从思维方面说，思维有多种类型。按照不同的标准区分出形象思维、技术思维和概念思维；抽象（逻辑）思维、形象（直感）思维和灵感（顿悟）思维；还有习惯性思维和创造性思维，或顺向性思维和反馈性思维，或单一性思维和系统性思维。这说明思维并不象传统逻辑所说那样只有一种形态。就“思维形式”本身来说，这实际上也只是语言形式的进一步抽象，譬如蕴涵式，只是自然语言中条件语句的抽象，即将其前件、后件之间的其他因素予以排除，只剩下真值关系。因此，逻辑研究的对象是语言。（《语言逻辑引论》，湖北教育出版社 1989 年版）

陈波不同意李先焜的观点。他认为，逻辑研究语言，其实是为着研究语言所表达的思维。虽然逻辑学和心理学同以思维为对象，但完全可以把它们严格区分开来，因为二者研究的范围广狭不同，二者仅在思维和推理上才发生重叠和交叉；二者研究的侧重点不同，逻辑学侧重思维的规范问题，属于规范科学，心理学侧重思维的事实问题，是经验科学；二者的研究途径和方法不同，逻辑学是通过语言的中介研究思维，采用的方法是分析、抽象、概括、演绎，而心理学是通过一定的模式，譬如刺激-反应模式来研究思维，采用的方法是观察、实验、归纳。就思维形式而言，譬如“所有S是P”之类确实首先是语言形式，但它们不只是语言形式。它们实际上是为一类语句所共有的深层结构，而深层结构即是逻辑形式，因而可简称为思维形式。（《维护一个传统的信条》，《哲学研究》1986年第6期）马佩也不同意李先焜的观点。他认为，说现代逻辑的对象是语言（符号）而不是思维，这是不符合实际的，因为现代逻辑最基础的部分命题演算是真值函项逻辑，现代逻辑研究的中心问题是推理形式的有效性，在于保证从真前提推出真结论。就语言而言，只有正误，而无真假，只有思维才有真假问题，因此，现代逻辑的对象是思维而不是语言。（《逻辑学的对象是语言吗？》，逻辑与语言研究会成立十周年纪念大会论文）王路认为，从逻辑史的发展看，从亚里士多德到中世纪，直到现代，逻辑学和语言学都是从语言着手进行研究的，但是二者研究的对象不同。逻辑研究的是语言表达的推理，而且主要是研究推理形式。譬如亚里士多德明确地说，“只有自身要么真要么假的句子才是命题”，研究命题属于逻辑，而研究其它类型的句子属于修辞学；中世纪逻辑学家认为，逻辑教会人们如何说得真。所谓说得真，就是进行有效的推理。现代逻辑的创始人之一弗雷格明确地说，逻辑研究真，逻辑是关于实真的最普遍规律的科学，逻辑学家不应盲目地遵循语法，而应该认识到，他们的任务在于使我们摆脱语言的束缚。从逻辑史的发展可以看出，逻辑始终是研究推理形式的。随着现代逻辑的广泛应用，逻辑和语言学结合得更为紧密，而且逻辑也强调语言的重要性，甚至称一个形式系统就是一种语言，但是最重要的仍是回答在一个系统中什么是证明，什么是推理；要研究的是如何进行推理，如何达到证明（《逻辑和语言》，《哲学研究》1989年第7期）

（史　研）

【辩证逻辑研究进展】 1989年，辩证逻辑的研究在以下几方面有进展：

一、由于举行了全国性的辩证逻辑学术讨论会，各派不同观点在会上进行了交流，从而增进了大家的相互了解，并为共同繁荣辩证逻辑的科学研究事业创造了良好的条件。

二、全国辩证逻辑的研究中存在着3种不同的研究途径和方向，即：（一）结合科学方法论，（二）建立范畴体系，（三）如何使辩证逻辑形式化，并都已有成果体现出来（或已写成专著，或已写成论文）。这些新成果在内容的深度和广度上都比过去有所前进。

三、从新出版的3本辩证逻辑专著看，每本都有自己的特色，并都在不同的侧重面上有所前进。例如，梁庆寅的《辩证逻辑学》（中山大学出版社1988年11月版）从辩证逻辑的角度阐述了真理问题，分析了逻辑经验主义区分逻辑真理和事实真理的观点；张世珊的《辩证逻辑学》（北京师范学院出版社1988年11月版）试图以概念为中心来论述辩证逻辑的理论体系，特别具体地分析了从抽象概念向具体概念转化的根据、条件、逻辑环节及具体概念的特点；于惠棠的《辩证思维逻辑学》（青岛出版社1989年1月版）根据判断的内容和人的认识由浅入深的过程，把判断区分为描述判断、价值判断和规范判断。

四、纵观1989年发表的论文，新的研究成果可概括如下两点：1. 对辩证逻辑的方法有新的论述，例如，金顺福在《论辩证逻辑方法的性质和特点》（《哲学研究》1989年第3期）中认为，辩证逻辑的方法，是理性思维的逻辑方法，不过，它们是具有哲学性质的逻辑方法，或称哲学-逻辑方法，故此，它们就具有哲学-认识论和逻辑-方法论两方面的特点，由此也就不同于一般的科学方法。有的论者认为，随着现代科学的发展，辩证思维的方法在新的条件下也就具有了新的特点，例如，孙显元在《现代思维的辩证特征》（《学术界》1988年第5期）一文中认为，现代思维的随机性、模糊性和系统性是辩证思维的灵活性和确定性对立统一的反映。张涛在《现代化辩证思维的基本方法》（《东北师大学报》1989年第2期）一文中认为，现代化辩证思维的基本方法表现为系统与要素、开放与紧缩、多维与单项、定性与定量等形式。

2. 对概念辩证法的基本内容作了新的探讨和概括。例如，张智光在《概念辩证法是辩证逻辑研究的中心内容》（《华南师范大学学报》1989年第2期）一文中把概念辩证法的基本内容概括为概念的规定、概念的本性和概念的具体3个部分，并对每一部分的内容又作了具体的论述。

五、通过对辩证逻辑原理和方法的实际应用，更加显示了辩证逻辑的现实意义。例如，陶文楼主编的《管理科学方法论》（天津人民出版社1989年9月版）一书，虽不是一本辩证逻辑的专著，但却把辩证逻辑的方法应用于管理活动之中，这样，一方面，指导和促进了管理科学方法论本身的形成，另一方面也使辩证逻辑本身获得了生命力，使其内容更加充实。再如，康洪武在《辩证逻辑哲学体系和现代系统科学及决策科学方法》（《中国人民大学学报》1989年第1期）一文中运用辩证逻辑的一些基本原理对决策活动和方法作了对比分析后认为，现代决策科学方法由于很不完备，因此，就需要在辩证逻辑理论的指导下使其完备起来，而与此同时，辩证逻辑理论也会因之而获得丰富和发展。 （罗 仁）

【归纳逻辑研究进展】 在1988～1989的两年期间，归纳逻辑的研究有一个重要特点是在应用方面有所开拓。由于专家系统、知识工程与智能计算机研究的需要，经专家提议，在国家社会科学基金项目中建立了归纳逻辑与人工智能课题。其中由王雨田主持的课题组已发展成为全国性的由现代逻辑、计算机科学、科学哲学、认知心理学等多学科协作进行交叉研究的集体，在基础理论、归纳逻辑与人工智能相嫁接等方面进行了初步探索，发表了一些论文，召开了两次有国内其他学者参加的研讨会。在第二次会上，有的专家用IBM-PC机演示了一个具有初级归纳功能的计算机系统。这些工作由于难度大，尚待进一步探索。

在应用方面，王洪指出，法官的推理具有默认推理与界限推理等非单调模式，这些属于非标准逻辑领域，与当前专家系统中使用的不完全、不确定推理是相关的。（《法院判决论证中的推理特点》，《逻辑学术通讯》第2期）刘良琼就归纳法与科学决策的关系以及如何在其中加以应用，作了一些分析与讨论。（《试谈归纳法在科学决策中的应用》，《安徽省委党校学报》1988年第1期）

在理论方面，陈炜等在国内首次将卡尔纳普在晚年给出的归纳逻辑公理系统作了简要的介绍，同时给出几点注记，指出其中的一些问题，并试图用中介逻辑回避“休谟问题”，认为有限目的归纳机器是可能实现的。（《归纳逻辑：卡尔纳普的公理系统和我们的设想》，《中国社会科学院研究生院学报》1988年第2期）鞠实儿对专家系统中的不确定推理与归纳逻辑的关系进行了比较讨论，对J.科恩的归纳逻辑理论加以评述，并强调其局部辩护的意义与作用。（《不确定性推理的合理性与归纳的局部辩护》，《中国人工智能学会第六届年会论文集》，1989年）夏年喜对古典归纳逻辑与现代归纳逻辑从八个方面进行了比较，并提出一些有待考虑的问题。（《古典归纳逻辑和现代归纳逻辑的比较》，《逻辑与语言学习》1988年第4期）黄骏认为，在类比中不仅有逻辑因素，而且有直觉因素，二者是互补的。（《类比中的直觉思维与逻辑思维》，《湖南大学社会科学学报》1988年第1期）

在归纳史方面，彭漪涟指出，由于发展科学技术与实验方法的需要以及清代朴学方法的影响，在中国近代逻辑思想的发展中有轻视演绎、重视归纳方法与归纳逻辑的倾向，这是一个突出的特点，也带来一定的影响。(《略论中国近代逻辑思想发展的几个主要特点》,《华东师范大学学报》1988年第4期)周云之指出，墨子与后期墨家对归纳方法有过大量的应用，并有理论的概括，但不能认为建立了归纳逻辑。(《论先秦墨家对古代归纳方法(逻辑)作出的贡献》,《社会科学》(甘肃)1989年第3期) (雷 火)

【中国逻辑史研究中的两个重点】

1989年，中国逻辑史的研究是：

一、继续展开对中西逻辑的比较研究 胡泽洪在《中西逻辑发展的不同特点及其原因》(《湖南师大学报》1989年第2期)一文中认为：中西逻辑发展之不同特点有三方面：1.逻辑学在中国一直没有获得独立而系统的发展，其速度也极其缓慢，而在西方则发展迅猛，自古代始便已形成一门独立的科学。2.中国逻辑的发展是形式逻辑、辩证逻辑及语言逻辑等其它逻辑的综合发展，且一直倾向于发展辩证逻辑。而在西方则一直倾向于发展形式逻辑。3.在中国，逻辑的发展完全与自然语言相结合，可以说是一种"内涵逻辑"。西方逻辑主要是一种外延逻辑。造成这些不同特点的直接根源就是其各自的思维方式的差异。丁煌在《墨辩逻辑与亚里士多德逻辑谬误论之比较》(《湖北师范学院学报》1989年第1期)一文中认为，二者在许多方面具有相似之处：首先二者都十分重视对谬误问题的讨论。第二，他们都对产生逻辑谬误的原因进行了全面而且深入的分析阐述。第三，二者所研究的谬误在具体内容上也有相似之处。第四，二者都提出了防止和克服谬误的措施。周云之在《中国先秦的名辩逻辑是形式逻辑的世界三大源流之一》(《中国哲学史研究》1989年第4期)一文中指出，尽管先秦的名辩逻辑在形式化、完整性和科学性方面，都还不及亚氏提出的三段论体系和今天传统逻辑的理论水平，但先秦对命题和判断关系的理论表述，对命题量项和周延理论的论述，对矛盾命题之间直接推理关系的揭示，对假言必要条件和充分必要条件性质的揭示以及对三条基本规律的理论表述等等，都已经在理论上达到今天传统逻辑的科学水平。而且有的方面较亚氏逻辑或今天的传统逻辑更为丰富和深刻。

二、进一步探讨了墨家的逻辑思想 周云之在《后期墨家已经提出了相当于三段论的推理形式》(《哲学研究》1989年第4期)一文中从3个方面论证了《墨经》所揭示的演绎推理的性质和形式特点：其一，后期墨家提出的"说知"就是一种与三段论相同性质的演绎推理之知。其二，"故"、"理"、"类"之作为逻辑的基本范畴和作为立辞的3个论据是不完全等同的。作为逻辑范畴："故"可以指一个"立论"的全部前提或根据；“理”就是指反映客观规律之理；“类”就是指事物的类关系。但作为三物之“故”、“理”、“类”是作为立辞（论证）必须具有的3个前提、论据或条件来对待的。这样的“故”就相当于三段论中的“小前提”或因明三支论式中的“因”、“理”在具体的推理中只能是指反映事物一般规律的大前提。“举类”就是为了给“理”提供例证。其三，“三物论式”就是后期墨家创立的相当于三段论的推理形式。但“三物论式”并不是一个纯粹的演绎推理，因而并不完全等同于三段论，而且不是严格的推理形式。陈孟麟在《一封关于〈墨辩〉是否已经提出相当于三段论推理形式的信》（《哲学研究》1989年第11期）一文中，对周文把《墨辩》所论“说知”时所举的一个例子理解为三段论的第一格提出了异议。认为这其间无所谓蕴涵关系，不存在“所以”的问题。只能理解为一个合取命题。认为《墨辩》并不是从三段论的角度，而是从类比演绎的角度来举这个例子的。诸葛殷同在《说侔》（《中国哲学史研究》1989年第4期）一文中更具体地讨论了侔的推论性质，认为“是而然”的侔不是附性法而是复杂概念推理。但《墨经》没有并且不可能提出有效侔的形式。“是而然”的情况，《墨经》是作为防止推理的错误提出来的，它有点象关于三段论的四项错误。文章认为，《墨经》对“不是而不然”的有效侔缺乏明确的陈述；但是《墨经》却从反面明确阐述了“不是而然”的问题，实际上是对“不是而不然”的侔的有效性的否定。（钟　罗）

【因明研究的新进展】 1983年全国首次因明学术讨论会之后，6年来报刊上共发表因明论文30多篇；1989年10月在北京召开了藏汉因明学术交流会，收到论文等16篇。这些论文反映出近年来因明研究的新成果。

一、对《因明正理门论》的研究有突出的进展 《因明正理门论》是陈那的代表作之一，也是中国汉传因明的最重要的经典著作，在内容的深度和广度上都大大超过《因明入正理论》。该书梵文原本已散失，只有汉译本流传于世。由于玄奘译本艰深难读，向来研究者寡。中国社会科学院哲学研究所的巫寿康博士在其博士论文中，以数理逻辑为工具研究《因明正理门论》（以下简称“门论”），得出了一些重要的结论。1.提出了“同品”和“异品”的新定义。“同品”和“异品”是“门论”的两个基本概念，多年来学术界流行两种定义：其一为陈那在“门论”和《集量论》中阐述的，即“与所立法同类的事物叫同品，与所立法异类的事物叫异品”。其二为一些因明家所主张的，即“宗有法以外，和所立法同类的事物叫同品；宗有法以外，和所立法异类的事物叫异品”。巫文认为，上述定义都与“门论”的基本理论相矛盾。前一个定义，使第五句因失去了存在的可能，使因的第二相失去了独立存在的意义。后一个定义，使九句因和因三相都失去了意义。为了避免“门论”体系内部的矛盾，巫文得出了“同品”和“异品”的新定义，即“和所立法异类的事物叫异品；宗有法以外，和所立法同类的事物叫同品”。2.陈那的三支论式和三段论是互不包含、互相独立的两种推理形式。首先，二者在推理方面不同：(1)三段论根据蕴涵关系进行推理，前提真，结论必然真，就是正确的三段论；三支论式根据因明推理规则进行推理，前提真，结论必然真，并且能举出同喻依，才承认是正确的三支论式。(2)三段论是纯演绎推理；三支论式是带有归纳成分的演绎推理，同喻依、因之第二相、九句因中的第五句因都是归纳成分。(3)三段论有两个互相独立的前提，即大前提和小前提；三支论式有三个互相独立的前提，即因的三相。其次，二者在判断方面不同：(1)在正确的三段论中，判断“所有S都是M”允许S和M外延相同；在正确的三支论式中，判断“所有S(宗有法)都是M(因)”不允许S和M外延相同。(2)三段论中，“所有S都是M”预设主词S存在，S不存在时，“所有S都是M”既不真也不假；三支论式中，“所有S都是M”肯定主词存在，S不存在时，“所有S都是M”为假。判断“所有S都是P(所立法)”同样存在以上两点区别，第三，二者在概念方面不同：(1)三段论中有S、M、P三个不同的概念；三支论式中有宗有法、因、同品、异品四个不同的概念。(2)三段论的概念都是简单变项；三支论式中的同品(非S并且P)是复合变项。第四，二者处理对象不同：三段论不能处理主词不存在的命题；三支论式能处理主词不存在的命题。第五，二者判定标准不同：正确的三段论要符合两个条件，即前提真，形式正确；正确的三支论式要符合三个条件，即同喻共许(相当于前提真)、三相俱足(相当于形式正确)，不产生“相违决定”。这第三个条件反映出三支论式的论辩本性，要求立论者其理论体系必须具有一致性。因此，三支论式和三段论是互不包含、互相独立的两种推理形式。3.对“门论”提出了新的评价。(1)“门论”早数理逻辑一千年处理主词不存在的命题，对因的研究细密而合理，重视逻辑系统的一致性，是一个内容丰富而成熟的逻辑系统。(2)陈那的因明学说，在因明发展史上是从或然推理(古因明)向必然推理(法称的因明)发展的中间环节。(3)陈那关于“同品”和“异品”的定义，造成“门论”理论体系内部包含矛盾。

二、对汉地清末以来因明发展情况的探讨 郑伟宏在《清末以来因明学的复苏、弘扬和研究》(《中国逻辑思想史教程》，甘肃人民出版社1989年版）中对欧阳竟无、吕澂和陈大齐的因明成就作了探讨。1.欧阳竟无在弘扬因明中的作用。郑文认为，欧阳竟无创建支那内学院，毕生以弘扬佛学和因明为己任。内学院组织师生编刻佛学要典，辑印《藏要》，包括《因明正理门论》和《因明入正理论》二书。内学院招收学员学习佛学要典，包括因明要典。欧阳竟无还撰写了《因明正理门论序》和《成唯识论序》，指导学习者学好因明著作。总之，欧阳竟无在弘扬因明方面做了开拓工作，起了中坚作用。2.吕澂因明研究的成就。郑文认为，吕澂在因明学方面成绩卓著。他翻译的《因轮决择论》是唯一的汉译本，而《集量论释略抄》是唐后所能见到的第一个《集量论》汉译节本，填补了汉传因明的空白。他对勘梵、藏、汉文因明典籍，纠正了藏传因明把商羯罗主的《因明入正理论》当成陈那的《因明正理门论》的错误；发现玄奘对因明“二论”的翻译是意译，不是直译，进而揭示了玄奘对因明的若干发展。他的《因明入正理论讲解》讲清了许多理论问题。吕澂的研究成果开创了自唐以来汉传因明的新局面，在60年间发生了广泛而深远的影响。3.陈大齐对因明的贡献。郑文认为，陈大齐对因明的贡献全部反映在他的《因明大疏蠡测》之中。作者娴熟地运用传统逻辑的工具，研究因明体系，探幽发微，阐发宏富，内容博大精深，处处显示出作者的创见，具有重要的学术价值，在逻辑与因明的比较研究方面至今没有一本著作能与之媲美。《蠡测》的主要理论贡献是：(1)最完整地阐述了《因明入正理论》33过中自、他、共三种比量的不同情况，弥补了论、疏的不足，完善了因明三支比量的理论。(2)指出因明三支不具有特称命题，除异喻外不说否定命题，三支论式相当于三段论的AAA式。(3)明确指出因的后二相不可缺一。(4)详细讨论了“能立”、“遮诠”和“表诠”、“全分”和“一分”、“有体”和“无体”等逻辑概念，指出了前人在解释上的一些错误与不足之处。

三、对建国40年因明发展情况的探讨 刘培育在藏汉因明学术交流会上对建国40年国内因明发展情况作了回顾。他认为，前30年是低谷，因明研究队伍很小，研究成果也少，只发表了10余篇论文，没有著作出版；“文化大革命”10年浩劫，因明研究工作完全停止。后10年，从抢救因明，到发展因明，因明研究开始走出低谷。具体表现在：因明研究队伍在逐渐扩大；发表论文60多篇，出版藏汉因明专著、教材、注疏、译著等共15种，《中国大百科全书》(哲学卷和宗教卷)、《逻辑学辞典》以及中国逻辑史著作中都有关于因明的论述和介绍；先后召开两次全国性因明学术讨论会或交流会，因明研究的深度和广度都比前30年有明显的发展。此外，全国有12所高校或科研单位先后为逻辑、佛学等4个专业的研究生或本科生开设了因明课，听课人数达1 500多人，还培养了因明专业的硕士和博士研究生。（乐逸鸥）

伦理学

【伦理学研究概述】 1989年度，伦理学基本理论研究取得了一些新成果。中西方伦理学史和现代西方伦理学的研究也有一定的进展。

本年度伦理学研究的最突出的特点在于，从理论上对改革10年来伦理学理论研究中的得失做了回顾和反思，特别是在平息反革命暴乱以后的新形势下，有些论者旗帜鲜明地对前些年伦理学研究中出现的错误思想和观念做了尖锐的批评，特别对伦理学研究中资产阶级自由化思潮的表现做了归纳和批判。有的从马克思主义立场出发，指出某些人在一些伦理学的重大理论问题上所提出的观点有背于马克思主义的基本原理，并对此做了批评。

此外，1989年度，围绕道德的本质、如何看待功利主义、生产力标准与道德标准以及一些伦理学概念和范畴等方面的问题继续展开了讨论，论者们的观点虽有分歧，有的分歧还很大，但通过讨论，一些问题的研究深化了，这对伦理学理论研究起了积极的推动作用。

本年度伦理学著述颇丰，除本年鉴“新书选介”栏中介绍的5种外，还有唐能赋主编的《企业管理伦理学》、温克勤主编的《管理伦理学》、王伟的《我们面临道德选择》等。此外，宋希仁等编纂的《伦理学大辞典》和陈瑛等主编的《中国伦理大辞典》也已经面世。（田　干）

【关于伦理学基本理论的研究】 1989年伦理学基本理论的研究在下述方面有所进展。

一、关于道德的本质　自1986年肖雪慧、夏伟东撰写的两篇文章引发了关于道德的本质的讨论之后，谢洪恩又撰文就双方的论点进行分析。他指出，双方的论点都未能从道德区别于其他事物的特殊本质上分析道德，因此未能真正揭示道德的本质。夏文所论道德的规范性主要表现着道德运行的外在特点，不能代表道德的内在本质；肖文所论之道德的“肯定自己”等也只是道德的个别功能，不能等同于其内在本质。谢洪恩认为，关于道德的本质的规定应揭示出道德的深层特殊本质，这种特殊的内在本质有如下3个特征：（1）它以善恶观念把握世界；（2）它以善恶观念把握自身；（3）它是实践-精神的。因此，较为准确的道德本质的定义似应是：它是以善恶观念对世界和自身的实践精神的把握。（《道德的功能和本

质》,《哲学研究》1989年第3期）

二、关于功利主义　近年来，随着对利益问题的关注，学术界对功利主义的讨论日渐深入，已出现一些有影响的论文。1988年11月由华东师范大学哲学系等单位发起召开的“功利主义反思”讨论会更引起了研究者们的兴趣，使功利主义成为1989年伦理学理论研究的一个热点。

（一）关于功利和功利主义概念。冯契从功利与精神价值的关系上思考了功利概念，认为功利与精神价值之间并非不可沟通。精神价值即人的理性创造具有两重性：一方面，它具有增进人类利益的功利性，因而具有手段的意义；另一方面，它又具有内在价值性，因而具有目的性。功利性评价与真善美评价是价值评价的不同层次，后者是更高的价值评价。冒从虎则认为，功利是区别于善与美的另一类基本价值，并倡导建立一门相应地区别于伦理学和美学的功利学。他认为，传统的价值学没有对功利价值本身进行独立的考察，即使功利主义也主要是探讨功利的积极的道德意义，属于伦理学的一个流派。陈楚佳指出，功利主义一向属于从快乐、幸福而不是从意志、理性去说明善的伦理价值学说，其优点在于强调人的需要与利益，与人们的道德生活和经济生活比较切近，其缺点在于比较忽视理性、意志的意义，忽视德性需要、忽视培养人的内在价值。徐凯南认为，功利主义具有3个主要特征，即（1）唯物性：它以人们的直接经济活动为基础，强调提高社会生产总水平的意义；（2）人性：它一方面着眼于人的需要，一方面重视人的潜能，展示了人的行为动机的丰富内容；（3）实用性：它的具体操作性和强调效应的特点使它具有实用性价值。黄伟合针对“提倡功利主义就是提倡利己主义”的见解指出，功利主义与利己主义并无必然联系，相反，功利主义具有公益论的特性，如果就行为的客观功效而言，我们可以找到许多主张公益论的功利主义者，却难于找到一个损人利己的功利主义者。（冯契、冒从虎、黄伟合：《功利主义反思学术讨论会论文摘编》,《华东师范大学学报（哲社报）》1989年第2期；徐凯南：《功利主义经久不衰的道德依据》,《文汇报》1989年2月25日）

（二）关于功利主义对中国当前实践的意义。在这一问题上，研究者之间存在更大的分歧。张伦、张杰认为，功利主义文化在当前兴起的原因在于它是市场经济和工业文明的必然产物，是人类文化的共同走向，是一种不可逾越的历史阶段，是现代化的核心。罗若山主张在当前实践中对功利主义的接受应有限度。因为，功利主义纵然在社会主义建设中基本上起着积极作用，但由于传统与现实的巨大反差，若把功利主义奉为唯一的社会生活指导，就会造成社会关系中各自利益地位的加强，使责任意识弱化，理想信念淡化。黄伟合提出，一种与社会公平原则相结合的混和功利主义（具体地说，准则功利主义）可以作为当代中国道德体系中的操作标准。作为操作标准的准则功利主义的内涵是“当代中国最大多数人的最大幸福与长远利益”，它应当是派生与制订其它道德原则的最终价值标准。程秀波、魏长领提出另一种混和的功利主义原则即人道-功利原则作为当前社会道德体系的根本原则。他们认为，这一原则是人道原则与功利原则的有机统一。人道原则强调每个人的平等权利、尊严和价值，功利原则则强调选择最有利于实现人道目的的最佳途径，人道-功利原则体现了目的与手段的一致。姚南强则认为，当前最迫切的任务是阐述一种明确的社会主义的功利主义，以便一方面区别于资产阶级功利主义，一方面区别于狭隘的功利观。他指出，这种狭隘的功利观在以往表现为片面强调整体利益和精神的作用的观点，在当前则表现为片面强调个人或局部利益、片面强调物质利益的观点，这些观点与社会主义的功利主义是背离的。（张伦、张杰：《功利主义对传统道德的挑战》，《华人世界》1989年第3期；罗若山、黄伟合、姚南强：《功利主义反思学术讨论会论文摘编》，《华东师大学报（哲社版）》1989年第2期；程秀波、魏长领：《人道-功利伦理学纲要》，《河南师大学报（哲社版）》1989年第3期）

三、关于生产力标准与道德标准　近两年，一些伦理学工作者就如何理解生产力标准在道德领域中的意义、如何理解生产力标准与道德标准的关系问题进行了讨论。罗国杰在《社会发展与道德进步应同步并行》（《高校社会科学》1989年第1期）一文中认为，尽管把道德善恶与否的标准最终归结为生产力标准是正确的，但在道德领域，生产力标准仍不能代替道德标准。因为，正确理解的生产力标准不但不与道德标准相对立，而且本身包含着相应的道德内容，并通过这些内容来具体评价行为的善恶。因此，在道德领域，正确、全面地理解生产力标准，防止把它与道德标准对立起来和用它取代道德标准从而走向非道德论，是十分重要的。陈思迪在《生产力标准与道德标准》（《广州日报》1988年10月14日）一文中认为，生产力不只象以往人们通常强调的那样通过生产关系对道德“间接地”发生影响，它也“直接地”影响人们的道德。这是因为，作为道德主体的人本身就是生产力中最活跃的因素。人的素质，包括知识、技能和道德修养，本身就是一种生产力。相应地，生产力标准也不仅是间接地、而且是直接地与对道德进步的评价相联系的。道德意识与行为只有在其直接或间接地有利于生产力的发展时才是进步的。赵仲牧在《生产力标准和道德标准》(《云南社会科学》1989年第3期)一文中认为，生产力标准与道德标准是两种价值标准，两者之间可能存在3种关系：(1)相符相容关系；(2)对立冲突关系；(3)共处共存关系。生产力标准是价值标准体系中规范和评价其他价值标准的最根本的标准，需要用这一标准一视同仁地对道德标准进行认真的检验。

四、关于伦理学概念、范畴的研究 龚正祖在《关于社会公正观的若干思考》(《求知》1989年第1期)一文中，对社会主义初级阶段的社会公正观的理论依据、内涵、实现途径和补偿问题作了思考。他认为，社会公正观的理论依据在于对人的因素的科学认识，在于从人的能力和需要这两个原始因素来看待社会安排的合理与否。在此理论基础上的社会公正观的内容就是使地位和收入与能力、贡献成正比，这一原则与按劳分配的原则本质上没有区别。实现社会公正的途径是竞争。社会公正的充分实现也有赖于社会补偿公正机制的健全。

马尽举在《道德权利不是科学的伦理学范畴》(《河南大学学报(哲社版)》1989年第3期)一文中认为，尽管道德权利概念的提出具有现实针对性并且为越来越多的人接受，但它却不是一个科学的伦理学范畴，其理由有四：首先，道德并不通过权利来维护利益，例如，人的自尊需要并不借助于“自尊的权利”来维护，在道德领域，恰恰是义务范畴通过规定人们的义务而间接地维护人们的利益；其二，道德权利概念不能表达道德的本质功能在于道德人格的自我完善这一特点；其三，人们实践道德的积极性根源于特定道德代表的一定利益和人由文化心理形成的过符合道德生活的基本需求，因此，提高人们实践道德的积极性的途径不在于规定道德权利。其四，在现实生活中，道德义务是与法律权利相对应的，但在道德活动中，由于道德义务具有双向结构，义务并不与权利相对应。 (宇 文)

【关于伦理学研究中的资产阶级自由化倾向】 1989年年初、尤其是6月以来，一些伦理学工作者对近年来伦理学研究中的资产阶级自由化倾向问题进行反思，撰写了一些批判性的论文。

一、关于伦理学研究中的资产阶级自由化的表现 许启贤在《资产阶级自由化思潮在伦理学领域的主要表现》(《理论信息报》1989年8月7日)一文中认为，伦理学研究中的资产阶级自由化思潮主要表现在以下7个方面：(1)否定马克思主义对伦理学的指导；(2)认为宣传集体主义原则有害；(3)鼓吹人性自私论;(4)宣传以"个人本位"为中心的个人主义;(5)散布腐朽的资产阶级人生观;(6)兜售"一切向钱看"的拜金主义;(7)彻底否定中国传统文化道德。

二、关于伦理学研究的出发点与归宿 宋希仁在《评〈伦理学的困境与出路〉》(《光明日报》1989年11月13日)一文中批评《出路》(《光明日报》1989年1月30日)一文关于伦理学研究应以人的需要的研究为出发点、以为社会而不是为政府服务为归宿的观点。关于伦理学研究的出发点,他指出,伦理学当然要研究人的需要,问题在于人的需要是怎样发生和发展的,需要的内容、水平和方式是由什么决定的,等等。人的需要是社会性的,需要的内容、水平和满足方式不决定于人的自然本能,而决定于人的社会实践。因此,要解释人的需要,就不能仅从个人自身找答案,而要从人的社会实践的社会关系中找答案。在马克思主义看来,人的在一定社会关系中表现出来并得到发展的需要就是利益,利益是通过社会关系而被意识到了的需要,只有这样的需要即利益才是道德的真正出发点。关于伦理学研究与社会主义政治的关系问题,宋希仁指出,伦理学要发挥经世致用的功能,首先必须有正确的政治方向,即坚持四项基本原则,维护和调节既定社会秩序、为社会主义政治服务是伦理学研究义不容辞的使命和任务之一。伦理学研究不可能象《出路》一文主张的那样摆脱价值目标。

三、关于共产主义道德 周原冰在《社会主义道德同共产主义道德体系的发展》(《光明日报》1989年12月25日)一文中认为,近年来有些人所以会对现阶段怎样看待共产主义道德产生困惑,所以会认为提倡共产主义道德会妨碍社会主义道德的宣传,重要原因之一是对共产主义道德的体系性和阶段性缺乏认识,以致把社会主义道德看成了独立于共产主义道德体系之外的道德类型。严格说来,社会主义道德是共产主义道德体系在建设社会主义时期的特殊表现。共产主义道德体系同社会主义道德的关系是战略与策略、原则与具体、一般与特殊的关系。因此,它们在本质上和基本原则上是一致的。那种把这两者的宣传对立起来,认为两者彼此妨碍的观点在理论上是错误的,在实践上也是有害的。

四、关于集体主义原则 罗国杰在《我们需要什么样的道德原则》和《坚持集体主义的价值导向》(《光明日报》1989年7月5日,1989年8月28日)两文中强调,从伦理道德的价值导向目标上反思十年改革,最大的教训是忽视了个人主义思想发展的危害,没有一贯地、旗帜鲜明地坚持集体主义的价值导向。个人主义与集体主义的对立是当前中国社会伦理价值导向上存在的基本对立。近年来，一些人公开或变相地攻击和否定社会主义的集体主义道德原则，他们以种种片面的“理由”来歪曲集体主义原则，引起人们对它的逆反心理，从而用个人主义取而代之。他认为，尽管在一定时期有些人对集体主义原则的理解曾有这样那样的不确切、不全面之处，尽管有些人也曾过分强调整体利益而忽视个人正当利益，但这并不能成为否定集体主义原则的理由，正如人们不能因对唯物主义的理解曾有过偏差就否定唯物主义一样。集体主义是我们社会主义社会中唯一值得人们普遍遵循的道德原则，它强调社会整体利益高于个人利益，强调在保障集体利益的前提下保障个人利益。同时，集体主义原则还尤其强调对“集体”本身的改造与完善，尽力保障集体利益的合理和正当。因此，集体主义原则所强调的集体利益非但不是实现个人利益的桎梏，而且应是实现它的必要条件。

五、关于个人本位主义 许启贤在《评“个人本位主义”》(《学习与研究》1989年第11期)一文中对近几年伦理学研究中存在的个人本位主义观点提出批评。他认为，所谓个人本位主义实际上就是要以个人的利益、前途、发展为根本和核心，并以此判断一切事物和行为的善恶，这是一种赤裸裸的极端个人主义、唯我主义。他认为，主张个人本位主义的人实际上是要把个人置于集体之上，反对集体主义原则。他们颠倒个人与集体的相互关系，把个人说成是本原，把强调集体利益的集体主义说成是“社会本位主义”，把我们社会主义国家说成是虚幻的集体，对青年人起了腐蚀作用，因而是十分有害的。 （宇 文）

【中国伦理思想史领域的新倾向】 1989年的中国伦理思想史领域出现了以下几个新倾向：

一、对于中国古代、特别是儒家的伦理学遗产，持分析态度，肯定优秀成分的文章增多，而持虚无主义、一概抹煞的文章减少了。例如宫达非认为，人与人的关系问题，人与自然的关系问题是最根本的、至今仍没有解决的两大问题。而两千多年前的孔子，已经以其悲天悯人的心怀与非凡的智慧，从哲学的高度作了深刻而又平实的论述，并且形成了关于对人的自我、个人对他人以及对社会、对自然的基本观念的体系。儒家的爱人观念包含着深沉博大的人文主义思想和人道主义精神，虽然缺乏西方近代人道主义的平等精神，但是它提倡的从爱自己的亲人作起，因此更自然、更真诚。它的涵盖性更全面，不但“亲亲”，而且主张“仁民”，主张“爱物”，提倡天地万物一体之仁。儒家提倡以“见利思义”、“以义制利”的原则消除集团之间、国与国之间的对抗与战争，一方面反映了他们谋求国与国之间和谐共处的愿望，另一方面反映了他们的人道主义精神。儒家在内政上主张“以仁为本”，在国家之间主张“讲信修睦”，其大同世界的理想，仍然是我们的子子孙孙所追求的目标。（《孔子的人道主义思想与当代国际社会》，《孔子研究》1989年第1期）

二、关于中国古代义利观问题的讨论相当热烈。除报刊上发表的部分文章外，上述问题的讨论集中表现在华东师范大学哲学系等单位联合举办的“功利主义反思”学术讨论会上。朱贻庭认为，中国古代的功利主义自成系统，除了法家韩非的极端利己主义和权力功利主义，以及《杨朱篇》那样的享乐主义外，从先秦墨子、北宋李觏、王安石、南宋陈亮、叶适、到清初颜元、戴震，代表了中国传统功利主义发展的主线和主流。中国传统功利主义的首要特征是“社会功利主义”和“公益功利主义”，即行为的功利目的是“利人”、“利天下”。再一个特征是“规则功利主义，而不是行为功利主义”，即在目的和手段的关系上，在强调功利目的的同时，肯定了“义”或道德规范的作用。他认为，功利主义往往在社会变革时期，反映代表时代潮流的利益集团的愿望和要求，冲破旧道德的束缚，为他们的利益需要开辟前进的道路。他还认为，中国传统功利主义的缺点是：理论基础多为抽象的自然人性论，对“功利”的内容缺乏具体的历史规定，其社会内容不具有道德革命的性质，其行为准则，仍没有摆脱儒家道德决定论的束缚。马尽举认为，除了墨家、法家、李觏、陈亮、叶适、王夫之、颜元等人这条功利主义的主线外，即使在道义论倾向很浓的儒家思想体系中，由于他们奉经世致用为圭皋，我们依然可以发现其中某些与功利主义暗合的理论表述。中国古代功利主义思想的最大成就，是倡言天下大利的思想倾向与志功合一的评价原则，这与功利主义“最大多数人的最大幸福”的原则以及道德评价中的效果论，在思维方向上相一致。赵海琦认为，封建政治经济与宗法血缘的互补结构，是中国古代功利主义夭折的社会原因，而无主体性，主张公利而否定个人利益，主张作圣而压抑人性，这是它夭折的内部机制方面的原因。陈瑛认为，中国传统的义利观并没有从本源上探讨利与义孰先孰后，谁决定谁，并不涉及唯物主义还是唯心主义问题。就总的倾向讲，中国传统的义利观是强调义利兼顾的，并不否认利的作用。然而它更重视义的作用，强调个人物质利益之外，还应当有精神的追求。人不能满足于自己的生命活动，还应该有道德理想和追求；不但要顾及个人的私利，更要维护他人和社会的利益。这些正是中国传统义利观中优秀的东西。它的积极作用从中国古代职业道德的发展上可以得到证明。"（朱贻庭：《中国传统功利主义反思》；马尽举：《中国古代功利主义思想的特点》；赵海琦：《论中国古代功利主义的夭折》；陈瑛：《中国传统的义利观与职业道德》，《华东师范大学学报（哲社版）》1989年第2期）

三、关于近现代伦理思想史方面的研究又有进展。史志谨在《浅议鲁迅对道德社会作用的理解》（《理论导刊》1989年第4期）一文中，分析了鲁迅前期的人道主义道德理想，尤其是"改造国民性"命题的合理与空想成分，指出他后期转变成历史唯物主义者之后对道德社会作用有了正确的认识。夏国乘、奕灏在《胡适人生哲学简论》（《华东师范大学学报》1989年第1期）一文中认为，胡适的个人主义人生哲学，积极提倡个性解放和人格自由，虽然本质上是资产阶级的人生观，并不科学，但是它也曾经起过冲击封建专制主义和解放人们思想的作用，文章对此进行了细致的分析。江娅的《儒家与毛泽东道德思想的比较》（《毛泽东思想研究》1989年第1期）一文，从道德与政治的关系、道德标准、自省、道德典型的塑造和作用等4个方面，分析了毛泽东道德思想与儒家的相通之处。

四、中国伦理思想史的研究者，开始了在科技史、美学史、经济史、宗教史和少数民族史等领域里的研究。例如，徐少锦在《中国古代的科技伦理思想》（《道德与文明》1989年第3期）一文中，比较详细地论述了中国古代的科技伦理思想。陈望衡在《中国传统伦理审美谐和论》（《中国社会科学》1989年第5期）一文中，论述了中国美学中的伦理思想。东方朔的《中国传统经济思想的伦理特质》（《江西社会科学》1989年第4期）一文认为，中国两千多年的经济思想虽有差别，但其伦理特质却始终是以传统文化为底色的，这就是"天人合一"的价值取向，"修、齐、治、平"的道德要求，人本主义的经济建构和"允执厥中"的经济性格。温金玉的《禅宗伦理学考察》（《理论教育》1989年第6期）一文，从人性本体论、心性修养论和道德实践原则及方法3个方面，分析了禅文化中的伦理思想。关德章的《努尔哈赤伦理思想初探》（《辽宁大学学报》1988年第5期）与熊坤新的《试论〈玛尔巴泽师传〉中的伦理思想》（《西藏民族学院学报》1989年第3期），分别论述了满族、藏族伦理史上的一些有价值的片断。

（东 英）

【外国伦理学研究概况】 近年来，对外国伦理学史与现代外国伦理学的研究已广泛展开。中国伦理学界已不再是只注意对西方伦理学史与现状的研究；有关日本、苏联、印度的伦理学问题也进入了中国伦理学研究者的视野。而且，就是对西方伦理学史与现代伦理学的研究，也在深度和广度上有所扩展，出现了一些新的研究角度。

一、西方伦理学研究的新视角 近年，一些研究西方伦理学的文章已不是只限于评述伦理思想家的思想和介绍各派伦理学说，而是从两个方面展开自己的内容：第一，对西方伦理学中的一些专门问题进行综合性论述。例如：万俊人在《试析现代西方伦理思潮对我国青年道德观念的冲击》（《中国社会科学》1989年第2期）一文中，分析了社会达尔文主义、尼采思想，以及萨特存在主义、弗洛伊德精神分析等西方伦理思想对中国青年形成冲击的理论背景和社会历史文化原因，特别是指出了这种冲击对中国青年造成的积极影响和消极后果。作者认为，从积极方面来看，现代西方伦理思潮中的某些合理的理论成分开拓了中国青年的认识视野，对于我们更新道德观念和行为方式，冲破传统封建道德意识的束缚，具有一定的启蒙作用。然而，其消极后果是多方面的：（1）现代西方人本主义伦理学的非理性主义，刺激和滋长了中国现时部分青年的个人主义和情绪主义冲动；（2）其道德相对主义和非历史主义倾向，助长了中国部分青年的道德虚无主义，从而对中国传统道德文化采取一概拒斥态度和抵触情绪；（3）西方伦理学中的"心理主义和自然主义因素"，刺激了青年性道德的放任主义倾向。

宋希仁在《西方伦理学史上的正义观》（《道德与文明》1988年第5期）一文中，综述了西方伦理学史上的正义观念的形成和发展。他认为，古代西方的第一部《正义论》就是柏拉图的《理想国》。它第一次对正义范畴作了"正义就是善"的哲学规定，并划分了个人正义和城邦正义、相对正义和绝对正义。到中世纪，正义观与神学相联系，成为基督教神学正义论。正义与非正义都是以上帝权威为绝对标准。近代资产阶级的正义观是随着资本主义商品经济的发展而建立起来的，它反映着资产阶级对财产、权利和一切利益的要求。秦裕在《道德行为上的非认识主义》（《学术月刊》1989年第8期）一文中，从认识论这一新的视角来分析萨特的伦理思想，认为萨特存在主义伦理思想的核心是非认识主义。作者指出：萨特通过既定的价值世界和个体的自我选择之间的关系论述，充分强调了选择的绝对性、无条件性，否定了可以指导个体的普遍价值的存在。萨特存在主义伦理思想的非认识主义特征，正是当代西方社会文化中的价值崩溃这一现象背景的理论反映。牟斌从准则功利主义与行动功利主义之间在准则与行动、行动的选择、动机与效果的理解、有关正义问题的观点等方面的争论出发，介绍了现代西方功利主义的基本特点。（《准则功利主

义和行动功利主义之争》,《光明日报》1989年7月3日)

第二,对西方伦理学与其他学科交叉研究成果的一些介绍。张云飞在《生态伦理学研究进展(上)》(《哲学动态》1989年第5期)一文中较系统地介绍了西方生态伦理学的确立与发展,以及其研究对象、方法、功能、理论基础等。陈波在《道义逻辑与伦理学研究》(《中国人民大学学报》1989年第3期)一文中,较详细地介绍了道义逻辑的内容,认为道义逻辑与伦理学的关系十分密切。道义逻辑有助于把模糊的伦理学概念精确地加以规定,并且把它们的潜在含义和关系阐发清楚,以构成一个前后融贯的理论体系。道义逻辑深化了对规范性概念的研究,提出了象道德承诺或导出义务的问题,反义务命令的问题,互相冲突的义务问题等等,对这些问题的深入研究,将会直接促进作为规范科学的伦理学的发展。

二、苏联伦理学研究 近年,除对苏联伦理学的一般理论与实践进行研究之外,还特别对在社会改革潮流推动下苏联伦理学的反思与变化进行了分析和研究。杨远在《苏联改革与苏联伦理学》(《道德与文明》1989年第1期)一文中指出,苏联伦理学从60年代以来,虽然在一般理论研究方面有某些重要的理论突破,推动了马克思主义伦理学的发展,但是,在苏联伦理学的研究和道德教育中,的确存在着理论脱离社会生活和道德实践、保守、僵化、教条主义、官僚主义等缺点。金可溪以《苏联伦理学的"病点"和"生长点"》(《理论信息报》1988年11月7日)为题,介绍了苏联伦理学家对其伦理学现状的看法及改革的设想。杨远在《苏联改革与伦理新思维》(《哲学动态》1989年第9期)一文中,不仅对苏联伦理学家有关苏联社会道德及伦理学的缺点、造成原因的看法进行了综述,而且概述了他们有关道德的一些"新思维"和有关伦理学的新理论观点。

三、日本伦理学研究 近年来,中国伦理学界加强了对日本的道德与伦理学的研究。例如,崔新京研究了日本明治维新时期的西周道德学说,认为西周的人世三宝(健康、知识、富有)道德学说,是把这些资本主义发展的基本要求,加以道德规范和伦理升华,套上善的神圣光环,固定为每个人以至全社会的行为准则和生活常规。这是顺应历史发展的客观趋势的,因而对日本资本主义发展曾产生过不可低估的社会功用。(《论日本明治维新时期的西周道德学说》,《辽宁大学学报》1988年第5期)

四、印度伦理学研究 甘地是20世纪印度民族的精神领袖。朱明忠在《论甘地的道德伦理思想》(《南亚研究》1988年第3期)一文中,从"神启论的道德起源论"、"人性善是其道德学说的基础"、"爱是人类行为的基本准则"、"苦行是实行爱的基本手段",以及由爱所推演出来的主要道德规范(无畏、自我牺牲、忍耐、忠诚、爱劳动、男女平等、敬神)等方面,较系统地论述了甘地的伦理思想。而且指出,甘地的整个思想体系,都是以他的道德伦理学说为基础的。甘地的伦理学说在动员印度人民反对帝国主义,争取民族独立的斗争中,曾起过重要的作用。

(坚 固)

美 学

【美学研究概述】 1989年美学学科的进展,主要表现在对于美学基本问题的研讨重新活跃,既有系统性的著作出版,也有从新的角度或运用新方法所作的探讨。对美和艺术的研究亦有进展,一些历来颇多歧义的问题,已有专文作出新的论证和阐述。此外,中国美学和外国美学的研究,也不乏有分量的专著和论文。

美学原理研究 李泽厚的《美学四讲》出版,对他的美学理论体系,作了系统化的论述。四讲包含美学、美、美感和艺术,其中对美学、哲学美学、马克思主义美学、人类学本体论美学、对美是什么,美的本质等问题,对美感是什么,建立新感性等问题,对艺术的形式层与原始积淀、形象层与艺术积淀、意味层与生活积淀等等,均有阐发。关于美学基本问题的研究颇为多样。有从新的角度或新的层面所作的研讨,也有引入新方法进行的探求:蒋培坤主张美学是研究人类审美活动的科学;穆纪光提出美的定义应是创造;李冬妮对作为概念的"美"进行剖析;徐宏力引入模糊数学形式化方法,推导对美的本质只能提出众多接近判断。

关于美与艺术的研究 美学家王朝闻约700万字的16卷系列文集《王朝闻集》已由四川美术出版社出版,包括他已发表和未发表的美学论著和艺术批评著作。王朝闻的美学理论以中国传统美学为基础,以开放的视野汲取外来文化的观点,重视实地考察、珍视第一印象,具有直观顿悟的方式,创造出一种将叙述、论证、机趣和欣赏融于一体的"创作式"的独特理论形态。蒋孔阳的《美学艺术论集》,是从他的8部著作中,撷取关于美与艺术的论述,荟萃而成,具有独到精深的见解。陈望衡在专著《艺术创作之谜》中提出,艺术是人类自我意识的特殊形式,是人类创造活动的最高形式,是人类审美活动的典型形式。卢善庆所著《门类艺术探美》一书,系统地研讨了各门艺术构成的整体艺术文化现象,从多方面比较中显示了各门艺术的不同特征及其历史演变和未来趋向。

中国美学研究 李泽厚在其新著《华夏美学》结语中指出:"中国哲

学、美学和文艺，建基于一种心理主义上，是以情感为本体的哲学命题，是情理相融的人性心理。它既超越，又内在；既是感性的，又是超感性的，也就是审美的形上学。”潘知常的《众妙之门——中国美感心态的深层结构》专著中认为，不论是中国的文学艺术，抑或是中国的诗化人生，都无非是中国深层美感心态——生命精神的折射，其真正本质在于生命力的运动和图式。在香港出版的邹士方所著《宗白华评传》对其生平及美学思想，既有翔实的材料，又有精辟的分析。

（张瑶均）

【美学基本问题的新探讨】 美是什么？美的本质、美学的对象和范围，是自50年代美学讨论至80年代美学复苏及发展中一直争论的问题。1989年这方面的探讨重新活跃，特点是采取新的角度和引进新的方法。

一、美学是研究人类审美活动的科学　蒋培坤认为，要实现传统美学向当代美学的转变，必须摆脱旧唯物主义自然本体论的束缚，使美学学科建立在马克思主义的实践本体论基础之上。为此，必须批判美的“预成论”，批判由此派生的审美关系决定论，必须把属于实践范畴的审美“活动”作为美学的基本范畴，并以此为美学探讨的逻辑起点。当代形态的美学理论应该是探索、研究人类审美活动各个方面及其普遍规律的科学，不能从诸如“美是什么”这类关于美的先验定义出发，而要从最简单、最基本、最确定的事实出发，从对审美活动的分析来展开美学的学科体系。马克思在人和自然界形成问题上，主张一种以实践为基础和中介的“自然发生论”。离开了人类的诞生过程和自然界对人的生成过程，奢谈美的存在和本质以及“美是什么”这类问题，是毫无意义的。按照自然本体论的立场，科学的任务似乎只是去认识、发现、掌握物的这个自在的存在、运动和规律。马克思说：“被抽象地孤立地理解的、被固定为与人分离的自然界，对人说来也是无。”（《马克思恩格斯全集》第42卷第178页）。一切从“无”出发的“科学”，只能是伪科学。当代美学是由思辨走向实证，由分析走向综合，由一般认识论走向实践本体论，在实践基础上把历史上各主要美学学科形态综合、统一起来。这就要首先实证地考察人类审美活动的发生和历史展开，随之分析审美活动中主客体的相互关系，并通过这种分析揭示审美关系和美的本质和根源。在此基础上，推及艺术中的审美、人自身的审美化等问题的研究和探索。（《美学是研究人类审美活动的科学》，《中国人民大学学报》1989年第1期）

二、对作为概念的“美”的分析　李冬妮提出，认识是主体对客体的把握，概念则是人类认识的成果，概念形成后，客体以概念内涵的形式保留在概念之中。根据作为认识对象的概念参照物的性质，概念可以分为4类。第一类概念（简称概念(1)，下同）在现实中可以找到对应的实体或实体的某些感性性状。第二类概念（概念(2)）对应的不是独立的完整的实体，而是对象的某些特质或特性。如乐曲属于概念(1)，音乐属于概念(2)。第三类概念（概念(3)）的参照物已不仅仅属于客观现实，开始与主体有关，例如“价值”，它是外物对主体需要的满足，这里所说的主客体关系，包括认识关系、实践关系、目的、需要等一切有关对象，它又是多向的，可能从主体向客体运动，也可能反方向运动。第四类概念（概念(4)）的参照物彻底离开了客观现实，它属于主体，只在物质决定意识这个最终意义上才与客体有联系，例如情感，情感本身是意识活动，它一旦产生后，从内容到形式都是纯主观的。概念(1)至(4)排列成序，有以下特点：(一)概念的主体性由弱变强；(二)概念的清晰度依次下降；(三)语言的作用依次下降；(四)逐级蕴涵于上一级概念之中。它们组成一个完整体系：概念(1)是事实认识；概念(2)是对真的认识；概念(3)是对主客体关系的认识；概念(4)是对主体的认识。“美”与概念(1)没有直接联系，或说它不属于概念(1)，但可以限定第一类概念，表达现实中各种事物和现象及其感性状貌，所以又与概念(1)关系密切。概念(2)中可以找到许多与美有直接联系的概念，如比例、和谐、真，……。它们已是大量客观事物的抽象，反映了事物内在规律和特性。概念(3)可列出自由、善、价值、移情、距离等。这类概念的确立，由于认识主体占很大作用，歧义很大。最后，在概念(4)中寻找与美同时出现概率最高的概念时，首先会注意到情感，它与美有着密不可分的联系。由以上分析可知，概念(1)对应着美的外观形式、概念(2)(3)(4)则分别与美的3部分内涵即内在规律、价值关系、情感相关联。根据概念序列的第4个特征，即概念(1)至(4)逐级蕴涵于上一级概念之中，“美”属于概念(4)。确定这一点，就可以相应描述出美的一些特征，并用以解释许多长期以来难以说明的审美现象。（《论作为概念的“美”》，《江西社会科学》1989年第4期）

三、对美的本质只能提出众多个接近判断　徐宏力指出，对于“美是什么”，千百年来哲人们争论不休，中国当代美学界两次大讨论也都以此为热点，然而争论结果与其说是深化了对美的本质的理解，不如说是深化了对美的难度的理解。美具有“测不准”性质，“美是什么”这一命题本身就不是科学所能充分认识的对象。美的定义不可能全知地反映美的本质，科学只能在一定程度上实现这一目的。引入模糊数学的形式化方法，首先可以建立共存意识，提醒人们注意：各种成立的命题，其反映真理的程度只有大与小的区别，没有有与无的区别；其次，模糊集合可以推动我们建立相对意识，我们可以不断接近对美的科学把握，但不会达到它。科学方法的终点就是非科学方法的起点，因为体验可以接续认识，悟性可以接续理性。我们把握“美本身”的标志就是能发现美，而最能实现这一目的的过程就是艺术创造。对“美本身”的把握要从理性认识向悟性体验过渡，这是一种从科学方法向非科学方法的发展。美的本质是一个准科学命题。科学方法不能提供全真判断，也不能提供全假判断，而只能提出众多个接近判断。如果将其量化，就要在[0，1]的区间取值，而不是作“1”与“0”的选择。因为重要的不是“知”或“不知”，而是所知的“程度”。这就是模糊理论对我们的有益启示。（《论美的模糊性》，《社会科学》1989年第2期）

（顾　菲）

【关于美和艺术的研究】 从哲学美学和审美心理学的层面上探求艺术本体和艺术创作与欣赏的内在规律。这里摘引的有关论文，涉及历来有争论或颇多歧义的问题，并对它们作出了新的论证和阐述。

一、艺术本体真实性　胡经之指出，艺术作品是艺术家审美体验的真实的物化形态，它反映主客体审美关系的真实。在艺术作品本体中，创作的动态过程相应地积淀为作品存在的静态形式。首先，艺术家的情绪意态、审美意象转化为作品的内在意蕴和深层结构。其次，作家的思绪情怀和审美体验转化为稳定的感性形象系统。由深层结构和形象系统建构出真正属于艺术家所独创的、不可重复、不可替代的审美意象世界。至于艺术作品本体世界是否存在着艺术的真实性，这种真实性如何表征，回答这些问题要对艺术作品的本体层次进行分析，这里有4个层次：1.文艺作品的存在方式（即物化形式）；2.文艺作品中再现世界的部分（即艺术家所描绘的对象事物）；3.文艺作品中表现主体情感的部分（即艺术家的审美态度、审美体验）；4.艺术作品中的深层意蕴（即人生感、历史感、宇宙感）。艺术作品中的深层意蕴是艺术具有永恒魅力的关键所在。艺术真实与否，艺术真实的程度，是由艺术家这个主体同周围世界这个客体的关系是否符合全人类社会发展的要求而决定的，艺术家与周围世界的关系越丰富、越符合人类发展的必然要求，他的艺术越符合真实。文学艺术的主要使命是为人们定向，在美学上，也就是审美定向，即确定主体应对客体采取什么审美态度。人类是在现实世界中通过对美的追求，不断超越，不断前进的。因此，艺

术真实表现了人类审美理想的真实。(《艺术本体真实性》,《文艺研究》1989年第2期)

二、文艺"本体论"对"反映论"的渗透　赖干坚指出，现代西方文论对中国当代文论的影响之一，是"本体论"对"反映论"的碰撞与渗透。"反映论"和"本体论"所代表的两种不同的美学和文艺学的方法论之间的差异和对立表现在，"反映论"认为文艺与社会生活有密切关系；而"本体论"认为，文艺作品是独立的、自足的客体。"反映论"认为文艺由于反映了生活的某些本质方面而具有认识价值；"本体论"则认为，文艺的目的不是给人提供认识，而是给人以审美感受和审美体验。"反映论"虽主张文艺作品的内容和形式是统一的，但认为内容决定形式，内容与形式具有相对的独立性；而"本体论"主张形式决定内容，形式不是内容的容器，二者不可分。"反映论"认为，文艺作品的价值取决于它反映生活的广度和深度，其评价标准是真实性与典型性；"本体论"则认为文艺作品的价值取决于它的形式技巧和独特的美感。近年"本体论"在和"反映论"的碰撞中，已开始向后者渗透。但是"本体论"在我国不可能象本世纪初的西方那样形成波澜壮阔的文艺思潮，因为我国缺乏象本世纪初西方那样让"本体论"得势的社会条件和文化背景，也没有出现严格意义上的现代派文学。然而，以辩证唯物主义为方法论的马克思主义文艺批评却具有无限的活力，足以适应文艺形势发展的要求。它的美学的、历史的批评标准富于灵活性、包容性，足以容纳吸收其他文艺批评体系的有益成分，从而使自己不断丰富和发展。(《文艺本体论对反映论的碰撞和渗透》,《文艺研究》1989年第2期)

三、艺术范式——形象的抽象框架　黄卓越认为，范式作为一种典范的抽象形式，总是潜在地存在于文学和艺术现象之中，从而制约着文艺创造和发展的诸方面。近当代文艺的实践和理论已对它进行了多层面的饶有兴趣的探求。这些探求是与图式、原型、典型、结构等术语密切相连的。但当代理论还缺乏具有更大概括力的、以范式为整体范畴的研究。在哲学史上，柏拉图第一次提出理式和范式这两个概念，并将它们置在一起使用，从而揭示了这两个词的永久的联系。根据已有的说法，也根据理式一词的最早说法，我们也把柏拉图的最高理式称为概念、意义或性质，而将居间理式作为唯一的"理式"来称呼，或用专门术语称之为"范式"。范式与概念的重大区别之一，即是否可视。审美的形象范式，必须以属相范式作为基础，并且应该是高度典范性的，如果离开这个基础，就会失去它的可辨认性，进而失去它的一般性和普遍性；任何变形、夸张因此都须建立在属相范式之上。然而，审美的形象范式虽然也是抽象的一般，却比属相范式更生动、更真切、更丰盈、更有意蕴。当屠格涅夫从心灵深处召唤“男子汉”的形象范式时，出现的决不是画房中那标准的男性模特，而是某个孤傲、忧郁、落魄、坚定的男子的朦胧构架——罗亭、巴札洛夫、英沙罗夫等。此外，审美的形象范式还往往凝聚着个人独特的审美趣味，弥漫着或庄重，或忧郁，或宁静，或热烈的种种情调，这些都是属相范式所不具有的。也正是由于形象范式的这种体验性、生动性、隐秘性，它只可能被描述，一切分析性研究只能在它外围徘徊。范式这种形象的抽象框架，潜藏于无意识深层之中，不为我们的日常意识所知觉，却是我们组织一个优秀艺术形象的基本心理结构。一旦这些优秀形象被确定在一定的文本之中，它们背后潜藏着的形象范式，又是我们直觉所感受和把握的真正对象。在时光的流逝中，那些依附于形象的细节会被遗忘，而形象范式却成为我们回忆的范本。同时，形象范式往往又是艺术鉴赏中的潜在准则，决定了艺术体验的认同的基本方向。(《艺术范式——形象的抽象框架》，《文艺研究》1988年第6期)

(知　劲)

【审美和宗教的关系】 审美和宗教是人类精神领域中的重要现象。有研究者对于两者在历史和现实中相互交叉渗透的关系，以及审美终将取代宗教的历史趋向；乃至宗教信仰不同的民族形成相异的审美心理，进行了分析和研讨。

一、审美情感与宗教情感　孙振华认为，宗教、艺术现象的相互关系涉及许多侧面，其最基本最核心的因素是审美情感与宗教情感。人类的精神世界是一个整体，科学领域和情感领域既对立，又互补，它们需要一种动态平衡。古今中外几乎所有宗教都体现出人类这样一种心理要求：面对支配自己的异己的自然力量和社会现实力量，获得心理平衡和情感上的安慰。审美情感和宗教情感找到了它们在人类精神领域中的相似点：科学趋向“超越人的东西”，以客观性、规范性和因果性为准则；而艺术和宗教则是面向人、面向人的情感。科学解决真伪问题，解决世界是什么的问题；艺术和宗教则解决价值问题，解决这个世界对人的意义是什么的问题。科学追求的是人的认识的单值性，并以抽象的概念来表示；艺术、宗教则突破理性的单值性，面对人的整体性的存在，用情感、想象的方式来表现它。如果说科学关注的是不断的发展和变化，不断提出和解决新问题，那么艺术和宗教则更为注重人类在不同历史阶段展开的生与死、善与恶、灵与肉、情与理等带有永恒性的问题。在艺术与宗教的历史发展中，审美情感和宗教情感存在着许多相同或相近的方面，存在着部分交叉：(1) 它们都是对宇宙的某种情感意味的感受。(2) 它们不同于一般生活情感。(3) 它们都能使人获得精神上强烈的快感。然而，审美情感毕竟不是宗教情感，二者还有矛盾对立的一面，从审美情感与宗教情感在和真、善、美的关系上的区别来看，宗教情感是建立在虚幻的、不真实的认识基础上的，“真”不过是上帝的代名词。宗教的“真”不符合客观世界的本来面目，恰好是一种假。而审美情感活动是随着对美的认识而产生的，美以对真的认识和掌握为前提，真正优秀的艺术作品，总是真实地反映客观现实关系，肯定人的实践力量。本质虚假的东西不可能是美的，也不可能使人产生审美情感，这是审美情感与宗教情感的根本区别。善恶是道德掌握现实世界的中心问题。在审美情感与宗教情感的发展中，宗教情感愈来愈趋于道德化，而审美情感与道德的联系越来越不那么直接，这是宗教与艺术的一个重要区别。宗教世界观作为对世界的虚幻的反映，无法真正解决人的价值和目标问题，人类只有在社会实践中，认识客观规律，改造客观世界并同时改造主观世界，才能确定和实现人的价值和生活目的。随着社会的发展，审美情感与道德之间的联系变得越来越隐蔽，人们进行审美活动并不出于直接的伦理目的和动机。宗教所承认的美，只是作为观念的存在，排斥了美的感性和经验的属性。审美情感则以精神的满足、愉悦为标志，但又不排斥感官的、生理上的快感，而是与其相一致。审美、艺术以解放人的精神求得人的完整、和谐、自由为己任。而宗教情感一般是禁欲主义的。当然，主观上要利用艺术形象为宗教信仰服务的宗教，客观上却刺激了艺术的兴盛：哥特式建筑、达·芬奇《最后的晚餐》、但丁的《神曲》等。与传统艺术相比，19 世纪后期兴起的现代派艺术，明显地看出宗教情感的丧失。列宁曾说过要让戏剧取代宗教。蔡元培也呼吁以美育替代宗教，远不只是良好的主观愿望，而是体现了历史发展进程的必然。宗教将逐渐让位于艺术。未来的人是审美的人，未来的社会是审美的社会。(《论审美情感与宗教情感》，《文艺研究》1988 年第 5 期)

二、宗教对民族审美心理的影响 于贤德指出，宗教对审美活动的影响不只是局限于人类历史某一阶段，它必然通过表层文化深入到深层心理。由于不同宗教的教义存在着差异，使得信奉不同宗教的民族在对世界的观照、人物的评价和艺术的创造和鉴赏中表现出各自的特点；不同宗教所崇拜的不同器物对民族审美心理也产生影响。在特定的文化环境和时代需求中，宗教心理也可以转化为民族审美心理。

例如，在佛教“空”观的影响下，“虚静”成为汉民族在审美观照中的一个重要需求。宗白华曾指出，空灵的艺术精神形成于美学上的“静照”，“静照”的起点在于空诸一切，心无挂碍，和世务暂时绝缘。“静照”是汉民族的重要的审美态度。在汉传佛教中，佛像造型的具体风格在不同时代有所变化，但寺院里佛像的造型却是基本一致的：稳重的坐势和静观默想的姿态，表现出怡和安详，放射出静穆的光辉。即使同样表现死亡的佛陀涅槃和基督受难的形象也完全不同，没有受难的恐惧和死亡的痛苦，而以恬静的仪容和庄严的形象，使人得到和谐圆满的精神慰借和心灵的满足。这种审美特征对于信仰佛教的民族来说，更容易助长追求和谐，摈弃冲突的审美观念。而信仰基督教的民族，敢于正视现实，能够在冲突和悲剧中强化心灵的承受力，他们在具体的审美活动中，乐于接受强大的刺激，从心灵的震撼中得到快感，从而肯定个体的价值。两者的区别显然不只是由宗教器物的不同审美形态这单一因素造成的，宗教差别所造成的民族审美心理的不同侧重点，也必须作为一个相当重要的原因来考虑。（《论宗教对民族审美心理的影响》，《华南师范大学学报》1989年第3期）（张 驰）

【中国美学史研究】 一、意境界说

“意境”这个中国美学的重要范畴，最明显地体现了中国美学思想的民族特色，因此它也成为很多人讨论的题目。近些年来，每年以此题为文都不止一两篇，不过，见解大同小异。杨铸的《“意境”的界说》（《北京社会科学》1988年第3期）一文却有些新意。杨铸认为，很多人用“情景交融”来解释“意境”，这是很浮泛的。因为这个说法远没能揭示出意境“更为精深的要旨”。“情景交融”只是一种“意象”，它虽是创造意境的始基，但还不是意境本身。“意象”是“主观情感和客观物象相融合而创造的艺术形象”。“意象”是个别的，只有局部意义，而“意境”则是若干个具有内在联系的意象相组合而呈现的浑然一体的艺术境界，是就整体而言。当然，“意境”也并非“意象”之和。“‘意境’在于意象与意象的关系之中，是一种氛围，一种由意象特殊组合而创造的极为开阔极为深远的浸透了无限情思的崭新艺术时空。”

意境的内涵具有无限性，它是“意外之意”和“象外之象”的统一，因而它不是固定的形式或有限的形象。意境与中国另外两个对立范畴——实与虚密切联系在一起。意境是虚实的结合、以实生虚的产物。意象是实，而存于“象外”的意境是虚。“实象是手段，创造虚境是目的；虚境生于实象的组合，可实象却又因能映带出虚境才更具价值。从根本上讲，‘意境’的创造就是超越有限去追求无限，超越实象去追求具有深邃艺术底蕴和超越艺术时空的虚境。因此，把握虚实之间的艺术辩证法，是理解‘意境’的一个关键。”

二、宋明清美学思想的基本特征 张天曦在《宋代美学思想的基本特征初探》(《山西师大学报》1988年第4期)一文中认为，宋代，尽管以理学家为代表的儒家政教文艺观有着相当大的影响，但是真正代表这一时期的审美趋向，并最终占据主导地位的却是以苏轼、严羽为代表的审美中心派。他们的审美追求和理论建树形成了宋代美学思想的新特色，这就是：第一，“重意尚韵”。所谓“韵”者，也就是美，美的极致，作品有韵才深涵有余意；所谓“意”，是指主体的个性心灵和主观情感意绪。宋代党争迭起。这使宋代知识分子失去了盛唐那种朝气勃勃的进取心和自信。因此，与盛唐那种豪放不羁的浪漫激情相比，宋代则更多地表现为充满理性思辨的反思精神。他们喜深微而不喜广阔，由高亢激越转入冷静老成。不是外在的事功、对人世的征服，而是淡泊适意的生活情趣真正成了宋代知识分子的人生追求。“与宋代知识分子在深刻的社会面前不得不退回内心的时代特点相适，在美学上他们也突出强调了主体个性心灵和主观情思意绪，特别主张美与‘适我性情’及个人日常生活的联系，就形成了宋代美学重情思、尚意韵的基本特征。”第二，把“情”与“景”这对范畴突出地提出来。通过对“情”与“景”的关系的分析，探讨了诗歌审美意象的结构与类型。另外还探讨了与“情”“景”相联系的诗与画的关系问题。如果说“情”与“景”之间的关系的探讨是侧重于审美意象本身的话，那么，诗画关系的探讨则是涉及了不同形态的审美意象之间的共性与差异性问题。第三，把禅宗哲理直接引入美学研究之中。以禅入诗，以禅论诗，成为宋代美学思想又一个重要特征。以苏轼、严羽为主要代表，借助于禅宗哲理，更加深入地考察了审美意识特征，特别突出了审美意识与一般理论认识相区别的独特性。

姚文放在《明清美学主潮概观》(《晋阳学刊》1988年第6期)一文中分3个阶段论述了明清美学思想发展的“逻辑行程”：“首先是由李贽、汤显祖和公安派提出一系列富于主体意识、个性意识的美学思想，构成了近代美学的浪漫主义先声；其次是由王夫之、叶燮、石涛以富于思辨色彩的理论体系对古典美学作出了总结；再次是美学理论在各个部门美学内向近代崇高的多向展开，包括李渔的戏剧美学，袁枚的诗文美学，郑燮的绘画美学，以及从李贽、叶昼、金圣叹到脂砚斋等人的小说美学，构成了古典主义、浪漫主义和批判现实主义多元并峙、相互递进的复杂局面。这三个阶段分别属于不同的逻辑层次，它们共同构成了明清美学史的正、反、合三段论。”这样一个“逻辑行程”所产生的主要特征是：第一，古典和谐和近代崇高两种美学理想的冲突已达到非常尖锐的程度，甚至必须以进步美学家的生命和热血为祭品（如徐渭、李贽、金圣叹）。这样尖锐激烈的斗争使得这一时期的美学家都具有两重性，既有古典主义成分，又有近代美学的成分。每个人都对古典美学有所变革甚至否定，但又都没有摆脱古典美学的体系；每个人都表现出近代美学新倾向，但也都没有达到近代水平。第二，他们都未脱离古代直观、素朴的辩证思维水平，往往以循环论来看待美学思想的发展演变。第三，在否定古典和谐美理想的斗争中主要把矛头指向压抑主体、束缚个性、扼杀情感的封建伦理道德，具有积极的历史意义，但对主体、个性、情欲的高扬之中又具有唯心论、自然人性论和非理性主义倾向。

三、中国古代美的概念　克里瓦卓夫（苏联科学院远东研究所副所长，欧洲中国研究协会会员，理事）的《中国古代美的概念》是他的美学论文中的一篇代表作。在这篇论文中，他对中国古代两个最基本概念——美与善进行美学考察，他吸收了中国美学研究的最新成果加以发挥，同时还提出了一些新鲜的见解，例如认为文与质两个范畴的对立正反映了儒道两大美学系统的对立。

他指出，中国远古时代最普遍的美的概念，在中国象形文字“美”中首先得到体现。细看这个字可以发现是由“羊”与“大”两个部分构成。这个字最初根本不具有抽象的美学意义，而是指一个大羊，与饱人的衣食、财物、功利联系在一起。因此在《说文解字》里，它有“美、味”的意思。而由“大羊”演化为“美”这个抽象概念花去了好几个世纪的时间。象形字“善”的构成与“美”相近，是由“羊”、“口”两部分组成，在远古时代也不具有抽象的美学意义，而与象形字“美”意义相同，只指人们在饮食方面的需要。“文”与“质”成为美学概念，也是经过一个很长的历史过程……通过这些具体考察，克里瓦卓夫得出一个结论：中国古代美的概念都是由功利意义的概念而演变为美学意义的概念。

克里瓦卓夫认为，中国古代哲学、道德——政治及其学说，对美的概念的发展起了巨大作用。他说，中国从远古时代起，“美的概念是绝对受制于社会、道德、政治因素的。”“其实，除道德和政治之外，真正的美在中国古代实际上并没有获得理性的呈现。它最终总是以一定的道德——政治系统为目标，这种特定的价值指向在社会、道德——政治观念正相反的儒、道两家关于美的概念里，表现得尤为明显。”

克里瓦卓夫提出，“文”与“质”两个美的概念的对立，也表现了儒道两家美学风格的对立。“文”这一范畴与“美”一样，是儒家作为“雅致”、“精美”和脱去粗鄙浑朴来理解的，因此，它在后来归入中国人关于“文学”以及广义的“文学”即“文化”的领域中了。他说：“对于儒家来说，‘文’是人有意识有目的的实践活动的结果。‘文’本身与被象形字‘质’所代表的整体上的粗朴、原始和自然，显然是对立的。”“如果说儒家美学思想首先是与‘文’这一范畴联系在一起的话，那么，与儒家相对的学说——墨家和道家则以‘质’这一范畴为基础。作为‘文’的对立面，‘质’在孔子《论语》以及《左传》中也可以见到。但与‘朴’、‘拙’等范畴一样，它主要在老、庄以及道家其代表人物的著作的影响下，获得自身的美学内涵的。”（以上引文均见《文艺理论研究》1989年第2期）

（老　樵）

【现代西方美学研究】 1989年国内美学界对这一领域的探讨没有突破性进展。继上一年对于接受美学、解释学美学以及符号论美学相对集中的讨论之后，今年在现象学美学方面的介绍讨论较多。但总的来看，国内美学界对现代西方美学的研究尚缺乏学科的理论性开拓，特别是以介绍代研究的现状亟需打破。

现象学美学的研究方法已引起国内美学界的相当关注。陈鸣树在《现象学美学研究方法述评》（《学术月刊》1988年第10期）一文中谈到，胡塞尔的现象学研究的是意识的意向性活动、意识向客体的投射以及意识通过意向性活动而构成的世界。它对认识的对象性以及只有在认识中才能认识对象的被给予性，揭示意识活动和意识对象之间的关系达到了十分细密的程度。因而将现象学用于意识活动与意识对象关系特别密切、相互建构的美学与文艺学上，能够获得研究理论的进一步深化。他还用相当的篇幅阐述了将胡塞尔的意向投射理论引入美学的茵加登的“层面说”和欣赏的“具体化”的理论，以及发展了胡塞尔的方法论现象学的杜夫海纳的审美经验现象学。孙非的《杜夫海纳的〈美学与哲学〉》（《外国美学》第5辑，1989年6月）一文则对杜夫海纳的审美经验现象学的存在主义色彩进行了分析，清理了它与胡塞尔、康德以及较近的梅洛-庞蒂、巴希拉尔、巴尔特斯、西蒙东等人的思想联系。怀双在《美学——通向哲学的一条特殊道路》（《外国美学》第5辑，1989年6月）一文中，讨论了杜夫海纳的审美经验现象学的主旨：阐明主客体的不可分离，阐明人与世界的共同性，寻求现象学与自然哲学亦即存在主义的结合。

运用现象学方法研究中国美学

史与文学史，在海外华裔学者中受到特别重视，刘若愚的《中国文学理论》、徐复观的《中国艺术精神》、叶维廉的《道家美学·山水诗·海德格尔》、王建元的《现象学的时间观与中国的山水诗》等专著都是明显的表现。

叶秀山的《现代西方美学主要思潮和表演艺术》(《外国美学》第5辑，1989年6月)一文中指出，现代西方哲学在对“意义”的研究上的汇合趋势十分明显。由左右着欧洲思潮的两大学派——分析学派和现象学派发展而来的分析学美学和现象学美学，以及由两大思潮汇合演化出的解释学和符号论美学，都在基本问题上以“意义”研究为核心。维特根斯坦早期的分析哲学通过对语词“意义”的可指证性的分析研究，纠正了古典美学中某些错误观点；他后期的分析哲学又突破了可指证性的逻辑主义立场，把探究艺术语言“意义”的特殊性，承认为这一派哲学家的正当任务之一，使美学和艺术脱离了“古典”的范围，而具有了“现代”的特点与风貌。主张对世界作“活”的把握的解释学，自认为是最本源的，研究“前科学”的“意义”、“本源性的语言”——不是概念与概念间的关系，而是观念与观念、意义与意义间的关系。也即把艺术语言“意义”的研究视为本源性的中心问题。文章还就现代美学主要思潮中“意义”研究的地位对艺术表现的关系作了精到的分析论述。

批判哲学家T.W.阿道诺的“否定的美学”引起了有关研究者的注意。章国锋在《‘否定的美学’与美学的否定》(《外国文学评论》1989年第4期)一文中专门讨论了阿道诺美学思想的否定性的合理性。他对阿氏学说的核心概括如下：艺术必须具有反现实、反社会的性质；在这一前提下，它必须放弃一切功利目的，拒绝为人们所接受，无须产生任何社会效果；其理想的美学特征应该是艺术作品美的外部形态的破坏，内部和谐的摧毁以及现有语言规范甚至现成词汇的摒弃。作者由此提出，阿氏精心构建的“否定的美学”这样一来便合乎逻辑地走向了反面，成了美学的否定，并由此为艺术带来取消和死亡的危险。

王才勇的《E.布洛赫的哲学与美学思想》(《哲学动态》1989年第2期)一文，对国内美学界尚未涉足的恩斯特·布洛赫的美学思想，作了提纲挈领的介绍：作为出发点的“生命瞬间混沌概念”；有关尚未存在物的一般本体论；以超越现时混沌的幻想为中心原则的美学思考，包括梦幻与艺术、艺术中的审美超前显现以及艺术的认知功能等等。

此外，肖君和、穆纪光等人的论文还讨论了科学美的问题，援引西方大科学家如爱因斯坦、彭加勒等人的观点，对科学美的存在持肯定态度。

(老 樵)

新书选介

唯物史观基本范畴史纲　　张战生　黄凤炎　曾盛林著

湖北教育出版社1989年3月出版　382千字

这是一部通过考察唯物史观基本范畴发生、发展的历史过程来展示唯物史观丰富深刻的思想内涵的学术专著。它有如下特色：

一、在总体把握上，它既不同于传统编年史式的构想，也不赞成逻辑对历史的强制，而主张将历史和逻辑有机地统一起来。要做到这一点是相当困难的。因为，各个范畴在历史上形成的过程和发展的途径不同，它们都有一部特殊的历史；唯物史观创始人在历史上所达到的思想高度，和科学范畴最终形成的时间的二致；同一范畴在发展中同时包含着旧传统和新思想的背反，等等，这些都造成了历史和逻辑的巨大矛盾。本书作者通过以基本范畴为中心线索的具体的实证考察，如实地揭示了这些矛盾，并在总体上和实践上使历史和逻辑达到了具体的历史的统一，从而使1843～1847年的哲学革命由争论不休的理论问题变成了一个明白无误的事实。

二、本书作者提出了一系列独到的观点。如关于唯物史观形成的主客观条件，一般都强调客观历史必然性，这当然是重要的。但作者更多地是强调主观条件，不如此就不能说明唯物史观的创始人必定是马克思和恩格斯，而不是别人。又如，在同黑格尔哲学的关系上，一般都强调对黑格尔哲学的批判和改造，而作者在此基础上同时强调了吸取，指出马克思和恩格斯不仅改造了黑格尔的“劳动”等个别范畴，更重要的是从总体上吸取了他关于历史过程的思想和关于历史主动性的思想。再如，关于唯物史观的出发点，一种意见主张是“人”，另一种意见主张是“劳动”，还有一种意见主张是“物质生产条件”。本书作者认为是这三者的统一。人的肉体组织、人的活动、人得以进行活动的物质生产条件，才是唯物史观的出发点，也是整个马克思主义的出发点。

三、关于唯物史观的发展问题，本书克服了以往只讲“补充和完善”这种片面性理解，同时指出了另一种线索：反思和超越。例如，恩格斯晚年对唯物史观的重新解释，强调了上层建筑等非经济因素的反作用；列宁对生产力和生产关系矛盾运动的辩证理解，批判了唯生产力论，导致了社会主义革命在俄国胜利。这些既是对40年代创立的唯物史观的反思和超越，又是唯物史观在不同历史实践条件下的重大发展。

（成　石）

普列汉诺夫哲学新论

王荫庭著

北京出版社 1988 年 11 月出版 605 千字

这是一部系统研究普列汉诺夫哲学思想的论战性的学术专著。作者根据普列汉诺夫全集和遗著，在吸收和总结国内外学者研究成果的基础上，着重说明了这位卓越的俄国马克思主义者对唯物史观学说所作的具有重大理论价值和实践意义的贡献，批判了三、四十年代以来广泛流传的、对他的哲学思想的许多误解和指责。

全书的中心思想是：在马克思主义哲学发展史上，作为有独创性和多方面理论成就的思想家普列汉诺夫是联系马克思、恩格斯和列宁的不可或缺的中间环节中最重要的一环。

本书首先介绍了普列汉诺夫的生平和著作(第一章)，然后分别就他的辩证法(第二章)、唯物主义(第三章)、认识论(第四章)、唯物史观(第五～七章)、方法论(第八章)、哲学史(第九章)、美学(第十章)、宗教论(第十一章)和伦理学(第十二章)观点作了或详或略的研究。作者在考察普列汉诺夫的学说时，把他的思想同列宁著作作了部分地对比。最后(第十三章)详细地论证了列宁和普列汉诺夫之间的“青蓝关系”。本书有以下特点：

第一，不囿陈说。如对斯大林关于普列汉诺夫若干评价的批评；关于在辩证法的基础、核心和范畴问题上列宁和普列汉诺夫的继承关系的论证；对长期以来强加在普列汉诺夫身上的所谓“斯宾诺莎主义”、“物质普遍有灵”、“象形文字论”或不可知论等问题的澄清；关于如何理解列宁对普列汉诺夫有“庸俗唯物主义”的批评等等，皆能发前人之所未发，纠时贤或前人之缪误，且持论有据。

第二，资料丰富，内容翔实。尤其是对普氏“五项式”的论证，关于生产力、生产关系、政治制度、社会心理、思想体系之相互关系的论证，关于社会存在与思想体系之间复杂的、多因素的、相互作用的中介环节(尤其是社会心理)的理论的论证，不仅全面深入地阐述了普列汉诺夫的思想，而且有所发挥和发展，对于马克思主义哲学，特别是唯物史观的深化，具有理论和现实意义。

(郭齐勇)

列宁传

黄楠森 曾盛林著

河南人民出版社 1989 年 7 月出版 604 千字

本书是系统叙述列宁革命实践和理论创作的学术性传记。全书大体按列宁生平活动的时间顺序安排各章的结构。有些章节又不拘泥于时间顺序，而把列宁的某些思想归纳为相对集中的专题。这种写法在十月革命后的几章中更为突出些。本书有如下几个特色。

一、它是对列宁和列宁主义全面、系统的阐述和研究。本书详细叙述了列宁在各个时期的生平活动、革命策略、理论观点、作风品格。列宁在十月革命以后七年时间的活动和思想占本书近一半的篇幅。列宁有关社会主义经济、政治体制的建设和改革的思想，均有专题论述。为完整、准确地理解列宁和列宁主义，提供了较为坚实的基础。

二、它把列宁哲学思想的研究溶于列宁的整个革命实践和理论创作之中。本书虽为传记体裁，但侧重于介绍列宁的思想；而在介绍列宁的思想方面，又侧重于列宁的哲学思想。本书较详细地介绍了列宁的马克思主义世界观的形成、早年流放西伯利亚期间对马克思主义哲学的研究和运用，直至晚年对发展马克思主义哲学的指示。对《唯物主义和经验批判主义》《哲学笔记》等主要哲学著作，不仅介绍其写作历史背景、基本观点，而且结合国内外学者对它们的研究，阐明了它们在马克思主义哲学发展史上的地位、局限性及现实意义。与研究列宁哲学思想的各种专著相比，本书的特点又在于它把列宁的哲学思想和列宁的革命实践作为一个整体来研究，而在考察列宁的革命策略思想和社会科学观点时又常常提到哲学的高度。

三、它把列宁和列宁的思想作为科学研究的对象，坚持实事求是的态度。本书通过考察历史事实，充分肯定列宁为无产阶级革命事业英勇奋斗的一生和为丰富发展马克思主义理论所作出的突出贡献，阐明列宁主义仍然是我们进行改革、实现四个现代化的指导思想，反对那种认为列宁主义“已经过时”的论调。同时，本书还根据历史事实分析了列宁在革命活动中的某些不当和失误、某些理论思想的历史局限性和片面性以及后人附加上去的东西，反对把列宁的理论看作某种一成不变的和神圣不可侵犯的东西。（丰　义）

毛泽东哲学思想教程

宋一秀　商孝才主编

华东师范大学出版社 1989 年 6 月出版　400 千字

本书由全国多所高校和研究机构中从事毛泽东哲学思想教学和研究的学者集体编写，对毛泽东哲学思想的体系和内容作了新的探索。在体系上，力图突破哲学原理四大块的框架，把“实事求是”——毛泽东哲学思想的精髓作为总论贯串全书，将毛泽东哲学思想基本原理各个部分有机地联系起来，以此来建构它的科学体系；在内容上，除总论外，分为 17 章，系统论述了毛泽东哲学思想的基本原理及其在各个领域的运用，充分说明毛泽东哲学思想是马克思列宁主义哲学在中国的运用和发展，是马列主义同中国现代革命实践相结合的产物。

中国社会错综复杂的客观矛盾的存在和发展，决定了矛盾学说在毛泽东哲学思想中占有极端重要的地位。本书结合中国革命和建设实际，十分强调毛泽东唯物辩证的思想方法论，设专章分别阐述了唯物辩证的范畴论、唯物辩证的自然观、唯物辩证的工作方法论、党的建设辩证法、统一战线辩证法、社会主义建设辩证法、思想政治工作辩证法、军事辩证法等，充分体现了毛泽东哲学思想的本质特征和理论特色。

本书还突出地论述了毛泽东哲学思想是中国共产党集体智慧的结晶的观点，用专章论述了周恩来、刘少奇、朱德等老一辈无产阶级革命家对毛泽东哲学思想的杰出贡献。对周恩来注重调查研究、坚持实事求是的科学态度，在革命实践中运用、丰富辩证法思想，坚持群众观点、密切联系群众；刘少奇坚持辩证唯物主义的实践观，反对教条主义和经验主义，强调党的思想建设、加强共产党员的思想修养，对矛盾学说和两类社会矛盾问题的思考；朱德对毛泽东军事辩证法思想的形成和发展所作出的重大贡献等，都作了系统的阐发。

本书努力把史和论、逻辑和历史统一起来。首先阐述毛泽东哲学思想产生、发展的历史必然性，然后分别论述它的基本原理，阐明它在各个领域的多方面展开，最后用专章概述了毛泽东哲学思想在新时期的运用和发展。

（金邦秋）

李大钊哲学思想研究　　许全兴著

北京大学出版社 1989 年 10 月出版　166 千字

本书是系统研究李大钊哲学思想的专著。全书分上下两篇，论述了李大钊的前期哲学思想与后期哲学思想。

本书有以下两点特色：

第一，本书将李大钊的前期哲学思想明确概括为青春哲学，并论述了青春哲学的思想体系及其意义。作者指出，青春哲学在宇宙观上是唯物主义自然观，认为宇宙是自然的大实在，宇宙在空间上是无限的，在时间上是无极的，新陈代谢是天演之公理，表现出进化唯物论的思想特征；青春哲学的人生观是不断追求真理、前进向上的人生观，肯定人生的价值，主张青年是国家之魂，青年应以再造青春之中华为己任，表现出奋发有为，乐天进取的革命精神；青春哲学的认识论是唯物主义反映论，认为真理是人们对世界本相的正确反映，真理是自然的，而非迷信、宗教的，人们对真理的获得，一在查事之精，二在推论之正，尤以据乎事实为要，表现出实事求是的精神；青春哲学的历史观是注重众庶的民彝史观，认为离于众庶则无英雄，迷信英雄必然导致专制，看到群众在社会变革中的力量，包含有唯物史观的某些思想因素。作者指出，青春哲学的意义，在于为青春中华之再造作出理论上的论证。

第二，本书突出了李大钊传播和运用马克思主义哲学的历史功绩。作者指出，李大钊在中国最早传播了唯物史观关于生产力与生产关系、经济基础与上层建筑的辩证关系，阶级与阶级斗争以及人民群众历史作用的基本原理。在他的影响和带动下，许多青年走上了信仰马克思主义的革命道路，成长为中国第一批马克思主义者。李大钊不仅传播马克思主义哲学，而且特别重视马克思主义哲学在现实斗争中的运用。主要表现为：他运用唯物史观，参加了“五四”时期关于问题与主义、关于社会主义问题、关于无政府主义问题的讨论，批驳了各种改良主义的谬论；他运用唯物史观批判唯心史观，批判旧史学，倡导史学革命，从经济上解释中国近代思想变动的原因，并把历史作螺旋状的进步看成是社会发展的一个规律；他论述了哲学与特殊科学的关系，强调哲学对具体科学有世界观和方法论的指导意义；他最早从共性与特性的关系上论证了马克思主义理论必须与中国实际情况相结合的问题，并以马克思主义哲学为指导，探索了中国民主革命的一系列根本问题，诸如党的领导问题、农民问题、革命统一战线问题、武装斗争问题，以及中国革命是世界革命的一部分等问题。总之，李大钊的哲学思想对中国现代哲学作出了多方面的贡献，是中国现代哲学的发端。

（佟玉琨）

史前认识研究

李景源著

湖南教育出版社 1989 年 3 月出版 220千字

这是作者的博士论文的删节本。作者用马克思主义哲学的观点考察了史前认识的发生、发展过程及其特点，目的在于以发生学的方法，从人类认识的源头着手，来更完整、更全面地揭示人类认识的本质和规律。作者认为，科学的认识论应当是理论化的认识史，这也正是本书所力图达到的目标。

本书除导言外，共分 5 部分。作者依据古人类学、考古学和民族学所提供的资料，对思维学史上的若干假说加以重新审视和辨析，对认识发生的机制和原始形态，原始思维逻辑的起源及其特征，在原始宗教中主、客体的历史分化等问题，进行了比较深入的探讨。

本书最主要的特点，是从物质活动和观念活动相统一的原则出发，把人的实践的起源作为揭示认识发生之谜的钥匙。书中提出，考察认识起源的前提是阐明认识主体的起源，而人类的起源同劳动活动方式的起源是同一个过程。正是在劳动活动的形成过程中，人的肉体组织和主观精神诸方面才历史地形成。书中依据英国学者波兰尼对知识分类的原则，把认识的发生划分为意会认识和言传认识两个阶段来加以考察，认为人类认识的最初形态是一种意会认识，其本质是感知运动性智力。由于认识能力的低下和主客体尚未完全分化，因而意会认识主要是一种价值意识，而价值意识只不过是一种实践意识，由此可以看出认识的实践本质及它们二者在发生学上的联系。书中还考察了思维逻辑的产生过程，认为实践正是由客观的逻辑向思维的逻辑转换的基本环节。作者依据皮亚杰有关实物性动作、表象和概念及其相互关系的思想，从工具演化形态入手，描述了人的认识从直观动作思维的“实物性”概念到表象思维的“前概念”，再到抽象概念的逐步发生过程。此外，书中还对原始思维怎样走向逻辑化的问题，进行了探讨；认为相似猜想和确认同一的能力，乃是形象思维和抽象思维之共同的思维基础。（王鹏令）

从哲学看符号

肖　峰著

中国人民大学出版社 1989 年 3 月出版　206 千字

本书是国内第一部系统地从哲学角度研究符号的专著。全书以符号为对象，在大量参考国内外有关材料的基础上，运用哲学思维，从多种角度对符号问题进行了较全面的探讨。

本书除导言外，共分 7 章。在导言中，作者从哲学研究的基本特点和功能的角度，指出了研究与人的认识和实践活动密切相关的符号现象的重要意义，概述了中西哲学史上及现代西方哲学对符号问题的研究，阐明了从哲学角度研究符号、建立“符号哲学”对于哲学研究的深入、特别是马克思主义哲学发展的必要性。

第一章论述了符号的一般规定。指出：符号是对象的人工指称物，符号与对象间存在着既相即又相离的关系；符号是思想的表达物，是思想信息的物质载体，是外在地表达思想的工具；符号是以人为主体的社会现象，符号现象的唯一主体是社会的人。第二章论述了符号的二重性，包括符号的内容与形式的关系、符号的元素与系统的关系、符号的共性与个性的关系、符号的变动性与稳定性的关系。

第三、四、五章分别论述了作为直接认识对象的符号、作为思维操作工具的符号和作为表达手段的符号，全面揭示了符号在认识各个环节、过程中的作用。作者指出：符号在认识中的第一种作用是“引渡”认识对象于主体，第二种作用是通过意义符号单元的扩充、分解、组合等符号操作活动进行感知信息的加工，第三种作用是输出人脑加工过的信息，充当思维结果外在化的手段，使思维成果得以传播并实现价值。

第六章在前 3 章论述的基础上，考察了符号在认识发展总过程中的作用，特别是从认识个体发生和发展的角度，考察了符号与认识演化的关系。第七章从实践的角度对符号现象产生和发展的基础、符号的特性与功能作了进一步深入的考察。揭示了符号的实践功能，阐述和展示了符号在实践活动中的应用途径和前景。

本书较全面地涉及到了中西方、尤其是西方哲学中关于符号问题的哲学观点，对其中的主要流派和代表人物的思想，都尽可能作了介绍和中肯的评价，清晰概要地勾画了符号的哲学研究的发展线索。本书的一个特点是对符号进行了多角度的较全面的哲学探讨，注重系统性及各种探讨之间的关系。并在深入探究前人思想的基础上提出了一些新的、富有启发性和研究价值的问题。

（陈新夏）

大樊笼·小樊笼——中国传统生活方式　王玉波著

中国新闻出版社 1989年1月出版　220千字

本书是作者在多年研究生活方式课题的基础上，运用其形成的有关理论观点对中国传统生活方式进行研究的成果。书中侧重从横向上揭示了传统生活方式的几个主要层面，通过大量征引史料、着重探讨了传统生活方式的落后面，指出了其阻碍中国现代化进程的主要的、本质的特征。

作者首先分析了传统的婚姻，指出传统婚姻的本质特征在于看重家庭价值，忽视个人价值；在传统婚姻中，家族是主体，这一点既表现在社会伦理道德规范中，又表现在国家法律中。

对传统的家庭生活的分析是作者所着意侧重的部分，作者以较大的篇幅从肯定性和否定性两方面进行了分析。就其肯定性特征而言，传统家庭生活有其各种形成机制，这些形成机制从经济结构、消费方式、组织结构、角色分工、宗法和家规、以及认同心理等各个角度强化了传统家庭，使之成为传统社会生活方式的稳固的、主要的构成部分，占有传统生活方式的核心地位。就其否定性而言，传统的家庭具有种种内在的矛盾和冲突。首先家长的角色就存在着其角色的全能性与家庭实际条件之间的矛盾，对家长的角色要求和家长自身品德、心理素质之间的矛盾。此外还存在父子的矛盾，两性的矛盾，以及大家族内外的种种矛盾冲突。

在对传统的消费方式的分析中，作者令人信服地论证了中国传统的消费生活方式是生存型的消费方式，这种消费生活方式在某种程度上一直延续至今，一方面，这种传统消费方式创造出了中国独特的饮食文化和服饰文化，为世界文明作出了贡献；另一方面，也有其非科学的落后性方面，至今影响着人民生活的现代化。

传统生活方式由于受自然经济的限制，其社会交往也是落后的和狭隘的，在这方面，作者对中国传统社会交往的特点的分析颇有意味。

从传统的家庭生活关系和宗法关系分析到传统的政治生活，这使得作者全书的逻辑思路开始于婚姻而完结于政治，从最简单的人际关系到最复杂和大范围的人际关系，形成了完整的理论框架。 （张　阳）

信息科学原理　　钟义信著

福建人民出版社 1988 年 9 月出版　669 千字

科学原理与哲学思想的相互渗透是本书的一大特色，它反映了信息科学的概念、理论和方法远远超出了自然科学的边界，伸向社会科学的各个领域，为哲学、经济学、社会学、管理学等学科提供新的研究课题、研究方法和思路，同时也形成了它特有的信息科学方法论。

本书从本体论层次和认识论层次对信息概念的阐述颇有新意。它给出"本体论层次的信息，就是事物运动的状态和方式，也就是事物内部结构和外部联系的状态和方式。"如果引入一个约束条件，即必须要有观察者和使用者作为认识主体，并且必须从主体的立场出发来定义信息，那么本体论层次的信息定义就转化为认识论层次的信息定义。"认识论层次的信息，就是认识主体所感知或所表述的事物运动的状态和方式。"这个认识论层次的一般信息，又可因引入限制条件的不同，而转化为语法信息或语义信息或语用信息。如果不仅对观察者施加各种限制条件，而且也对所观察的事物规定一些限制性约束，就会有层次更低、适用范围更小的信息定义。这样，作者就给出了一个信息的定义体系，并描述了信息的特征和性质，还分析了信息的若干哲学问题。

本书着重论述了信息科学的 5 条基本原理：(1)信息传递原理(通信论)，(2)信息再生原理(决策论)，(3)信息调节原理(控制论)，(4)信息组织原理(系统论)，(5)信息认知原理(智能论)。作者总结的这 5 条基本原理，是信息论发展到信息科学的标志。本来意义上的信息论主要应用于通信方面，如今的信息科学不仅突破了这种局限性，而且包括了通信论、决策论、控制论、系统论和智能论，可以说形成了信息大科学。作者认为信息科学的崛起是自然科学发展史上一次伟大的革命。原先传统的自然科学观念一直是以物质和能量为中心，没有信息的观念，表明科学尚不成熟。现在有了信息的观念，与物质和能量三足鼎立，就形成了一个完整的、均衡的结构，标志着科学开始进入它的成熟时期，将彻底改变科学的面貌，因而也改变整个社会的面貌。

（天　湘）

中国认识论史　　姜国柱著

河南人民出版社 1989 年 7 月出版　463 千字

本书是中国第一部认识论史专著。作者坚持马克思主义哲学的基本观点，深入考察和论述了中国认识论史的主要内容和发展规律。

全书共 5 章：第一章系统地研究了中国原始思维的产生和形成，论述了从古猿智慧产生到人类思维的过渡、原始人的思维活动及其表现、神灵观念和图腾崇拜的产生、关于宇宙发生与人类起源的神话传说、奴隶社会初期的认识论等一系列新颖的问题。第二章到第五章，分别阐述了 4 个认识专题的历史演变：主体与客体的专题，它在中国认识论史上，是围绕着天与人、心与物、形与神、能与所、名与实等对应的范畴展开；感性与理性的专题，它体现于闻见与思虑、生知与学知、格物与致知、可知与不可知等范畴；知与行的专题，体现于知易行难与知难行易的争论、知先行后与行先知后的争论、知行兼举与知行相资的争论、知轻行重与知重行轻的争论、知行相分与知行合一的争论等等；真理观的问题，在这方面古人提出了检验真理的各种尺度，其中包括言必立仪、天命鬼神、金钱权势、天理人心、圣众之言、无是非论、名实相副、参验效验、力行实践等。这种篇章结构不拘泥于哲学史上的人物先后顺序与学派分野，而是依照中国哲学发展的内在联系，围绕具体的认识论范畴与概念逐一展开叙述，以实现逻辑与历史的统一，颇具特色。书中取材广博，资料翔实，内容繁富。书后附有所论及的 128 位思想家生卒年表。　（周姚平）

中国近代哲学史（上、下册）　　冯契主编

上海人民出版社 1989 年 7 月出版　800 千字

本书是国家哲学社会科学“六五”规划重点研究项目之一，由中国社会科学院哲学研究所中国哲学史研究室、上海社会科学院哲学所中国哲学史研究室、吉林大学哲学系中国哲学史教研室、华东师范大学哲学系中国哲学史研究室 4 个单位的 10 多位学者协作撰写的。书中的基本框架和基本论旨与冯契《中国近代哲学的革命进程》一书一致，但专题研究较多，论述得也更为详细。

书中详细介绍评述了近代各个时期的哲学论争和思想批判，剖析了五四运动以后的历次哲学论战，这些论战包括：五四时期的“问题与主义”论战、批判伪社会主义和无政府主义、“科学与人生观”论战，30 年代的中国社会性质论战、中国社会史论战、所谓“唯物辩证法”论战，40 年代对“新理学”、“新心学”和“力行哲学”、“唯生论”等的批判，以及对革命阵营内部一切错误倾向的斗争，即反对“左”的和右的机会主义，克服教条主义和经验主义。作者通过

对这些论战和思想批判的剖析，向读者展示了马克思主义哲学在中国的传播和中国化的过程。书中创见颇多，内容新颖，例如从哲学革命与近代哲学总体发展的角度出发，对过去学术界不很重视的朱执信、蔡元培、郭沫若、贺麟以及曾国藩、蒋介石、陈立夫、戴季陶等人的思想作了研究，尝试性地将他们当作中国近代哲学史中不同时期的代表人物来看待。对于《翼教丛编》，也辟专章作了介绍和剖析。另外，还具体分析了佛学在近代复兴的主要原因，论述了近代若干佛学研究者的佛学思想，着重论述了他们对佛学研究方法的创新和在佛学研究上取得的许多成就。（季甄馥）

张岱年文集（第一卷）　张岱年著

清华大学出版社 1989 年 4 月出版　324 千字

本书是 6 卷本《张岱年文集》的第一卷，收录了作者 1931 年至 1936 年所撰写的论文，主要探讨 3 个方面的问题：（一）关于中国哲学史的问题。作者着重阐发中国古代的辩证法思想与唯物论哲学，文集中《先秦哲学中的辩证法》《秦以后哲学中的辩证法》两篇论文系统梳理了从老子到王夫之的辩证法思想。（二）关于哲学理论问题。作者比较注意外界实在问题与普遍和特殊的关系问题。主观唯心主义否认客观世界的实在，一部分实证论者又认为外界实在是无意义的，作者从理论上作了辩驳。唯理论者认为共相潜在，即可以脱离具体事物而独立自存，作者亦不以为然，对这些问题进行了研讨。（三）关于中西文化的问题。作者参加了 30 年代的文化讨论，反对全盘西化论，也反对东方文化优越论，认为应当用唯物辩证法来分析文化问题。作者认为东西方的自然人事有所同异，故其哲学亦有所同异，例如中国的辩证法与西洋的辩证法在最主要之点上是一致的，但讲中国的辩证法切忌随便引用西洋辩证法的种种来附会。作者认为，若欲中国民族将来在世界文化史上仍占一地位，只有创造新的文化。

本书后面还附有作者 1926 年至 1936 年著作、论文存目。（陈　静）

理学范畴系统　蒙培元著

人民出版社 1989 年 7 月出版　398 千字

本书从宋明理学各派不同的思想体系之间，归纳出一个统一的理学范畴系统。作者研究了这一系统中的 28 对范畴以及与此有关的理学命题，探讨其中的联系，从而向读者展示出宋明理学的整体结构。由于理学范畴是中国传统哲学范畴的最后总结和完成，这部书可说是关于整个中国传统哲学范畴系统的研究专著，有着哲学史著作与哲学著作双重性质。

全书分为4篇,第一篇研究理学宇宙论与本体论方面的范畴,指出两汉哲学基本上属于宇宙论,魏晋玄学与隋唐佛学基本上属于本体论,理学结合两者,建立了系统的宇宙本体论哲学。在先秦汉唐的各种宇宙论、本体论范畴中,一直没有互相对应、互相联结的关系,直到宋代,才形成了以理气为中心的宇宙论、本体论方面的范畴网络,成为理学范畴系统的基础和出发点。第二篇研究以心性为中心的理学人性论与人生论中的范畴网络,对理学中道德自律论与道德他律论等争论进行了探索。第三篇研究以知行为中心的理学认识论、方法论中的范畴网络,对理学中格物与致知互相补充、涵养与省察互相交养等学说作了系统的介绍。第四篇研究理学天人合一思想中的范畴网络,指出中国古代天人合一思想在理学中发展为心理合一。各篇都有概论,说明4个网络的逻辑联系,指出理气范畴网络与心性范畴网络是相互对峙的,其中有着主体与客体对立的含义。经过知行范畴网络的联结作用,对立获得解决,天人合一的境界得以实现,因而天人范畴网络便成为理学范畴系统的逻辑的终点,是这系统的最后完成。（王葆玹）

儒家思想研究 吴乃恭著

东北师范大学出版社 1988年8月出版 400千字

本书是国内儒学研究方面不多见的学术专著。它以马克思主义为指导,研究了儒家思想产生、发展、演变的历史,颇有新意。全书共分8章。

作者认为,孔子思想的主要范畴是仁,不是礼,其中仁是新创,礼是因循,顺应了解放奴隶的潮流。重视政治和伦理道德及其实践、学习与政治道德的统一,是孔子儒学的主要特征。孟子儒学的突出特征是提出了以性善说为主要内容的心性说,开辟了儒家心性思想发展的道路。荀子思想的主要特征是重视礼治及理智的作用。董仲舒儒学的特征是使天人关系神秘化。朱熹的富有思辨色彩的理学是儒家唯心主义思想发展的最高阶段,它的特征是以孔孟儒学为主而兼容佛老的唯心论,把封建伦理纲常提到本体论的高度。王守仁集儒家心性学说之大成,是儒家心性学说发展的最高和最后阶段,其特征是"致良知",建立了一个把本体论、认识论、道德论、人性论合而为一的思想体系。王夫之儒学无所不包,是中国古代哲学思想的批判总结者、最高发展者和近代启蒙思想的先驱者,主要特征是以朴素唯物辩证法思想说明自然、社会以及思想领域里的发展规律,批驳老庄玄学、佛学唯心主义、宋明唯心主义理学和心学,总结历史上国家兴衰得失的经验教训,探索补偏之方等。作者指出,盲目、固执地尊儒崇圣,或是简单地采取虚无主义态度否定传统文化,都是不可取的。应明辨精华与糟粕,作出历史主义的评价。

本书有两个突出的特点：第一，提出了一些独立的见解，如关于荀子的性恶论，一反传统的评论为天赋性恶论的看法，认为它是后天的性恶论。第二，史料丰富、翔实，训诂严谨有功力，如王夫之说“致知”是“虚以生其明，思以穷其隐”，书中指出其中的“虚”是“虚而实”，不是“虚心”或破除成见。

（肖万源）

庄子歧解　　崔大华著

中州古籍出版社 1988 年 12 月出版　570 千字

本书是历史绵长的《庄子》注解学术事业中的一本新作。它归纳了魏晋以来对《庄子》字句、思想的不同解释和理解，从而总结历代《庄子》注解的主要观点，疏通了《庄子》中发生歧义的疑难肯綮之处，方法新颖，内容充实，征引历代《庄子》注解凡 100 多种，是一部深入研究《庄子》、庄学的重要著作。

本书突破《庄子》注解中传统的孤解和集解方法，创造了歧解的方法，就是先寻觅出历代《庄》注的歧异之处，按时间先后摘其观点明确者录之（同一观点则只采录其一在最先者）；然后进一步分析，指出导致这种分歧的不同的解《庄》角度或性质，诸如字读、句读的不同，词义理解的差异，思想派别或哲学立场的分歧，等等。这样，本书兼采义解、考据之长而避其短，能较清晰地反映出《庄子》注解的历史状况和历史发展，揭示出《庄子》思想的宽广意境。有比较而后易见分晓，本书不但对于《庄子》或庄学的深入研究大有裨益，同时对于真正读懂《庄子》也会有所帮助。（豫　文）

东坡新论　　王国炎著

江西人民出版社 1988 年 12 月出版　133 千字

苏轼是北宋著名哲学家，蜀学创始人之一和主要代表，反理学的先驱者。

本书是国内第一部系统研究苏轼哲学思想的专著。作者在掌握丰富史料的基础上，分析了苏轼哲学长期被埋没的原因，阐述了苏轼家世、生平、著述及苏轼哲学产生的社会历史根源和思想渊源，对苏轼哲学自然观、历史观、认识论、辩证法思想作了全面系统的论述，阐明了苏轼哲学的特点和历史地位。

全书共分 6 个部分。绪论部分探讨了苏轼哲学被埋没的 3 个原因及研究现状。正文第一部分在介绍苏轼家世、生平基础上，重点论述苏轼政治思想和苏轼哲学萌芽、形成、成熟的三个发展阶段。第二部分论述苏轼哲学产生的社会历史根渊，重点探讨苏洵哲学对苏轼的影响，苏轼哲学与儒佛道等传统思想的关系。第三部分论述苏轼唯物主义自然观、无神论和进步的社会历史观，对道、阴阳、“天地一物、阴阳一气”、“天下非君有”等重要范畴、命题作了深入分析。第四部分系统阐述苏轼主张深博结合、学以致用、反对先验论、坚持可知论的认识论和“通二为一”、“以变为恒”的朴素辩证法思想。最后一部分为结束语，概括了苏轼哲学的4个特点，评价了苏轼哲学的历史地位和作用。

（张志永）

中国哲学四十年　　杨春贵主编

中共中央党校出版社 1989年9月出版　496千字

本书分4个时期评述了新中国哲学40年(1949～1989)的历程。

全书共5编。第一编为新民主主义到社会主义的过渡时期(1949～1956)，分别论述了确立马克思主义世界观的指导地位、思想文化领域几次大的批判和新民主主义向社会主义过渡实践中马克思主义哲学的运用。作者认为，这一时期虽有缺点和偏差，但从全局看，马克思主义哲学思想的建设是相当成功的。

第二编为开始全面建设社会主义时期(1956～1966)，分别论述了对社会主义社会矛盾理论的探索、经济建设中的主观主义、工农兵学哲学、各个领域一系列理论问题的讨论、关于思维和存在的同一性、对“一分为二”与“合二而一”的争论与批判等。作者认为，这一时期的哲学研究由于紧密结合了中国社会主义革命和建设的实际，在许多方面对以斯大林为代表的传统哲学有所突破。但这一时期由于政治上严重的“左”的偏差，使哲学研究工作遭到很大挫折。夸大阶级斗争的地位和作用，夸大主观意志的作用，是这个时期哲学研究中存在的一种普遍倾向。

第三编为“文化大革命”时期(1966～1976)，分别对唯心主义、唯意志论的泛滥、形而上学猖獗、实践论与天才论的斗争、错误的阶级斗争理论与“上层建筑决定论”、影射史学及其对中国历史和哲学史的篡改进行了评述。作者认为，社会主义改造完成以后，毛泽东逐步提出和发展了一系列“左”倾错误观点，直至错误地发动“文化大革命”。在“文化大革命”的十年中，由于林彪、“四人帮”形而上学猖獗、唯心主义横行，不仅在哲学领域造成了极大的混乱，而且对中国社会的政治、经济、文化各个领域都带来了广泛的影响和严重危害。

第四编和第五编为社会主义建设新时期(1977～1989)，分别论述了“真理标准”的讨论和实事求是思想路线的重新确立、社会主义社会矛盾的再认识与社会主义改革，以及对哲学各个领域一系列理论问题的新探讨。作者认为，在这一时期，马克思主义哲学发挥了巨大的指导作用，同时也使自己获得

了蓬勃发展的新的生机和活力。这一时期，在哲学的各个领域都出现了空前繁荣的局面。 （毛卫平）

欧洲哲学史著名命题史话 陶 济著

北京出版社 1989年1月出版 240千字

欧洲哲学史著作，近年来国内已出版了多部。而本书与同类著作相比，却颇有特色。它以史话的形式，精选了欧洲哲学史上57个具有代表性的著名命题，重在揭示这些命题的来源、发展和内在联系，同时密切联系哲学家的整个哲学思想体系，阐明这些命题的本质特征和理论意义、相互之间的联系和区别，勾勒出欧洲哲学历史和逻辑发展的基本线索，对于读者有重点地学习和研究欧洲哲学史，进一步提高理论思维能力和水平，有一定的启迪和参考价值。

本书共分4个部分，它们是：1．古希腊罗马哲学的著名命题；2．中世纪与文化复兴时期欧洲哲学的著名命题；3．16世纪末到18世纪欧洲哲学的著名命题；4．18世纪末到19世纪初德国古典哲学的著名命题。

本书在第一部分古希腊罗马哲学中，选择了16个著名命题。这些命题比较确切地概括了每个哲学家的思想体系的特色。例如：飞矢不动——芝诺；认识你自己——苏格拉底；原子自动倾斜作偏离运动——伊壁鸠鲁；等等。作者认为，在欧洲哲学发展的开端阶段古希腊罗马哲学时期，哲学家们建立了形形色色的范畴、命题和学派，从本体论出发来研究世界的本原问题。

本书第二部分中世纪与文艺复兴时期选择了12个具有代表性的著名命题。作者认为，这一时期的哲学，以个别和一般这对范畴为中心，从本体论和认识论两个方面深入地研究了世界的本原问题。

本书第三部分选取了14个很有特色的著名命题，如：知识就是力量——培根；我思故我在——笛卡尔；人是机器——拉美特利，等等。作者指出，从16世纪末到18世纪，欧洲社会发生了翻天覆地的变化。英国和法国资产阶级革命带来了整个欧洲范围的资本主义社会新秩序。近代科学和技术的迅猛发展开辟了人类认识世界的新纪元，近代哲学因而完全转向了从认识论出发研究思维和存在的关系问题。

本书第四部分撷取了德国古典哲学的15个著名命题，论述了德国古典哲学的概貌。作者指出，在德国古典哲学中，辩证法和唯心主义的对立，凝聚和积淀在辩证法、认识论、逻辑学三位一体的思维和存在这对范畴中。此外，作者在这部分对康德和费希特思想的论述也比较中肯。 （程志民）

西方一百个哲学家(下册)　　谢庆绵　孙志明等主编

江西人民出版社 1989 年 12 月出版　300千字

本书是《西方一百个哲学家》的续册。继上册之后，作者在众多的西方思想家中刻意选取了从叔本华到哈贝尔马斯等 50 多位哲学家，以求大体上反映 100 多年来现代西方哲学思潮的发展。

文章力求依据马克思主义观点，以述为主，评述结合，从掌握的最新资料出发，科学地、辩证地分析和评价各个哲学家在西方哲学发展史中的地位和作用。例如在评论尼采哲学中，作者指出，随着对尼采《权力意志》一书真实性的怀疑，国内外又重新出现了评价尼采哲学的趋势，应该引起我们的重视，又如对马尔库塞的发达工业社会理论的评估，作者既指出了这种理论与马克思主义的根本对立，又注意到了这种理论对我们认识现代资本主义社会的启发作用。

本书还对目前国内研究较少的现代西方一些重要科学哲学家如冯特、布里其曼、贝塔朗菲、怀特海等的思想作了着重的介绍，给人以新的探讨角度和新的启发。　(木　辛)

附注：本书上册内容特点的介绍，请见1987年中国哲学年鉴。

青年黑格尔的哲学思想　　宋祖良著

湖南教育出版社 1989 年 6 月出版　135 千字

本书是国内第一部研究黑格尔青年时代的哲学思想的专著。国人对黑格尔哲学的研究，多从其成熟时期的著作《精神现象学》开始，而青年黑格尔的哲学思想却少有开掘。本书是作者在贺麟教授指导下所写的博士论文，比较全面系统地探讨了青年黑格尔的政治、经济、宗教、哲学等方面的思想。全书由“引言”、“正文”、“主要参考书目”和“后记”组成。正文分 4 章：1．求学时期；2．早期神学著作；3．几篇政治著作；4．耶拿时期。

作者在“引言”一章中，较详尽地介绍了国内外学者对于青年黑格尔哲学思想的研究情况。作者认为研究青年黑格尔，就是从生成发展中去把握黑格尔后来所建构的巍峨的哲学大厦。无论如何，对于黑格尔这样的大哲学家，人们不能无视他青年时期 14 年的著作生涯，而仅仅顾及《精神现象学》以后的著作。探讨青年黑格尔的哲学思想，将会得到许多启发，使我们更好地理解成熟时期的黑格尔。

在正文中，作者分 4 个时期论述了黑格尔的青年时代的哲学、政治、经济和宗教思想。

求学时期，从 1773 年到1788年。作者论述了黑格尔中学时期的思想发展过程。黑格尔从青少年时代起就特别关注辩证法问题。

早期神学著作，从1788年到1800年。作者认为，在这个时期，黑格尔不满于康德式的反思哲学，力求与其划清界线。黑格尔以生命作为精神实体，以爱作为合一，以反思作为对立，已勾画出他后来的许多重要哲学思想的轮廓。

几篇政治著作，从1798年到1802年。黑格尔的政治著作强烈地表达了他改革现实的迫切愿望。这不仅说明了他的进步的政治倾向，而且其中所孕含的藐视外表强大的旧事物的变革思想，无疑成为他未来的辩证法思想的一个组成部分。

耶拿时期，从1803年到1806年。作者认为，在耶拿时期，黑格尔为创建辩证法哲学作了不懈的努力。从他的众多的有关哲学体系的草稿中，可以看出他对现实所做的经济学-哲学分析，又可以看出他与谢林思想的复杂的关系。《精神现象学》是黑格尔从1803年到1806年精神发展的积淀物和成果。

本书从德文原文中引用了大量的材料，并剪裁得当，论述精辟，还穿插有哲学家的生平趣事，使这本有较高学术性的研究专著，文风生动活泼。

（程志民）

美国哲学史

罗志野　袁义江　李泰俊著

广西师范大学出版社1989年7月出版　226千字

本书简明扼要地论述了美国建国前后200多年的哲学发展情况。这是我国研究美国哲学史的第一部专著。

一、本书首先探讨了美国哲学的性质，叙述了美国在殖民地时期、理性与革命时期、内战前以及19世纪下半叶的哲学发展情况，然后转述美国哲学的黄金时代、实用主义的开始。

二、作为美国本土的实用主义哲学在20世纪新的情况下进入了困境，各种学派开始纷争，新实在论、批判实在论、自然主义的兴起，促使了实用主义分化。如刘易斯的概念实用主义、莫里斯的实用主义指号学、布里奇曼的实用操作主义以及胡克的实用主义的“马克思主义”。

三、本世纪四、五十年代开始，美国哲学进入了新阶段。一方面受到语言分析的冲击，哲学限于讨论命题的意义；其次出现了人本主义的浪潮、存在主义发起挑战，精神分析也不甘落后，善于自我实现的心理哲学出现、对人格价值的探讨；第三，社会哲学也开始进入文化市场，如帕森斯的社会哲学、自由主义、保守主义及激进主义的思想都开始出现。

四、美国哲学在危机中。作者深刻地指出,美国哲学家把哲学变成了仅仅是分析语义的工具;美国价值哲学提倡自私的美德。作者认为,美国哲学发生了“综合狂”,出现了新乌托邦。最后,作者分析了美国哲学如何摆脱危机。

（丹　心）

印度哲学史 **黄心川著**

商务印书馆 1989 年 7 月出版　375千字

本书是解放后中国学者撰写的第一部全面、系统地研究印度哲学史的专著,共分 14 章 68 节。

在第一章导言中，作者首先从宏观的角度将印度哲学史分作 4 个时期：(一)古代哲学(约前 3 世纪到 3～4 世纪)；(二)中世纪哲学(约 3～4 世纪到 18 世纪)；(三)近代哲学(约 18 世纪到 1947 年印度独立)；(四)现代哲学（独立之后)。并对每一时期印度哲学的各主要方面进行了概述，梳理了印度哲学发展的基本线索。本书主要论述古代哲学与中世纪哲学两大时期。作者还对印度哲学的基本特征进行了归纳与总结，指出：在印度哲学中存在着唯物主义与唯心主义，辩证法与形而上学，以及唯物论与唯心论内部各派之间的斗争；印度哲学唯心主义与宗教关系紧密,但唯物主义传统也是强大的；由于印度家族奴隶制和宗法封建制的长期性、停滞性和典型性，印度哲学常与社会政治思想、伦理思想相渗透；印度哲学虽然植根于南亚次大陆，但它不是孤立的，既曾受过强烈的外来影响，也曾极大地影响过外部世界；印度哲学有其独特的范畴和表达方式，不同的时代与派别常对同一范畴赋于不同的含义，这增加了印度哲学研究的复杂性。作者认为，在当前印度哲学史的研究中,有些西方学者大肆渲染“欧洲中心论”,企图抹煞、贬低印度人民哲学的成就;而有的印度学者则极力赞美印度哲学中的唯心主义路线。只有用马列主义观点才能对印度哲学进行科学的研究。现在,用马列主义观点研究印度哲学已取得一系列卓越的成果,正在产生愈来愈大的影响。

在以下各章中,作者顺次详细研究了吠陀、奥义书、沙门思潮、顺世论、生活派、耆那教、佛教及传统的六派哲学。分别分析了它们的基本思想体系、基本特征、主要哲学范畴与理论、主要思想倾向、自然观、认识论、社会伦理思想、历史发展线索乃至对后世及对中国的影响等一系列问题。作者指出：印度哲学中悠久的唯物主义传统以及丰富的逻辑范畴集中反映了印度人民的智慧以及科学思想的成就，也集中反映了印度人民在各个时期为社会进步而斗争的经验。印度哲学在长期的发展过程中，提出和探讨了很多问题：世界的起源和发展、物质和精神的本源、灵魂和肉体的关系、物质运动的形式、时空的实在性、人类认识的能力和途径、思维的辩证发展、语言逻辑与实在的关系、理论与实践的关系、解决社会苦难的方法等等，这些问题也是马克思主义哲学不能不涉及的问题。　　　　　　　　　　　　　　　　　　（方广锠）

日本近代十大哲学家　　　　铃木正　卞崇道等著

上海人民出版社 1989 年 4 月出版　273 千字

这是一本由中日两国 5 位哲学工作者共同执笔的关于日本近代哲学的研究著作，以中日两种文字分别出版。为使中国读者易于理解，中文版增加"前言""日本近代哲学的发展及其特点"和附录"日本近代哲学史年表"。

在"前言"中，著者着重阐述了日本近代哲学产生、发展的特征和源流。在正文部分，选择日本近代哲学史上有代表性的哲学家西周、津田真道、福泽谕吉、三木清、中江兆民、狩野亨吉、西田几多郎、田边元、户坂润和加藤正，对他们的学术生涯、主要哲学思想和在日本哲学史上的地位作了比较详细的论述。西周、津田和福泽是明治初期日本启蒙哲学的代表，他们主要是介绍和引进西方近代哲学，总结了以儒教、佛教和神道教为核心的日本传统哲学，形成了与其时代相适合的日本近代启蒙哲学。进入明治时代中期则形成以中江兆民为代表的唯物论哲学，中江兆民把日本传统唯物论提高到现代唯物论的高度，有"东洋卢梭"之誉。从明治末期到昭和时代前期，一方面形成以西田几多郎、田边元为代表的日本近代唯心主义哲学；另一方面以三木清为桥梁，产生以户坂润、加藤正为代表的马克思主义哲学的传播者和研究者。因此，本书所选的 10 位哲学家的哲学思想，可以说反映了日本近代哲学的基本面貌。

（苏　阳）

思·史·诗——现象学和存在哲学研究　　　　叶秀山著

人民出版社 1988 年 12 月出版　274 千字

本书是作者关于西方现代哲学的一部很有分量和深度的新作。全书由"引言"、正文和"作者后记"组成。正文共分 9 个部分：1. 卡西尔的符号现象学；2. 艺术·神话·历史——卡西尔的《论人》；3. 心理（精神）世界的探索——胡塞尔的现象学；4. 现代现象学思潮与黑格尔哲学；5. 海德格尔在"思想"的道路上；6. 海德格尔与西方哲学的危机；7. 哲学之辩护——雅斯贝斯的"奋争"和"奉献"；8. 萨特的"有""无"之辩；9. 杜弗朗和现象学美学。

作者认为，西方哲学从古希腊罗马哲学发展到黑格尔，发生了一个根本的转变。否定绝对唯心主义有两条思想路线：一条线索是从 G. E. 莫尔发起，经过许多发展，到维特根斯坦早期《逻辑哲学论》的分析性"语言哲学"理论；

另一条思想路线则是现代现象学的路线。后者正是本书所集中研究的课题。

现代现象学的奠基者和创建者是胡塞尔，它的直接渊源可以通过黑格尔上溯至康德。现象学一个最基本的原则在于："世界"不仅仅是我的"对象"，因为我原本是"世界"的一个部分，主体和客体原本是"同一的"，"世界"如何呈现在我们面前，是和"我们"如何对待"世界"相应的。这就是新康德主义的文化哲学和人类学哲学、胡塞尔的"意向性对象"的"显现"、海德格尔的历史性"此在"的存在哲学所共同坚持的基本立场。因此，所谓现代现象学思潮就是以胡塞尔现象学为核心，上溯至新康德主义者卡西尔的符号论现象学，下接海德格尔的存在论现象学。

卡西尔的"世界"是"文化(符号)的世界"，海德格尔的"世界"是"此在历史性世界"。从理论上说，不外乎胡塞尔的"生活的世界"。因此，卡西尔的现象学是文化性的，胡塞尔的现象学是知识性的，海德格尔的现象学是存在性的。"现象学"与"存在论"相结合也就是知识论与存在论的结合，这种结合是对欧洲固有的思想方式的突破。这种突破带来了一系列观念上的变化。首先是"人的观念"的变化，其次是"历史性"的观念的变化，再次是与"人"的实际活动(历史)相对应的人的思想(语言)形式观念的变化。

现象学、存在论、解释学揭示了生活、世界的一个方面。但是，正是人把世界社会化的，人类的任务不仅仅在于"理解""世界"，而且在于"创造""世界"。

(程志民)

维也纳学派哲学　　洪　谦著

商务印书馆 1989 年 4 月出版　162 千字

本书是中国第一部系统、扼要地介绍与评述维也纳学派的理论原则和思想方法的专著。作者早年在奥地利受教于维也纳学派的创始人石里克，是该学派的成员，他不仅对该学派产生的背景、活动情况以及该学派一些著名代表人物的思想风貌有切身的体验，而且对该学派的哲学思想有着全面的、深刻的理解。因此，本书尽管是作者在 40 余年前的著作，但现今重新出版仍有其重要的学术价值。

本书是作者在自己一系列关于维也纳学派的文章基础上加以整理而编成的。全书分为 15 章。前 3 章介绍了维也纳学派创立的思想背景，评述了石里克和逻辑实证论的基本思想，指出维也纳学派的哲学与传统的实证论有重要的区别。第四、五、六章围绕相对论、量子力学等新学说，讨论了现代自然科学哲学中的几个基本问题，如时空和几何学问题、因果律和或然性问题，以及实在性问题等等，强调现代科学与维也纳学派哲学有着紧密的联系。第

七、八章着力于对形而上学问题的分析，通过分析批判几种主要的传统形而上学学派的观点，阐发了维也纳学派反形而上学的主张。第九、十章论述了自然科学与哲学、自然科学与精神科学的关系，反对新康德主义者将“精神科学”与自然科学对立起来的观点，阐述了维也纳学派的“科学的世界观”和“统一科学”的思想。第十一章至十五章，分别评述了弗雷格、罗素、石里克、维特根斯坦和卡尔纳普的思想和代表作。

此外，在这次出版时，书后还增附了洪谦于解放前发表的《维也纳学派与现象学派》《论〈新理学〉的哲学方法》《康德的先天论与现代科学》3篇以维也纳学派的观点批评其它哲学流派的论文，有助于读者从对比中了解维也纳学派的主张。其中对冯友兰先生新理学的形而上学的批评一文，可说是维也纳学派观点在中国现代哲学研究中的活用。（罗嘉昌）

当代英美哲学　　杜任之　涂纪亮主编

中国社会科学出版社 1988 年 10 月出版 336 千字

本书是一部深入研究当代英美哲学的专著。它是由中国社会科学院哲学研究所现代外国哲学研究室部分学者协力写成的。本书以马克思主义为指导，以哲学问题为中心，对第二次世界大战结束以来流行于英国和美国的主要哲学流派的基本观点、历史演变、研究现状和面临的困难等等，都作了较为详细、系统的阐述。

本书共分 6 章。第一章“导论”阐述了英美哲学的历史传统、当代英美哲学的基本情况，指出当前英美哲学的发展有以下趋势：(1)经验论有所削弱，唯理论有所复兴；(2) 从追求知识的确定性走向相对主义；(3) 从单纯强调知识中的逻辑因素到重视知识中的心理因素以及社会历史因素；(4)分析哲学与欧洲大陆哲学开始出现相互渗透、相互补充的局面。接着分章论述了逻辑实证主义、日常语言哲学、普通语义学、语言哲学和科学哲学等。与以往以流派或人物为中心的评述现代西方哲学的著作不同，由于本书是以问题为纲展开的，不仅可以较充分地比较各学派对共同关心的问题的不同观点，而且在每个问题的最后“简短的评论”一节中，还阐述了作者对如何进一步解决这些问题的看法。这不仅有助于加深人们对当代哲学问题的理解，还有可能引起人们进一步研究的兴趣。例如，“语言哲学及其新进展”一章论述了“指称理论”、“意义理论”、“真理论”、“必然性和可能世界”理论。“科学哲学及其新进展”一章，则围绕着“分界问题”、“科学理论结构问题”、“科学说明问题”、“理论评价问题”以及“科学发展模式和科学合理性问题”来展开论述。这些也正是当前英美哲学在热烈讨论中的课题。

杜任之在本书的"序言"中分析了现代西方哲学中两种主要思潮(科学主义思潮和人本主义思潮)的特点及其合流的趋势，认为在力图综合两大思潮成果的基础上，当代西方哲学共同的人类中心论立场正在确立，转向人的问题，从人出发思考其它问题，正成为当前西方哲学中的一种趋势。

本书着重阐述的是战后在英美哲学论坛上占主导地位的分析哲学诸流派及学科，这个时期流行于欧洲大陆的哲学流派和思潮，将在续编《当代西欧哲学》中加以阐述。（罗嘉昌）

人的存在——"存在主义之父"克尔凯戈尔述评 翁绍军著

文化艺术出版社 1989 年 3 月出版 163 千字

这是中国出版的第一本全面评介克尔凯戈尔的生平及其哲学思想的著作。作者写作此书的目的，是以马克思主义的立场观点，去介绍和评论这些思想，为国内读者提供一些加过工的便于消化吸收的精神食粮。

这本书除引言和结束语之外，共分 9 章。第一至四章，着重描述了克尔凯戈尔的出身背景、社会环境、生平经历和某些轶事、文化教育状况以及最初的哲学活动；第五至八章，评述了克尔凯戈尔生前各个时期主要的哲学活动和学术论著，阐明并批判了其中所内涵的哲学思想；第九章分析了克尔凯戈尔与存在主义哲学思潮的关系。

大家知道，包括克尔凯戈尔在内，存在主义哲学家们所使用的术语和概念，是相当晦涩和难懂的。这本书最大的特点，便在于以通俗的语言，深入浅出地阐明并分析了克尔凯戈尔著作中所涉及的为存在主义哲学家们所着力探讨的那些基本的哲学问题、哲学概念及其意义。作者在第五章中指出，克尔凯戈尔继承了亚里士多德关于科学认识的对象及其特点的思想，认为对于存在，科学认识是无能为力的。人的存在由自由所规定，而不是由必然所规定；只有个体是真实的，实体是有形的个体，既不能归在类之下，也不能归在神之下。——这些构成了克尔凯戈尔及后来的存在主义哲学家们的一个指导思想。通过评述《或此或彼》和《恐惧和战栗》这两本著作，第五章还批判地分析了克氏关于选择和交往的理论，一方面指出：当克氏强调高于美学选择和伦理选择的宗教选择只是凭自己的主观去判定，而并无客观的迹象可资依据时，实际上已完成了他的全部存在哲学的核心；另一方面，也令人信服地指出了克氏关于间接交往的理论的宗教意义。在第六章，作者提出，《哲学片断》和《非科学的最后附言》乃是克氏本人展开存在的哲学意义的主要著作；克氏认为存在是荒谬的，因而"绝对荒谬"也便成为他的哲学主题。第七章分析了克氏关于人的描述，其中着重分析了"虚无"、"畏惧"和"自由"等存在哲学的基本概念及其关于人生道路（人生发展三阶段）的学说。第八章分析了克氏的荒谬宗教观，考察了克氏与传统基督教及丹麦教会的冲突。第九章比较了克氏与叔本华、尼采的异同，并提出：正是克氏和这两位19世纪的思想家，成为本世纪非理性主义思想家们的先行者；克氏本人关于存在的思想，使他成为本世纪存在主义运动的先驱。（点　水）

辩证逻辑学

梁庆寅编著

中山大学出版社 1988年11月出版 248千字

全书共12章。作者在书中除论述辩证逻辑的对象、性质及判断、概念、科学理论、规律和方法外，还专门设置两章来阐述真理及辩证逻辑与真理的关系等问题。

作者认为，在历史上，逻辑科学沿着两个方向发展：一个方向是形式逻辑走向形式化、数学化，可称为形式逻辑自身深化的方向；另一方向是探求不同于形式逻辑的逻辑类型，可称为非形式逻辑化的方向。基此，他概括道，逻辑科学中有形式逻辑也有非形式的逻辑，而非形式的逻辑是指科学认识方法的逻辑。在非形式的逻辑中，既有作为形式逻辑扩展形态的归纳逻辑和科学逻辑，又有并非形式逻辑扩展形态的辩证逻辑。从思维角度说，前者是知性逻辑，后者作为一种科学认识方法的理论乃是理性逻辑。

作者比较注重从科学认识活动的角度来分析各种思维形式，主张采用判断、概念和科学理论这样的叙述法。认为推理是形式逻辑，而不是辩证逻辑的主要内容，故此，他就不设专章来论述推理，只在科学理论的形成及辩证逻辑的方法的有关内容中才谈到推理的作用。

作者认为，根据辩证思维的本质特征，辩证逻辑的基本规律可归纳为如下3条：对立面并协律、整体综合律和具体再现律，它们从不同方面反映着辩证思维过程的本质，它们具有相对的独立性而不能互相替代。

如何从辩证逻辑的角度来研究真理的问题，是本书的一个特色。作者认为，辩证逻辑是关于真理的学说，这就决定了它有任务对真理给予科学的说明，以及向人们提供如何运用理论思维以把握真理的最一般的方法论。他肯定了逻辑经验主义的认识论意义：(1)有助于揭示形式科学与经验科学的不同特征，(2)有助于了解逻辑证明的性质；指出了它在理论上的错误：(1)割裂真理的客观性和普遍性，(2)否定逻辑真理的客观性，并认为，任何真理（包括逻辑真理在内），都是对客观事物的本质和规律的反映，因而，都是客观的，又是普遍必然的。作者还指出，真理是由一系列真命题组成的理论体系。只有这样的理论体系，才能把握事物的全体。而人们要把握真理却是一个辩证的过程，在此，就需要处理好感觉能力的至上性与非至上性、逻辑因素与非逻辑因素、相对真理与绝对真理以及在把握实践标准中的确定性与不确定性的关系。所有这些问题，也正是辩证逻辑所要研究和解决的。 （全 川）

语言逻辑引论

王维贤 李先焜 陈宗明著

湖北教育出版社 1989年10月出版 456千字

本书是自然（语言）逻辑专著，力图利用现代逻辑的理论来研究自然语言中的逻辑形式，特别是有效推理形式，这些有效推理形式是传统逻辑和正统的数理逻辑所不大研究的。本书也力图利用内涵逻辑和深层结构理论来研究自然语言的语义，阐明自然语言的逻辑意义。本书还力图利用指号学来研究自然语言的语用，使逻辑和修辞理论结合起来。

本书认为逻辑是研究思维形式和思维规律的习惯说法是不太科学的，逻辑研究的对象是语言，语言的特征是具有符号性、指谓性和交际性。语言逻辑就是自然语言的语形学、语义学、语用学三者的综合，即指号学。本书以直观集合论，一阶逻辑，生成语法为预备知识。接着阐述了语言的客观环境——语境，指出语境具有消除自然语言多义性的能力，语境具有单义性。命题相当于从可能世界到真值的函项。预设是交际过程中双方共同接受的命题，预设是后承，不是断定。预设有真值预设和语用预设。本书还介绍了各种意义理论及揭示词义（包括内涵和外延），即下定义的各种方法；词、词组和词项，专名和摹状词，词项的外延分析和内涵分析；语句的简单结构，嵌套结构和复合结构；三种非陈述语句：疑问句、祈使句和感叹句，及其预设，真假关系和推理。模态命题逻辑，严格蕴涵和相关衍推；道义逻辑，反事实条件语句，时态逻辑；模糊语句和模糊逻辑，似然演绎推理和似然归纳推理。在语句的语义分析方面，本书讨论了语义蕴涵命题，有序蕴涵命题，语义序列的语用解释及各种语义关系推理。关于语义修辞，本书介绍了模糊分析法，义素分析法和层次分析法。本书还简要介绍了范畴语法，包括内涵逻辑，语形范畴，语义类型和内涵语境。本书认为语言是一个逻辑系统，可加以形式化的处理。以自然语句的语义分析为重点，探讨语义与语形，语形、语义与语用的关系，是逻辑语言学的任务；建立非形式的自然语言推理的逻辑系统是语言逻辑学的任务；把语言和逻辑作为一个统一的整体进行研究是逻辑-语言学。

本书探讨的问题，常常是逻辑学、语言学和指号学都关心的问题，作者注意力集中在逻辑学的核心问题——推理上，但逻辑学与语言学的区别有时被忽略。例如，逻辑学所谓下定义（不是在形式系统内），主要是给对象下定义，而不是本书所说给语词下定义。

（诸葛殷同）

中国中古逻辑史

温公颐著

上海人民出版社 1989 年 11 月出版　284 千字

本书继作者的《先秦逻辑史》(1983 年出版)之后出版，是作者拟写的《中国逻辑史》的第二卷。

《先秦逻辑史》从秦汉写到隋唐，共分12章，具体阐述了《吕氏春秋》和《淮南子》两部书的逻辑思想、董仲舒的神学正名逻辑、《盐铁论》中的逻辑问题、扬雄的数的演绎逻辑、王充的论证逻辑、东汉伦理的逻辑思想、魏晋南北朝的形而上学逻辑或玄学逻辑以及形式逻辑科学的发展、因明在印度的产生及其在中国的传播和发展、刘知几的论证逻辑、柳宗元和刘禹锡的唯物的逻辑思想等。

作者总结出中古逻辑史的 4 个特点：

(1) 中古逻辑思想的中世纪化。这主要表现在中古逻辑思想的神学化，复古化，笺注化和杂糅化。(2)东汉逻辑思想的伦理化。这主要表现在东汉讨论的“名实”问题已非先秦旧义，东汉的名实观纯属人伦道德的评价。(3)魏晋南北朝逻辑的玄学化。(4)印度佛教因明在唐朝传入，给中国古代逻辑史增添了新鲜血液。

作者认为，逻辑思想史的发展过程，有它的网结点，即逻辑范畴所在。对一个时期逻辑思想的研究，旨在于能寻得贯穿它的纽结，找出它的范畴。本书对魏晋南北朝时期逻辑思想的研究，就是通过对一些逻辑范畴的分析，来展现这一时期逻辑思想发展脉络的。作者认为，对逻辑范畴史的探索，要比对各个逻辑家逻辑思想的平列叙述深入一步。

(刘培育)

比较逻辑史

杨百顺著

四川人民出版社 1989 年 7 月出版　441 千字

这是国内第一部叙述并比较古希腊逻辑、印度逻辑和中国逻辑产生、形成及发展的历史的著作。

作者认为，逻辑学发祥地并非只有古希腊一家，而是“三国鼎立”，即古希腊、印度和中国。作者不仅论述了这 3 种逻辑的历史，而且对它们在不同的历史阶段、不同的形态、不同的特点进行了比较研究。除导论外，全书共分 4 篇，17 章。

第一篇古代逻辑，论述了三家逻辑产生的社会哲学背景，科学基础，语言条件和孕育过程，着重比较了《正理经》《墨经》和《工具论》。第二篇中世纪逻辑，论述了陈那、法称、正理-胜论综合学派的逻辑；论述了唐宋元明时期的逻辑；还论述了西欧中世纪及文艺复兴时期的逻辑，并做了一些比较。第三篇近代逻辑，介绍了中国近代对《墨经》《公孙龙子》的考订训诂，西方逻辑的再输入，因明研究的复兴，《艺概》的逻辑思想；介绍了培根、弥尔等人的归纳逻辑，伽利略、牛顿、笛卡尔的科学方法，休谟的归纳问题；还介绍了康德、黑格尔的逻辑思想。第四篇现代逻辑，叙述了布尔代数，逻辑演算；比较了经典逻辑和非经典逻辑，此外还介绍了现代归纳逻辑。（史　岩）

中国逻辑史（五卷本）

李匡武主编

甘肃人民出版社 1989 年 11 月出版　980 千字

本书是中国最近完成的一部资料最详、内容最全、包括年代最长的通史性专著，是国家“六五”计划重点项目。全书分为先秦、两汉魏晋南北朝、唐明、近代和现代五卷。它是在基本完成中国第一套《中国逻辑史资料选》（五卷）的基础上由国内 20 个大学和科研单位的学者合作编写的。因此，本书不仅集中反映了 80 年代中国逻辑史研究的主要成果，而且在许多地方填补了中国逻辑史研究中的空白，具有较重要的学术价值。

全书的绪论部分，着重论述了中国逻辑史的对象和范围，强调中国逻辑史主要是研究形式逻辑在中国的开拓、创立和发展的历史。因此，研究中国逻辑史必须以现代逻辑为工具。绪论概要介绍了中国逻辑史发展的概况、特点和规律，论述了中国逻辑史分为 5 个时期的根据和理由以及研究中国逻辑史的意义等。

第一卷为先秦卷。书中对公孙龙在“白马非马”中所揭示的“名”的内涵、外延思想及其种属关系作了充分的肯定。《墨辩逻辑学》一章是先秦卷的重点，其中全面地介绍了后期墨家所提出的逻辑学说和体系，有力地论证了我国先秦已经形成了以《墨辩》为代表的相当完整的名辩逻辑理论体系。

第二卷为两汉魏晋南北朝卷。这一时期一般被认为是名辩思想开始走向衰落、亡绝的时期。本卷用相当充实的资料介绍了主要思想家的名辩观点。

第三卷为唐明卷。包括从隋唐到明末以前的名辩思想和印度因明在中国中原与西藏的传入与发展。书中主要介绍了玄奘及弟子在因明研究上的突出贡献。书中第一次在逻辑史著作中公开介绍因明传入我国西藏的历史及其发展过程，介绍了我国藏传因明中的主要代表人物、著作和贡献。

第四卷为近代卷。这是从明末李之藻传入西方传统逻辑为开端到五四运动以前。这一时期的主要特点是西方传统逻辑的两次传入，并且随着西方逻辑的传入和考注学的兴起，先秦的名辩著作和名辩思想开始被发掘出来并受到重视，继鲁胜以后出现了中国第一批先秦名辩著作的注释本，从而为传统逻辑的普及和古代名辩逻辑的研究准备了条件。

第五卷为现代卷。这是从“五四”时期现代数理逻辑的开始传入至中华人民共和国的成立，这是中国历史上逻辑科学开始出现全面繁荣和全面发展的新时期。过去的逻辑史著作一般只写到“五四”以前，因此本卷所涉及的内容都是第一次公开写入的，也是全书最有新意的一卷，它跟中国目前逻辑科学的发展也最为密切。（周云之）

中国传统伦理思想史

朱贻庭主编

华东师范大学出版社 1989 年 6 月出版　460 千字

本书探讨了从殷周至鸦片战争前的中国古代伦理思想发展的历史过程，共分 7 章。作者认为，中国传统伦理思想史乃是以儒家伦理思想为主干的各种伦理思想相互作用的辩证运动，大致可分两个时期：

先秦时期是中国伦理思想发端和奠基时期，也是中国封建地主阶级伦理思想产生并取代奴隶主阶级伦理思想的时期。这个部分用了两章论述，第一章介绍中国传统伦理思想的诞生，作者认为，周公提出了一个道德与宗教、政治融合一体的思想体系，它包含了以后儒家伦理思想的某些因素，从而开始了中国伦理思想发展的历程。第二章探讨了春秋战国时期的伦理思想，这是本书最详尽的部分，作者论述了儒、墨、道、法诸子围绕着道德作用、道德本原、人性与人的本质、义利之辨、道德准则、道德评价、道德修养等问题所展开的大讨论。

秦汉至明清时期，是中国封建地主阶级伦理思想演变、发展、完备并走向衰败的时期，包含了中国传统伦理思想的主要内容。这一部分共 5 章。作者分析了儒家伦理思想在西汉成为正统，东汉后又失掉“独尊”地位、中经玄学，然后是佛、道的兴起和发展，后来又是儒、佛、道合流的过程。“理学”伦理思想的产生，标志着中国封建地主阶级正统伦理思想的完备和定型。明末清初的进步思想家，在中国伦理思想史上别开生面，具有早期民主主义色彩和反封建的启蒙意义。

全书努力用马克思主义观点作指导，认真地分析了中国伦理思想发展的实际过程，提出了若干项中国伦理思想的基本特点。（东　英）

萨特伦理思想研究

万俊人著

北京大学出版社 1988 年 11 月出版　200 千字

本书是国内第一部系统研究萨特伦理思想的专题著作。它以萨特自由主体思想为主线，展开对萨特存在主义伦理思想的系统化探讨。全书共包括 6 个部分的正文和两个附论及有关技术性附录。

第一章"导论"。包括对全书结构的基本预设；国外有关萨特伦理思想研究的最新状况及其分析；萨特的哲学本体论与其自由主体伦理学的逻辑关联等主要内容。作者认为，萨特自由主体性思想是研究其伦理思想的最佳逻辑起点。第二章"存在论"。主要探讨了萨特关于主体(人)的存在特性和存在结构的基本观点。作者指出，萨特为自为的存在规定了偶然性、可能性和暂时性等基本特性，其基本目的在于预定和强化自由个人的主体性地位，为其伦理学的自由主体设置了一个绝对的价值地位。第三章"自由论"。集中论述了萨特的两种自由观：即本体论的自由和境况中的自由。作者认为，对上帝、传统理性和既定价值规范3种形式之决定论的否定是萨特自由观的理论前提；而他对人的自由的两种解释虽然充满矛盾，但却包含着深刻的意蕴。第四章"价值论"。集中探讨了萨特关于选择与价值、责任、烦恼、不诚等问题的理论观点。作者认为，这些范畴是萨特自由观的伦理学展开，从自由→选择→价值→责任→烦恼→不诚的逻辑脉络，构成了萨特伦理价值理论的基本框架。第五章"关系论"。较为系统地探讨了萨特关于人的价值关系理论的历史发展，包括其自我论、交互主体性、相互性及人道主义等理论。作者认为，萨特的价值关系论可分3个阶段：(1)个人主体化(以《存在与虚无》一书为代表作品)；(2)共同客体化(以《辩证理性批判》等作品为代表)；(3)普遍主体化(以晚年关于"博爱"的谈话等作品为代表)。第六章"逆溯-结论"。从总体上反溯了萨特伦理思想的理论渊源、历史文化背景、理论特征以及它在现代西方伦理学发展史上的地位和它产生的全球性影响。 (村 夫)

道德与心理　　曾钊新著

湖北教育出版社 1989年3月出版 238千字

本书是作者对伦理学中的一些理论和实践问题所作思考和探索的结果。全书共16章，从内容上看，大体可分为3个部分。第一部分是第一章至第五章，作者从论述道德关系、利益、牺牲、良心、自制力等问题着手，对道德的基本理论和范畴作了阐释和说明，作者强调指出，"牺牲精神与社会利益的关系问题"是道德的基本问题，认为牺牲是道德体系中的最高范畴。作者的这一观点在第一部分的各章中都有表现。第二部分是第六章至第十章，作者从论述价值目标、道德追求、道德范例、道德培养、道德判定等问题着手，对道德的具体活动作了分析。作者指出，价值目标是道德具体活动的行动纲领，它是社会成员个体经过关于人生的思考后而规定的具体行动路线。道德判定是对道德具体活动的评述及态度出示，是对他人或自我的道德行为所具有的道德价值的评审和表示的肯定或否定的实际态度。第三部分是第十一章至第十六章。作者从时年道德、场合道德、教学中的道德调节、爱情和家庭道德、家风、科学道德等方面论述了在各个不同的具体生活领域中各个社会成员应该遵守的道德规范。时年道德的提出是作者所做的一种新探讨。作者认为，就每个人的不同时期而言，他与社会发生交往的具体场所和对象是不同的，所谓时年道德，就是指人生不同时期的道德，大致可分为儿童道德、青年道德、中年道德和老年道德。（田 干）

科技伦理学

徐少锦主编

上海人民出版社 1989年7月出版 408千字

科技伦理学是随着科学技术的发展而产生的一门新兴学科。本书以马克思主义的基本原理为指导，对科技伦理学的一些理论和实践问题作了较系统的阐述。

全书共有13章。第一章总论，概述了科技伦理学的指导思想，科技伦理学的对象、任务和研究方法。作者认为，科技伦理学是职业伦理学的一种，是介于科学技术学与伦理学之间的一门边缘学科，是关于科技界职业道德的学说。第二章和第三章分别阐述了科学技术与伦理道德的关系、科技伦理学产生发展的历史。第四章论述了科技道德的本质、作用和发展规律，认为科技道德是特殊的社会意识形态，它具有调节功能、评价和"命令"功能、认识功能、教育功能、激励功能、沟通功能。第五章阐述了科技道德的原则，认为为人类服务是科技道德的根本原则，因为科学技术是人类创造的，它本来就属于人类，应该为人类服务。第六章对科技道德的规范作了概括。作者认为，科技道德的规范主要为互相配合、协作攻关，民主讨论、自由探索，谦虚谨慎、勤奋好学，尊重前辈、提携后学，热爱自然、珍惜资源。第七章至第十三章分别论述了技术咨询、引进、开发和转让中的道德问题，科技人员的伦理心态素质，科技道德选择与科技选择，科技道德评价与科技评价，科技人员爱情、婚姻和家庭中的道德问题，科技道德教育和科技道德修养，培养和树立科技理想人格等问题。（田 干）

劳动伦理学

王昕杰 乔法容著

河南大学出版社 1989年6月出版 241千字

本书对劳动伦理学这一伦理学研究的新领域作了初步的研究和探讨。全书共10章。第一章至第三章主要阐述了劳动伦理学的一般理论问题。作者认为，劳动伦理学是以人们劳动活动、劳动过程中的道德问题为其研究对象的一门新的学科，它不仅把劳动作为一种经济现象和社会现象来考察，而且更重要的是把劳动作为一种社会道德现象、一种人类道德活动的基本领域来考察。作者还探讨了劳动与人类自由和幸福的关系，认为劳动创造了人类自由，劳动使人成为自然、社会和自身的主人，自由在劳动活动中得以实现和发展。认为劳动是通向幸福的桥梁，是实现幸福的基本条件。作者还对社会主义劳动关系和劳动者的一般特点作了分析。第四章以职业选择与价值实现为题，对职业选择与价值取向、职业分工的性质和特点、劳动伦理学中的价值范畴、职业岗位与价值实现等方面的问题作了阐述。第五章从社会的角度，对有关劳动者的劳动态度的一些问题作了道德上的分析和评价，其中包括劳动态度的定义和性质、劳动态度的社会道德意义、社会主义劳动态度的道德评价。第六章和第七章集中考察了劳动集体的道德职能、劳动集体的经济效益和道德效益问题，作者认为，劳动集体具有道德教育、道德调节、价值导向、道德激励的职能。第八章和第九章主要分析了管理劳动和知识劳动这两个特殊劳动领域的一系列伦理问题。第十章探讨了当代劳动方式变革与人的全面发展相关的一些问题。（田　干）

华夏美学　　李泽厚著

中外文化出版公司1989年2月出版　145千字

本书系统地评述了以儒家思想为主体的中华传统美学。全书分6章，顺序是："礼乐传统"、"孔门仁学"、"儒道互补"、"美在深情"、"形上追求"、"走向近代"。作者认为，远古的礼乐是一种非酒神型的艺术精神，它是华夏美学传统的历史根源，华夏美学的一些基本观点、范畴、问题、矛盾和冲突早已包含在这个传统根源之中，至今还在发生着影响，积淀为特定的文化心理结构。儒家美学正是继承和发挥了礼乐传统，成为华夏美学的基础与主流，同时，它的系统论的反馈结构又使它善于不断地吸取和同化各种思潮、文化、体系而更新、发展自己。道家美学表面看起来是与儒家美学离异而对立，但实际上它们又是相互补充而协调。这主要表现在它们都追求"天人合一"的人生理想，只是在如何达到"天人合一"的方法、途径上，儒道有所不同：儒家走的是"自然的人化"途径，道家走的是"人的自然化"途径，殊途而同归。这种既矛盾、对立而又互相吸收、补充的"儒道互补"，成为华夏美学不断发展的基本线索。屈骚美学和魏晋艺术精神正是"儒道互补"和南北文化融合的新成果。作者指出，如果说道家以"人的自然化"和无意识规律补充和扩大了儒家的"自然的人化"和"天人同构"，那么，屈骚和魏晋玄学则以深情兼智慧的本体感受和想象真实，扩展并推进了儒家的伦常感情和"比德"观念。佛教传入华夏，经过几百年的挑选洗汰，中国自创了禅宗，使以儒家为主体而又吸收、包容了庄、屈的华夏美学迈开了新的步伐，从外内两个方面极大地丰富了自己，不再是本始面目，但又未失去原有精神。禅宗由下层百姓的信奉，而逐渐占据了士大夫的心灵，从而给艺术创作(特别山水画与诗)带来新精神——对人生的形上追求。“如果说，庄以对‘感知层’，屈以对‘情感层’，那么，禅便以对‘意味层’的丰富、突破、扩大和加深了华夏美学。”华夏美学在唐宋达到了高峰，高峰过后，至明代中叶便产生近代思想倾向——出现了背离甚至违反儒家正统的美学思潮和艺术精神。不过，明中叶形成的这股近代美学思潮，始终没有挣脱儒家正统的樊篱，直到20世纪初西方美学的传入，才有了真正的近代美学。

作者的结论是：中国哲学、美学和文艺，以至伦理政治等等，都建基于一种心理主义，这种心理主义不是某种经验科学的对象，而是以情感为本体的哲学命题。这个本体不是上帝，不是道德，不是理智，而是情理相融的人性心理。它既超越，又内在；既是感性的，又是超感性的，是为审美的形上学。(本书于1988年7月由新加坡东亚哲学所首先出版，后由香港三联书店1988年11月出版、台北时报文化出版公司1988年12月出版)

(老　樵)

石涛与《画语录》研究　　韩林德著

江苏美术出版社 1989年10月出版　200千字

全书分3部分：第一部分为石涛传略；第二部分为石涛《画语录》的美学思想；第三部分为石涛《画语录》(18)的注释和今译。

本书在介绍石涛绘画美学的丰富内容和基本特色时，对于中国绘画史界那种将石涛的“一画”论仅仅理解为一根“造型底(的)线”的观点，提出不同意见。认为石涛“一画”论不仅包含着“形而下”的技法内容，而且还包含着“形而上”的哲学意义，概而言之：“中国以往的画论大都局限于笔墨技法的探讨，而石涛这部《画语录》，发前人所未发，提出‘一画’论，将笔墨技法与绘画原理结合起来，从哲学的高度揭示了中国画(以山水画为代表)的美学本质，并阐明了画家如何在艺术创作活动中获得自由这样一个根本问题，从而开了中国绘画美学的新生面”。本书也不同意中国绘画史界那种断定石涛的“一画”论渊源自佛教禅宗的论点，认为“石涛继承的是道家哲学中唯物主义的本体论传统”，“石涛的‘一画’论完全置立在元气自然论的基石上”。此外，该书还对《画语录》这部绘画美学名著中的“蒙养”与“生活”、“法”与“化”、“识”与“受”等重要范畴的内涵作了简要分析，提出了自己的见解。著者上述探索，对学术界全面把握石涛绘画美学的价值，将发挥积极的作用。

石涛《画语录》的文字“简质古峭”，向有“莫可端倪，直是一子”之称。本书作者为发抉石涛绘画美学的精义，对《画语录》中的疑难文字作了注释，并用现代汉语将全书作了通译。

石涛对中国绘画美学的发展所作的贡献有口皆碑，但是有关他的身世，一直是个“谜”。本书作者经多方查阅史料，在“石涛传略”部分，有根据地介绍了中国画坛这位“一代大师”的生平、行止、交游以及思想发展的过程。本书在国内“石涛研究”中，具有一定水平。（祖　良）

中国当代美学家

穆纪光主编

河北教育出版社 1989年8月出版 664千字

本书是甘肃省社会科学院哲学研究所1986～1987年一项全国性大型研究课题。全书介绍了中国建国以来从事美学研究工作的马奇、于民、王朝闻、叶秀山、叶朗、卢善庆 朱光潜、李泽厚、伍蠡甫、汝信、刘纲纪、刘再复、吕荧、朱狄、吴晓邦、杨安仑、杨辛、张赣生、张瑶均、宗白华、周来祥、林同华、林兴宅、赵宋光、洪毅然、钱钟书、郭因、高尔泰、黄药眠、萧兵、蒋孔阳、程代熙、敏泽、蔡仪、滕守尧等35位美学家的个人成就，可以说是建国40年来美学思想和工作的总结。

入编的人选，从时间上来说，既有身跨现、当两代的老一辈人物与50年代美学大辩论时的代表人物，又有80年代初突起的中年学者，更有近几年初露锋芒的后起之秀；从学科上来看，对美学研究的哲学方面、心理学方面、社会学方面、历史学方面以及主要艺术部门的美学研究者，都给予注意。

特别值得一提的是本书主编以整个中国当代美学的发展为研究对象，为本书写了一篇题为《中国当代美学发展的特点》代序的论文，提出了当代中国美学发展的“三个强因素”：第一，“在中国当代美学的建构拉开帷幕时，马克思主义已经紧密地构结在中国的现实生活中，并作为指导思想确立了自己的地位”。故在当代美学研究中，尽管意见有多么大的分歧，但总是可以综合为一个整体，一个流派，“即中国的马克思主义美学派”。第二，“就是美学家们对于美学研究同现实生活联系的深切关心”。故提出了美学研究的出发点应该“从真正的具体实际的大量表象中所得出的‘最简单的规定’——美感开始”的观点，在此可以得到了比较完整的理论表述形式。第三，“它同中国古典美学的紧密联系”。中国当代美学工作者都在不同程度上研究中国美学史，故中国美学家的理论，一般都富有中国美学传统的色彩。这是中国美学能够加入世界美学之林的一个最可宝贵的资格。三个因素清晰地构成了中国当代美学发展的特点。

总之，本书不唯对中国当代美学家的研究提供了许多有益的资料，而且对中国当代美学发展的探索也是富有启迪性的。 （孔寿山）

艺术的社会学解释 马 奇著

中国人民大学出版社 1989年12月出版 160千字

本书是系统研究普列汉诺夫美学思想的专著。全书共9个部分，对普列汉诺夫的生平，政治理论活动，研究美学的方法论，艺术和美学观点进行了详细的述评。

作者认为，普列汉诺夫一生的政治立场经历了从民粹主义者到马克思主义者再到机会主义者的变化，但是不能以政治活动上的是非来确定他理论活动上的是非。普列汉诺夫在马克思主义的理论研究上有着卓越的贡献。他始终把历史唯物主义作为研究艺术和美学的出发点，在艺术的起源、艺术与社会生活、艺术与美等一系列问题上，都提出了科学的见解，对我们当前的美学、艺术研究仍然有现实的指导意义。

作者认为，普列汉诺夫不是从生物学领域而是从社会学领域来阐明艺术起源问题的，他主张社会的、具体可变的"人的本性"（审美活动中属于主体方面的心理、生理因素)是进行审美活动的可能性。普列汉诺夫在论述他所提出的模仿、矛盾、节奏和对称4个方面的心理一般规律时，也没有忘记社会关系在艺术发展上的决定性的作用，非常强调心理学规律的内容是被社会的文化发展进程决定的，是被不同时代、不同的社会决定的。

作者认为，普列汉诺夫所指出的艺术并不总是被生产、经济直接决定，还受到宗教、巫术、社会心理、习俗道德等各种"中间因素"影响的这个事实，恰是对唯物史观的辉煌的证实。因为普列汉诺夫肯定各种"中间因素"本身就是生产力的发展引起的。所以，普列汉诺夫坚持艺术史要用社会史来说明。

作者认为，普列汉诺夫美学理论的特点和优点之一，是强调艺术也传达思想，强调艺术的思想内容。他的美学思想的核心，是艺术与社会生活的关系问题。他强调艺术与现实的密切联系，热情地召唤革命的现实主义的作品。他坚定地批判"为艺术而艺术"的倾向，提出艺术的任务应是促使人的意识的发展和社会制度的改善。

作者认为，普列汉诺夫以马克思的学说为基础阐明了美的概念。"美"指的是美丽、美好、优美，是一种令人愉快的特性，引起审美快乐的那些东西。他说的美，在于形式，即与其功利内容相脱离而具有审美价值的感性形式。同时，"美"不能完全包括艺术的内容，崇高、悲剧、滑稽等也是艺术作品所要表现的东西，只不过这些内容必须具有美的形式。美具有非功利性的特点。

（王旭晓）

服装美学

孔寿山著

上海科技出版社 1989年1月出版 299千字

本书兼有美学探索的理论性和服装实用性的特点，是近年服饰美研究方面具有创新意义的新作。就前者而言，是国内仅有的一本从美学角度对服饰美学的定义作了细致分析的力作。作者对国内外有关服饰美学的概念作了讨论，认为，服装设计是为人民穿着创造美的学科，因此，这一学科不仅要服从美的规律，而且要按照这一规律来造型和设计。怎样才是符合美的规律呢？作者按照马克思的理论作了探讨。他认为，具体到服装的“美的规律”包括：1.“物种的尺度”，这是服装美的物质基础，如面料等；2.“内在固有尺度”，这是“人的尺度”，即人的主观目的性，这是因人而异的。这两种“尺度”的结合，就是中国人常说的“量体裁衣”，也就是衣要”合体”。对于服装美学说来，更为重要的是，要合于具体人的脸型、肤色、年龄、性格、职业，以及穿着的场合，也就是近年国际上所谓“T（时间）、P（地点）和O（对象）三方面统一起来”。作者这一关于服装美学理论的核心部分，为我国从理论上深入研究服装设计开辟了一条新的思路。

本书的实用性也较突出，这在本书的谋篇设章的考虑中也表现出来。全书共分15章，除绪论探讨上述服装理论外，其余14章的论述都与实用性有关，如服装的款式美、色彩美、材料美、装饰美、图案美、首饰美、化妆美、设计美、工艺美、保养美等等。特别应予着重指出的是，作者在论述服装美的实用性时，还十分重视服装美的心灵美，在论述服装的“外表的打扮”时，还论述了穿着服装的人的“内心修养”的重要性、心灵气质的重要性。

作者富有文学修养，对古今中外论述服装美的言论十分熟悉，旁征博引，且运用得体。

（祝　民）

宗教的奥秘

吕鸿儒　辛世俊著

河南人民出版社 1989年1月出版 320千字

本书是研究宗教学理论的学术著作。作者运用马克思主义宗教学的基本理论，对宗教这一复杂的社会现象进行了多方面的深入探讨。本书在理论上有所突破，主要表现在以下几个方面。

第一，本书从现代系统论的角度出发，把宗教当作一种复杂的社会系统来看待，突破了过去仅仅把宗教视为一种观念的局限性。作者认为，整个宗教系统是以宗教徒为核心，按照宗教徒——宗教意识——宗教制度（组织)——宗教行为（活动）的逻辑序列组成的富有生命力和影响力的有机整体。其中宗教徒是该系统中最活跃的起主导作用的要素。他们把全部身心乃至生命献给宗教，并且在必要的时候对宗教制度和观念进行改革，以推动宗教的发展。所以,忽视对宗教中人的能动性的研究，就无法真正理解宗教发展演变的内在奥秘。作者认为宗教的定义应当是："感到不能支配自己的命运的人崇拜异己力量的社会意识以及与此相适应的制度和行为。"

第二，本书运用结构-功能的研究方法，对宗教的社会功能提出了新的看法。针对传统的研究把宗教功能狭隘化的观点，作者认为宗教至少有4种社会功能：1.认识功能，2.控制功能，3.调适功能，4. 凝聚功能。在对每一种功能的研究中，作者既批判了宗教消极的作用，又肯定了其积极的一面。

第三，本书运用比较研究的方法，对宗教意识与其它社会意识(如宗教与道德、宗教与艺术、宗教与科学、宗教与哲学)、宗教组织与其它社会组织(如宗教与政治、宗教与法律)的关系进行了研究,认为宗教意识同其它社会意识、宗教组织同其它社会组织是相互制约和相互作用的。譬如,作者指出,宗教既有碍于科学的发展,又对科学的发展具有某种促进作用。那种在对立的两极中非此即彼的思维方法是不能揭示宗教的真实面貌的。

第四，本书不仅研究了宗教的历史，而且毫不回避现实,对当代资本主义世界的宗教和社会主义时期的宗教都进行了研究。特别是以较大的篇幅分析了社会主义时期宗教发生的变化、存在的原因以及与社会主义既相协调又不相协调的矛盾。（明　哲）

哲学界概况

中国哲学界学者简介(42人)

名单(以姓氏笔划为序)

于凤梧	王　茂	王克千	王育民
王育倩	王展飞	王家俊	冯正刚
朱庆祚	朱志凯	李　真	李树申
李培浙	余品华	余维琮	余源培
孙予同	吴家国	杨恩寰	张弓长
张天飞	张尚仁	陈宗明	陈庆坤
林超然	范　彬	范明生	赵永茂
赵仲英	洪汉鼎	祖庆年	崔绪治
郭国勋	梁中义	黄希贤	傅季重
蒋冰海	彭万春	管敏政	廖新泉
燕国桢	魏益华		

(说明:本栏稿件系各大学哲学系和哲学科研机构年鉴通讯员提供)

于凤梧,男,1927年5月生,吉林省舒兰县人。现任北京师范大学哲学系教授,中华全国外国哲学史学会理事,全国师范院校欧洲哲学史教学研究会常务理事。

1953年毕业于东北师范大学政治系。此后,在北京师范大学政治教育系和哲学系任助教、讲师、副教授、教授,哲学史教研室副主任,哲学系副主任,校学术委员会委员,校教材工作委员会委员。

学术专长:西方哲学史的教学和研究,特别是18世纪法国哲学的研究。近年来开设的课程有:欧洲哲学史、18世纪法国哲学名著选读。

主要著、译作有:《卢梭思想概论》(北京师范大学出版社1986年出版);《欧洲哲学史》(合编,编写组长,广西人民出版社1980年出版);《康德实践哲学》(与王宏文合译,福建人民出版社1984年出版)。主要论文有:《卢梭哲学思想初探》(《外国哲学史研究集刊》(第8辑),上海人民出版社1987年出版);《卢梭伦理思想研究》(《天津师范大学学报》1987年第4期);《评卢梭关于人的学说》(《哲学探讨》1988年第3期);《民主概念的历史发展》(《北京师范大学学报》1979年第4期);《霍尔巴赫的〈自然的体系〉》(《西方哲学名著介绍》(上册),华东师范大学出版社1988年出版)。

目前继续从事卢梭思想研究,参加国家社会科学研究规划重点项目多卷本《西方哲学史》中"18世纪法国哲学"部分的编写工作。

王　茂,男,1930年1月生,河北省保定市人。现任安徽省社会科学院哲学研究所副所长、研究员。1958年开始从事哲学史研究工作。

主要著作有:《戴震哲学思想研

究》(安徽人民出版社1980年出版)。主要论文有:《论戴震哲学的结构与含义》(《哲学研究》1981年第1期);《论陆九渊心学唯心主义》(《宋明理学讨论会论文集》,浙江人民出版社1983年出版);《周子学考辨》(《中国哲学史研究》1986年第2期);《论朱陆"无极"之辨》(《江淮论坛》1988年第1期)等。

业余爱好:书画;喜爱的格言:"学者大戒,在于好名"。(章学诚语)

王克千,男,1930年4月生,辽宁省辽阳县人。现任上海社科院哲学所外国哲学史研究室主任、研究员,中国现代外国哲学学会理事,中国苏联东欧哲学研究会副会长,社科院对外文化交流中心理事,上海社联哲学学会常务理事,上海中西哲学与文化交流研究中心学术委员。

1957年7月毕业于苏联维辛斯基法学院。回国后在复旦大学法律系任教。1959年到上海社会科学院哲学所工作,1977年11月回复旦大学哲学系任教,1979年至今在上海社会科学院哲学所工作。1980年评为副研究员,1986年评为研究员。

学术专长:外国哲学特别是苏联哲学的教学和研究工作。

主要著作有:《存在主义述评》(上海人民出版社1981年出版);《论萨特》(与人合著,福建人民出版社1985年出版);《苏联当代哲学》(与人合著,人民出版社1986年出版)。主要论文有:《简评萨特存在主义哲学性质及其历史地位》(《现代外国哲学论集》1982年第2辑);《萨特存在主义剖析》(《哲学研究》1984年第2期);《评萨特哲学的认识论》(《江西社会科学》1984年第4期)等。

目前,承担"七五"规划国家重点项目"80年代后苏联哲学研究和价值理论研究"。

王育民,男,1938年2月生,吉林省延吉市人。现任吉林省社会科学院哲学研究所副所长、研究员,吉林省哲学学会常务理事,马克思主义哲学史研究会副干事长。

1957年入吉林大学经济系学习,1960年选送到该校马列主义理论研究班学习,因工作需要提前毕业,并留校在哲学系任教。1961～1962年曾到中国人民大学教师进修班学习。1970～1978年在延边大学政治系任教,1978年至今在吉林省社会科学院哲学研究所工作。研究方向是:马克思主义哲学史、中国现代哲学史。

主要著作有:《中国现代哲学史1919～1949》(与人合作,吉林人民出版社1984年出版);《中国现代哲学史新编》(与人合作,吉林人民出版社1987年出版);《斯大林哲学思想概论》(主编,湖北人民出版社1988年出版);《哲学辞典》(分主编,吉林人民出版社1983年出版);《马克思主义辞典》(分主编,吉林大学出版社 1987 年出版)。

目前主要从事哲学与文化、企业文化等方面的研究工作，并参加国家“七五”科研规划重点项目多卷本《马克思主义哲学史》第5卷的撰写工作。

王育倩，男，1930年9月生，山东省掖县人。现任贵州师大政教系哲学教授，贵州师大副校长，中国辩证唯物主义研究会理事，中国高教学会理事，贵州省哲学学会副理事长，贵州省高教学会副会长等职。

1953年于东北师大政教系毕业，留校担任哲学教学工作；1954～1955年于中国人民大学哲学研究班学习；1956年调贵阳师院马列主义教研室，现仍在贵州师大(原贵阳师范学院)政教系任教。先后任哲学教研室主任、政教系主任等职；1978年评为讲师，1981年评为副教授；1986年晋升为教授。学术专长：马克思主义哲学原理和原著。近年还担任硕士研究生的指导教师。

主要著作有：《马克思主义哲学原理(上下册)》(合编，撰稿人之一，福建人民出版社1981年出版)；《哲学原理研究》(编审之一，福建人民出版社 1984 年出版)；《共产主义道德概论》(主编，经济科学出版社 1986 年出版)。主要论文有：《道德教育和社会主义现代化》(《贵州社会科学》1981年第3期)；《认识事物应着眼其特点和发展》(《贵阳师范学院学报》1982年第2期)；《毛泽东同志丰富和发展了马克思主义认识论》(《贵州社会科学》1982 年第4期)；《从萨特的存在主义谈如何对待现代西方哲学流派》(《贵州日报》1984年1月16日)。

业余爱好：绘画。

人生追求：无论治学还是为人都实事求是。

王展飞，男，1929年5月生，四川省泸州市人。现任云南工学院社科部主任、教授，中国辩证唯物主义研究会理事，云南省社联副主席，省哲学学会副会长。

40年代后期就读于重庆大学法律系。50年代中期参加总参谋部政治部哲学教师训练班。此后长期担任高等学校哲学教学与研究工作。为本科生、研究生讲授马克思主义哲学原理等课程。

主要著作有：《马克思主义哲学简明教程》《马克思主义基本原理》《商品经济与观念变革》(主编和统稿，分别于1981、1987、1988年由云南人民出版社、云南教育出版社出版)。主要论文有：《对“格列则尔曼”来信的意见》(《纪念马克思逝世一百周年论文集》，云南人民出版社 1984 年出版)；《从马克思主义哲学的本质看新时期哲学的发展》(《学习》1956年第6期)；《试论矛盾的同一性和斗争性》(《云南社会科学》1981年第1期)；《社会主义社会基本矛盾的理论及其发展》（《论新时期毛泽东哲学思想的发展》，湖南人民出版社1984年出版）。

业余爱好：读书、下围棋、游览名胜古迹。

人生格言："知之为知之，不知为不知，是知也。""吃的是草，挤出的是奶和血。""吾爱吾师，吾更爱真理。"

王家俊，男，1926年3月生，辽宁省沈阳市人。现任东北师范大学政治系教授，认识论研究室主任。中国辩证唯物主义研究会理事，中国认识论研究会理事，吉林省社会科学联合会委员，吉林省哲学学会副理事长。

1944年起先后在伪建国大学、国立长春大学学习，1948年到解放区在东北大学、东北师范大学学习并毕业。1953年开始从事马克思主义哲学的教学与研究工作。1956年任讲师，1978年任副教授，1985年任教授。曾兼任哲学教研室主任、系主任等职。

主要著作有：《马克思主义认识论》（主编，吉林人民出版社1986年出版）；《马克思主义理论百科辞典》（三卷本）（主编之一，东北师范大学出版社1988年开始出版）。主要论文有：《论认识过程的基本矛盾》（《东北师范大学学报》1986年第2期）；《马克思主义认识论关于主客体理论》（合写，《全国主客体问题讨论会论文选》，辽宁人民出版社1984年出版）；《马克思主义实践观在马克思主义哲学形成中的地位和作用》（合写，《马克思主义哲学思想的历史发展》，四川人民出版社1985年出版）。

现主持国家社会科学基金项目——"认识中的主体性"的研究工作。

冯正刚，男，1931年9月生，湖南省长沙市人。现任中共湖南省委讲师团主任、教授，湖南省哲学学会副会长。

1961年毕业于中国人民大学政治经济学系，1962～1964年在中国人民大学中国哲学史专业当研究生，毕业后一直在湖南省从事理论工作，曾任省哲学研究所研究人员，省委宣传部理论处副处长、处长，省委讲师团（省委理论研究室）副主任、主任。

主要著作有：《论张横渠哲学思想》（湖南人民出版社1979年出版）；《当代中国哲学问题》（共同主编，湖南人民出版社1987年出版）；《论社会主义初级阶段》（湖南人民出版社1988年出版）。主要论文有：《认识还必须从本质复归到现象》（《光明日报》1962年8月17日）；《论张载哲学中的两个问题》（《当代中国哲学研究》1981年第4期）；《试论全归纳派的思维经验教训》（《求索》1981年第1期）；《从张载到王夫之"气化论"发展脉络》（《船山学报》1987

年第2期)；《试论直接经验和间接经验的合理结构》(《求索》1985年第2期)。

学术专长：中国哲学史。

业余爱好：书画。

格言：风物长宜放眼量。

朱庆祚，男，1927年12月生，上海市人。现为上海社会科学院研究员，上海社会科学院副秘书长，研究生学位授予领导小组成员，上海市社会科学研究高级职务评审委员会委员，上海哲学社会科学联合会理事，上海哲学学会副会长。

1952年毕业于圣约翰大学政治系，后在华东政法学院任教。1956年评为讲师。1958年任上海社会科学院哲学研究所哲学史研究组负责人，1978年任西方哲学史研究室主任。1980年起任上海社会科学院科研组织处处长。1980年评为副研究员，1986年评为研究员。

学术专长：马克思主义哲学、现代西方哲学及社会科学研究管理学。

主要著作有：《第三产业的理论与实践》(主编，上海社会科学院出版社1986年出版)；《现代西方哲学简编》(主编，上海社会科学院出版社1988年出版)。主要论文有：《实践的观点和唯物主义》(《社会科学》1980年第3期》)；《法兰克福学派的若干理论问题》(《现代外国哲学论文集》，商务印书馆1982年出版)；《克服社会科学研究中的弊端》(《解放日报》1985年3月13日)；《试论逻辑实证主义的证实原则》(《学术季刊》1988年第2期)等。

近期以研究现代西方哲学为主。学术兴趣广泛。主张学术思想随时代的发展而不断进步。

朱志凯，男，1929年7月生，江苏省溧阳县人。现任复旦大学哲学系教授兼逻辑教研室主任，中国逻辑学会理事，全国形式逻辑研究会副会长，上海逻辑学会副会长。

1953年毕业于华东政法学院法律系，1956年由中国人民大学哲学研究班毕业，随后分配到复旦大学哲学系任教至今。历任复旦大学哲学系讲师、副教授、教授等职。学术专长是马克思主义哲学、逻辑学和中国先秦哲学史。

主要著作有：《形式逻辑基础》(复旦大学出版社1983年出版)；《墨经中的逻辑学说》(四川人民出版社1988年出版)；《新编逻辑教程》(复旦大学出版社1989年出版)。主要论文有：《逻辑证明与实践证明》(光明日报1978年11月2日)；《再论逻辑证明与实践证明》(《复旦学报》1980年第3期)；《逻辑矛盾与辩证矛盾》(《复旦学报》1981年第6期)；《墨经中逻辑学说的特征》(《哲学研究》.984年第7期)；《论孔子逻辑思想在先秦逻辑史上的地位》(《复旦学报》1985年第4期)；《评公孙龙“白马非马”的诡辩论》（《复旦学报》1987年第5期）。

近年来主要从事中国逻辑史和方法论的研究。

李　真，男，1930年3月生，四川省巫溪县人。现为重庆社会科学院哲学研究所研究员，《世界哲学年鉴》编委。

1951年毕业于中国乡村建设学院教育系；1956年起在北京大学哲学系任教，先后任助教、讲师、副教授，讲授逻辑、西方哲学史等课程，并担任研究生导师；1988年升任教授，次年调重庆社会科学院任现职。

1982～1983年作为访问学者在哈佛大学哲学系、波士顿大学哲学与科学史研究中心做研究工作。学术专长：逻辑、西方哲学史（集中在古希腊哲学与当代分析哲学方面）。

主要著作有：《简明欧洲哲学史》（与朱德生共同主编及撰写，人民出版社1979年出版）；译著：《亚里士多德的三段论》（商务印书馆1980年出版）。主要论文有：《赫拉克利特》（《西方著名哲学家评传》（第1卷），山东人民出版社1983年出版）；《柏拉图》（《西方著名哲学家传略》，山东人民出版社1987年出版）；《论“巴门尼德”篇及其在柏拉图哲学思想发展中的地位和意义》（《北京大学学报》1987年第1期）；《新托马斯主义在美国》（《当代美国哲学》，上海人民出版社1986年出版）等。

业余爱好：中国古典诗词、西方古典音乐、摄影、集邮。

人生格言：“认识你自己！”“吃是为了活着，而活着不是为了吃。”“为真理而斗争”。

李树申，男，1924年8月生，辽宁省朝阳县人。现任东北师范大学马列教研部哲学教授，吉林省哲学学会理事，历史唯物主义研究会干事长，马克思主义理论社会学研究会副理事长。

解放前曾在伪满哈尔滨农业大学农艺系，国民党长春大学农学院农业经济系学习，解放后先后在东北师范大学政治系、中国人民大学哲学研究班进修过。长期在东北师范大学政治系、马列主义教研部从事马克思主义哲学原理、原著的教学工作。专攻马克思主义哲学、社会系统工程理论。

主要著作有：《唯心主义哲学的反动本质》（合著，辽宁人民出版社1956年出版）；《马克思主义哲学原理》（主编之一，吉林人民出版社1979年出版）；《哲学与时代》（主编之一，东北师范大学出版社1986年出版）。主要论文有：《马克思主义哲学与系统论》（《东北师范大学学报》1982年第1期）；《共产主义与人类解放》（《东北师范大学学报》1983年第2期）；《从社会生产系统看精神生产的地位和作用》（《东北师范大学学报》1984年第6期）；《从社会生产系统探索精神生产发展的动力》(《学术研究》1984年第6期);《认识系统化与实践系统工程化》(《东北师范大学学报》1989年第1期)。

李培沂,男,1924年11月生,山东省日照市人。现任中共浙江省委党校学术委员会副主任、研究员,浙江省社会科学联合会常务理事兼秘书长,浙江省哲学学会副会长,浙江省社会科学研究人员高级职称评审委员会委员等。

1949年5月毕业于上海同济大学法学院法律系。1954年4月至1955年7月在上海中共中央华东局党校理论班进修。1949年6月起从事党的干部教育工作,1955年起担任哲学教研室教员。开设的课程主要有:马克思主义哲学原理、马克思主义哲学原著、毛泽东哲学思想等。1982年被评为副研究员,1988年被评为研究员。

主要著作有:《学习毛泽东军事著作中的哲学思想》(合著,浙江人民出版社1984年出版);《哲学基本原理》(合著,主编之一,浙江人民出版社1988年出版)。主要论文有:《试论毛泽东对马克思主义战争观的继承和发展》(《实践》1982年第9期);《要继续肃清思想政治方面的封建残余思想》(《实践》1984年第1期);《对外开放城市精神文明建设的几个问题》(《中共浙江省委党校学报》1987年第4期);《来自侨乡的报告——宁波大碶镇的社会主义精神文明建设》(《中共浙江省委党校学报》1988年第3期)。

为人要坦率正直,实事求是,相信真理,忠诚党的教育事业。

余品华,女,1935年2月生,湖北省黄梅县人。现任江西省社科院哲学研究所所长、研究员。中国马克思主义哲学史学会理事,江西省哲学学会理事,江西省哲学史学会副会长,江西省妇女学会副会长,江西省女科技工作者联谊会常务理事。

1957年肄业于北京俄语学院。1962年毕业于中国人民大学哲学系。历任江西省委党校哲学教研室教师,江西省社会科学研究所哲学研究室负责人,江西省社会科学院哲学研究所副所长、所长。

主攻方向:马克思主义哲学史(侧重马恩早期著作和毛泽东哲学思想研究)。

主要著作有:《毛泽东哲学思想研究》(合著,江西人民出版社1983年出版);《中国一百个哲学家》(合著江西人民出版社1988年出版)。主要论文有:《资产阶级人道主义的历史演变》(《全国关于人道主义和异化问题讨论会论文选》,北京人民出版社1986年出版);《国外马克思恩格斯"对立论"的产生和发展》(《求索》1986年第1期);《历史唯物论与经济决定论》(《江西社会科学》1985年第5期);《论改革意识》(《争鸣》1988年第1期)；《论对马克思主义的历史性选择》(上海《毛泽东哲学思想研究》1989年第4期)等。

余维琮，男，1926年11月生，福建省武平县人。现任山西大学哲学系教授。

1952年毕业于北京大学哲学系。1952～1976年，先后在中宣部《学习》杂志、《山西日报》等报刊任编辑20余年，主要编哲学稿件。1976年调山西大学从事哲学教学，先后任讲师、副教授、教授。曾任全国《反杜林论》研究会理事。

主要著作有：《〈反杜林论〉哲学编疑难问题解》(撰稿人，黑龙江人民出版社1984年出版)。主要论文有：《真理和谬误》(《山西大学学报》1982年第1期)；《从形而上学的本来意义上扬弃形而上学》(《晋阳学刊》1982年第1期，《新华文摘》1982年第6期转载)；《真理的标准与认识的验证》(《辩证唯物主义论丛》(第2辑)，福建人民出版社1983年出版)；《扬弃形而上学和坚持唯物辩证法》(《晋阳学刊》1984年第3期)；《社会改革的研究与现行历史唯物主义体系的改革》(《晋阳学刊》1986年第6期)；《多方案与决策的优化》(《山西大学学报》1987年第2期)。

近几年主要致力于唯物史观与决策学的研究。业余爱好读书、听音乐。喜欢的格言："好学、好思、笃行。""严以律己，宽以待人。""尊重真理是聪明睿智的开端。"

余源培，男，1938年5月生，江苏省泰兴县人。现任复旦大学哲学系教授、副系主任，中国马克思主义哲学史研究会常务理事，上海市委宣传部特邀研究员。

1961年毕业于复旦大学哲学系，留校任助教。1962～1967年为该校哲学系马克思主义哲学原理在职研究生，此后从事马克思主义哲学原理和马克思主义哲学发展史的教学与研究工作。1982年提升为副教授，1989年提升为教授。学术专长是马克思主义哲学原理和发展史。

主要著作有：《怎样才能获得真理》(主笔，复旦大学出版社1983年出版)；《哲学学习必读》(主编，同济大学出版社1986年出版)；《一个"孤独者"对自由的探讨》(主笔，云南人民出版社1988年出版)。主要论文有：《阶级斗争是哲学史发展的根本动力吗?》(《复旦学报》1979年第4期)；《应当重视唯心主义认识论根源的研究》(《复旦学报》1980年第4期)；《对自然科学中一种认识"终点观"的异议》(《上海社会科学》1982年第4期)；《辩证思考哲学上的"中间路线"》(《复旦学报》1986年第2期)；《发扬马克思主义的科学精神》(《学术月刊》1988年第1期)。

目前正主编或主持编著《马克思主义哲学史》第5卷(国家"六五"重点项目)；《当代马克思主义哲学

比较研究》(国家“七五”重点项目)以及《马克思主义哲学的理论和历史》等学术专著。

孙予同,男,1924年7月生,山西省临汾市人。现任山西大学哲学系教授,山西省教育学院名誉教授,中国马克思主义哲学史学会理事,山西省哲学学会理事,山西省马克思主义哲学史学会干事长。

1951年毕业于山西大学历史系,1953年中国人民大学中国革命史教研室研究生毕业。其后一直从事教学工作,历任讲师、副教授、教授,教研室主任,系副主任,校学术和学位委员会委员,系学术和学位委员会主任委员等职。讲授过马列主义基础、中共党史、中国近代史、辩证唯物主义和历史唯物主义、毛泽东哲学思想等课程。1978年开始指导硕士研究生。

主要著作有:《马克思主义哲学史》(上、下册)(合编,福建人民出版社1984年出版)。主要论文有:《知识分子的历史道路》(《山西师范学院学报》1960年第2期);《完整地、准确地学习和掌握毛泽东哲学思想》(《厦门日报学术专刊》1979年第14期);《毛泽东哲学思想研究中的几个问题》(《晋阳学刊》1982年第1期);《略论马克思主义哲学发展的基本特征》(合作,《山西大学学报》1982年第2期)。

人生格言是:学而不厌,诲人不倦。

吴家国,男,1936年12月生,河南省固始县人。现任北京师范大学哲学系教授,逻辑学教研室主任,系学位委员会副主任,校学术委员会常委,北京市逻辑学会副会长,中国逻辑学会形式逻辑研究会会长,中国逻辑学会副会长,全国高等教育自学考试指导委员会哲学专业委员会委员。

1958年7月毕业于北京师范大学政治教育系,留校从师于马特教授。曾任政治教育系副系主任,校理论组组长,哲学系副系主任。30余年来致力于形式逻辑的教学与研究,对探求形式逻辑现代化的途径尤感兴趣。

主要著作有:《普通逻辑》(主持编写并统稿,上海人民出版社1979年出版);《普通逻辑教学参考书》(主编,上海人民出版社1983年出版);《形式逻辑》(主编,北京师范大学出版社1986年出版)。主要论文有:《形式逻辑研究什么怎样研究》(《红旗》1961年第14期);《关于形式逻辑问题讨论的回顾》(《哲学研究》1979年第4期);《辩证逻辑研究思维形式的范围和特点》(《江汉论坛》1981年第2期);《论普通逻辑的改革和现代化》(《北京师范大学学报》1986年第3期)。

杨恩寰,男,1928年12月生,辽宁省沈阳市人。现任辽宁大学哲学系教授，美学伦理学教研室主任，中华全国美学学会理事，辽宁省美学学会副会长，辽宁省社会学学会常务理事。

1951年春，入东北人民大学行政系学习。1954年入北京大学哲学系，1958年毕业，相继在山东聊城师范学院、沈阳广播电视大学中文系、辽宁大学哲学系任教。1960～1962年，在职攻读山东大学哲学专业研究生。在哲学、心理学和美学方面有较深造诣。

主要著作有：《弗洛伊德——一个神秘的人物》（合著，辽宁大学出版社1986年出版）；《美学教程》（统稿，中国社会科学出版社1987年出版）。主要论文有：《历史主体性思想与美学问题》（《辽宁大学学报》1982年第4期）；《黑格尔论艺术创造的主体性》（《河北大学学报》1984年第4期）；《评美学研究中的两种倾向》（《美学》第6期，上海文艺出版社1985年出版）；《当代中国美学建设与现代西方美学的引进》（《社会科学辑刊》1987年第2期）；《马斯洛心理学给美学的启示》（《辽宁大学学报》1988年第6期）。

业余爱好：听音乐与看足球赛。

人生格言：自知，自重，自强。

张弓长，男，1928年1月生，辽宁省东沟县人。现任中共吉林省委党校常务副校长、教授，校学术委员会主任，《长白学刊》编委会主任，省社联副主席，省哲学学会副理事长，中国辩证唯物主义研究会理事，1988年被选为省五届人大代表、法制委员会委员。

1953年东北师大历史系毕业后留校任教。1955～1957年去苏联列宁格勒大学历史系读研究生。回国后曾先后在东北师大历史系、哲学社会科学研究所、省委党校从事教学和理论研究。1971年到省委党校后，担任过哲学教研室主任、校党委委员、副教育长、副校长；1979年任副教授，1985年任教授。

主要著作有：《马克思主义哲学原理》（主编之一，吉林人民出版社1979年出版）；《哲学辞典》（主编之一，吉林人民出版社1983年出版）；《〈邓小平文选〉研究》（主编之一，吉林人民出版社1985年出版）；《改革的哲学观》（主编，吉林人民出版社1988年出版）。

今后打算在管理哲学和思维科学方面做些研究。最喜欢的为人治学的原则是实事求是。

张天飞，男，1935年5月生，浙江省杭州市人。现为华东师范大学哲学系教授，校学位委员会委员兼哲学专业分委员会主席，上海市哲学学会理事，上海中西哲学与文化交流研究中心常务理事。

1957年毕业于华东师范大学政教系，留校任教至今。从事马克思主义哲学的教学和研究，讲授辩证唯物主义和历史唯物主义，马列哲学原著，毛泽东哲学思想，认识论等课程。1981年开始指导硕士研究生。曾任华东师大政治教育系哲学教研室主任，校党委宣传部长，哲学系主任等职。

主要著作有：《马克思主义哲学教程》(统稿人之一，浙江人民出版社1984年出版)；《马克思主义哲学原理》(主编，华东师范大学出版社1987年出版)；《马克思主义原理教程》(副主编，上海人民出版社1988年出版)。主要论文有：《试论事物发展的波浪式前进运动》(《华东师范大学学报》1963年第4期)；《关于世界观的一种提法》(《文汇报》1980年1月11日)；《毛泽东对马克思主义认识论的重大贡献》(《华东师范大学学报》1983年第6期)；《目的、手段和认识过程的第二次飞跃》(《华东师范大学学报》1985年第5期)。

青年时代热爱体操运动，近年来有疾。爱好地理学。

张尚仁，男，1942年1月生，广东省梅县人。现任华南师范大学哲学管理学研究所所长，中华全国外国哲学史学会理事。1988年广东省人民政府授予"有突出贡献的专家"称号，1989年国家教委、人事部、全国教育工会授予"全国优秀教师"称号。

1965年毕业于武汉大学哲学系，1965～1984年在云南大学政治系任教，1984年底调华南师范大学哲学社会科学研究所，1986年评为教授。学术专长：马克思主义哲学、西方哲学史，近年亦研究管理哲学。

主要著作有：《欧洲认识史概要》(人民出版社1983年出版)；《管理、管理学与管理哲学》(云南人民出版社1987年出版)；《欧洲哲学史便览》(江苏人民出版社1986年出版)。主要论文有：《思维与存在的关系是总体性概念》(《哲学研究》1982年第4期)；《改革与哲学现代化》(《光明日报》1987年2月25日)；《西方哲学史的逻辑与马克思主义哲学的产生》(《马克思主义来源研究论丛》第3辑)；《论人的价值系统》(《华南师范大学学报》1989年第1期)。

最欣赏黑格尔的名言："哲学是最敌视抽象的，它引导我们回复到具体。"

陈宗明，男，1934年6月生，安徽省六安县人。现任中共浙江省委党校、浙江行政学院教授，中国逻辑学会理事，中国逻辑与语言研究会副理事长，全国党校系统逻辑研究会副会长，浙江省逻辑研究会理事长。

1956年结业于安徽省中学教师进修学院，长期从事宣传理论工作。1979～1981年在中国社会科学院哲学研究所研究逻辑，随后调入浙江省委党校从事逻辑学的教学与研究。学术专长：自然语言逻辑。

主要著作有：《现代汉语逻辑初探》(三联书店 1979 年出版)；《逻辑与语言表达》(上海人民出版社1984年出版)；《说话写文章中的逻辑》(求实出版社1989年出版)。主要论文有：《略论思维形式和语言形式》(《哲学研究》1980年第 3 期)；《自然语言逻辑研究刍议》(《逻辑与语言研究》(2)，中国社会科学出版社1982年出版)；《逻辑与语境》(《逻辑学论丛》，中国社会科学出版社1983年出版)；《自然语句的语形研究》(《中共浙江省委党校学报》1985 年第 1 期)；《内涵逻辑探径》(《形式逻辑研究》，湖南人民出版社1985年出版)等。近几年主要致力于语用学的研究，兼及符号学一般理论。

为人谦和，喜爱中国古典文学，时有诗词新作。刻苦自学，勤于思考，自称"当一辈子学生的人"。

陈庆坤，男，1937年 5 月生，黑龙江省绥棱县人。现任吉林大学哲学系教授，哲学系中国哲学研究室主任，吉林省哲学学会理事，吉林省中国哲学史研究会副干事长。

1961年于中国人民大学哲学系毕业后，分配到吉林大学哲学系中国哲学史教研室任教至今。1983年晋升为副教授，1988年晋升为教授。学术专长：中国近代哲学史，中国古代人生哲学和体认论。

主要著作有：《中国近代启蒙哲学》(吉林大学出版社1988年出版)。主要论文有：《庄子哲学的道与闻道的方式析》(《吉林大学学报》1982年第 2 期)；《西学东来的桥梁与进化论的哲学》(《中国哲学史研究》1982年第 2 期)；《中国古代认识论向近代认识论的过渡(从顿悟思维到逻辑推断)》(《吉林大学学报》1988 年第 2 期)；《从阴阳化生论到进化论》(《中国文化与中国哲学》第 3 期)。

目前撰写国家教委科研项目《中国古代人生哲学和体认论》一书。

林超然，男，1930年 9 月生，海南省文昌县人。现任浙江大学哲学社会学系教授，浙江省自然辩证法研究会副理事长和中国自然辩证法研究会理事。

1951 年毕业于浙江大学化工系，1959～1961年在中共中央高级党校自然辩证法研究班学习。1978年起担任自然辩证法硕士研究生的教学工作。长期从事科学技术哲学、现代自然科学哲学问题和系统科学哲学问题的教学和科研工作。

主要著作有：《科学技术学概论》(主编，浙江科技出版社 1987 年出版)；《现代科学哲学教程》(主编，浙江大学出版社1988年出版)。主要论文有：《自然界统一性的新概念》(《浙江大学学报》1987 年第 1 期)；《系统学——软科学的基础理论》(《软科学研究》1987年第 1 期)；《科学哲学的历史主义学派》(《现代西方哲学简编》，上海社科院出版社1988年出版)。

范　彬，男，1930年1月生，山东省海阳县人。现任湘潭大学马列主义教研部主任、教授，湖南省哲学学会常务理事，省马列主义教学研究会副会长。

1956年毕业于中国人民大学马列主义基础研究生班。1953年到现在一直从事高教工作，主要讲授马克思主义哲学原理，还讲过中国哲学史、经典作家哲学原著、毛泽东军事辩证法、形式逻辑等课程。学术专长：马克思主义哲学原理。

主要著作有：《马克思主义哲学原理纲要》(湖南人民出版社1985年出版)；《中国社会主义建设简明教程》(主编，湖南人民出版社1987年出版)；《哲学政治经济学试题解答》(主编，湖南人民出版社1986年出版)。主要论文有：《略论马克思主义认识论与费尔巴哈形而上学唯物主义认识论的本质区别》(《湘潭大学学报》1980年第2期)；《毛泽东军事著作是运用和发展马克思主义哲学的光辉范例》(《湘潭大学学报》1982年第8期)；《重新确立党的实事求是思想路线的新贡献》(《论新时期毛泽东哲学思想的发展》，湖南人民出版社1985年出版)；《关于社会主义初级阶段几个问题的探讨》(《湘潭大学学报》1987年第11期)。

业余爱好：阅读中外文艺作品。

治学的宗旨是：勤奋、求索、创新、严谨。

范明生，男，1930年11月生，上海市人。现任上海社会科学院哲学研究所副所长、研究员。

1955年毕业于北京大学哲学系。以后相继在中国科学院原子能研究所、衡阳矿冶工程学院、武汉大学哲学系、上海社会科学院工作。学术专长：希腊哲学史。

主要著作有：《柏拉图哲学述评》(上海人民出版社1984年出版)；《希腊哲学史》(第1卷)(参加编写，人民出版社1988年出版)。主要论文有：《柏拉图早期理念论》(《外国哲学史研究集刊》(4)，上海人民出版社1981年出版)；《论约翰·罗尔斯的〈正义论〉》(《现代西方著名哲学家评述》(续集)，三联书店1983年出版)。译文有：《第一哲学和世界问题》(《当代美国资产阶级哲学资料》(二)，商务印书馆1978年出版)。

业余爱好：古典音乐、文学、艺术。

赵永茂，男，1928年1月生，辽宁省岫岩县人。现任吉林省哲学学会常务理事，毛泽东哲学思想研究会副干事长，吉林大学哲学系教授。

1951年毕业于东北人民大学行政系。1953年于中国人民大学中国革命史研究生毕业。此后在吉林大学任教。主讲过中国革命史、哲学原理、毛泽东哲学思想研究、中国当代哲学研究和现实哲学等课。1956年提为讲师，1979年提升为副教授。

主要著作有：《毛泽东哲学思想概论》（合著，吉林人民出版社1986年出版）；《毛泽东哲学思想发展史稿》（主编，吉林大学出版社1988年出版）。主要论文有：《论社会基本矛盾》（《庆祝建国三十周年吉林省社会科学学术报告会》（哲学文集），1979年11月）；《毛泽东哲学思想的产生和发展》（《新长征》1982年第5期）；《论共产主义和当前运动的辩证思想》（《吉林大学学报》1984年第4期）；《毛泽东的两类矛盾学说和十一届三中全会以来的丰富发展》（《吉林大学学报》1985年第2期）；《论毛泽东对唯物辩证法体系的重要贡献》（《吉林大学学报》1987年第6期）。

现正在撰写《毛泽东哲学和世界》《中国当代哲学问题》两本专著。

赵仲英，男，1924年7月生，云南省德宏傣族景颇族自治州盈江县人。昆明师范专科学校政教系教授，云南师范大学政教系兼职教授，全国马恩早期哲学思想研究会理事，云南省社会科学学会联合会常务理事，云南省哲学学会副会长。

1948年毕业于南京中央大学，从事过宣传理论工作，1980年后主持中共昆明师范专科学校党委会工作。现从事马克思主义哲学史、西方哲学史等方面研究工作。

主要著作有：《商品经济与观念变革》（合著，云南人民出版社1988年出版）。主要论文有：《异化在马克思早期中的地位与作用》（《马克思主义哲学史论文集》，三联书店1982年出版）；《分工范畴与历史唯物主义的创立》（《论马克思主义的形成和发展》，河南人民出版社1983年出版）；《论黑格尔关于劳动与实践的思想》（《马克思主义来源研究》（第7辑），商务印书馆1986年出版）；《马克思早期思想与哲学共产主义》（《马列主义研究资料》（第4期），人民出版社1988年出版）；《马克思关于俄国农村公社发展道路的理论与现实意义》（《哲学研究》1989年第7期）。

业余爱好广泛，常记的格言是：锲而不舍，金石可镂。

洪汉鼎，男，1938年11月生，江苏省南京市人。现任北京市社会科学院哲学所研究员，并任国际斯宾诺莎学会（荷兰）和中华全国外国哲学史学会理事。

1961年毕业于北京大学哲学系，长期从事西方哲学史研究，1983年曾获联邦德国洪堡基金会研究基金，在欧洲进修和讲学两年。1988年出席英国举行的第18届世界哲学大会和波恩举行的海德格尔学术讨论会。

主要著作有:《斯宾诺莎与德国哲学》(德文,联邦德国Scientia出版社1989年出版);《费希特,行动的呐喊》(山东文艺出版社1988年出版)。译著有:《逻辑学的发展》(合译,商务印书馆1985年出版);《神、人及其幸福简论》(合译,商务印书馆1987年出版)。主要论文有:《斯宾诺莎若干哲学概念剖析》(《外国哲学史研究集刊》,上海人民出版社1982年出版);《存在、认识和自由》(《外国哲学》,商务印书馆1983年出版);《关于斯宾诺莎的"一切规定都是否定"》(《北京大学学报》1983年第4期);《斯宾诺莎评传》(《西方哲学家评传》,山东人民出版社1984年出版);《〈逻辑哲学论〉与经验主义解释问题》(《哲学研究》1987年第9期)。

近年来特别着重中西方哲学比较研究,曾以此为题在德国作多次演讲,并与德国教授盖尔德赛策(L. Geldsetzer)合编译《中国哲学辞典》三卷。

他认为:哲学与其说是自然之镜,毋宁说是人生之路。哲学不仅洞察宇宙,而更重要的是陶冶情操。

祖庆年,男,1923年1月生,安徽省巢县人。江苏省社会科学院哲学研究所研究员。

1943～1948年,在中央大学哲学系求学,毕业后,考入中央大学研究院哲学研究所读研究生。1954～1956年,调中共中央高级党校师资训练部学习。自1949年7月起,先后任南京新华日报编辑、华东水利学院马列教研室教员、南京大学哲学系、历史系助教、讲师。1979年起,在江苏省社科院哲学所工作。1983年6月任副研究员,1986年12月任研究员。

主要论文有:《远东慕尼黑真相》(《群众论丛》1981年第6期);《关于莱布尼茨自然哲学的几个问题》(《外国哲学》1985年第6期);《关于辩证运动的圆圈形发展》(《哲学探讨》1986年第2期);《星外文明的哲学思考》(《哲学探讨》1987年第2期)。译著:《莱布尼茨自然哲学著作选》(中国社会科学出版社1985年出版)。

目前,对西方基督教伦理哲学,打算作些探讨。

崔绪治,男,1939年1月生,山东省济宁市人。现任苏州大学政治系教授,哲学史逻辑学美学教研室主任,江苏省哲学社会科学联合会常务理事、省马克思主义哲学史研究会副会长,苏州市哲学社会科学联合会副主席。

1961年江苏师范学院历史系毕业,留校从事哲学教学和研究工作,1979年开始指导哲学硕士研究生。长期从事马克思主义哲学原理、马克思主义哲学史的教学和科研工作,近年来提倡并致力于现代管理哲学的研究。

主要著作有：《现代管理哲学概论》(合著，安徽人民出版社1986年出版)；《马克思主义基本原理》(主编之一，南京大学出版社1989年出版)。主要论文有：《论“中断”》(《争鸣》1983年第2期)；《对两个文明的若干基本理论问题的理解》(《社会科学战线》1984年第1期)；《论列宁〈哲学笔记〉中的实践观》(《江海学刊》1985年第1期)；《略论管理哲学的建设》(《江海学刊》1986年第4期)；《略论列宁的管理思想及其对管理哲学的启迪》(《人文杂志》1987年第4期)等。

身体健康。步入中年后喜欢恬淡清静的生活。

郭国勋，男，1935年1月生，黑龙江省爱辉县人。辽宁大学哲学系教授，哲学系主任，兼任中华全国马哲史学会常务理事，东北地区和辽宁省马哲史研究会理事长，辽宁省哲学学会、省社会学学会副会长，省毛泽东哲学思想研究会顾问。

1957年毕业于东北师范大学政治系。1962年进中国人民大学哲学系教师进修班学习。毕业后，长期从事马克思主义哲学原理，马列经典著作、毛泽东哲学思想等课程的教学和研究工作。对哲学改革有系统见解并积极付之于实践。

主要著作有：《时代、改革与哲学》(主编，辽宁大学出版社1986年出版)；《列宁选集简介》(统编，辽宁人民出版社1985年出版)；《〈反杜林论〉研究集》(编辑组长，黑龙江人民出版社1985年出版)。主要论文有：《马克思〈1844年经济学哲学手稿〉的基本性质》(《辽宁大学学报》1983年第3期)；《马克思的社会系统观》(《社会科学辑刊》1985年第4期)；《〈费尔巴哈论〉一书的结构和特点》(《辽宁大学学报》1980年第2期)；《时代精神与哲学的改革》(《辽宁大学学报》1986年第4期)。

业余爱好：字画欣赏。

人生格言：人生要不停地进击。

梁中义，男，1934年11月生，河南省西峡县人。北京师范大学哲学教授，并兼任北京市哲学社会科学规划小组哲学组成员、北京市哲学学会理事等职。

1958年毕业于北京师范大学政教系，留校任哲学教员，一直担任公共哲学课教学工作，由助教、讲师、副教授，晋升为教授。

主要著作有：《马克思主义哲学基本原理》(辽宁人民出版社1980年出版)；《马克思主义哲学基本原理》(文、理各一册)(辽宁人民出版社1984年出版)；《马克思主义哲学原理》(北京广播学院出版社1987年出版)。主要论文有：《论全局和局部的辩证法》(《北京师范大学学报》1981年第6期)；《应当重视对“逆反心理”的研究》(《学习与研究》1986年第 8 期)；《应当重视对社会主义初级阶段矛盾辩证法的研究》(《历史唯物主义研究》(第 3 集)，中国社会科学院文献出版社 1988 年出版)。

黄希贤,男，1929 年 1 月生，吉林省浑江市人。现任贵州大学哲学系教授和副校长、贵州省哲学学会副理事长等职。

1951 年在东北师大政治系学习；1954 年在北师大马列主义基础研究班学习；1955 年 8 月至今先后在贵阳师院马列主义教研室和贵州大学马列主义教研室、哲学系任教。相继担任过教研室主任、系主任；1956 年评为讲师，1982 年评为副教授，1987 年晋升为教授。

学术专长：重点研究唯物辩证法和毛泽东认识论思想，近年来着重研究社会主义精神文明和培养哲学硕士研究生。

主要著作有：《马克思主义哲学学习纲要》(合编及撰稿人，贵州人民出版社 1986 年出版)；《毛泽东哲学思想研究》(合编及撰稿人，贵州人民出版社 1985 年出版)；《哲学问答100题》(合编及撰稿人，贵州人民出版社 1985 年出版)。主要论文有：《实事求是是无产阶级世界观的基础》(《贵州社会科学》1983 年第 6 期)；《论马克思主义的人的价值观》(《贵州大学学报》1984 年第 1 期)；《论社会主义商品经济与社会主义精神文明》(《贵州大学学报》1987 年第 1 期)。

业余爱好：喜爱体育活动；关心时事。

人生格言：生命不息，战斗不止，为人民服务最幸福，为集体谋利最快乐；坚持原则，坚持真理，实事求是，不随风倒。

傅季重，男，1920 年 11 月生，江苏省南京市人。现任上海社会科学院哲学研究所研究员。

1951年 1 月在北京中央政法干部学校学习。1953 年 3 月在华东政法学院担任马克思主义哲学和逻辑学的教学工作，并任哲学教研室副主任。1959 年 9 月任上海社会科学院哲学研究所逻辑组组长。1978 年 9 月任哲学所副所长兼逻辑学研究室主任。同时担任中国逻辑学会副会长，辩证逻辑研究会会长，上海社联和哲学学会理事，上海逻辑学会会长，以及《学术月刊》《社会科学》编委等职。

学术专长：马克思主义哲学和逻辑学。尤其对辩证逻辑有比较深入的研究。

主要著作有：《辩证逻辑研究论文集》(主编，上海人民出版社1981 年出版)。主要论文有：《分析与综合相结合是辩证逻辑的基本方法》(《社会科学》1981年第 3 期)；《方法在科学认识中的作用》(《江海学刊》1982年第 2 期)。

蒋冰海,男,1931年9月生,江苏省淮阴县人。现任上海社会科学院哲学研究所研究员,学术委员会委员,美学研究室主任,上海社联委员,中华全国美学学会副秘书长,中华全国美育研究会会长。

1951年毕业于华东人民革命大学第3期,1955年毕业于中共中央华东局党校理论班。随后从事哲学教学、编辑、科研工作。曾任上海人民出版社哲学编辑室主任、副编审。1983年调上海社会科学院哲学所工作,1989年晋升为研究员。

主要著作有:《美与审美观》(合著,上海人民出版社1985年出版);《美学十论》(主编,上海人民出版社1984年出版);《青年美学知识》(主编,上海社会科学院出版社1985年出版)。主要论文有:《关于美学的对象问题》(《美学与艺术讲演录》,上海人民出版社1983年出版);《审美教育探讨》(《美学与艺术讲演录续编》,上海人民出版社1989年出版);《美学研究的方法论问题》(《东岳论丛》1983年第4期);《美育:给人的心灵以本质的定性》(《文汇报》1987年10月28日)。

近年来主要从事美育理论研究。目前正主持国家社科"七五"重点项目《精神文明学》课题的研究与撰写工作。

彭万春,男,1927年2月生,河北省完县人。现为北京师范大学哲学教授,北京市社联委员,北京市哲学学会副秘书长、常务理事兼哲学组组长。

1954年于中国人民大学哲学专业研究生毕业。曾先后担任北京师范大学政治教育系哲学教研室副主任、哲学系副主任、马列主义教研室党总支书记兼副主任。

长期在北京师范大学从事马克思主义哲学原理和马克思主义哲学原著的教学工作。近几年主要给研究生讲授马克思主义哲学专题,并给进修班讲授马克思主义认识论专题。学术专长是马克思主义哲学,侧重于认识论的研究。

主要著作有:《辩证唯物主义和历史唯物主义》(主编,北京师范大学出版社1985年出版);《哲学新编教程》(撰写第八章,华夏出版社1989年出版)。主要论文有:《对当代资本主义生产关系的再认识》(合写,《北京师范大学学报》1988年增刊号);《哲学、世界观和人生观》(《中学政治课教学》1983年第7期)。承担并负责北京市哲学社会科学"七五"规划重点研究项目:当代资本主义社会基本矛盾特点研究。此外还致力于普教工作。

管敏政,男,1935年1月生,浙江省黄岩县人。现为浙江医科大学社会科学部主任、教授,浙江省哲学学会副会长,浙江省自然辩证法研究会副理事长。

1954年毕业于原浙江师范学院(现杭州大学)政治专修科。1956年至今一直在浙江医科大学历任助教、讲师、副教授、教授。陆续开设的课程有：马克思主义哲学、自然辩证法、医学辩证法、科学方法论、现代科学技术革命与马克思主义等。

主要著作有：《医学科学学导论》(浙江科技出版社1988年出版)；《马克思主义原理》(主编，浙江人民出版社1988年出版)；《医学辩证法》(合著，人民卫生出版社1985年出版)。主要论文有：《错误的难免与可免》(《浙江学刊》1981年第1期)；《马克思主义与证伪主义》(《浙江学刊》1984年第2期)；《社会科学的社会功能》(《理论教学与研究》1984年第1期)；《重视哲学社会科学新兴学科的建设》(《浙江哲学研究巡礼》，浙江大学出版社1988年出版)；《再认识简论》(《浙江省纪念党的十一届三中全会十周年理论讨论会论文集》，浙江人民出版社1989年出版)等。

目前除担任博士、硕士研究生教学工作外，还从事社会科学学和医学科学学的研究。

廖新泉，男，1932年4月生，黑龙江省宁安县人。现任辽宁大学哲学系教授，中国辩证唯物主义学会理事和辽宁省哲学学会副理事长。

1956～1958年在中共中央高级党校师训部哲学专业学习，1960年中国人民大学哲学系研究生毕业，后在辽宁大学哲学系任教。1980年为副教授，1987年晋升为教授。1978年以来担任培养硕士研究生的导师工作。多年来从事马克思主义哲学原理和马克思主义哲学经典著作教学工作。自1978年以来侧重唯物史观及马克思主义早期著作的研究。

主要著作有：《哲学原理》(主编，辽宁大学出版社1985年出版)；《哲学》(主编，辽宁人民出版社1986年出版)；《马克思主义哲学原理纲要》(主编，辽宁大学出版社1987年出版)。主要论文有：《生产力是社会发展的最终决定力量》(《辽宁大学学报》1980年第5期)；《唯物史观起点初探》(同上，1983年第2期)，《恢复历史主体在唯物史观中应有的地位》(《现代哲学》1986年第3期)。

燕国桢，男，1926年3月生，湖南省桃源县人。现任中南工业大学社科系哲学教授，中南工业大学科学研究成果评委会委员，国防科技大学社会科学高级技术职称评审委员，湖南省哲学学会常务理事、湖南省高等院校研究生公共政治理论课教研会理事长。

1953年7月于湖南大学中文系毕业后，就读于中国人民大学马列主义研究班，1956年毕业后回原中南矿冶学院任教至今(现该院改名为中南工业大学)。主要开设马克思主义哲学原理、科学社会主义、哲学史、科学方法论基础等课程。现带科学思维方法论方向硕士研究生。学术专长：马克思主义哲学原理。

主要著作有：《马克思主义原理》（第一主编，中南工业大学出版社1986年出版）。主要论文有：《从研究范畴的演进入手揭示哲学史发展的规律》（《求索》1982年第5期）；《唯物辩证法规律和范畴体系新探》（《唯物辩证法范畴研究》，华中工学院出版社1984年出版）；《世界观人生观系统结构新析》（《求索》1987年第2期）；《关于科学方法论层次结构问题》（《江汉论坛》1988年第5期）。

平常爱博览，喜思考。

人生格言：学求渊博，业求专精，思求创新。

魏益华，男，1929年7月生，浙江省诸暨市人。现任浙江省委党校副校长、教授。

1956年8月至1957年8月，在中央高级党校师训部学习哲学。1959年3月至1961年1月，在高级党校自然辩证法研究班学习，研究生毕业。1957年9月至1983年8月在浙江大学马列主义教研室任哲学教师。1962年晋升为讲师。1981年1月晋升为哲学副教授，1988年晋升为教授。学术专长：自然辩证法、现代科技人才的研究。

主要著作有：《科学技术学概论》（副主编，浙江科技出版社1987年出版）；《思想政治工作概论》（浙江人民出版社1987年出版）。主要论文有：《论道德在科技人才成长中的作用》（《浙江大学教育研究》，浙江大学出版社1983年出版）；《论现代党政领导人才的素质与培养途径》（《浙江省委党校学报》1986年第2期）；《哲学改革与整体意识》（《浙江省委党校学报》1987年第4期）。

业余爱好：下围棋。

哲学刊物简介

说明：　本年鉴（1982）曾介绍过当时出版的哲学报刊。近年来随着哲学事业的发展和国家对报刊的调整，哲学专业报刊也发生了很大变化。因此有必要对国内现正出版的哲学专业刊物重新作一介绍。

我们根据已掌握的资料，将各种刊物分为定期的期刊和不定期的丛刊（集刊）两部分。其中有“邮发代号”的可以从邮局订到，其他要从该刊编辑部或书店订购。作为附录，我们也选择了数种台湾出版的哲学刊物向读者介绍，读者可根据其“征订代号”向中国图书进出口总公司订购。

哲学研究　中国社会科学院哲学研究所主办　邢贲思主编　哲学研究杂志社出版　双月刊　16开本　地

址：北京市建国门内大街5号　邮政编码 100732　国内统一刊号 CN 11-1140　邮发代号2-201　1955年创办　1966～1977年停刊　1978年复刊　曾为季刊、月刊

办刊宗旨：以马克思列宁主义、毛泽东思想为指导，坚持理论联系实际的原则，认真贯彻“百家争鸣”方针；推动我国的哲学研究工作，坚持、捍卫和丰富、发展马克思主义哲学、毛泽东哲学思想；通过繁荣我国的哲学，提高干部的哲学水平，为社会主义精神文明建设和社会主义现代化事业服务。

设有评论、关于哲学的特点和功能、哲学与文化、马克思主义哲学史研究、关于改革的理论和方法论问题探讨、中国传统哲学与文化研究、书评等栏目。

哲学译丛　中国社会科学院哲学研究所主办　李树柏主编　哲学研究杂志社出版　双月刊　16开本　地址：北京市建国门内大街5号　邮政编码 100732　国内统一刊号 CN 11-1143　邮发代号2-202　1956年创办　1966年停刊　1978年复刊

办刊宗旨：以马列主义、毛泽东思想为指导，密切结合国内外形势，及时、准确、重点而全面地刊载国外马克思主义者以及资产阶级关于哲学问题的重要论文。为我国哲学专业工作者和理论工作干部学习马列主义、批判资产阶级意识形态提供资料。

译载论文、论著；反映学派、流派及其发展趋向观点的文章、评述；以及人物介绍、书评、书目等。

哲学动态　中国社会科学院哲学研究所主办　任俊明主编　哲学研究杂志社出版　月刊　16开本　地址：北京市建国门内大街5号　邮政编码 100732　国内统一刊号 CN 11-1141　1979年创办　原名《国内哲学动态》　1987年改现名

办刊宗旨：作为动态性、资料性的学术刊物，在马克思主义指导下，倡导大胆探索，鼓励开拓创新；贯彻百家争鸣，活跃学术讨论；推广哲学应用，繁荣哲学理论。

设有学术活动及学术交流、研究概况、研究述评、思考与探讨、哲学短论、哲学与现实、现代自然科学与哲学、论坛荟萃、书刊评介、研究资料等栏目。

现代哲学　广东哲学学会主办　余少波、叶汝贤主编　现代哲学编辑部出版　季刊　16开本　地址：①广州市石牌华南师范大学　邮政编码510631　②广州市康乐村中山大学　邮政编码510275　国内统一刊号 CN44-1071　1985年创办　自1987年起，单年由华南师范大学哲学管理学研究所编辑出版，双年由中山大学哲学系编辑出版

办刊宗旨：在马克思主义指导下，坚持四项基本原则和改革开放，贯彻“百家争鸣”方针，面向社会主义现代化建设和世界新技术革命，

从哲学上对当代新情况、新问题进行探索和研究，为建设有中国特色的社会主义事业服务。

刊载论文、书评、书讯等。

自然辩证法研究 中国自然辩证法研究会主办 丘亮辉主编 学术书刊出版社出版 双月刊 16开本 地址：北京市学院南路86号 邮政编码100081 国内统一刊号CN11-1649 邮发代号6-108 1985年创办 1985年为季刊

办刊宗旨：反映本学科的研究成果，向社会举荐人才；开展国内外学术交流，提高本学科的科研和教学水平；促进科学家、哲学家和管理工作者的联盟与合作，为我国四化建设作出自己的贡献。

刊载自然哲学、科学哲学、技术哲学、自然辩证法教学研究、科学方法论等方面的文章。

科学技术与辩证法 山西省自然辩证法研究会主办 张家治主编 山西省自然辩证法研究会出版 双月刊 16开本 地址：太原市坞城路36号山西大学院内128楼 邮政编码030006 国内统一刊号CN14-1061 邮发代号22-25 1984年创办 1984～1988年为季刊

办刊宗旨：坚持四项基本原则，坚持理论联系实际、普及与提高相结合的方针，努力倡导和促进自然科学工作者与社会科学工作者的联盟，提倡学术民主、百家争鸣，积极推动自然辩证法、科技史和科学学的研究、宣传与应用，为四化建设服务。

设有自然辩证法理论研究、应用辩证法、自然科学中的哲学问题、科学哲学研究、科学技术方法论、思维科学探讨等栏目。

医学与哲学 中国自然辩证法研究会主办 彭瑞骢主编 医学与哲学杂志社出版 月刊 16开本 地址：大连市南石道街丙寅巷3号 邮政编码116013 国内统一刊号CN21-1093 邮发代号8-122 1980年创办 1980～1981年为季刊

办刊宗旨：开阔眼界、启迪思维、促进工作；坚持理论与实践的结合，以理论高度为主，从医学科学和医疗卫生工作实践出发，探索医学科学和医疗卫生工作的规律，总结人们主体认识方法。

设有医学方法论、医学伦理学、医学美学、外论选载等栏目。

毛泽东哲学思想研究 上海社会科学院哲学研究所、中国马克思主义哲学史学会毛泽东哲学思想研究会主办 周抗主编 上海社会科学院哲学研究所出版 双月刊 16开本 地址：上海市淮海中路622弄7号 邮政编码200020 国内统一刊号CN31-1533 1980年创办 原名《毛泽东哲学思想研究动态》(内部发行) 1988年改现名

办刊宗旨：坚持四项基本原则，贯彻双百方针，重视学术探讨和争鸣。立足于当代现实，反映研究毛

泽东哲学思想的最新理论成果；结合我国四化建设实际，探讨改革理论和实践；探讨马克思主义哲学的使命和特点；推进马列主义哲学、毛泽东哲学思想的研究和发展。

设有毛泽东方法论思想探讨、毛泽东哲学著作研究、改革中哲学问题研究、国外学术思想与动态、史料研究等栏目。

中国哲学史研究 中国哲学史学会主办 方立天、衷尔钜主编 中国社会科学出版社出版 半年刊 16开本 地址：北京市建国门内大街5号 邮政编码100732 国内统一刊号 CN11-1029 1980年创办 1980～1989年为季刊

办刊宗旨：在马克思主义毛泽东思想的指导下，发表研究中国哲学思想、历史、现状、思潮、人物、派别、著作的论著。面向国内外广大学者，坚持双百方针，坚持理论与实践的统一，发展和繁荣中国传统哲学与文化。

设有中国哲学与中国文化、中国哲学与现代化、当代中国哲学思潮、当代中国哲学家学术生涯、近现代中外哲学之交流与比较、中国古代哲学研究等栏目。

孔子研究 中国孔子基金会主办 辛冠洁主编 齐鲁书社出版 季刊 16开本 地址：山东曲阜师范大学 邮政编码273100 国内统一刊号 CN37-1037 邮发代号24-76 1986年创办

办刊宗旨：以马列主义毛泽东思想为指导，致力于推动孔子、儒家和中国传统文化思想的研究工作，总结继承古代丰富珍贵的文化遗产，繁荣学术研究，“古为今用”，为建设有中国特色的社会主义精神文明服务。

设有青年论坛、海外论坛、争鸣、学术考辨、书评等栏目。

周易研究 山东大学周易研究中心主办 刘大钧主编 山东大学出版 半年刊 16开本 地址：济南市山东大学新校 邮政编码250100 山东省期刊特许证091号 1988年创办

办刊宗旨：推动国内外易学研究，宣扬中国传统文化。

设有经传研究与易学史、《周易》与文化、《周易》与自然科学、大众易学等栏目。

东方哲学研究 中国社会科学院哲学研究所东方哲学室、延边大学朝鲜问题研究所主办 朱红星、巫白慧主编 东方哲学研究编辑部出版 年刊 16开本 地址：北京市建国门内大街5号 邮政编码100732 吉林省内部报刊准印证96号1985年创办

办刊宗旨：以马列主义、毛泽东思想为指导，贯彻“双百”方针，研究马克思主义哲学在东方各国的传播和发展；探索东方哲学的特点及交流对东方哲学研究的成果，为丰富和发展马克思主义哲学提供思想

资料；发掘和整理东方哲学文献资料，建立我国的东方哲学体系；开展对外学术交流；进行东西方哲学的比较研究，促进东方哲学的现代化；发现培养人才，为社会主义精神文明作贡献。

设有哲学、宗教、东方哲学家、研究综述、译文、学术信息等栏目。

逻辑与语言学习 中国逻辑学会逻辑与语言研究会主办 瞿麦生主编 中国逻辑与语言函授大学出版 双月刊 16开本 地址：石家庄市河北师范学院政教系 邮政编码050091 国内统一刊号CN13-1026 邮发代号18-96 1981年创办

办刊宗旨：以提高中华民族的思维与语言能力为宗旨。面对广大社会的逻辑、语言、文字工作者与爱好者，介绍逻辑与语言理论在社会实践中的应用经验与成果。雅俗共赏，普及兼提高。

设有逻辑论坛、语言逻辑研究、逻辑探索、逻辑史研究、逻辑病院、逻辑应用研究等栏目。

道德与文明 中国伦理学会、天津社会科学院主办 李奇、罗国杰主编 天津社会科学院出版 双月刊 16开本 地址：天津市迎水道7号 邮政编码300191 国内统一刊号CN 12-1029 邮发代号6-60 1982年创办 原名《伦理学与精神文明》 1985年改现名

办刊宗旨：作为研究道德理论和道德实践的理论刊物，为社会主义的精神文明建设和社会主义的道德建设的理论和实践服务。

设有伦理学基本理论研究、精神文明建设、品德教育、职业道德、婚姻家庭道德等栏目。

美学与时代 中华全国美学会湖北省分会主办 汤麟主编 美学与时代杂志社出版 季刊 16开本 地址：武汉市武昌华中村湖北美术院内 邮政编码430061 鄂刊字168号 1988年创办

办刊宗旨：把现代美学理论直接引入当代科技、工业、建筑、环境、劳动及社会生活的各个领域；克服我国长期以来美学研究与社会实践联系不足所带来的国际差距，为社会主义物质文明和精神文明建设服务。

设有美学基本问题研究、现代国外美学评介、中国古代艺术研究、美学·科技·企业等栏目。

中国哲学年鉴 中国社会科学院哲学研究所学术委员会和哲学各学科学会(研究会)联合主办 邢贲思主编 中国大百科全书出版社（上海分社)出版 年刊 32开本 地址：北京市建国门内大街5号 邮政编码100732 1982年创办

办刊宗旨：以马列主义和毛泽东思想为指导，反映每年度中国哲学工作的概况、进展和成果；为教育、宣传、出版部门的同志和广大哲学爱好者了解中国哲学的现状和发展，提供较为全面、系统的综合性

资料。

设有特载、专文、研究状况和进展、新书选介、哲学界概况、哲学界动态、国外哲学见闻、在国外哲学论坛上、已故哲学家传略、附录(新书目、论文索引)等栏目。

中国哲学　中国社会科学院历史研究所中国思想史研究室主办　人民出版社出版　刊期不定　32开本　地址：北京市建国门外日坛路6号　邮政编码100021　1979年创办

办刊宗旨：以马克思列宁主义、毛泽东思想为指导，贯彻党的“百花齐放，百家争鸣”方针，着重发表中国哲学史及思想史研究中的较有价值的学术成果、思想家生平著述和史料考订、新发现的思想家佚著、近现代重要思想流派及其代表人物的专题资料、老一辈学者的学术回忆录等。

刊载论文、书评、论学书札、资料与回忆等。

德国哲学　湖北大学哲学研究所主办　张世英主编　北京大学出版社出版　半年刊　32开本　地址：武汉市武昌区湖北大学　邮政编码430062　1986年创办

办刊宗旨：推动对德国哲学和马克思主义哲学的研究和发展，促进中外哲学界的沟通、理解和对话，并希望从我们对异邦深邃的哲学思想的研究中崭显出一批卓有创见的哲学思想和哲学家。

刊载中外哲学界以中、外文发表的学术论文、读书札记、书刊评介、国外哲学动态、当代哲学家小辞典等。

美学论丛　中国社会科学院文学研究所文艺理论研究室主办　蔡仪主编　文化艺术出版社出版　刊期不定　大32开本　地址：北京市建国门内大街5号　邮政编码100732　1979年创办

办刊宗旨：作为研究美学和文艺理论的专业丛刊，努力学习马克思主义，准确全面地阐述有关的理论现状和遗产；努力坚持实事求是的科学态度，认真地深入地探讨美学的各种问题；努力遵循明辨是非的思想原则，诚恳地接受批评，严谨地驳斥谬误。

刊载马克思主义经典作家的美学思想、美学原理、中外美学史等方面的研究文章、译文和资料。

美学讲坛　中国社会科学院文学研究所主办　蔡仪主编　广西人民出版社出版　刊期不定　地址：北京市建国门内大街5号　邮政编码100732　1982年创办　原名《美学评林》山东文艺出版社出版　1987年改现名

办刊宗旨：以马克思主义为指导思想，贯彻“百花齐放，百家争鸣”方针，以生动、活泼、多样的形式宣传马克思主义美学；探讨、研究美学各方面的问题，普及美学知识，并期有助于美学科学联系现实生活和艺术实践；以便为社会主义精神文明建设，为“五讲四美三热爱”活动作出贡献。

设有马克思主义经典作家论美学、美学争鸣、外国美学研究、中国古代美学探索、美学信息等栏目。

外国美学 《外国美学》编委会主办 汝信主编 商务印书馆出版 年刊 32开本 地址：北京市王府井大街36号 邮政编码100710 1985年创办

办刊宗旨：以马克思主义观点评介西方美学思潮，以促进国内的美学研究。

刊载论文、译文等。

哲学年刊 “中华民国哲学会”主办、出版 年刊 16开本 地址：台北市天母求志路25巷3号 征订代号110X0014 1981年创办

办刊宗旨：“哲学起于好奇爱智，成于论物指事，而极于立人达天，是文化学术的颠峰表现，是智慧行谊的最高指南。”该刊“即在呼吁发挥如上之哲学功能和完成如上之哲学使命。”

刊载用中外文著述的论文、书刊评介等。

鹅湖 高柏园主编 鹅湖月刊杂志社出版 月刊 16开本 地址：台北市建国南路二段308巷3号3楼 征订代号110X0015 1975年创办

办刊宗旨：“以复兴中国文化，发扬传统中国哲学为宗旨。”

刊载论文、译文、书刊评介等。

哲学与文化月刊 哲学与文化月刊社主办、出版 月刊 16开本 地址：台北市乐利路94号 征订代号110X0012 1964年创办 原名《现代学苑》 1974年革新号改现名

办刊宗旨：“培养国人学术素养及正确的思想与文化见解，沟通中西文化，建设未来中国所需要之新文化。”

设有论著、青年哲学、人物专访、书刊评介等专栏。

孔孟学报 “中华民国孔孟学会”主办、出版 半年刊 16开本 地址：台北市南海路45号 征订代号200X0032 1961年创办

办刊宗旨：“以纯粹研究学术的态度，发扬或评论孔孟及其它儒家学说。”

刊载研究孔孟学说、经学、中国文化的论文及有关孔孟学说及中国文化各种著述之评介等。

孔孟月刊 “中华民国孔孟学会”主办、出版 月刊 16开本 地址：台北市南海路45号 征订代号200X0033 1962年创刊

办刊宗旨：“应用科学方法，宏扬孔孟学说，提倡德智教育，共策社会进步。”

刊载论文、札记等。

中华易学 “中华民国易经学会”主办、出版 月刊 16开本 地址：台北市罗斯福路一段119巷9号4楼 征订代号110X0013

办刊宗旨：以“认识中华文化”

为口号，刊登研究易经的文字。

设有易言、易经论述、易经数理、易经文史等栏目。

1989年哲学专业毕业博士研究生情况

单位	专业	姓名
中国社会科学院哲学研究所	马克思主义哲学 西方哲学	姜兴宏 周国平 范建荣 程志民 陈嘉明
北京大学哲学系	马克思主义哲学 中国哲学 逻辑学	谢立中 冯丹 曲跃厚 薛亚平 丛凤辉 王中江 庞万里 窪田忍 张跃 沈未 李小五 刘壮虎 邓庆生 周北海
中共中央党校理论部	马克思主义哲学	王伟光 徐伟新
上海华东师范大学哲学系	中国哲学	李克林
武汉大学哲学系	马克思主义哲学 外国哲学	姜锡润 高文武 胡万福 邢新力

1989年哲学专业毕业硕士研究生情况

单位	专业	人数
四川大学哲学系	马克思主义哲学 外国哲学史	2 1
湘潭大学哲学系	西方哲学	8
云南大学政治系	马克思主义哲学	6
厦门大学哲学系	马克思主义哲学 科学技术哲学	9 3
中山大学哲学系	马克思主义哲学 中国哲学 外国哲学史 逻辑学 科学技术哲学	4 3 4 4 5
华南师范大学哲学管理学研究所	马克思主义哲学 科学技术哲学	7 5
广西大学哲学系	马克思主义哲学	2

续表

单　　位	专　　业	人数	单　　位	专　　业	人数
黑龙江大学哲学系	马克思主义哲学	3	山东大学哲学系	马克思主义哲学	13
吉林大学哲学系	马克思主义哲学	6		中国哲学	2
	中国哲学	1		外国哲学史	4
	科学技术哲学	15	兰州大学哲学系	中国哲学	2
辽宁大学哲学系	中国哲学	1	郑州大学哲学系	中国哲学	1
	西方哲学	4	西北大学哲学系	马克思主义哲学	3
北京大学哲学系	马克思主义哲学	13	南京大学哲学系	马克思主义哲学	4
	中国哲学	5		中国哲学	5
	逻辑学	1		外国哲学史	3
	伦理学	1		现代外国哲学	7
	美学	10		逻辑学	3
	科学技术哲学	6		科学技术哲学	3
中国社会科学院哲学研究所	中国哲学	1	安徽大学哲学系	马克思主义哲学	2
	东方哲学	1		中国哲学	1
	科学技术哲学	4		西方哲学	2
中国人民大学马克思列宁主义发展史研究所	马克思主义哲学	5	复旦大学哲学系	马克思主义哲学	6
				中国哲学	3
				外国哲学史	6
北京师范大学哲学系	马克思主义哲学	5		现代外国哲学	5
	西方哲学	4		科学技术哲学	2
	伦理学	3		逻辑学	1
	逻辑学	2	上海华东师范大学哲学系	中国哲学	3
	科学技术哲学	2		逻辑学	1
中共中央党校理论部	马克思主义哲学	10		伦理学	5
南开大学哲学系	马克思主义哲学	4	武汉大学哲学系	马克思主义哲学	5
	中国哲学	2		中国哲学	3
	外国哲学史	5		外国哲学史	2
	美学	8		逻辑学	4
				美学	5
山西大学哲学系	马克思主义哲学	4	杭州大学哲学系	马克思主义哲学	3

哲学界动态

【全国马克思主义哲学研究与干部哲学教育研讨会】 1989年11月11～13日，由中国马克思主义哲学史学会毛泽东哲学思想研究会和中共北京市委干部理论教育讲师团联合发起的全国马克思主义哲学研究与干部哲学教育研讨会在中央党校召开。参加会议的有首都哲学界的专家学者、全国毛泽东哲学思想研究会的理事、部分省市干部理论教育讲师团的负责人等。会议的中心议题是贯彻十三届四中全会和全国宣传部长会议精神，研究和讨论在哲学界坚持党的基本路线，反对资产阶级自由化，以及在对党员干部进行马克思主义哲学教育中哲学工作者如何提高认识、发挥作用的问题。会议期间，中央政治局常委李瑞环在中南海怀仁堂与全体会议代表举行了座谈，听取会议代表们的意见，并作了重要讲话。

一、对十一届三中全会以来哲学界基本情况的估价 与会者认为，十一届三中全会以来，马克思主义哲学在拨乱反正、全面改革和四化建设中发挥了巨大的指导作用，马克思主义哲学本身也在新的实践中获得了发展的生机和活力。广大哲学工作者以实事求是的思想路线为指导，以总结建国以来的历史经验和改革开放以来的新鲜经验为基础，围绕着建设有中国特色的社会主义这个主题，在哲学研究的各个领域进行了大量的具有开创性的探索，取得了丰硕的成果，为坚持和发展马克思主义哲学作出了贡献。但是，在这个过程中，由于资产阶级自由化思潮的干扰，哲学界也出现了一些问题，一些顽固坚持资产阶级自由化的人，打着“发展”、“创新”的旗号，从根本上否认马克思主义哲学的科学性和对中国社会主义实践的伟大指导作用，攻击马克思主义哲学已经“过时”，企图以西方资产阶级哲学取代马克思主义哲学的指导地位。在这种思潮的影响下，一些哲学工作者对马克思主义哲学基本原理产生了怀疑和动摇，发表了一些明显偏离马克思主义轨道的错误观点，在理论界，甚至在群众中造成了相当的思想混乱。因此，坚持“一个中心两个基本点”的基本路线，深入开展反对资产阶级自由化的斗争，并就哲学研究中一些重大理论是非问题展开讨论，澄清迷误，明辨是非，已成为当前哲学界的一项重要任务。

二、充分认识对党员干部进行

马克思主义哲学教育的必要性、重要性 与会者联系国际大环境的变化和国内各条战线的实际情况，充分认识到党中央现在提出对广大党员干部进行马克思主义基本理论教育，重点学习马克思主义哲学，掌握科学的世界观方法论，确是一项有战略意义的重大部署，是党不变质国不变色的根本保证。改革开放，建设有中国特色的社会主义，是一项探索性的艰巨任务，将会碰到许多新情况、新矛盾，这就要求广大党员干部提高自身的理论水平，以适应社会主义改革开放实践的需要。但是在过去的几年中，由于各种原因，马克思主义哲学遭到了冷落，党员干部的理论素质呈现下降的趋势，唯心论、形而上学在实际工作中有时表现得十分严重。马克思主义哲学既是一门学问，同时又是共产党人的世界观方法论，这两方面均不可偏废，尤其是作为共产党人的世界观方法论，它的作用更是不可忽略的。广大党员干部只有解决好世界观方法论的问题，各项工作才能有系统性、预见性、创造性，社会主义改革开放的实践才能沿着正确方向发展。

三、总结历史经验教训，努力使党员干部学哲学真正富有成效 与会者认为，学习马克思主义哲学是中国共产党人的传统，尤其是在新中国成立以后，有过多次学哲学运动，这其中有成绩，也有经验教训。在这次党员干部学哲学活动中，应该注意吸取过去的经验教训，认真分析研究现阶段开展学哲学活动的有利条件和不利因素，学习方法和措施都要切合实际，要把学习和新的形势、任务结合起来，和改造世界、改进思想方法工作方法结合起来，克服形式主义、一阵风、脱离实际等错误倾向。与会者特别谈到，学哲学活动中，理论联系实际要谨慎、要讲究科学，要把握哲学本身的特点，要看到哲学是高层次的意识形态，是一种认识工具，它不可能为现实问题提供现成的结论。哲学与具体工作之间的联系需要中间环节，忽略这一点，就很容易产生简单化庸俗化的倾向，也很容易使哲学变成附庸，失去哲学的作用。

四、学习的重点和哲学工作者的作用 与会者认为，在这次党员干部学哲学活动中，要把毛泽东哲学思想的学习摆在重要的位置上。这样做并不意味着排斥马克思主义哲学的学习，因为毛泽东哲学思想是马克思主义哲学在中国的新发展。任何理论都要随着新的时代、新的经验而获得新的发展，产生新的著作，毛泽东哲学思想正是这种新发展。此外，毛泽东哲学思想本身的特点，即它的通俗性，以及和中国革命建设、文化传统的密切结合等，也决定了它必然成为中国的党员干部学哲学的主要内容。

（徐素华）

【正确理解马克思主义哲学的物质范畴座谈会】 北京市哲学会哲学组与高教学会哲学教学研究会联合于1989年12月26日在北京大学召开了"如何正确理解马克思主义哲学的物质范畴"座谈会，参加人员有北京地区10所大专院校哲学系、社科系和物理研究所、杂志社的教授、研究员、编辑30人。

一、对如何正确理解马克思主义哲学物质范畴的意见　(1)认为列宁的物质定义没有明确提出主体性问题和从主体的角度来论述认识论问题，特别是忽视了从主客体双向作用去阐明主体因素对认识的意义，这就影响了对唯心主义批判的说明力和彻底性。(2)有的物理学家针对哲学家引用诺依曼测定理论对列宁的物质定义提出的否定而谈了意见，认为爱因斯坦对物质下的"相信有一个离开知觉主体而独立的外在世界，是一切自然科学的基础"的定义与列宁的物质定义的精神是一致的。他们引用了量子力学研究中许多测量的基本理论、定理和测量的进展过程以及所得结论后指出，一些哲学家把诺依曼测量定理视为"科学"基础，并依据它得出"量子力学证明了主体和客观的不可分割"、"客体和主体之间的分界线已经模糊不清"等等结论。但这一"科学"基础本身就是不科学的。由于测量过程是熵增加的过程，是不能在薛定谔方程范围内推导出来的，诺依曼的"证明"实质上是由错误的前提而得出的错误的结论。那些否定列宁物质定义的哲学家所用的自然科学上所谓的最新成就是一种错误的测定，依据这种错误的测定得出的哲学论断是不能成立的。(3)有的哲学家很明确的说，物质问题来自世界的统一性，它是一个哲学范畴。有人说列宁的物质定义是认识论问题，有人说是本体论问题，实际两方面都包括。物质范畴既有绝对性又有相对性，绝对性就是普遍性，相对性就是普遍可概括特殊，但不能代替。人们要认识客观实在就要追求最一般的概括，因此，认识有形而上学的本性。但是这种认识和追求不能离开当时条件，即：哲学来自非哲学，人们追求最高概括时离不开思辨，也离不开实证。本体论作为对存在的概括，它是哲学最根本、最一般的东西，否则就不属于哲学。

二、对认识的主体和认识的主体性是否属同一范畴的看法　第一种意见认为，认识的主体和认识的主体性是同一范畴的概念，任何认识都涉及到主体或主体性。同时，需要说明的是，主体性和主观性是不一样的。第二种意见认为，不能把主体和主体性混为一谈，否则只能使自己陷于主观唯心主义或是导入二元论。第三种意见认为，只要谈到认识问题，就有一个主客体的相互关系问题需要回答。对象对主体，从实践性来说就有一个客观创造问题。比如，文学要求把作家的感受反映到作品中去，绝对客观就成了自然主义。

三、对客观性与客体性是否有区别的看法 （1）认为客观性和客体性是不同的，客观性是针对主观性而言的，客体性是指客观的实体化。（2）认为客观性和客体性的共同点都是独立于人而存在，区别是客观性没有载体，而客体性有载体。（3）认为物质实体和物质客体有区别，比如阶级就是物质实体，而精神则是客体不是实体。

四、对客观性的看法 有的论者把客观性分为4种：（1）客观性是自然物，如星球的客观性；（2）客观性是人造客体，即人化自然物的客观性；（3）客观性是人造非物质性东西的客观性；（4）客观性即波普尔所说知识的客观性，即自主的概念的客观性。（李毓英 王宝平）

【全国部分思维科学工作者理论座谈会】 由黑龙江省思维科学学会、《学习与探索》杂志社、《求是学刊》编辑部共同举办的全国部分思维科学工作者理论研讨会，于1989年7月9～12日在黑龙江省牡丹江市召开。会议收到论文40余篇，来自全国各地的50多位专家、学者出席了会议。会议主要探讨了以下几个问题：

一、现代新思维 1.现代新思维特点：新思维作为一种对象性思维是以客观现实为思维内容的，并以理论与实践相结合为其根本标志。它与其他对象性思维不同的特征是具有广延性、整合性、超前性、开拓性。

2．现代新思维观念：随着人类实践活动的不断深化，人们的思维观念也逐步形成了一个分层次、分领域、错综复杂的网络系统。按照思维观念对客观事物覆盖面的大小可划分为3个层次：（1）宏观层次，诸如宇宙观、世界观、社会观、自然观等；（2）中观层次，诸如科学观、文化观、政治观、经济观等；（3）微观层次，诸如人生观、家庭观、苦乐观、群众观等。在新形势下，要树立一些新思维观念，即：开放观念、竞争观念、信息观念、效能观念、软科学观念等。

3．现代新思维形式：（1）抽象（逻辑）思维；（2）形象（直觉）思维；（3）灵感（顿悟）思维。

4．现代新思维方式：人们思维方式的现代化，是现代社会实践和科学技术发展的客观要求，是实行改革开放和社会主义现代化建设的急需。为此，必须从以下4个方面实现根本性的转变：（1）从封闭型思维方式向开放型思维方式的转变；（2）从单向型思维方式向多向型思维方式的转变；（3）从守旧型思维方式向开拓型思维方式的转变；（4）从经验型思维方式向科学型思维方式的转变。

二、社会思维 与会者就社会思维的实质、类型、特征和作用等问题提出了以下一些观点：

所谓社会思维，就是指作为社会集体对客观现实的认识，它是在社会实践、社会关系的基础上无数个人思维交互作用、多元复合的观念体系。社会思维的实质是集体思维。以社会心理为基础的社会思维是一种多层次、多方面的复合思维结构。社会思维除了具有一般思维的三种基本形式以外，还可以从不同角度来划分。社会思维的特点大致可分为情意思维、经验思维和理论思维3个层次。社会思维还具有真理性和价值性、全面性和历史继承性，互补性和共振性，开放性和多样性等特征。集体思维对于提高人的思维质量和思维能力具有十分重要的作用。

三、模糊思维 有人认为，模糊思维是以模糊现象为对象的一种思维形态。模糊思维并非“模模糊糊”，而是充满了辩证法。模糊思维的客观依据是：从思维的客体来看，许多客观事物的界限都是模糊的。从思维的主体来看，主体对客体的反映关系本身就是一种“模糊关系”。从主体活动过程来看，由于受历史和条件制约，也决不能达到绝对精确明晰的认识，因此亦需要模糊思维。模糊思维作为人类认识的一种思维形态，它在整个人类认识活动中具有非常重要的方法论意义：(1)它是意识对客观事物连续运动、质的不断转化状态的把握；(2)它是认识事物连续性中介过渡过程的有效方法；(3)它是认识和研究客观世界复杂对象的一种非常行之有效的方法；(4)它对于事物普遍联系、相互渗透、相互交叉状况的研究具有方法论意义。

四、灵感思维 灵感思维的本质和发生机制是这次研讨会讨论较多的问题，大致有以下几种观点：

一种观点认为，灵感是人的潜意识活动的产物。有的论者还把潜意识活动对客观事物的正确认识进行了频率化，提出了“共振”假说，指出了灵感是由于两种频率共振产生的。同时建立了“共振”说的数学模型，对“共振”理论进行了计算机模拟，直观、具体地描述了灵感的发生过程。另一种观点认为，灵感闪现前的阶段分为原始态、交融态和临界态3部分。原始态是灵感思维的最初状态，主要内涵是潜意识；原始态的品质影响灵感思维的全过程，主要决定于注意和记忆的质和量。交融态是潜、显意识交融在一起孕育灵感时所呈现的状态；问题律起着重要的作用。临界态是灵感将生未生时的状态；相似性观念对临界态的转化、灵感的产生闪现有着特殊的意义，有待进一步研究。

也有的人认为，灵感思维在形象思维和逻辑思维两个方面的表现不同，有必要把灵感思维分为形象灵感思维和逻辑灵感思维。形象灵感思维是人们新形象思维的产生，而逻辑灵感思维则是人们新逻辑思维和新方法的产生。

此外，与会者对创造性联想、逻辑思维、辩证思维、形象思维、系统思维以及思维科学的应用问题进行了探讨。（孟祥武）

【全军第2次军事辩证法讨论会】 全军第2次军事辩证法讨论会于1989年10月22～25日在南昌召开。这次会议是由军事科学院、国防大学和南昌陆军学院共同发起的。出席会议的有军内外40多个单位的70多位代表。会议收到论文68篇。并于会后正式成立了中国军事辩证法学会。

一、关于战争起源 许多人认为，战争并非起源于私有财产和阶级，它在原始社会母系氏族的发展繁荣期或母系氏族向父系氏族的过渡过程中就出现了。那时的战争是部落间为争夺优越的生存条件和血族复仇而进行的，当时还不曾有私有财产和阶级的出现。有人提出了战争发展的3个基本形态：萌芽状态——原始社会的战争；典型形态——阶级社会的战争；消亡形态——社会主义国家之间的战争。

二、关于战争的本质 有人认为，战争至少有3个层次的本质，即军事本质、政治本质、经济本质。有人认为从克劳塞维茨、列宁到毛泽东，都以现实战争为研究对象，着眼于战争的胜利。而从美国的巴纳德·布逻迪到苏联的戈尔巴乔夫，则是以可能出现的战争为对象，立足于制止或避免战争。战争作为现实的存在物，肯定是政治的继续，但当战争只是一种可能性时，政治的继续不一定是战争。

三、关于战争根源 有人提出了军事运动的利益轴心律或利益决定律，即战争根源于利益冲突，无论是战争还是和平都是由矛盾双方的利益大小决定的。也有人论述了利益冲突与霸权主义的关系，认为霸权主义作为当代战争的主要根源与利益冲突是不矛盾的。霸权主义是表层，利益冲突是深层，它们统一于战争的根源之中。

四、战争规律与战争指导规律 有人认为，战争指导规律在逻辑层次上是从属于战争规律的；它与战争规律是特殊与一般的关系；有人认为，战争指导规律是专用来概括那些“为我”的战争规律的，而战争规律还包括尚未被认识的“自在”的规律。也有人认为，战争规律与战争指导规律是战争客体规律与战争主体规律的关系。战争指导原则是对战争指导规律的理性反映，而战争指挥艺术则是对战争指导规律的深刻理解以及对战争指导原则的灵活运用。

大会还就军事科学的研究方

法，某一军事家或某一军事著作中的军事辩证法思想等许多问题作了探讨。 （文 杰）

【深入进行马克思主义哲学教学改革研讨会】 北京市哲学会于11月21日在中国人民大学召开了“如何深入进行马克思主义哲学的教学改革——马克思主义哲学教学体系、内容以及联系实际等问题”研讨会。参加会议的有北京地区12所大专院校的哲学教师20余人。

一、对马克思主义哲学教学要不要改革发展和怎样去改革发展的意见 发言的人一致认为，马克思主义哲学教学应当随着社会主义革命和建设实践的发展以及科学技术新成果的取得进行改革和寻求发展。但其改革和发展应在坚持其基本理论的基础上去进行。因为坚持基本理论是搞好改革发展的基础和科学的出发点。但是必须看到，要坚持好基本理论还必须使自已不断地去吸收新的实践经验和科学技术的最新成就。只有这样坚持不懈地武装充实自己，才能更好地坚持、更好地改革发展。

二、对马克思主义哲学体系的不同看法和作法 第一种看法是辩证唯物主义和历史唯物主义的体系和内容没有正确地表现马克思的马克思主义哲学体系和内容，受斯大林形而上学哲学思想的影响太深。现在有许多新的实践经验和新的科学技术成就有待总结，而实践唯物主义这一提法既符合马克思在《关于费尔巴哈的提纲》中提出的新旧哲学的根本区别，又把实践引入马克思主义新哲学中。所以，实践唯物主义才是马克思主义哲学。

第二种看法认为，判断马克思主义哲学辩证唯物主义和历史唯物主义教学体系应从内容决定形式的关系来考虑。人总是用概念反映本质，但人们用概念概括时有层次的不同、正确与不正确的不同，同时也有最一般的概括、次一般的概括和更次一般的概括的不同。马克思主义哲学是对自然、社会、思维最一般规律的反映，其中有不同的侧重，有的侧重最一般，有的侧重自然一般，有的侧重社会一般，也有的侧重社会发展的某一阶段，如对阶级社会的更次一般的概括。这完全符合认识发展规律，所以是其内容决定了现有的哲学体系的形式。不能因为斯大林在运用这个体系时犯过形而上学的错误就否定它。这个体系和它表现的内容是完全一致的。

第三种意见既没有否定或肯定原来的体系也没有反对或同意实践唯物主义就是真正的马克思主义教学体系的说法，而是介绍了他们在当前情况下是怎样根据新情况进行哲学教学的。他们提出了4条要求：(1) 正确处理坚持和发展的关系，即：要有计划地充实新东西，反对大起大落；(2)尽量减少哲学本身以及哲学和其它马列课的重复；(3)重视用哲学基本观点去总结建国以来的经验教训，特别要重视对现实问题的研究；(4)讲授内容要求少而精，强调学习基本原理，重视培养学生分析问题的能力。

三、对马克思主义哲学教学体系和理论体系关系的看法　一种看法认为，马克思主义哲学教学体系和其理论体系是不同的，应当区别开来，不能把两者混淆起来，使其对双方都不能很好地研讨。另一种看法认为，马克思主义哲学教学体系和它的理论体系之间确实存在差别，但是也不能把它们截然分开，教学体系的提出应以理论体系为依据并通过自身的运行更好地表现理论体系的特性。同样，理论体系也要通过自身的特色使教学体系更好地发挥作用。

四、对马克思主义哲学怎样联系实践和联系哪些实践的意见　首先要总结社会实践的新经验、新成就和科学技术的新成果。其次是要总结国内改革、开放的新经验、新教训。坚持四项基本原则，反对资产阶级自由化。

（李毓英　王宝平）

【河北省哲学学会1989年年会】　会议专题讨论了“关于马克思主义的人学理论”。现将论者的观点概述如下。

一、马克思主义在人的理论上的贡献　1.把关于人的研究建立在唯物史观的基础之上；2.科学地揭示了人的本质属性；3.以实践作为研究人的中心环节，辩证地解决了人的主动性与受动性的统一；4.确定了人类解放为人学的重要内容；5.为人的自由和全面发展勾画了多层次的丰富图景。

二、毛泽东对人学理论的贡献和失误　贡献有四：1.肯定人民是创造世界历史的动力；2.强调人是世界上一切事物中最宝贵的东西；3.实行革命的人道主义；4.为人类解放和人民的幸福而献身是人生最崇高的理想和价值。其失误有三：1.夸大了主观意志的作用；2.强调“以阶级斗争为纲”，混淆了两类矛盾；3.接受和维护个人迷信。

三、关于人的本质　有4种观点：1.人的本质是人的社会属性和自然属性的有机统一。它包括人的自然性、社会性、意识性。人的自然性构成了人的本能；但人是社会的创造者又是社会的创造物；人还是一种有意识的存在物，它使人成为自觉的人。2.人是一切社会关系的总和，其中包括：(1)人所固有的自然关系（人与自然及人与人的自然关系），(2)人的自然关系的社会属性，即人与人活动的交换性、协作性，(3)前两种关系的统一。由此可以概括地说，人的现实本质就是人的社会性。3.人的本质在于人的主体性。正是这种主体性，无论从个体上或是从类别上，都把人同非人存在物根本区分开来。4.马克思关于人的本质的科学思想应包括以下3个方面：(1)人的本质是一切社会关系的总和；(2)人的本质是在自己的实践活动中形成和发展的自然、社会和意识的多种属性的统一；(3)人的本质是一个历史概念。

四、关于人的价值 1.人的价值的含义。有3种观点：(1)人的价值是价值的一种基本类型，指客体人对主体人的有用性；(2)人的价值是凝结在人体中、用于满足一定的物质和精神生活需要的资料的才能，它包括自我价值和社会价值两个方面；(3)人的价值有广义、狭义之分，广义包括整体、群体和个体的价值；狭义仅指个人价值。2.人的价值的特征：第一种观点认为，人的价值具有不同物的能动性、差异性、两重性；第二种观点认为，有3个特征：它所体现的是社会关系；能动性；其主客体都是由人的概念系列充当的。3.人的价值标准。有两种观点：第一种观点认为，必须坚持主观和客观的统一，以对社会进步的贡献大小作为人的价值的根本标准；第二种观点认为：应引入生产力标准，理由是：(1)促进生产力的发展是人的贡献的最高抽象；(2)它可以覆盖人的价值观念的全面；(3)实现了主体的统一化。

五、关于人的需要 1.人的需要的特点。第一种观点认为，人的需要有两个重要特点：(1)人的需要是客观性与主观性的统一——实践；(2)人的需要是有限性与无限性的统一。第二种观点认为人的需要具有4个特点：(1)客观性；(2)差异性和共同性；(3)发展性；(4)层次性。2.人的需要的分类。有的论者从4个方面进行了分类：(1)从需要的产生过程看，可分为自然性需要和社会性需要；(2)按需要的社会功能，可分为物质需要和精神需要；(3)按需要的存在状况可分为主观需要和客观需要；(4)按需要性质，可分为合理需要和不合理需要。此外，还有的人将需要分为生理需要、安全需要、社会交往需要、尊重需要、自我实现需要等类型。

六、关于人的现代化 人的现代化必须具备4个方面的素质：(1)良好的政治素质，主要是坚持四项基本原则；(2)较高的业务素质；(3)较强的实际能力；(4)辩证唯物主义的思维方式。

七、关于人的自由 马克思主义自由观的主要内容是：自由是一个逐步实现的过程；实践是人类自由的基础、源泉和动力，也是实现自由的根本条件；社会主义是实现人的自由的正确道路，自由的本质是否定性与肯定性的统一，它反映的是客体的束缚性与主体自主性的统一；认识世界和改造世界的统一；真善美的统一。

八、关于人的全面发展 1.人

的全面发展的含义。一种观点认为，它是指自然和历史赋予人的潜能素质尽可能充分而自由地发挥；另一种观点认为，人的全面发展就是实现人的主体和客体的对立统一，并在这个过程中实现人的主体地位。2. 人的全面发展的内容和特性。内容包括：人的体力、智力和精神素质尽可能充分而自由的发展；其特性是：整体性、结构性、层次性、动态性。3. 劳动在全面发展过程中的作用。(1) 劳动确立了人的主体地位；(2)劳动使人的潜能得以发挥；(3) 劳动是联系主客体的中介，因而是主客体对立统一的基础，是全面发展的基本形式。

九、关于人的解放　马克思关于人的解放思想的内容是：(1)人的解放就是人类的解放；(2)它包括经济、政治、思想、文化等各个方面的解放；(3)人类的解放与社会进步的一致性，即人类从必然王国走向自由王国的过程。

（王永祥　薛德合）

【第5次全国社会主义社会辩证法学术研讨会】 由中国社会主义社会辩证法研究会和中国辩证唯物主义研究会等20余个单位联合发起的“第5次全国社会主义社会辩证法学术研讨会”于1989年5月25～27日在四川乐山市召开。来自全国各地的120多名专家学者聚会一堂，对社会主义辩证法的5大论题，开展了热烈的论争：

一、社会主义辩证法的转型重建　有代表指出，社会主义辩证法研究开展至今，基本流于应用方面的研究，甚至用辩证法的一些概念去图解生活。故必须转型重建，从而解决传统社会主义理论与现实社会主义发展的脱节现象，使理论的前瞻意识抑制短期行为。有的人提出了转型重建的思路：(1) 注意社会主义辩证法的外部环境（即新技术革命和社会主义的发展模式）和内涵性（即社会主义社会所有生活层面）的研究；(2)突出各种社会关系凝聚物——人的研究；(3) 研究社会主义辩证法自身体系、内容、发展规律和基本概念群等。

二、社会主义基本矛盾的论争　有学者认为，需求和生产的矛盾是社会主义的基本矛盾。对此，有3种不同的看法又相继与之争论：(1)认为生产社会化水平与社会主义公有制形式之间的矛盾是社会主义的基本矛盾；(2)认为社会主义的生产方式与生活方式的矛盾是社会主义的基本矛盾；(3)认为生产力与生产关系的矛盾是社会主义的基本矛盾等。

三、当今我国各利益群体划分的争鸣　第一种划分，认为当今我国社会有8个利益群体：(1) 农业生产者；(2)工业生产者；(3)商业服务业劳动者；(4)知识分子；(5)企业家；(6)党政干部；(7)个体劳动者；(8) 私营企业主。

第二种划分，首先提出成熟的利益群体6个：(1)工业劳动者；(2)农业劳动者；(3)社会管理者；(4)知识分子；(5)城乡个体劳动者（经营者）；(6)离退休人员。其次提出正在形成的利益群体有4个：(1)雇工经营的私营企业主；(2)雇佣劳动者；(3)城乡企业管理者；(4)“三资”企业与“三贷”（贷物还物、贷款还物、贷款还款）企业经营者。最后提出尚待形成的利益群体两个：(1)企业家；(2)经纪人。并指出由于社会利益不断变动、转移、调整和重新分配，可能还会出现新的利益群体。

四、人民内部矛盾的处理与人的研究　有人认为，人民内部矛盾在社会主义改革与建设中，往往集中反映在经济利益上，所以人民内部矛盾就是经济矛盾。有人认为，人民内部矛盾在如今，是利益需求与社会控制的矛盾。有人认为，人民内部矛盾是社会经济关系，是人与人之间的关系，即人际关系，所以人民内部矛盾就是人际关系的矛盾，包括个人与群体、群体之间的矛盾等。

在处理人民内部矛盾的方式上，有3种争鸣观点：(1)在承认国家、集体、个人利益有“包含关系”的前提下，承认三者利益各自的“相对独立关系”，真正三兼顾、各得其所、有效调节经济利益矛盾。(2)在团结、批评、团结的方针下，调整人际关系，处理好社会分层控制方式与关系，尽可能使各层利益群体得到基本满足；(3)从民主政治建设入手，建立经济秩序的同时，建立起政治秩序与文化秩序，开始真正依法治国，用民主与法制来调解各种矛盾，包括人民内部矛盾。

（王影聪）

【社会形态问题讨论会】　北京市哲学会哲学组与高教学会哲学教学研究会联合于10月7日在北京科技大学举行了“社会形态问题”讨论会，参加会议的有北京17所大专院校的哲学教师20余人。

一、研究马克思主义社会形态理论的意义　有的人认为，马克思主义关于社会形态的理论是马克思主义哲学辩证唯物主义与历史唯物主义极为重要的组成部分，是观察社会现象、理解和把握社会本质及其发展规律，预见社会未来的一个锐利的思想武器。多年来哲学教学和研究对这一理论问题探索得很不够，应尽快改变这种状态。

二、马克思主义社会形态的含义　有的论者认为，马克思主义“社会形态”概念的含义是马克思在《德意志意识形态》一书中提出的，是马克思从人与人之间的物质经济关系出发而概括的关于社会有机体的一个整体概念，其中包括生产力、生产关系(经济基础)、上层建筑等各种社会要素，它是把握社会本质的一个基本概念。整个人类社会历史的发展，大体验证了5种社会形态，各种具体的社会形态都是社会历史发展到一定历史阶段上的产物，都有自己特殊的经济运行机制和发展的特点。

三、社会形态和社会经济形态是否相同 一种意见认为社会形态和社会经济形态不是一个概念。社会形态是关于人类社会经济关系总概括的大概念，社会经济形态仅指社会生产关系即经济基础这个小概念。另一种意见认为社会形态和社会经济形态是一致的，是马克思从不同角度上说的。还有人认为社会形态和社会经济形态是两个不同的概念，但两者不是截然分开的。两者之间的关系是总体和局部的辩证关系。社会经济形态可以说是社会形态的主体和核心。

四、划分不同社会形态的根据 第一种意见认为划分不同社会形态的根据应是社会生产力。一种社会由于其生产力发展的水平不同，所以决定了该社会不同于其它社会的形态。第二种意见认为，不同社会形态的区别的主要根据是社会经济形态，它由不同的生产关系（经济基础）决定。第三种意见认为，划分不同社会形态的根据既包括生产力也包括生产关系，即社会经济形态和与之相适应的上层建筑所组成的社会有机整体。第四种意见认为，不同的社会形态是由不同的经济、政治、国家、意识形态等要素组成的社会合力的不同而决定的。

五、决定社会形态变革的主要动力 论者一致认为，社会由一种形态变为另一种形态并不是人为的，而是由其本身物质生产发展规律决定的，即物质生产发展到需要突破或超越原来生产关系、即经济形态要求时才有这种变革的可能。

（李毓英 王宝平）

【改进马哲史研究座谈会】 北京市哲学会马哲史研究会于1989年3月23日在中国人民大学召开了座谈会。参加座谈的有5所大专院校的马哲史专家17人。

一、马哲史的发展 有人认为马哲史的发展已走过它创立的黄金时代，已经走向低潮。中国现代哲学的发展经过5个潮头：(1)破“两个凡是”开展实践是检验真理的唯一标准的讨论，马哲史研究的兴起从此开始；(2)拨乱反正，正本清源，使马哲史研究兴盛起来；(3)开展对人的问题的研究，马哲史继续兴盛；(4)引进国外研究成果，对我进行反思；(5)面对现实，提出创新。到四、五两个潮头，马哲史研究遇到了难点。这和社会思潮、社会心理有很大关系。从这些情况看，马哲史研究有两种选择，一是因循旧条条慢慢衰落下去；二是经过创新，迎来新的黄金时代。马哲史研究的根本出路，不是在小的改进，而是在观念的转变，即最基本的自我评价的转变，这是研究方法的转变。过去着重在人头，现在是要对重大理论问题进行历史的逻辑的研究，即主观理论思维的研究。

二、马哲史研究存在的问题　许多人认为，马哲史研究在思维方式上存在的问题有三：一是直线性，只是一味的发展，看不到局限和不足、曲折和起伏；二是单线性，只是看到马、恩、列、斯、毛的发展，而看不到其他工运领袖和马克思主义学家的发展；三是单调性，只研究马、恩、列、斯、毛的哲学著作，而忽视了对其他著作的研究。在研究对象上，只把马列著作作为研究对象，对其经济基础、社会环境、时代背景等等有关情况研究得不够，特别是有机地结合在一起研究得不够。在处理理论和实际应用的关系上，过度地强调了用而忽视了对理论的总结和概括，从而放弃或放松了对理论问题的探讨。在著作的结构上，多是以人物及其著作为中心展开，而不是以重大理论问题为中心展开。

三、马哲史研究的改进　有人认为，应当树立客观研究的思想，不管是谁，不论是在台上还是在台下，应以历史事实为据，客观地去研究，评论其观点，得出科学的公平的结论；其次，要科学、正确地评价马克思主义哲学的成绩，不能从理论到理论，应从解决实践问题的多少、成绩的大小去评价。有人认为，(1)马哲史研究既要研究马克思主义哲学的发展，又要研究其局限性和不足之处；(2)在结构上要以重大问题为中心，把思想发展揭示得更深刻；(3)在资料收集和运用上应打破过去单以马列主义者作为对象，应研究更多的材料及反对人物的材料；(4)对现代哲学史的研究应扩大到非马克思主义和反马克思主义的综合性研究。这样才能看出马克思主义在斗争中成长的过程及其顽强的生命力。　（李毓英　王宝平）

【第2次《墨经》研讨会】　由中国科技大学自然科学史研究室、中国科学技术史学会和中国逻辑史研究会筹办的第2次《墨经》研讨会，于10月7～11日在安徽屯溪召开。来自各地的墨学工作者40人赴会。

有人提出，《墨经》中虽然提出了“名”、“辞”、“说”等范畴，却并没有自觉地把它们作为思维形式对待，没有讨论其思维的形式结构，因此《墨经》逻辑只是“前形式逻辑理论”，只能算是“语言逻辑”，不能算是形式逻辑。一些论者不同意这一观点。他们强调指出，作为一门具体科学的逻辑学只能是指形式逻辑，传统逻辑就是形式逻辑的古典形态，并列举许多例证论证《墨经》中已经有了相当丰富的用自然语言表述的有关思维形式方面的思想和理论，决不能把古代的形式逻辑思想与形式化要求划等号。讨论还涉及了“侔”式推论的性质和形式、大故与小故的逻辑性质、“杀盗非杀人”的逻辑意义等。　（钟　罗）

【第3次全国苏联哲学讨论会】 1989年4月末至5月初，来自全国各地的苏联哲学研究者云集湖南，热烈而集中地讨论了改革中的苏联哲学，对苏联哲学向人学主题的转向表示了极大的关注。参加会议的还有来自联邦德国和美国的学者，他们对苏联和苏联意识形态目前正在发生的变化所作的分析，引起了中国研究者的浓厚兴趣。

苏联哲学界对人的问题的研究和新教科书《哲学导论》所表现的最新变化，成了与会者讨论的主题。

与会者普遍认为，80年代苏联哲学的重大变化起始于对人的问题的研究。把人置于哲学的中心，从人出发对人的本质、存在、活动、人与世界的关系等问题进行的探索，引发了对传统辩证唯物主义和历史唯物主义及其具体问题，以及二者关系问题的重新认识，促进了认识论、社会哲学、伦理学等一系列哲学领域的变革。

与会者认为，人的问题是苏联哲学和西方哲学、当代苏联哲学和俄国哲学传统之间的联结点。目前苏联哲学对人在世界上的地位等问题的研究，已开始从根本上改变苏联哲学对西方哲学和俄国哲学史的态度。

与会者认为，强调应对人进行综合研究是苏联人学研究发展的重要动向。苏联显然不想仅仅停留在"转向"和"跟进"(世界潮流)的水平上，而是试图超越世界人学问题研究的水平，实现马克思关于在未来将形成关于人的统一科学的预见。苏联把对人进行大规模综合研究视为将自己的"超越"和马克思的预见变成现实的途径。与会者看到了苏联提倡对人进行综合研究的重要意义，但也看到这一工作仅处在开始阶段，还没有取得具体成果和实质性进展。

与会者还认为，苏联学界重视对人的研究是对现实生活发展的顺应，同时，这项研究也已结出了对现实生活有重大意义的理论之果。大家突出强调了苏联关于建立民主、人道的社会主义的新理论，以及苏联对全人类利益、战争与和平等全球性问题的新态度。

苏联哲学向人学主题的转变，体现在出版了新教科书《哲学导论》。与会的中国学者对《哲学导论》评价较高，认为该书与以往教科书相比有明显突破，是改革时代对哲学理论思维要求的集中表现，也是苏联哲学合乎规律的进展；但也指出其不足之处，如对马克思主义哲学的实践性仍体现不够，对社会历史的本质和社会生活的丰富内涵的揭示比较单薄等等。与会的外国学者（如联邦德国的A.布赫霍尔茨博士）除强调新教科书是戈尔巴乔夫路线的忠实反映之外，较多地指出了其矛盾和新旧交错的状况。《苏联思想研究》杂志(美、瑞士、联邦德国合编)对本次会议做了长篇报道。

(张凡琪)

【全国辩证逻辑研究会第3次代表大会】 中国逻辑学会辩证逻辑研究会第3次代表大会暨第6次学术讨论会，于1989年5月15～22日在广州和深圳两地举行。来自全国从事辩证逻辑教学和研究的学者共80余人参加了这次会议。与会者围绕下列问题进行了热烈的讨论。

一、关于辩证逻辑的研究途径和方法 1.一部分人主张从科学方法论的角度来研究辩证逻辑。他们认为逻辑应研究方法，并把辩证逻辑看作是一门关于理性思维方法论的逻辑学。辩证逻辑要从辩证思维的整体性和对立互补性等特征出发，在总结当代科学研究和科学方法论成果的基础上，建立辩证思维，把握具体真理的模式、机制和方法。2.另一部分人主张从建立范畴体系的角度来研究辩证逻辑。他们认为，辩证逻辑研究的是整体性思维，而范畴是最普遍的思维形式，由诸范畴构成的范畴体系就是整体性思维的基本形式，因此，研究和阐明各个范畴之间的相互联系和推演就成了辩证逻辑研究的主要任务。3.还有一部分人则主张，要使辩证逻辑成为严格意义上的逻辑学，只能走形式化的道路。他们认为，辩证逻辑应当而且可以形式化。他们当中，有的已在这方面作了尝试，搞出一个辩证逻辑的形式系统；有的则通过介绍国外研究弗协调逻辑的情况，来说明辩证逻辑的形式化是可行的。

二、关于辩证逻辑的应用问题 大家认为，辩证逻辑的应用和普及，同辩证逻辑的研究和提高是相互关连和互相促进的。有人对辩证逻辑的应用研究的重要性作了多方面的论证：从理论的评价上看，评价一个理论是否进步和优化，就要看它是否具有超量的内容，而这只有在实际的应用中才能判明。从理论的功能上看，一个理论解释世界的能力及其广度和深度，只有把它应用于实际之中才能知晓。再从理论的发展上看，理论只有当它被应用于实际时，才能与新的经验事实发生联系，并判明它是否与新事实相一致。有人则认为，辩证逻辑理论的应用研究有以下3个层次：第一个层次是，根据辩证逻辑已有的理论来研究其应用的问题，这是指理论联系实际的问题。第二个层次是，重组辩证逻辑理论，然后有选择地将其应用于某一实际领域，例如，把重组后的辩证逻辑理论应用于企业管理活动之中。第三个层次是，在理论与实际的结合上寻找突破口，形成交叉学科，例如，建立“决策逻辑”等。不过，对辩证逻辑的应用研究这一问题，与会者中间也还有不同看法。有人说，要把辩证逻辑应用于科学技术上去，首先就得使辩证逻辑本身形式化。

三、关于辩证逻辑能否形式化 这个问题是有争议的。1.认为辩证逻辑可以实现完全的形式化。持这种看法的人中，有的把辩证逻辑看作内涵逻辑，认为它是关于“性质”和“关系”，而不是关于“类”的逻辑，并介绍自己在这方面做的形式化工作。有的则认为，由于弗协调逻辑允许有意义的矛盾进入形式演算系统，并否认矛盾律的普遍有效性，因此，它已经成为辩证逻辑形式化的阶梯。2.认为辩证逻辑的形式化虽然是可能的，但目前尚不具备这种条件。持这种看法的人还指出，要形式化，也应分步骤地来进行：先从事自然语言的形式化，然后达到符号语言的半形式化，最后实现完全的形式化。3.认为辩证逻辑的性质决定了它不能形式化。持这种看法的人说，辩证逻辑涉及思维的内容，研究思维形式的运动、变化和发展，对此，形式语言是不能予以刻画的，即形式语言是不能表达出辩证思维的特征和机理的。

最后，与会正式代表选出了第3届全国辩证逻辑研究会理事会，傅季重任理事长。（金　川）

【藏汉因明学术交流会】 藏汉因明学术交流会于1989年10月17～19日在北京举行。这是继1983年在敦煌召开的全国首次因明学术讨论会之后的又一次因明盛会。会议由中国逻辑史研究会、中国社会科学院南亚文化研究中心、中国佛教文化研究所、中国藏学研究中心共同举办。会议收到论著4部，论文16篇，译文3篇。

会议争论的问题有：关于“藏传因明”的概念，藏传因明的分期和成就，因三相的本质和独立性问题，三支论式的逻辑性质，九句因中的“有”、“有非有”等的含义问题以及世间现量与出世间现量的分歧等等。

与会者建议有关部门要舍得花财力，下功夫培养因明专门人才；加强藏传因明的翻译和出版工作；建立因明学术团体，开展国内外学术交流；在“八五”计划期间，协作撰写一部史论结合的《中国因明发展史》，编写一部内容准确、通俗好读的因明教科书，翻译一部有代表性的藏传因明教科书。（乐逸鸥）

【第2届《福乐智慧》研讨会】 为纪念中国维吾尔族思想家兼诗人优素甫·哈斯·哈吉甫的长诗《福乐智慧》(1069～1070)传世920周年，全国第2届《福乐智慧》研讨会于1989年10月16～20日在新疆喀什举行。来自维吾尔、汉、回、蒙古、哈萨克、塔吉克等民族120余位代表应邀出席。会议讨论了如下几个问题：

一、中原文化影响论 西域自汉代以来，就与中原文化有了联系。有学者认为该书是维吾尔传统文化、伊斯兰文化和以“仁”为核心的中原儒家文化融合而成。有论文提出，《福乐智慧》从体裁上看类似敦煌变文，从内容上看，它所反映的道德伦理观念与处世经验颇近似于《太公家教》《百行章》和王梵志的劝谕诗。其政治内容则与《治道集》《九谏书》以及《帝范臣轨》这一类著作相近。

二、伊斯兰文化影响论 公元960年，20万帐维吾尔人皈依伊斯兰教。从此，维吾尔传统文化开始带有浓厚伊斯兰色彩。有学者指出，《福乐智慧》从第十二章才进入正文，而前11章的内容是赞美真主及其使者、颂扬君主，以及作者的宇宙观、写作缘起等。这种程式及其内容并非是诗人首创，而是当时伊斯兰文学的特有文风，并举菲尔多西《列王纪》前11章标题作证。诗人优素甫在书中所拟定的4个角色代表了喀喇汗王朝时代人民所追求、所崇尚的4种伦理美德：正义、幸福、智慧、知足。统摄诸德的主德智慧一词最早出现在8世纪古代突厥如尼文《阙特勤碑》碑文上；同样，幸福一词亦出现在该碑文上；而“正义”一词则出在较晚的回鹘文佛教经典《金光明经》上；代表“知足”概念的原词系一阿拉伯词，意为后世、来世，属于伊斯兰宗教术语；可见，新时代的维吾尔伦理体系是维吾尔古代文化与新时代伊斯兰文化相融合的结果。波斯—阿拉伯词汇进入古代维吾尔语的程度可视为伊斯兰文化影响的标志。此外，学者还根据接受美学理论，认为《序言之一》与《序言之二》所述内容，属《福乐智慧》进入流通领域的“效果史”，这在诗人当时是不可能预知的，从而断言，两篇序言并非出自诗人笔下，而是后人附加的。此问题虽早已引起国际学术界的注意，但未见有专题论证。

诗人优素甫作为中世纪虔诚的穆斯林，其宇宙观、创世论、人生观、历史观自然带有很深的伊斯兰信条印记；但可贵的是，在自然观某些方面，他的论点常含有朴素的唯物主义因素。诗人确信生命系由四大元素——水、火、气、土构成。在认识论上，他认定人学而知之，否定生而知之。值得注意的是，他把黄道“十二宫”与古代“四大元素”联系起来。

会上，也有学者把《福乐智慧》作为一部诗剧来研究，认为它是一部诗体观念剧，以戏剧形式阐述人生哲理。它的出现较欧洲文艺复兴先驱、意大利诗人但丁的《神曲》要早200多年。 （王家瑛）

附表：1989年哲学各学科学术讨论会

会议名称	时间	地点	主办单位	参加人数	讨论要点
马克思主义哲学面临的形势和任务讨论会	1988年12月31日至1989年1月4日	海口市	中国辩证唯物主义研究会、广东省哲学学会、海南省社科联	50余人	马克思主义哲学面临的形势与当前的任务
纪念十一届三中全会10周年学术讨论会	1月5日	吉林市	吉林省哲学学会	30余人	十一届三中全会以来马克思主义哲学发展取得的主要成果，存在问题；21世纪哲学发展的展望
中国和民主德国首次哲学讨论会	3月11～14日	北京市	中国社会科学院哲学所、民主德国科学院哲学所	30人	马克思主义哲学在当代的发展；马克思主义哲学与德国古典哲学的关系
如何改进马哲史研究和如何把当代马克思主义哲学研究纳入马哲史研究座谈会	3月23日	北京市	北京市哲学学会马哲史研究会	17人	马哲史研究中存在的问题和改进意见；如何把当代马克思主义哲学研究纳入马哲史研究
纪念“五四”70周年学术讨论会	4月15日	北京市	中国现代哲学史研究会	50余人	得与失：对“五四”的总评估；民主与科学；新权威主义：并非题外话
社会认识论研讨会	4月15～19日	乐山市	中国认识论研究会，四川省社会科学院哲学所	52人	社会认识论的对象、任务、性质和地位；社会认识的结构和特点；人类认识论的历史回顾与当今时代的特点
马克思主义哲学与现代化讨论会	4月25日	南京市	江苏省哲学学会、江苏省马哲史研究会、南京市哲学学会等	70余人	讨论了“实践唯物主义”问题

续表

会议名称	时间	地点	主办单位	参加人数	讨论要点
第3次全国苏联哲学讨论会	4月29日至5月4日	大庸市	中国现代外国哲学研究会、中国社会科学院哲学研究所、中央党校、湖南省社科联	60余人	关于苏联哲学的改革与人学的兴起问题
海峡两岸纪念“五四”运动70周年学术讨论会	5月10～12日	北京市	中国社会科学院哲学所、北京大学、台湾淡江大学	65人	“五四”运动与中西文化比较
辩证逻辑研究会第3次代表大会暨第6次学术讨论会	5月15～22日	广州市	中国社会科学院哲学所、华南师范大学、辩证逻辑研究会	80人	改选理事会；辩证逻辑的不同研究途径、形式化及实际应用
《孙子兵法》国际学术讨论会	5月22～25日	山东省惠民县	中国军事科学院战略研究部	70余人	孙武故里考辨；《孙子兵法》的版本；《孙子兵法》的基本内容；《孙子兵法》的广泛运用与国际影响
技术美学与福建企业研讨会	5月24～26日	福州市	福建省美学研究会、福日公司工程塑料厂	30人	讨论福建省企业中运用技术美学的问题
第5次全国社会主义社会辩证法学术研讨会	5月25～27日	乐山市	中国辩证唯物主义研究会、中国社会主义社会辩证法研究会、《求是》杂志社	100余人	如何研究社会主义社会辩证法；利益群体、社会结构、基本矛盾、主要矛盾；社会主义现代化与深化改革的途径
贵州省伦理学会首届年会	6月13～14日	贵阳市	贵州省伦理学会、贵州大学哲学系	35人	社会主义初级阶段道德建设；少数民族伦理思想研究

续表

会议名称	时　间	地点	主　办　单　位	参加人数	讨　论　要　点
河北省哲学学会1989年年会暨学术讨论会	7月25～30日	承德市	河北省哲学学会	80余人	生产力标准问题；马克思主义的人学理论
中国马哲史学会恩格斯思想研究会常务理事扩大会	7月26～27日	牡丹江市	恩格斯思想研究会、黑龙江大学哲学系、牡丹江师范学院	28人	对平息动乱、暴乱的理论反思；澄清批判现代西方和国内搞资产阶级自由化的人对恩格斯哲学思想的歪曲
山东省哲学学会年会	7月27日至8月1日	山东省牟平县	山东省哲学学会	95人	社会主义的中国特色
《唯物主义和经验批判主义》发表80周年学术会议	8月5～11日	包头市	中国马克思主义哲学史学会、内蒙古自治区哲学会、包头市哲学会	50余人	《唯批》认识论思想的评价；哲学党性原则问题
第4届地学哲学学术讨论会	8月8～15日	长春市	中国自然辩证法研究会地学专业委员会、长春地质学院	25人	地学社会学的研究进展；地质管理和地质管理哲学问题
全国党校逻辑学会第3次年会	8月11～15日	北京市	全国党校逻辑学会	46人	关于应用逻辑的研究；逻辑课程开设问题
符号逻辑研究会第2次代表大会	8月24～29日	北京市	符号逻辑研究会	40人	改选理事会；交流研究成果
反对资产阶级自由化、提高马克思主义哲学教学座谈会	8月26日	北京市	北京市哲学学会	20余人	高校马克思主义哲学课中自由化倾向有哪些表现；如何提高马克思主义哲学教学水平

续表

会议名称	时　间	地点	主　办　单　位	参加人数	讨　论　要　点
澄清理论是非、发挥哲学指导作用研讨会	8月31日	南昌市	江西省社会科学院哲学研究所	50余人	资产阶级自由化思潮在哲学领域的表现和影响；如何加强马克思主义哲学的宣传、教育和研究
马克思主义哲学在中国40年研讨会	9月19～22日	上海市	上海市哲学学会、复旦大学、上海交通大学、华东师大、上海社会科学院哲学所、中共上海市委党校等	150人	哲学与政治的关系；10年来国内马克思主义哲学研究状况；马克思主义哲学中国化的问题
马克思主义在新中国40年座谈会	9月21日	北京市	北京市社会科学联合会	30余人	马克思主义仍然是指导我们思想的理论基础；马克思主义哲学有强大的生命力；马克思主义基本原理必须与中国实践相结合
庆祝建国40周年座谈会	9月23日	杭州市	浙江省哲学学会	43人	本省哲学学会工作总结；哲学理论在党和国家建设过程中的地位和作用；哲学研究的成果，存在问题及面临的任务
湖南省哲学学会年会	9月26～29日	长沙市	湖南省哲学学会	90余人	社会主义社会矛盾特征、阶级、阶级斗争等现实社会矛盾问题；现阶段我国的政治、思想、文化；发展社会主义商品经济的问题

续表

会议名称	时 间	地点	主 办 单 位	参加人数	讨 论 要 点
坚持四项基本原则，在哲学领域反对资产阶级自由化学术讨论会	9月27日	重庆市	重庆市社科联、重庆市哲学学会	47人	在哲学领域如何进一步坚持四项基本原则、反对资产阶级自由化
吉林省哲学学会庆祝建国40周年学术讨论会	9月28日	吉林市	吉林省哲学学会	30余人	建国40年哲学各学科取得的成绩；马克思主义哲学发展的基本线索；中国哲学发展趋势；当代中国哲学、文化社会思潮的时代水准问题
社会形态问题讨论会	10月7日	北京市	北京市哲学学会哲学组、北京市高教学会哲学教学研究会	20余人	马克思主义社会形态理论的意义；马克思主义社会形态的含义；划分不同社会形态的主要依据；如何运用马克思主义5种社会形态学说
孔子诞辰2540周年纪念与学术讨论会	10月7～10日	北京市	中国孔子基金会、联合国教科文组织	300余人	孔子儒家思想的历史地位和对现代社会的影响
第2次《墨经》研讨会	10月7～11日	屯溪市	中国科技大学、中国科学史学会、中国逻辑史研究会	40人	《墨经》中的数学、物理学和逻辑
逻辑学在新中国40年讨论会	10月9日	北京市	北京逻辑学会	40余人	建国40年逻辑学发展与回顾；逻辑学发展展望
全国高校美学教学研讨会	10月10～16日	郑州市	中华全国美学学会高校美学研究会、郑州大学、河南大学	50余人	研究会理事会改选；高校美学教学内容、体系及方法改革问题

续表

会议名称	时间	地点	主办单位	参加人数	讨论要点
中华全国外国哲学史学会第2届年会	10月15～19日	武汉市	中华全国外国哲学史学会	150人	外国哲学史研究的方法论；哲学、哲学史的价值与社会功能
全国第3届美育研讨会	10月15～25日	成都市	中华全国美育研究会	89人	美育与社会主义现代化建设
第2届《福乐智慧》研讨会	10月16～20日	喀什市	新疆自治区社科联、中国社会科学院少数民族文学所	150人	《福乐智慧》的文化结构、伦理体系；《福乐智慧》在政治、法律、军事、外交、经济方面的贡献
藏汉因明学术交流会	10月17～19日	北京市	中国逻辑史研究会、中国社会科学院南亚文化研究中心、中国佛教文化研究所、中国藏学研究中心	40人	建国40年因明研究取得的成绩；国外的因明研究情况
第3次中日实践伦理学讨论会	10月17～19日	北京市	中国社会科学院哲学所、日本国伦理研究所	30人	企业道德、家庭婚姻道德、妇女问题
中国逻辑与语言研究会建会10周年学术讨论会	10月20～23日	北京市	逻辑与语言研究会	95人	听取符号学、语言学、逻辑学学术报告；交流科研成果
中苏学者哲学研讨会	10月20～24日	北京市	中国人民大学、北京大学等	30余人	双方交流哲学研究成果
全国首届庄子学术研讨会	10月21～24日	安徽省蒙城县	阜阳行署等	120人	庄子的天道观和认识论；庄子与道家及其传统文化的关系；庄子学说与现代化建设

续表

会议名称	时　间	地点	主　办　单　位	参加人数	讨　论　要　点
全军第2次军事辩证法研讨会	10月22～25日	南昌市	中国人民解放军军事科学院、国防大学、南昌陆军学院	60余人	战争的本质和起源；军事辩证法研究的内容与方法
建国40周年理论讨论会	10月23～24日	贵阳市	贵州省委宣传部、省社科院哲学所、省委党校等	53人	建国40年来哲学研究的现状、发展趋势及任务
历史唯物主义与人道主义讨论会	11月4日	北京市	北京市哲学会哲学组、北京市高教学会哲学教学研究会	12人	马克思关于人的看法的意见；无产阶级人道主义和资产阶级人道主义的区别；共产主义和人道主义的关系
全国党校第7届哲学年会	11月10～15日	十堰市	中共中央党校哲学教研室、湖北省委党校、第二汽车制造厂党校等	148人	干部哲学教育问题；哲学研究中的重大理论是非问题；主客体和实践唯物主义
马克思主义哲学研究与干部哲学教育研讨会	11月11～13日	北京市	中国马哲史学会毛泽东思想研究会、北京市委干部理论教育讲师团	60余人	马列主义、毛泽东哲学思想的生命力及其对中国社会主义实践的指导作用；对干部进行马克思主义哲学教育的必要性
学习研讨江泽民国庆讲话和五中全会讲话中的理论问题	11月15～16日	武汉市	湖北省社科联、湖北省哲学学会	48人	江泽民“两讲话”中的哲学理论问题；中央号召学哲学的意义及哲学工作者的历史任务等
如何深入进行马克思主义哲学教学改革讨论会	11月21日	北京市	北京市哲学会	20余人	马克思主义教学改革与发展及如何联系实际

续表

会议名称	时间	地点	主办单位	参加人数	讨论要点
湖南省逻辑学会第4次年会	11月26～30日	长沙市	湖南省逻辑学会	40余人	关于应用逻辑和逻辑应用
辽宁省1989年哲学年会	11月27～29日	鞍山市	辽宁省哲学学会等	105人	怎样搞好干部学习哲学；认识和清理哲学领域里的理论是非
福建省科学技术史研讨会	11月28日至12月1日	泉州市	福建省自然辩证法研究会	63人	讨论福建省科学技术的历史发展；总结历史上科学技术发展的有益教训
福建省山水美学讨论会	11月30日至12月4日	福鼎县	福建省美学会	30人	国家级旅游风景区太姥山和桐江双髻公园的开发利用，探讨山水美学问题
社会主义初级阶段阶级斗争问题讨论会	12月2日	北京市	北京市哲学学会哲学组、北京市高教学会哲学教学研究会	16人	中国社会主义初级阶段阶级斗争的根源、特点和主要矛盾；深入研究我国社会主义初级阶段阶级斗争问题
甘肃省哲学学会1989年学术年会	12月6～9日	兰州市	兰州大学哲学系	65人	分析和评价国内、省内哲学领域的状况、总结经验、吸取教训
安徽省哲学学会1989年年会	12月11～15日	淮南市	安徽省哲学学会、省社科联等	80人	哲学的反思与反思的哲学
山西省哲学学会1989年年会	12月13～14日	太原市	山西省哲学学会	160余人	哲学工作者如何为全党学习哲学服务
山西省伦理学会年会	12月13～15日	太原市	山西省伦理学会	31人	我国当前伦理道德的现状及发展方向；现阶段精神文明建设的问题

续表

会议名称	时　间	地点	主　办　单　位	参加人数	讨　论　要　点
关于江泽民同志两次讲话中辩证逻辑问题讨论会	12月14日	北京市	北京市逻辑学会辩证逻辑研究会	10人	江泽民同志讲话中辩证逻辑思维方法运用的分析；对中央号召全党学习哲学的认识
马克思主义哲学与社会主义实践讨论会	12月19～20日	南京市	江苏省哲学学会、南京市哲学学会、南京大学哲学系等	50余人	马克思主义哲学在社会主义现代化建设中的地位和作用；马克思主义哲学理论体系的结构、实践唯物主义等问题
宁夏哲学学会第4届年会	12月25日	银川市	宁夏哲学学会	70人	改选理事会；讨论通过学会章程修改意见；讨论1990年全党学哲学问题
如何理解马克思主义哲学的物质范畴座谈会	12月26日	北京市	北京市哲学学会、北京市高教学会哲学教学研究会	30人	如何正确理解马克思主义哲学的物质范畴；客观性与客体性的区别
90年代和马克思主义哲学研究座谈会	12月28日	北京市	北京市哲学会马哲史研究会、中国马克思主义哲学史学会	15人	当前马克思主义哲学研究的形势；反资产阶级自由化会不会影响“百家争鸣”；90年代马克思主义哲学研究展望

【国家社会科学基金会1989年度又资助一批哲学研究课题】 国家社会科学基金会1989年度共受理哲学方面的课题申请430余项。经审议已决定对下列课题提供资助：李振霞：《中国当代哲学40年》；孙克信：《中国当代哲学40年》；闵家胤：《系统哲学的新思维》；谌垦华：《系统科学的哲学问题》；张嘉同：《20世纪分子科学与认识论》；任平：《广义认识论——对多元主体之间认识交往关系理论的研究》；成一丰：《假象论》；胡义成：《马克思主义实践观》；李德顺：《当代中国人的价值观念调

查研究》；刘福森：《“能量历史观”研究》；王锐生：《社会哲学研究》；赵家祥：《社会形态研究》；余育德：《生产力标准与社会价值体系》；王伟光：《社会主义初级阶段利益群体和利益矛盾》；王玉波：《我国体制改革与生活方式的变化》；张立文：《中国传统人学研究》；陈先达：《〈1844年经济学哲学手稿〉与当代西方思潮》；吕希晨：《中国现代文化哲学概论》；钱逊：《传统文化的批判继承与创新》；何荣昌：《乌克兰文化与中国文化》；袁运开：《中国传统的天人观与科学思想的发展》；赵馥洁：《中国传统哲学中的价值论》；葛荣晋：《中国实学发展史》；韩镜清：《整理和补充〈成唯识论述记〉》；龚友德：《白族哲学史》；王玖兴：《康德选集编译》；戴文麟：《现代西方非理性主义哲学》；林德宏：《科学认识论史》；顾毓忠：《20世纪自然科学的哲学精神与马克思主义哲学》；罗祖德：《人和自然的关系》；刘国城：《人类社会与生物圈的相互作用》；高达声：《技术哲学研究》；杨丙安：《社会主义道德的理论和实践研究》；陈村富：《古希腊伦理学说史》；徐少锦：《西方科技伦理思想史纲要》；阎国忠：《中国当代美学思潮》；祁聿民：《商品美学及其定量研究》；邱紫华：《东方美学研究》；张巨青：《现代科学方法论问题》；胡伟希：《中国自由主义思潮研究》；李先焜：《中国符号学的源流与发展》；杜小真：《合与分——从柏格森到德里达》；黄卓炎：《现代社会经济运行中的人的哲学研究》；胡啸：《中西文化汇合史论》；王福霖：《经济伦理学》。

获得青年社会科学研究基金资助的是：倪志安：《马克思主义哲学方法论》；胡皓：《自组织理论与唯物史观的现代形态》；贾高建：《社会形态学导论》；韩震：《人与社会》；乌兰察夫：《蒙古族传统思想文化与现代化》；余亚平：《东西方女性文化比较研究》；杨国荣：《儒学与当代价值体系的转换》；蒋国保：《明末清初文人人格论》；吾敬东：《中国古代科技价值观研究》；胡万福：《解释学与中国传统理解模式批评》；衣俊卿：《东欧新马克思主义》；胡良文：《关于自然气候与人类社会交互影响的历史考察》；赵定涛：《现代自然科学观念变革》；吴子连：《原始思维与审美发生》；王可平：《中国雕塑——华夏审美文化的集结》；姚新中：《对中国当代社会“道德危机”及道德建设状况的调查研究》；陈波：《道义逻辑和伦理学研究》；胡泽洪：《语言逻辑及其在社会交际中的应用》。

有的课题尚在审理中。

（浩　涛）

【江西高校社会科学发展研究中心成立】 江西高校社会科学发展研究中心于1989年2月正式成立，该中心成立旨在加强江西省高校社会科学科研工作，协调各校力量，加强横向联系，形成江西高校社会科学群体力量。该中心的主要任务是进行江西高校社会科学发展战略的研究，制订社会科学发展规划；论证各高校的学术优势及发展方向；组织各高校联合攻关，组织全省高校社会科学优秀成果的评审；为省教委在社会科学教学改革、科研管理方面提供咨询。

该中心目前挂靠江西大学，中心主任是江西大学党委书记关键。1989年该中心进行了以下几项工作：（一）对江西省高校1989年申报的科研项目进行论证，确定了12项重点项目。（二）组织了江西省高校首届社会科学优秀成果评审，评审出江西省高校1978～1988年度优秀社会科学成果207项，其中一等奖5项，二等奖25项，三等奖177项。江西省教委在江西省高校第3届科研成果汇报会上对获奖者予以表彰奖励。（三）举办了3次学术讨论会。（江西大学）

【中山大学哲学系成立企业文化研究中心】 中山大学哲学系企业文化研究中心成立于1989年1月。它的成立，为哲学走向应用、为哲学理论研究与社会主义现代化建设实践的结合，开辟了广阔的途径。

在课程设置方面，研究中心为本科生与专科生开设了管理心理学、职业道德、企业文化学、管理哲学、西方文化与企业管理等课程。这些课程颇受同学们欢迎。

研究中心积极开展科研工作，组织编写了《走向管理的新大陆——企业文化概论》（黎红雷著），《美国企业文化》（王正、黎红雷编译），已分别于1989年8月与11月出版。另有几本，如《带情感的管理——东方企业文化探讨》《理性的力量——西方文化与企业管理》《企业管理心理学》《企业行动的最优选择》《企业文化的评价与管理》（译著）等，也已撰出初稿。研究中心成员在1989年发表有关企业文化的论文共有20多篇。

在面向社会办学方面，研究中心与有关单位合作，举办了两期企业文化与企业管理讲习班；又与广东省总工会合作，举办了企业文化函授班。（黎洁华 冯达文）

【黑龙江大学哲学系哲学专业教学改革取得较大进展】 黑大哲学系为了提高教学质量，调动学生学习的积极性，在教学方面进行了改革，1989年主要抓了教学方法的改革。哲学教研室的哲学原理课采用了“自习、提问、答疑、总结”的教学方法，马哲史课采取了“提示、学生讲课、集体评论、教师总结”的教学方法，受到了学生的欢迎和学校领导的好评。

根据黑龙江省的实际，为提高本省马列主义理论教学水平，满足深入改革对政工人才的需要以及解决边远地区中学政治课教师匮乏问

题，经省教委批准，黑大哲学系增设了政治教育专门化专业方向，1989年招收学生33名。（宋 有）

【郑州大学哲学系创建社会工作与管理专业】 为适应社会工作现代化需要，经河南省教委批准，郑州大学哲学系创建社会工作与管理专业，并于本年度开始招收普通专科班和成人专科班。社会工作与管理专业，在中国尚属新创，学科体系的创立尚在探索中。根据实际需要与现实条件，该系计划开设哲学、经济学、法学、社会学、社会心理学、社会工作学、社会管理学、社会调查理论与方法、社会统计与分析、城乡社会学、文化人类学、文化社会学、公共关系学、行为学、伦理学、宗教学、逻辑学等课程。创办本专业的宗旨是为国家培养能够从事社会保障、社会福利、行政区划、社会政策研究、社会发展规划与管理、群团组织与管理的实际工作、专业教学和研究工作的德才兼备的专业人才。他们准备经过几年试办，取得经验，为招收该专业的本科生做好准备，争取在三五年内招收本科生。

（豫 人）

【国务院学位委员会检查评价"辩证唯物主义与历史唯物主义"、"马克思主义哲学史"两专业的学位授予质量】 1988年第三季度和1989年第一、二季度，国务院学位委员会决定在哲学学科中的"辩证唯物主义与历史唯物主义"和"马克思主义哲学史"两个专业进行博士、硕士学位授予质量的检查和评价工作。专家检查评价组由10人组成，肖前教授任组长，黄枬森和陶德麟教授任副组长。国务院学位委员会在向全国42个单位的50个硕士点、9个博士点发出自检通知和要求提交自检报告之后，紧接着组织专家检查评价组人员分片深入各单位进行实地考察，最后召开会议进行汇总和分析，经过充分讨论和反复酝酿，并按质量评价指标体系进行评定，结果共评出46个合格单位，其中，A档5个，A_-档17个，B_+档9个，B档11个，B_-档4个。中国人民大学哲学系、北京大学哲学系、吉林大学哲学系、中国社会科学院哲学所和武汉大学哲学系被评为A档。

（孔庆连）

【河北省举办建国40周年社会科学有奖征文活动】 1989年河北省委宣传部和省社科联联合举办了社会科学论文有奖征文活动。征文主题是：治理整顿，深化改革，推动河北两个文明建设。强调征文以十三届四中全会精神为指导，突出阐述十三届四中全会的精神内容。参加这次征文活动的不仅有理论宣传工作者、理论研究人员，经济、教育部门的人员，而且还有工人、农民、学生、军人等，共计收到410篇论文。首先邀请了省委党校、省社科院、省委讲师团、省体改委、省政府经济研究中心等单位的专家学者组成了评委会，先由评选办公室初选出61篇论文，再由评委逐一写出评语，进行打分，根据总分确定获奖名单。经讨论，80分以上的3篇，获一等奖；75分～79.9分的6篇，获二等奖；70分～74.9分的18篇，获三等奖；65分～69.9分的22篇，获鼓励奖。其中获一等奖的哲学论文1篇：《唯物史观与主体性的几个问题》（王永祥）；获三等奖的哲学论文有3篇：《人权问题的理性剖析》（李迎辉），《生产力标准的辩证法》（王钧），《党的基本路线与实事求是的新思维》（顿占民）；获鼓励奖的哲学论文两篇：《略论企业文化的导向效应》（陈耀彬），《人的解放》（张振海）。其余多数为经济、科学社会主义、思想政治工作、法学等方面的论文。

（永　祥）

【宁夏第4次社会科学优秀成果评奖揭晓】　宁夏第4次社会科学优秀成果评奖于1989年10月11日在银川揭晓。这次评奖中，共申报和推荐社会科学论著1 362项，其中专著和普及读物等书籍86部，论文、调研报告1 276篇。经过初评、复评、联评和最后审定，共确定了200项获奖成果，其中一等奖8项（其中专著2项），二等奖42项（其中专著、教材12项），三等奖100项（其中专著、教材、普及读物等20项），鼓励奖50项。宁夏哲学学会和科学社会主义学会推荐的《评资本主义不可愈越》（齐昌平）以及《试论宗教文化在西部地区文化发展中的地位和作用》（张同基、张永庆）、《拉萨尔主义初探》（王定国）等论文分获优秀论文一、二等奖。

（丛　吉）

【中山大学哲学系科研成果显著】

中山大学哲学系坚持教学、科研一起抓，近年来，出现了一批较为优秀的科研成果。在1989年公布的广东省优秀社会科学研究成果获奖项目中，获学术著作二等奖2项：袁伟时的《中国现代哲学史稿》（上）；吴熙钊与张江明等人的《孙中山哲学研究》。获学术著作三等奖3项：刘琮的《反思和开拓的十年——毛泽东哲学史新篇章》；黄春生的《〈资本论〉中辩证法、认识论、逻辑的同一性》；何梓焜的《普列汉诺夫哲学思想述评》。获学术论文三等奖1项：高齐云的《关于我国社会主义初级阶段的一组论文》。获学术论文四等奖2项：梁庆寅的《思维辩证法与辩证思维；李锦全的《中国传统文化与近代解放潮流》。获青年奖3项：李宗桂的《相似理论、协同学与董仲舒的哲学方法》；陈少明的《理性的唤醒——西方认识论冲击下的中国近代哲学》；黎红雷的《中法启蒙哲学之比较》。

在中南五省（区）大学出版社协会1989年主办的中南地区大学出版社1986～1988年出版图书评比中，袁伟时的《中国现代哲学史》

(上卷)获专著一等奖,刘琜的《反思和开拓的十年——毛泽东哲学史新篇章》获专著三等奖。何博传的《人工智能的二十个疑难》获1989年广东科协优秀科学论文三等奖。李宗桂的《中国文化概论》获1988年度“中国图书奖”和第三届“全国优秀图书奖”。(黎洁华)

【北师大哲学系袁贵仁、桑新民获1989年霍英东教育基金会奖】 北师大哲学系青年教师袁贵仁(副教授,39岁)和桑新民(副教授,40岁),经专家评议和霍英东教育基金会顾问委员会评审,分获1989年霍英东教育基金会青年教师基金和奖金,并分别获得1.5万美元的资助和1千美元奖金。

霍英东教育基金会由香港著名爱国人士霍英东先生出资创立,从1987年起设立高等院校青年教师基金(资助的最高额为2万美元,最低额为5千美元)和青年教师奖(奖金的最高额为5千美元,最低额为1千美元),并规定每两年评选一次。1989年开始设社会科学基金(其中哲学学科1名)和社会科学青年教师奖。

袁贵仁本次申报的课题是“对人的哲学理解”,推荐人为北师大哲学系齐振海、杨寿堪教授和中国人民大学夏甄陶教授。桑新民的推荐人是杨寿堪、齐振海教授和北师大马列室周之良教授。(张淑芬)

【武汉大学哲学系资料室编辑印行《道教学研究论著论文索引》】 为了满足教学和科研的需要,推动道教学的研究和发展,给从事道教学的教学工作者和科研工作者提供查阅文献资料之便,武汉大学哲学系资料室王树勋在中国哲学史教研室老师的帮助下,编辑了《道教学研究论著论文索引》,并于1989年1月印行。

本索引收录论著论文的时间区间是,上起1900年,下止1988年。地域区间包括中国大陆、台湾、香港以及日本、法国、英国、美国、联邦德国、民主德国、荷兰、加拿大等国家和地区。共收录论(译)著143部、论(译)文1 118篇。按内容分为14个专题,它们是道教思想、道教神学、道教历史、道教宗派、道教经典、道教与道家、儒道佛三教的关系、道教人物、道教与中国文化、道教与文学及艺术、道教丹术、道教名山及宫观、道教与少数民族的关系、部分国内外道教活动概况等。

为了保持资料的系统性和查找的简便性,各个专题均按年代、卷(集)数、期(辑)数、页数的先后顺序排列,并分篇名、著者(译者)、出版单位、报刊名称和出版时间等项目著录。最后还附有著者索引一览表。(孔庆连)

【《中国伦理大辞典》出版】 一部拥有180余万字,3 300余条的《中国伦理大辞典》，已于1989年底在辽宁人民出版社出版。该书由陈瑛、许启贤任主编，张岱年、李奇、罗国杰为顾问。参加撰稿者有北京、天津、长沙、西安和沈阳市的伦理学工作者共80余人。

《中国伦理大辞典》搜罗详备。从原始社会以来古代的伦理道德发展，写到了现代、当代；撰写的条目不但包括伦理学派、思潮、代表学者、主要著作及概念、范畴、命题，而且包括了各个时代具有伦理思想的文艺、宗教、军事、科学、医学等著作，特别是撰写了许多少数民族伦理道德状况的条目，仅这一部分就有十万字左右。不同于一般辞典的是该辞典在重要条目的撰写中，除介绍资料外，作者们还稍加学术上的评论，力求画龙点睛，使这部辞典颇象一部学术专著。通读全书，犹如读一部中国伦理道德发展史，收益非浅。

在撰写本书时，作者们不仅大量阅读了中国大陆学者的各种著作，也在力所能及的情况下参考了许多海外学者的著作，努力反映他们的学术成果。（秋 紫）

【北京大学哲学系举办马克思主义人学理论讲习班】 为了进一步贯彻党的四中全会精神，配合理论界反对资产阶级自由化的需要，加强马克思主义人学理论的宣传与建设，于1989年8月16～30日在北京大学举办了马克思主义人学理论高级讲习班。参加讲习班的有36人，其中教授、副教授9名，其余多数是讲师。他们大多数来自全国高等院校，也有少数来自报刊，科研和宣传部门。讲授的内容和主讲人：1.马克思主义人学的对象和内容（北大哲学系黄枬森教授）；2.人和自然关系的几个问题（人民大学哲学系陈先达教授）；3.人和社会关系的几个问题（北京大学哲学系赵家祥副教授）；4.对人性和人的本质的思考（北京大学哲学系陈志尚副教授）；5.人的主体性（人民大学夏甄陶教授）；6.人的价值（北师大哲学系袁贵仁副教授）；7.人与自由（北京大学哲学系朱德生教授）；8.个人与个性（北京师院王锐生教授）；9.关于人道主义的几个问题（中宣部理论局长靳辉明教授）；10.关于异化理论的几个问题（北京大学哲学系施德福教授）；11.社会主义改革与人（北京大学哲学系王东副教授）。

（曹玉文）

【北京师范大学哲学系举办伦理学助教进修班】 为提高师范院校伦理学青年教师的理论水平，为其评定讲师职称提供学历条件，北京师范大学哲学系于1988—1989年度，举办了伦理学助教进修班，来自18个省市自治区的33名高校青年教师参加了学习。进修班学员系统学习了哲学与现代化、中国伦理思想史、外国伦理思想史、伦理学专题研究等4门硕士研究生课程；学习了管理伦理学、道德社会学、人的哲学、社会科学方法论等课程。同时，还开设伦理学问题讲座，邀请中国社会科学院伦理学研究室、北京大学、中国人民大学的研究员、教授、博士生前来讲演，介绍当前国内外伦理学研究的最新成果。其中有：现代西方伦理思潮对中国青年的影响、当代西方伦理思想发展、道德选择论、个人利益问题、社会主义初级阶段的道德原则等。为了提高学员理论联系实际、正确观察分析社会道德问题的能力，还分批组织学员前往山东、华南、西南等地考察社会道德和精神文明建设情况。学员在进修期间，还参加了《中国伦理百科·德育卷》辞条的撰写，从中受到锻炼并获得科研成果。

（李春秋）

【武汉大学哲学系举办函授助教进修班】 为了贯彻师资培训工作要坚持个人自学为主、不脱产为主、校内为主的原则，适应高等学校青年教师在职培训的需要，使从事马克思主义哲学教学和科研的青年教师得到边工作、边进修提高的机会，经国家教委批准，武汉大学哲学系举办了第1期哲学专业函授助教进修班。该班为期一年半，1989年3月开学。学员共87名，他们来自全国近20个省市自治区60多所高等学校。

该班开设的硕士学位课程有现代认识论、现代唯物史观、"三论"与哲学、领导科学研究等4门，开设的一般课程有美学、社会学等两门。通过这些课程的系统学习和探讨，使参加学习的青年教师获得较为坚实的理论基础和较为深厚的专业知识，为更好地从事马克思主义哲学的教学和研究以及在职申请学位打下良好的基础。

该班教学方式，采取两个相结合，即平时个人自学和暑期集中面授相结合、理论学习和教学实践相结合。采取这种函授进修的形式培养提高高校师资，这在我国还是首次，带有实验性质。武汉大学哲学系领导十分重视，为该班专门配备了指导教师，并选派责任心强、学有专长、教学经验丰富的正、副教授担任主讲老师。该班的全体师生配合默契，决心为高等学校教师在职培养提高开辟一条新路。

（孔庆连）

【中央党校哲学教研室举办马克思主义哲学与中国社会主义实践讲习班】 为帮助基层党校和理论宣传部门解决教学和宣传工作中的理论联系实际问题，中共中央党校马克思主义哲学教研室于1989年8月5～15日在北京举办马克思主义哲学与中国社会主义实践讲习班，讲授了马克思主义哲学的生命力、哲学与社会主义、社会主义社会的矛盾、发展动力与改革、社会主义条件下政治和经济的统一、生产力理论、意识形态建设、马克思主义认识论与科学思想方法、提高主体认识能力等专题。韩树英、邢贲思、沈冲和杨春贵等中央党校哲学教员授课，各级党校、讲师团和各级党委宣传部门的教员和干部115人参加了学习。 （毛卫平）

【天津社科院哲学所举办基层干部学哲学讲习班】 1989年4月，天津社会科学院哲学研究所自编哲学普及教材，到天津暖风机厂等单位举办基层干部学哲学讲习班，讲授马克思主义哲学基本观点。讲习班的教材注意联系改革、建设的实际，深入浅出地介绍了辩证唯物主义和历史唯物主义的一些基本观点，并适当介绍了哲学理论的一些新进展。根据对哲学体系的新构思，体现“真”、“善”、“美”的统一，教材中还增添了伦理学和美学的一些内容。先后讲授了基层干部要学习、掌握马克思主义哲学的基本观点、坚持实事求是的思想路线、改革和建设需要我们把握联系和发展的观点、矛盾学说在新时期的发展和应用、改革和生产力标准、群众观点与干群关系、关于伦理学的理论知识以及学习伦理学的意义、审美与技术美学等方面的内容，受到了基层单位的好评。 （李超元）

【黑龙江省哲学学会成立“教授辅导团”】 在党中央号召全党干部学哲学的精神指导下，为配合本省党政干部学习好马克思主义哲学，黑龙江省哲学学会成立了由近30名教授组成的为干部学哲学服务的教授辅导团。1989年12月12日教授辅导团举行了第1次工作会议。

教授辅导团的任务是通过讲课和撰写文章帮助在职干部学习马克思主义哲学。在辅导中，讲清马克思主义哲学的基本观点，特别是要坚持理论联系实际的方针，总结历史经验教训，用马克思主义哲学观点分析改革开放和四化建设中出现的新情况、新问题。辅导团坚持的原则是要在辅导前集体备课，要在重点、难点、理论联系实际的结合上下功夫，力争做到科学性和针对性，就几个主要观点，辅导的新一些、深一些、实一些、活一些。

教授辅导团由于冀波担任团长，孙云、徐昶暸为副团长，金恩泽为秘书长，张奎良为副秘书长。

辅导团拟定了一些辅导题目：(1)马克思主义哲学是科学的世界观和方法论；(2)科学唯物主义的观点和实事求是的方法；(3)联系、发展的观点；(4)矛盾观点和矛盾分析方法；(5)实践的观点和探索真理的途径；(6)生产力决定作用的观点和生产力标准；(7)社会基本矛盾的观点和社会主义体制改革；(8)阶级、阶级斗争和人民民主专政；(9)社会意识的观点和精神文明建设；(10)群众观点和群众路线；(11)人的价值和共产主义人生观。

（孟祥武）

【北京师范大学"伦理学社"开展系列活动】 北京师范大学"伦理学社"，建社已经6年，目前有骨干社员80人。近年来，该社积极开展各种活动，促进了校园文化建设，促进了伦理教学的进行，提高了学生的伦理道德水平。

一、积极配合校团委、学生会开展"校园文化建设"活动，成功地主办了"校园文化、爱情和伦理"演讲比赛，参与组织"拥抱90年代系列活动"，提高了广大同学的参与意识，活跃了校园文化氛围。

二、举办系列讲座。讲座内容主要有：南方特区道德状况考察报告、公正问题、道德危机与道德建设、婚姻与爱情、人口险情和计划生育、独身问题等，受到同学的好评。

三、为使一些同学摆脱"空虚、无聊、苦闷、徬徨"的现状，走出学习热情的低谷，联合校团委发起"再造民魂"征文活动，收到了50余篇论文，评出10篇优秀论文，并通过校广播台播读了部分论文，在全校引起强烈的反响，起到了弘扬民族精神、鞭笞校园的"麻将、酒神文化"，肃整校风的良好作用，受到校领导和广大同学的称誉。

四、关心现实、探究社会问题。组织社员到工读学校调查，同工读生建立了长期性的联系，对工读生的思想转变起了一定的积极作用；组织社员到法庭旁听一些民事案件，深入北京市区的一些自由市场对个体商贩作了长期的调查，并组织社员在寒暑期对当地道德状况进行调查，使社员了解改革开放中涌现的一些新人际关系和道德现象，提高了对社会问题的判断分析能力。

五、组织部分社员参加伦理研讨会，邀请外籍专家介绍国外道德现状，组织社员观摹有关录像，并针对各种现实问题，以"沙龙"形式组织社内外同学展开专题讨论，在活跃而激烈的争论中，开阔思路，提高理论水平和辨别是非、荣辱的能力。

（何南观）

【辽宁大学哲学系进行国情系列教育活动】 为使同学们进一步了解国情，认清使命，更好地反思动乱造成的危害，辽宁大学哲学系团总支、学生会在全系学生当中广泛开展国情系列教育活动。针对同学当中存在着对国情认识模糊、了解片面的问题，举办了国情教育系列讲座。共讲了怎样看待国情、哲学与现时代、中国的土地资源、中国人口问题等专题，吸引了广大同学，在一定程度上提高和加深了同学们对国情的认识。在讲座的基础上，搞了国情知识百科竞赛，内容涉及中国的经济、科学技术、文化、教育、体育、卫生等问题，扩展了同学们的知识面，很受欢迎。针对前一段同学中普遍存在着"西方思潮热"而很少看马列原著的情况，举办了“重读马列书，熟知中国情”读书报告会，并向同学推荐《邓小平文选》《国家与革命》《中国革命史》等60本马列原著及有关中国国情方面的书籍，同学们认真准备，讨论发言热烈，对一些马列原理在新形势下对中国现代化建设的指导意义等问题，提出积极的想法。

通过上述活动，使同学们加深了对国情的认识，更加明确自己的责任，一定程度上激发了同学们的爱国热情和理论热情，对更好地把握自己、明确前进的方向起到一定的积极作用。 （卢 明）

【江西省社会科学院哲学所进行社会调查】 1989年初，江西省社会科学院哲学研究所组织全所科研人员到全省各地的部分企业、院校、乡村进行了一次题为“改革的成就、困惑与出路”的全面的社会调查活动，调查了解改革开放十年来江西城乡人民生活状况、思想观念、道德水平，城乡企业改革和教育、卫生、文化等各方面的变化情况及出现的问题，写出了调查报告16篇，如“关于我国改革开放以来道德状况的调查报告”、“深化企业改革的关键在于走向管理科学化”、“当前乡村教育的几个问题”、“当前南昌市民精神状态的调查”等，从多方面，多角度反映了当前的改革现状，对于促进该所科研人员理论联系实际，了解新情况，新问题，促进科研为社会主义建设服务，起到了一定的积极作用。 （蔡 建）

【山东大学哲学系88级双学位班就当前大学生心态开展调查】 调查涉及大学生政治、价值、道德、恋爱、求知、考试、就业、审美、日常行为、异常行为等10个方面的心态。5月，该班同学分赴北京、上海、南京、郑州、长春等地，以问卷调查为主，交谈座谈为辅；11月，又在济南地区部分高校进行调查；收集到大量第一手资料，对如何看待、评价当代大学生，有针对性地开展工作，有一定参考价值。该班同学入学前大都是在高校从事学生思想政治工作的辅导员、德育教师，大家反映，这次调查对他们今后的工作也将有所帮助。 （刘陆鹏）

【复旦大学哲学系学生下乡下厂进行社会调查】 为使学生扩大视野、接触社会实际、了解国情，并积极地推动哲学教学改革，为四化培养合格人才，复旦大学哲学系在1989年12月初，组织哲学系25名大学生、研究生，在系领导和有关老师的带领下，分批到上海市嘉定县安亭镇、南汇县周浦乡、川沙县北蔡镇3个调查点，开展农村社会调查。这是近几年来，上海市大学生首次带着铺盖分赴农村。当地党政领导对此表示热忱的欢迎，说：你们只要到乡下来，就会更加深切地感受到社会主义制度下的改革，使农村发生了翻天覆地的变化。社会主义是充满希望的。

这次郊区农村十年改革成果社会调查，是复旦大学哲学系与解放日报社农村部联合组织的。上海市农村党委、市农委领导十分重视和支持这一密切学校与社会联系的活动，并为这次社会调查商定了调查研究题目，确定了作为调查点的乡镇。

到郊区参加农村社会调查的复旦大学哲学系25名大学生、研究生，在感受郊区农村10年改革发生巨大变化的同时，将重点针对农村实行联产承包制后农业如何发展；郊区乡镇工业如何培育自我积累、自我发展经营机制；迅猛发展的郊区外向型经济如何再上新台阶等课题，展开一个时期的广泛调查。他们在各调查点，与当地领导、企业厂长、承包社员进行了座谈，并观看了乡镇工业发展概况的录相片。他们颇有感触地说，社会主义新农村确实欣欣向荣，这种感性认识在学校里是体验不到的。他们表示，一定要珍惜这次难得的社会实践，并安排时间参加劳动，密切与工农的感情。

与此同时，该系还组织了一批大学生、研究生在有关老师的带队下，分赴安徽省大别山老革命根据地，以及上海市区上海卷烟厂、上海正泰橡膠厂等地进行农村和工厂的社会调查。（吕骏宝）

1989年对外学术交流纪要

▲1988年10月至1989年1月　应日本国际文化会馆邀请，中国社会科学院哲学所研究员巫白慧赴日本进行学术访问。他访问了东京大学、东方学院、京都大学、佛教大学、龙谷大学等。他在东京大学、京都大学、龙谷大学作了学术演讲，介绍中国东方哲学研究状况。他同中村元、服部正明、前田专学等日本学者就印度哲学、佛教学、西藏学、伊斯兰学的研究进行了座谈。

▲1989年1月　美国组约市人事管理协会教授包伟思、金素珊访问厦门大学自然辩证法研究室，介绍他们在人才研究与管理方面的研究成果。

▲1～6月　应香港民间团体"公教教研中心"之邀，中国社会科学院哲学所副研究员傅乐安赴香港考察研究。傅乐安为撰写《当代西方天主教》查阅和搜集了当代天主教哲学、神学等方面的资料，并与香港学者进行了学术交流。

▲1月20日　北京市哲学会在中国人民大学与苏联哲学家凯列教授就"苏联哲学问题"进行了座谈，参加座谈的除北京市19所大专院校、党校的哲学专家学者外，还有在京开会的武汉大学、复旦大学、中山大学、南开大学、吉林大学的哲学专家学者共35人。凯列教授讲了

中国—民主德国哲学讨论会在北京举行

3个方面的问题：1.苏联的哲学改革问题；2.教科书编写问题；3.对一些原著的评价问题。

▲3月9～24日　根据中国社会科学院和民主德国科学院社会科学学术交流协议，民主德国科学院哲学代表团布尔、霍尔斯特曼、赫尔茨、埃彭贝克、克雷纳教授一行5人来华访问。3月11～14日，该代表团和中国社会科学院哲学所举行了以马克思主义哲学在当代的发展问题和马克思主义哲学与德国古典哲学的关系为主题的学术讨论会。民德代表团5位成员和中方的汝信、梁志学、赵凤岐、徐崇温、王锐生、王鹏令、李景源等在会上作了报告和发言。这是中国和民主德国首次哲学讨论会，双方认为，这次讨论会增进了友谊和理解，是两国在学术交流与合作方面迈出的重要一步。民德科学院哲学代表团还访问了广州和深圳。

▲3月11～26日　中国社会科学院哲学所研究员李泽厚偕夫人马文君应日本国际交流基金会理事长鹿取泰卫的邀请，赴日本进行学术访问。李泽厚研究员同日本学者进行了多次座谈，并发表演讲，介绍他本人的学术观点和中国思想史研究状况，同时考察了日本中国思想史研究、中国美学史研究的学术成果。

▲3月18日至4月14日　英国牛津巴里奥尔学院蒙泰菲洛教授及夫人来华进行学术访问和讲学。蒙泰菲洛教授对伦理学和分析哲学有比较深入的研究，曾多次赴美国、法国、香港等国家和地区演讲和访问。在北京期间，蒙泰菲洛教授在中国社会科学院哲学所、研究生院、北

京大学哲学系和中国人民大学哲学系与中国学者进行了多次学术讨论。在厦门、广州期间，访问了厦门大学哲学系、中山大学哲学系等单位。

▲3月20～23日　第1届国际医学未来学学术讨论会在西德巴特洪堡举行，来自中国、西德、美国、法国、荷兰的20多位学者出席了会议。中国方面参加这次会议的有邱仁宗、范瑞平及彭瑞聪、石大璞、梁浩材、顾湲。会议围绕医学说明模型、健康责任、高技术医学伦理学、残疾人护理和生殖伦理学展开了热烈讨论。会后，举行了有关医学教育和医学伦理学的圆桌讨论会，邱仁宗介绍了中国医学伦理学的研究和教学状况，石大璞介绍了中国医学教育的现状。另外还举行了一次医学伦理学案例讨论会。

▲3月20～25日　"人与生物圈：历史与现代"国际学术会议在莫斯科附近的科学城"普希诺"举行，北京师范大学副教授柳树滋、华南师范大学副教授颜泽贤、复旦大学哲学博士周义澄等应邀参加。会议讨论了苏联伟大学者B.И.维尔纳茨基关于生物圈的思想，讨论了与人类生存和发展有关的生态保护问题，人与自然的协调发展及其有关的世界观和方法论问题。会议决定在普希诺建立国际生物研究中心。

▲3月28日至4月7日　应香港中文大学的邀请，中山大学哲学系副教授冯达文赴香港进行学术访问。他在该校哲学系举办的学术讲座上作了题为"魏晋玄学的非理性倾向"的学术报告，并与该系师生就中国哲学的有关问题进行了座谈。

▲3月31日至4月20日　应

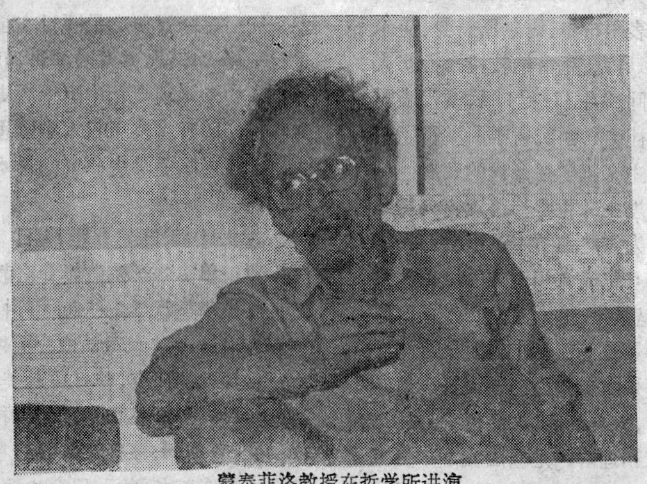

蒙泰菲洛教授在哲学所讲演

中国社会科学院哲学所的邀请，荷兰当代著名哲学家皮尔森教授及夫人来华访问和讲学。皮尔森教授是荷兰莱顿大学哲学系教授，主要从事文化哲学的研究，《文化战略》一书是他在文化哲学方面的名著。在京期间，皮尔森教授访问了中国社会科学院哲学所、清华大学、中央美术学院等单位，就感兴趣的问题与中国学者进行了座谈和讨论。皮尔森教授及夫人还参观访问了泰山、曲阜、西安、上海等地。

▲4～6月 中国社会科学院哲学所研究员薛华应邀参加在西德举行的海德格尔国际讨论会，会议主题是"海德格尔的哲学现实意义"。会后，薛华研究员应乌培河谷大学哲学系教授阿尔伯特的邀请，与阿尔伯特教授合作举办了中国哲学研讨会。

▲4月1日至6月8日 新加坡国立大学政治系高级讲师洪镰德博士应中山大学、厦门大学、中国人民大学、北京大学、复旦大学哲学系的邀请来华讲学。洪镰德博士为上述学校哲学系师生作了题为"新马克思主义评介"的讲演。讲学的内容是："西方马克思主义"概念的流行和引进；"西方马克思主义"产生的历史背景；"西方马克思主义"的性质；"西方马克思主义"的特征和问题；"西方马克思主义"中两股相反潮流的简介；"西方马克思主义"和当代马克思主义可以划等号吗？"西方马克思主义"和新马克思主义——兼介绍台湾对新马克思主义的研究情况；新马克思主义在海外的发展等。洪镰德博士在讲学中努力用马克思主义的立场和观点对西方马克思主义的产生和发展以及各派代表人物基本思想的联系和区别进行剖析。在广州期间，他与中山大学教授叶汝贤合作编写了两部论文集：《海峡两岸西方马克思主义研究与争鸣》和《西方马克思主义鸣放集》。他还组织北京大学、中国人民大学学者撰写《新马克思主义评介》丛书。

▲4月7～22日 应中国社会科学院哲学所的邀请，美国南伊利诺斯大学哲学系主任埃姆斯教授和圣路易斯大学瓦格纳教授来华进行学术访问。埃姆斯和瓦格纳教授是研究美国哲学史的著名专家，多年来一直从事杜威和罗素哲学的研究，她们在杜威和罗素哲学对"五四"以后中国思想界的影响的研究方面也有较深造诣。在北京期间，埃姆斯和瓦格纳教授就美国哲学、当代西方哲学及双边交流诸问题与中国学者进行了座谈和讨论。

▲5月6～20日 加拿大约克大学哲学系副教授克瑞列应山东大学哲学系的邀请前来讲学。讲学内容为：1.后现代哲学与18世纪形而上学；2.认识论与逻辑学。

▲5月8日至6月8日 根据中国社会科学院和捷克斯洛伐克科

海峡两岸纪念"五四"七十周年学术讨论会在北京召开

学院社会科学学术合作协议，捷克科学院哲学社会学研究所研究人员兹登涅克来华访问。兹登涅克毕业于布拉格大学，主要从事评介孔子和儒教在现代中国思想中的地位和作用的研究工作。访华期间，他同中国社会科学院哲学所等单位就当代哲学，特别是语言哲学和社会语言学的研究情况及传统观点在中国现代思想中的作用等问题举行了多次座谈。

▲5月10～12日　由中国社会科学院哲学所、北京大学哲学系、台湾淡江大学中文系共同举办的"海峡两岸纪念'五四'运动七十周年"学术讨论会在北京大学举行。65位学者参加了这次讨论会。会议围绕"'五四'运动及其人物评价"、"'五四'新文学运动评估"、"中西文化问题"、"传统文化与现代化"4个问题展开了热烈讨论。

▲5月10～15日　应中央民族学院宗教研究所的邀请，加拿大多伦多大学宗教系教授史密斯偕夫人来华访问。史密斯教授在宗教研究所作了题为"世界宗教研究动向"的学术报告，并与该学院的部分宗教问题专家、学者进行了座谈。

▲5月14～30日　应香港中文大学的邀请，厦门大学哲学系副教授高令印赴该校哲学系讲学。讲学的题目是"闽学及其发展"，内容有：闽学和闽学研究；闽学形成的社会基础和思想渊源；闽学的创立和闽学的一般特点；闽学的传衍和分化；闽学在中国思想文化史上的地位和作用，以及在国外的传播和影响。

▲5月15～18日 中国社会科学院哲学所闵家胤副研究员应邀参加维也纳未来研究院国际进化研究所国际一般进化论研究小组在意大利博洛尼亚大学900周年校庆活动期间举行的、题为“认知图谱的进化：21世纪的范式”学术会议，作了“中国文化的认知图谱”的学术报告，并被推选为国际一般进化论研究小组的正式成员。这次会议是国际一般进化论研究小组的年会。

▲5月26～27日 “香港浸会学院”主办的“后现代世界中的终极关怀”学术会议在香港举行，厦门大学哲学系副教授高令邱等应邀参加。出席会议的还有台湾、美国、加拿大等地区和国家的学者。讨论的中心问题是中国文化和基督教信仰在未来社会的关系和作用。试图确认基督教传统中的洞见和智慧对中国文化在现代世界中的发扬有重要意义，祈求中国文化与基督教传统有更深入的沟通。学者们认为，未来的社会形态将以资讯为中心，而现代化将造成污染和耗尽资源的危机。因此，中国文化和基督教信仰要共同面对未来社会这个难题。

▲6月 以新川翁占教授为团长的日本冲绳易学代表团访问厦门大学，与自然辩证法研究室就易学方面的研究成果进行了学术交流。

▲6月1日 应北京社会科学院哲学所的邀请，美国哥伦比亚大学心理学教授霍华德·格鲁伯及其夫人与哲学所及多事从事皮亚杰认识论思想研究的有关人员举行了一次小型座谈会，双方就中国皮亚杰研究方面的情况交换了看法。格鲁伯教授是1989年3月应武汉大学之邀来华讲学的，他曾与发生认识论创始人皮亚杰一起工作过，为皮亚杰的《生物学与知识》的写作提供了大量资料，他在英海尔德之后主持了国际发生认识论研究中心的工作。

▲6月1日至7月30日 辽宁大学哲学系教授郭国勋应日本关西大学之邀去该校文学部讲学。郭国勋教授考察了日本哲学发展的现状和日本马克思主义哲学研究情况，与日本学者就中国传统哲学和现代哲学改革情况交换了看法。

▲6月25日至7月2日 北京大学教授汤一介等3人应日本“亚洲问题研究会”代理理事长和崎博夫的邀请赴日本作短期访问。汤一介教授等访问了日本尚纲大学、东京大学、日本大学、京都大学等，与日本学者就“道教的特点”、“中国当前的文化研究”等问题进行了座谈和讨论。6月27日，汤一介教授在日本大学作了题为“中国的道教”的讲演；6月29日在东京宪政纪念馆举行的“梁漱溟先生逝世一周年纪念会”上作了“梁漱溟与中国文化”的讲演。

▲6月27～30日 中国社会科

学院哲学所研究员梁志学参加了在克拉科夫举行的以“先验哲学与辩证法”为主题的国际学术讨论会。这是波兰华沙大学哲学研究所为祝贺慕尼黑大学赖因哈德·劳特教授70岁生日而举行的。来自10个国家的32位哲学家向会议提交了32篇报告，梁志学研究员的报告题目是“青年费希特人际关系理论”。这些报告对德国古典哲学中的辩证法问题进行了深入的探讨。

▲7月24～29日 “国际中国哲学会”第6届年会在美国夏威夷举行，会议的中心议题是讨论有关中西方哲学中的“心、性、理”问题。来自世界各地的100多位学者出席这次会议，共提交了80多篇论文。汤一介、方克立、陈俊民、刘大钧、李书有、胡啸、吴熙钊等参加了这次会议。汤一介的报告题目是：“再论中国传统哲学中的真善美问题”；陈俊民：“宋明‘三教合一’思潮中的‘心性’旨趣”；李书有：“儒家的心性论”；胡啸：“谭嗣同的心性观”；吴熙钊：“中国哲学变革与现代化”。

▲7月30日至8月12日 第6届东西哲学家会议在美国夏威夷举行，会议主题是“文化与现代化”。汤一介、陈来、江天骥应邀参加了这次会议。汤一介作为中国方面的代表宣读了题为“论儒家哲学中的超越性与内在性问题”的报告。这次会议还讨论了相对主义、普遍伦理等问题。

▲9月 日本早稻田大学教授鸟羽钦一郎访问厦门大学自然辩证法研究室，双方主要讨论了管理哲学方面的问题。

▲9月1～6日 中国人民大学哲学系教授苗力田、杭州大学教授陈村富赴意大利参加在佩鲁贾举行的第2届国际柏拉图哲学讨论会。苗力田在会上作了“从钟爱者到爱智者”的学术报告。这次会议是本世纪以来关于柏拉图哲学规模最大的学术会议，其中心议题是柏拉图的《斐德罗篇》。大会期间，成立了国际柏拉图学会。

▲9月5～10日 杭州大学哲学系邱国权副教授赴美参加在哈佛大学举行的纪念皮尔斯150周年诞辰国际学术会议，在会上作了题为“皮尔斯符号学的启迪”的学术报告。

▲9月8～12日 美国国际教育基金财团执行主席鲁本·G.托里教授应中央民族学院宗教研究所的邀请来华访问。托里教授在该院宗教所和哲学系作了基督教研究一般状况的讲演，并与宗教所的专家学者就宗教研究的一些问题和如何加强双方在宗教研究方面的合作问题进行了座谈。

▲9月18日至12月16日 根据中国社会科学院与日本学术振兴会交流协议，《中国哲学年鉴》《世界哲学年鉴》副主编李今山赴日本进行为期3个月的访问研究。李今

山访问了东京大学、关西大学、京都国立博物馆等，与今道友信、竹内良知、铃木正、冈田武彦等日本学者就近现代美学研究、中江兆民、狩野亨吉研究及日本和世界各国儒学研究现状进行了广泛的学术交流。

▲9月21～30日　应香港中文大学的邀请，厦门大学哲学系教授邹永贤前往该校哲学系讲学。讲学题目为“马基雅维利与韩非”，并与哲学系有关人员就朱熹的两一思想、治国思想进行了座谈。

▲9月22日至10月7日　根据中国社会科学院和苏联科学院合作协议，苏联科学院远东所费奥克蒂斯托夫教授和研究人员尤里凯维奇来华访问。他们与中国社会科学院哲学所中国哲学史研究室、马克思主义哲学史研究室等有关人员举行了多次座谈，并就双方合作编写《中国哲学思想和社会政治思想辞典》进行了商讨。他们还访问了天津社会科学院。

▲9月25日至10月8日　根据中国社会科学院与日本国际文化会馆交流协议，日本东京大学教授前田专学偕夫人前田式子教授来华进行学术访问。在北京期间，前田专学夫妇与中国社会科学院副院长汝信、哲学所研究员巫白慧、亚太所研究员黄心川、北京大学教授金克木、楼宇烈、北京图书馆馆长任继愈等中国学者就印度哲学、佛学进行了广泛交流，并访问了中国佛教协会和中国佛教文化研究所。在西安、杭州、上海期间，前田专学夫妇分别访问了陕西省、浙江省和上海市社会科学院。

▲10月2～17日　《中国社会科学院学术著作展览》(1978～1989)在苏联举行。中国社会科学院哲学所图书室主任王正义参加了这次书展，并参观了苏联科学院远东所图书馆、情报所图书馆、列宁图书馆、莫斯科大学善本图书馆、全苏外语图书馆等。

▲10月4日　苏联科学院通讯院士费德林访问了中国社会科学院哲学所，与哲学所副所长陈筠泉、姚介厚、于良华进行了座谈。费德林院士此次访华的目的是参加10月份在北京举行的纪念孔子诞辰2540周年国际学术讨论会。

▲10月8～14日　“费尔巴哈和哲学的未来”国际学术讨论会在西德比勒菲尔德大学混合学科研究中心举行。来自西德、瑞士、美国、苏联、中国等国家的60多名代表出席了这次会议。会议决定成立“费尔巴哈研究者国际协会”。中国人民大学教授罗国杰、副教授李忠尚，中央党校副教授蒋永福、讲师张慎、侯才、李小兵应邀参加这次会议，并作了大会发言。罗国杰的报告题目是：“不同文化圈对话中的伦理问题”；蒋永福的题目是：“肉体和精神：费尔巴哈无神论和王充、范缜无神论思想发展的比较”；李忠尚：“哲学的

前革命和哲学的未来——费尔巴哈哲学在中国"；侯才："费尔巴哈和莫斯·黑斯"；李小兵："人的本性、超验性和社会性"；张慎："从感性原则和自然概念看青年黑格尔和费尔巴哈的不同发展"。

▲10月10～24日　根据中国社会科学院与苏联科学院交流协议，中国社会科学院哲学所副研究员贾泽林、沈真出访苏联。他们访问了苏联科学院哲学所、莫斯科大学哲学系、苏共中央社会科学院哲学教研室、苏共中央马列研究院马恩研究部、乌克兰科学院哲学所、基辅大学哲学系等，了解了80年代苏联哲学、尤其是1985年以来苏联哲学改革进展情况，苏联认识论，符号学及对人的哲学问题研究方面的情况和研究成果，苏联对费希特的研究情况和研究成果。10月底，贾泽林应瑞士弗里堡大学东欧研究所所长G.奎恩教授的邀请顺访瑞士一个月，考察该所苏联东欧哲学的研究状况。

▲10月12日　美国夏威夷大学教授成中英在参加了在北京召开的纪念孔子诞辰2540周年国际学术讨论会后，专程赴济南与山东大学哲学系、山东大学周易研究所谭欣田教授、刘大钧副教授、王守华副教授等商讨易经研究和中国哲学在国内外的发展问题，并就中国哲学在西方社会发展中的影响、作用问题，与山东大学哲学系、周易研究所部分师生进行了座谈。

▲10月13～27日　根据中国社会科学院与保加利亚科学院交流协议，中国社会科学院哲学所副研究员景天魁、杨远访问了保加利亚科学院哲学所和索非亚大学，就社会主义社会人的哲学问题、伦理学和道德教育问题等与保加利亚学者进行了广泛交流，并就双方合作研究进行了磋商。景天魁、杨远还顺访了苏联科学院哲学所，与苏联学者讨论了社会认识论问题。

▲10月13～27日　根据中国社会科学院与苏联科学院合作协议，以苏联科学院哲学研究所布耶娃教授为团长的哲学代表团一行7人来华访问。该团是在中苏关系改善后来访的第一个苏联哲学代表团，7位成员是布耶娃、普列特尼科夫、布洛夫、什维列夫、尤金、舒列节诺夫和安德烈延科娃。在北京期间，苏联代表团与中国社会科学院哲学所以座谈会、报告会等方式进行了广泛的学术交流，苏联哲学家介绍了近几年苏联哲学界在马克思主义、社会主义、认识论、自然辩证法、哲学新思维、人的问题、社会学等方面的研究成果。双方表示要进一步发展中苏两国哲学家的合作，签定了学术合作初步方案，拟采取举行双边学术讨论会、定期交换学术刊物、研究资料和研究成果、互派进修人员等多种交流合作方式。苏联代表团还访问了中国社会科学院社会

汝信副院长会见苏联科学院哲学所代表团全体成员

学所、苏东所、中央教育研究所、北京市社会科学院、北京大学、中国人民大学、自然辩证法研究会。10月18～23日，苏联哲学代表团访问了上海、广州、深圳等地，受到了当地社会科学院和高等院校的友好接待。

▲10月16～23日　应中国社会科学院哲学所的邀请，以日本伦理研究所常务理事北奥三郎为团长，丸本征雄、田形健一、丸山敏秋、中野里孝正为团员的日本伦理研究

中日实践伦理学第3次讨论会在京举行

所代表团访华。日本伦理所成立40多年以来一直进行实践伦理学的研究和普及工作，出版了不少书籍和刊物，培训了很多人才，在日本颇有影响。10月17～19日，中日实践伦理学第3次讨论会在北京举行，中方的汝信、刘启林、陈筠泉、陈瑛、滕颖等20多人参加了会议。与会者围绕家庭婚姻、企业职业道德等问题进行了热烈讨论。会后，日本伦理研究所代表团访问了曲阜、上海等地。

▲10月16～30日　南京大学哲学系副教授李华钰赴香港中文大学社会工作学系讲学。讲学内容是："当代中国家庭问题"。

▲10月18日至11月1日　根据中国社会科学院与日本学术振兴会的学术交流备忘录，日本青山学院大学教授坂本百大偕夫人坂本美智子来华进行学术访问。坂本百大是日本符号学会会长、著名逻辑学家。在京期间，他参加了中国逻辑与语言研究会建会10周年论文讨论暨符号学报告会。坂本百大教授访问了中国人民大学、北京师范大学、北京大学、河南大学等单位，就符号学问题与中国学者进行了广泛的学术交流。

▲10月23日至11月11日　北京大学哲学系教授朱德生应苏联科学院哲学所所长、苏联科学院通讯院士斯乔平的邀请访问苏联。朱德生教授访问了苏联科学院哲学所、《哲学问题》编辑部、苏联社会科学院哲学教研室、莫斯科大学哲学系、列宁格勒大学哲学系，主要就马克思主义哲学、当代西方哲学等问题与苏联哲学界有关学者、专家交流了各自的观点。

汝信副院长会见坂本百大教授

▲10月24～28日 应意大利葛兰西研究所所长瓦卡教授的邀请，中国社会科学院哲学所田时纲参加了在福米亚市召开的“葛兰西在世界”国际学术讨论会，作了题为“葛兰西研究在中国”的学术报告。这是中国学者首次参加葛兰西国际学术会议。

▲10月24日至11月5日 维也纳国际进化研究所所长、国际一般进化论研究小组创始人、著名美国系统哲学家欧文·拉兹洛应中国社会科学院哲学所的邀请，来华进行学术访问。拉兹洛在哲学所和文献情报中心联合举办的“世界系统面临的突变和对策”高级研讨班上作了系列学术报告，介绍他在一般进化论方面新的研究成果《世界系统面临的分叉和对策》，这是拉兹洛继《进化——广义综合理论》《进化——超越偶然性和设计》之后关于一般进化论的第三本论著。访问期间，他在中央音乐学院举行了钢琴独奏音乐会。他还访问了清华大学社会科学系。

▲10月27日至11月1日 日本弘前大学人文系教授中屋敷宏访问湘潭大学哲学系，与该系毛泽东思想研究室主任沧南教授就毛泽东思想的理论基础、毛泽东的哲学思想来源及毛泽东方法学进行了座谈。中屋敷宏教授还与刘子科、彭铎福、范贤超等进行了座谈与讨论。

▲10月28日至11月1日 北京大学哲学系副教授张翼星、编审汤侠声应苏联科学院哲学所的邀请，参加在莫斯科近郊兹维尼戈罗德城召开的“认识论与对知识的社会文化分析”学术讨论会。会议主要讨论了四方面问题：知识结构的方法论方式与社会学方式的相互关系；真理与技术鉴定；认识的方法论与人类学；作为认识论基础的规范主义和描写语言。张翼星在会上作了“中国近10年来的认识论研究”的发言。

▲10月30日至11月1日 中国社会科学院和印度社会科学理事会共同举办的“传统与现代化相互作用”学术讨论会在北京举行。出席会议的中印双方正式代表有17人，会议共收到26篇论文。部分论文题目如下：《经济发展和社会变化：印度工业领域的传统和现代化》(库勒·曼伽斯)；《甘地、尼赫鲁和现代化》(托玛斯·帕萨姆)；《儒家人文主义思想与现代化》(张岱年)；《论中国宋明新儒学与佛教》(石峻)；《印度哲学思想与印度现代化》(巫白慧)；《关于中国传统与现代化的讨论》(李泽厚)等。

▲11月9～23日 根据中国社会科学院与奥地利科学院合作协议，奥地利维也纳经济大学弗兰茨·鲁佩尔特·赫鲁彼教授访华。赫鲁彼从事实践哲学、尤其是经济伦理学的研究。他与中国社会科学院哲学所、经济所，上海社会科学院哲学

所、经济所、中山大学等单位有关学者进行了座谈，双方探讨了当今西方发达国家中因经济的增长而产生的积极作用与消极后果之间的不协调，不发达国家中存在的饥饿和贫困等问题。

▲11月13～22日　中国社会科学院哲学所副研究员孙克信、研究员邝柏林和近代史所陈铁健应苏联科学院远东所的邀请，参加苏联纪念李大钊诞辰100周年学术会议。这次会议是苏联科学院根据苏共中央指示由苏联科学院远东所、哲学所、东方所、苏中友协、苏联对外友协、全苏汉学家协会等6个单位主办的。孙克信、邝柏林在会上分别作了“论李大钊在中国传播唯物史观的伟大历史功绩”、“关于李大钊从进化论史观到唯物史观的转变”的学术报告。会后，孙克信、邝柏林与苏联科学院远东所举行了多次座谈，希望今后进一步加强中苏两国学者在李大钊研究方面的合作交流，苏联科学院远东所表示愿与中国社会科学院哲学所建立双边协议，加强相互之间的了解和多方面的合作研究。

▲11月22～30日　中国社会科学院哲学所研究员辛冠洁、副研究员蒙培元荣获“退溪学国际学术奖”，赴南朝鲜领奖并进行学术访问。11月25日在安东市陶山书院举行了授奖仪式，辛冠洁、蒙培元在“退溪学国际学术奖纪念讲演会”上作了讲演。之后，辛冠洁、蒙培元又访问了岭南大学、檀国大学、退溪学研究院等地方，进行学术讲演和座谈，并与南朝鲜学者就儒家文化为何走上世界等问题进行了广泛讨论和交流。

在国外哲学论坛上

“先验哲学与辩证法”国际讨论会概观

梁 志 学

华沙大学哲学研究所为祝贺慕尼黑大学赖因哈德·劳特(Reinhard Lauth)教授70岁生日,于1989年6月27～30日在克拉科夫举行了以“先验哲学与辩证法”为主题的国际讨论会。参加者有来自10个国家的32位哲学家。提交讨论会的22篇报告从不同的方面探讨了德国古典哲学中的辩证法问题。我应讨论会主持人、华沙大学教授马·约·泽迈克(M. J. Siemek)的邀请出席了会议。

德国古典哲学中的辩证法是当今各国哲学家研究的重要课题之一。在这次讨论会上,无论是马克思主义哲学家,还是非马克思主义哲学家,都把这个课题作为自己研究的对象。在我看来,这次讨论会主要集中在3个问题上。

第一,关于德国古典哲学家的自然辩证法思想。探讨这个问题的报告,有民主德国科学院胡·霍尔斯特曼(H. Horstmann)教授的“发展总是只能设想为向上的过程吗?”、联邦德国乌珀塔尔大学伏·扬克(W. Janke)教授的“有限辩证法问题”、杜伊斯堡大学赫·吉恩特(H. Girndt)教授的“费希特自然哲学中的五段式辩证法”、意大利乌尔比诺大学多·洛苏尔多(D. Losurdo)教授的“从康德到马克思的客观矛盾范畴的起源”和波兰罗茨大学马·波特巴(M. Potepa)教授的“施莱尔马赫的辩证法”。这些报告中最引人注目的地方在于:在劳特发表了他的独树一帜的专著《费希特的自然学说》(汉堡1984年)以后,许多德国古典哲学研究者改变了过去的看法,认为费希特还是有自然哲学的。但是,费希特并没有自然哲学专著,他的自然辩证法思想都是分散在他的若干论著里的,因此,他讲的自然界的辩证过程是否象吉恩特的报告说的那样,是由正题、设定、反题、反设和合题构成的,则是一个有待研究的问题。在讨论中,慕尼黑大学曼·查恩(M. Zahn)教授认为,费希特讲的自然界的辩证过程类似于康德早期讲的自然演化。巴伐利亚科学院费希特研究所米·布吕根(M. Brüggen)教授则认为,它类似于谢林早期讲的级次上升(Potenzieren)。从这一情况来看,对康德、费希特与谢林的自然哲学思想进行比较研究,将是一个值得提倡的研究方向。

第二，关于德国古典哲学家的社会辩证法思想。这方面的报告有华沙大学巴·马基维奇(B. Markiewicz)教授的"先验哲学与历史"、曼·查恩教授的"康德的和平理论"、波兰弗罗茨瓦夫大学卡·巴尔(K. Bal)教授的"康德的伦理学"、日本广岛工业大学隈元忠敬教授的"费希特的先验自由学说"、中国社会科学院梁志学教授的"青年费希特的主际性理论"、意大利罗马大学马·伊瓦尔多(M. Ivaldo)教授的"费希特论恶的问题"、瑞士纳沙尔特大学阿·佩林雅克(A. Perrinjaquet)讲师的"费希特论个人和共同体"以及以色列耶路撒冷大学施·阿维耐里(S. Avineri)教授的"黑格尔论自我、经济活动与市民社会的辩证法"。其中讨论最多的是费希特对历史哲学的重要贡献。许多与会者认为，费希特在人的物质创造活动与精神创造活动的关系上肯定了物质生产劳动是社会生活的首要条件，在市民社会与政治制度的关系上接近于发现市民社会决定国家的原则，在历史规律与个人自由的关系上揭示了社会生活中的必然性是通过无穷多的偶然性(其中也包括恶)实现的，在政治制度发展的前途问题上预言了国家机器将来必然会逐渐消亡。谢林和黑格尔虽然继承了康德和费希特的历史哲学思想，但另一方面却造成了倒退。最明显的例证就是他们与费希特相反，认为市民社会是由国家创造的，国家将万世长存。

第三，德国古典哲学家关于主观与客观、理论理性与实践理性的辩证关系的思想。布吕根教授在其"论先验唯心论方法"的报告中，指出了康德在自己的认识论中力求统一分析方法与构造方法，以期达到经验东西与先验东西、理论理性与实践理性的结合。美国肯塔基大学丹·布里采勒(D. Breazeale)教授在其"论费希特对怀疑论的态度"的报告中说明，赖因霍尔德用意识克服康德哲学里理论原则与经验原则相分离的缺点是不成功的，怀疑论者舒尔茨在康德哲学停顿下来的地方提出了挑战，虽然其中肯批评对于发展康德哲学是不可或缺的，但怀疑论作为体系是不能成立的；正是基于这样的事态，费希特既吸收了舒尔茨的合理意见，又批判了他的怀疑论立场，将本原行动(Tathandlung)确立为统一理论理性与实践理性的最高原理，超越了康德，建立了主观唯心论的知识学体系。保加利亚索非亚大学伊·斯特凡诺夫(I. Stefanow)在其"论费希特的辩证法"的报告中，说明本原行动展开的过程是主体和客体、自我和非我的矛盾不断产生与不断解决的活动过程，其中既包括从正题到反题的一分为二，也包括从反题到合题的合二而一，这对黑格尔建立概念辩证法发生过很大影响。探讨这方面问题的，还有联邦德国亚琛大学克·哈马赫尔(K. Hammacher)教授的"费希特的实践辩证法"、美国杜肯大学托·罗克摩尔(T. Rockmore)教授的"费希特与卢卡奇的黑格尔派马克思主义"以及联邦德国奇根大学伏·施拉德(W. Schrader)教授的"费希特与后现代思维”。

在整个会议过程中，泽迈克教授都强调各国哲学家应该团结起来，致力于人类进步的事业。会议充满了既热烈争论、又友好融洽的气氛。提交的报告将汇编成书，分别在华沙与汉堡用波兰文与德文出版。

第2届费尔巴哈国际学术讨论会

张 慎

“费尔巴哈和哲学的未来”国际学术讨论会，于1989年10月8～14日在联邦德国的比勒菲尔德大学混合学科研究中心举行。来自联邦德国、瑞士、意大利、西班牙、法国、挪威、民主德国、苏联、波兰、匈牙利、捷克、加拿大、美国、阿根廷、以色列、澳大利亚、日本、南朝鲜、中国等19个国家的共约60名代表出席了这次会议。

本次学术讨论会有5个议题：费尔巴哈论自然、论宗教、论人道主义、费尔巴哈与他的时代、不同文化间的对话。与会者们围绕这5个题目宣读了自己的学术论文，并进行了热烈的讨论。使大家普遍感兴趣的主要有下述几个问题：如何正确认识费尔巴哈的感性原则，它是和黑格尔思辨哲学中的理性原则根本对立的，还是对理性原则的补充？费尔巴哈是从什么角度和背景出发理解自然并对自然界进行定义的，他对自然的理解中是否夹杂有神秘主义因素？如果说费尔巴哈在19世纪过于强调人对自然的依赖关系，那么在20世纪的今天应该如何保护自然，使其免遭人类的破坏？费尔巴哈的宗教批判与路德新教思想有哪些同异之处？它对19世纪后半叶以来的宗教、神学理论(包括新教、犹太教、佛教等)以及存在主义的无神论和有神论思想发展产生哪些实际影响？它与当代基督教的继续发展有哪些相悖之处？哪些关键因素促使费尔巴哈从一个唯心主义的黑格尔主义者转向人本学唯物主义，转变的具体过程和时间？什么原因导致费尔巴哈在欧洲1848年大革命时始终停留在民主主义和人道主义立场，而对工人运动仅持同情和保留态度？由于费尔巴哈在黑格尔唯心主义和马克思的辩证唯物主义之间所处的微妙地位，应该如何评价他的哲学自身的作用、地位和影响？不言而喻，费尔巴哈与青年黑格尔派施蒂纳、卢格、鲍威尔、黑斯以及约德等人之间的相互影响和交往，费尔巴哈对马克思、恩格斯的影响，以及马克思、恩格斯如何接受和批判费尔巴哈的唯物主义等问题也得到十分详尽地讨论。新《费尔巴哈全集》主编、民主德国舒芬豪尔教授，还披露了一些刚发现的有关费尔巴哈的生平和影响的新资料。

联邦德国波鸿大学鲁尔萨斯教授向大会作了题为“费尔巴哈和革命的人道主义的未来”的报告。他指出，无论是费尔巴哈对宗教的批判还是他力图创建新哲学的活动，都可以归结到一点，即与人的问题有关，这个问题可以分为人的本性、革命的人道主义和哲学的实践意义三大问题。费尔巴哈重视人的自然本性与社会性、感性与理性的统一；强调人作为个体与作为群体的类的统一，强调人与人之间的交往和对话。但是，费尔巴哈主张改革而不是革命，他认为通过新宗教、新道德对人进行民主、人道主义教育要比由革命造成的人为的政权和机构更迭重要得多；只有通过人的意识改变，才能导致社会的根本变化，否则一个新政权带来的仍是对人的压迫和不自由。费尔巴哈的新哲学建立在人道主义和伦理学基础之上，他不愿对日常政治事件发表意见；他认为实现新哲学的目标需要两个前提：一是自由意识，包括个人教育和职业工作中的自由，二是一种摆脱了国家权力控制的自由经济竞争。毫无疑问，费尔巴哈的这些观点具有浪漫主义色彩，但这决不是空想的乌托邦，而是一种可以成为现实的浪漫主义。

1973年曾在比勒菲尔德大学召开了题为“无神论讨论”第1次费尔巴哈国际学术讨论会。与上次会议相比，这次会议具有如下两个明显特征：第一，政治和意识形态方面的争论淡化，学术气氛变浓。来自东西方的学者们不再从各自不同的政治立场出发，围绕意识形态的一些细节问题争论不休，而是平心静气地就费尔巴哈思想本身展开讨论。第二，大会发言的理论深度和科学性进一步加强。近年来，新的《费尔巴哈全集》各卷陆续问世，以前一些鲜为人知的书信、资料等也被陆续发现和出版，这些珍贵的原始材料使得研究者们能在真实可靠的基础上，进一步深入研究费尔巴哈，特别是研究他的哲学思想的发展进程。

经会议主持者倡议，与会者一致同意，决定正式成立“费尔巴哈研究者国际协会”这一学术组织，并选举萨斯教授为协会主席，舒芬豪尔教授、托马梭尼博士（意大利）和巴罗里博士（瑞士）为协会副主席，严西克博士（联邦德国）为协会秘书长，胡瑟尔硕士（瑞士）为财务干事。协会的主要任务是：组织不定期学术讨论会，出版研究刊物，报道各国的研究动向和新文献，以促进国际间的学术交流。

中国人民大学罗国杰教授、李忠尚副教授，中央党校蒋永福副教授以及侯才、李小兵、张慎等应邀参加了本次学术讨论会，并作了大会发言。罗国杰报告的题目是：“不同文化圈对话中的伦理问题”；蒋永福：“肉体和精神一费尔巴哈无神论和王充、范缜无神论思想发展的比较”；李忠尚：“哲学的前革命和哲学的未来一费尔巴哈哲学在中国”；侯才：“费尔巴哈和莫斯·黑斯”；李小兵："人的本性、超验性和社会性"；张慎："从感性原则和自然概念看青年黑格尔和费尔巴哈的不同发展"。

第6届国际中国哲学讨论会和第6届东西哲学家会议一瞥

汤　一　介

1989年是华人移民夏威夷200周年，是年7月下旬至8月上旬在夏威夷举行了两个国际性学术会议：第6届国际中国哲学讨论会（7月23～29日）；第6届中西哲学家会议（7月30日至8月12日）。

第6届国际中国哲学讨论会讨论的主题是："心、性、理"。参加会议的有来自世界各地的学者100多人。中国大陆参加的学者除我本人外，尚有浙江大学教授陈俊民、南开大学教授方克立、山东大学教授刘大钧、吉林大学教授邬恩溥等10余人；台湾地区学者有20多位，可以说是有大陆和台湾学者一起参加的人数最多的一次哲学讨论会。这样就使海峡两岸学者有一广泛进行学术交流的机会。中国学者大都有论文在会上宣读，我的论文题目是《再论中国传统哲学中的真善美问题》，陈俊民的题目是《宋明'三教合一'思潮中的'心性'旨趣》，南京大学李书有的题目是《儒家的性论》，复旦大学胡啸的题目是《谭嗣同的心性观》等等。由于会议参加人太多，不能充分展开讨论。但是，对交流学术研究成果和了解海外和港台地区研究状况确实很有好处。

第6届东西哲学家会议讨论的题目是"文化与现代化"，这是大陆学者第1次参加东西哲学家一起讨论的重要会议。前几次有港台地区学者参加，如胡适、方东美、唐君毅、吴经雄等。会议主持者对大陆学者参加会议很重视，他们邀请了大陆4位年长学者（张岱年、冯契、江天骥、汤一介）和3位年轻学者（陈来、李志林等），但因故只有汤一介、陈来和江天骥到会。会议在安排上也反映对大陆学术界的重视，第一天安排了4个地区（美国、印度、中国、日本）的一位学者宣读论文，我作为中国地区的代表宣读了题为《论儒家哲学中的超越性与内在性问题》的论文。这次会议有120多位各国重要哲学家参加会议，其中有美国的伯恩斯坦、罗蒂、麦金泰，德国的阿培尔，印度的克里希南，苏联和南斯拉夫也有学者各一人参加。南斯拉夫贝尔格莱德大学斯托金诺夫宣读的论文《从马克思主义到后马克思主义》引起与会者很大兴趣。会议讨论的内容较为广泛，有相对主义问题，普遍伦理问题，但似乎许多学者对文化多元问题很感兴趣，并肯定文化多元观点。

“葛兰西在世界”学术讨论会述略

田 时 纲

1989年10月25～28日，在意大利福米亚召开了“葛兰西在世界”国际学术讨论会。这次会议由意大利葛兰西研究所举办，拉齐奥大区、南尼和艾伊纳乌迪等基金会赞助。来自欧、亚、非、美洲近30个国家的50多位学者出席了会议。

福米亚位于罗马和那不勒斯之间，是座只有32 000人的小城。1933年12月至1935年8月，葛兰西曾被监禁在这里的古祖马诺诊所。全体与会学者参观了这一诊所并敬献了花圈。大会为与会者提供了英、法、西、德、意5种语言的同声传译。25日和26日上午，讨论议题为“葛兰西在欧洲”，报告人有法国的拉比卡和托塞尔，联邦德国的郝格，英国的弗伽兹和哈尔，西班牙的布埃，意大利的维万蒂和曼柯尼。26日下午议题为“葛兰西在美国”，报告人有莫莱和布蒂盖格。27日上午议题为“葛兰西在东方国家”，由苏联的斯米尔诺夫、戈利格列娃和中国社科院哲学所田时纲宣读报告。27日下午讨论题为“葛兰西在东方和拉丁美洲”，由日本的竹村英辅、巴西的柯马丁赫、阿根廷的阿利科作报告。除上述16个报告人之外，来自英国、联邦德国、瑞士、希腊、意大利、奥地利、芬兰、捷克斯洛伐克、匈牙利、民主德国、突尼斯、南非和智利的20多位学者通报了各自国家葛兰西著作出版和研究的情况。

现将给我留下深刻印象，并很受启发的报告内容作一简要介绍：

莫斯科大学意大利史教授戈利格列娃在报告中着重论述了“列宁主义在葛兰西世界观形成中的作用”，反对某些西方学者将葛兰西同列宁对立起来的观点。其主要论点是：(1)葛兰西本人将领导权、阵地战等思想的渊源上溯到列宁。(2)葛兰西广义的国家概念包括专政和领导权，这同列宁的无产阶级专政思想完全吻合。(3)把葛兰西说成只是领导权和“认同”的理论家，列宁仅为暴力、专政的理论家，这就人为地割裂了构成辩证统一体的那些因素间的联系。(4)葛兰西关于阵地战、运动战的区分，是从方法论观点出发的，并未把差异夸大为对立。(5)阵地战并没有囊括西方革命的全部进程。葛兰西曾明确地指出过阵地战变运动战的形势。

戈利格列娃教授的结论是：葛兰西政治思想受到列宁的启发，但他的思想又是独特的、创造性的。葛兰西的理论贡献在于他首次阐明领导权既构成夺取政权的阶级的政治战略的主要因素，又是维持既得政权的一个最重要的支柱。总之，列宁对葛兰西的影响是全面的、持续的。列宁主义同葛兰西的思想世界是"同质的"，它适合葛兰西的最主要的理论需要，因此是有机地并不可分割地纳入其世界观。

英国学者安妮·肖斯塔克的报告着重分析葛兰西政治语言的独特性。她主要从4个方面进行了考察。(1)《狱中札记》的费解主要由葛兰西复杂的世界观所致，这需要读者在阅读时对这些札记重新进行创作加工。(2)葛兰西使用普通语言表示新的含义，此外他经常既按传统含义又按新的含义运用这些词汇。(3)当他以两种方式运用语言时，一种是具有通常含义的旧概念，另一种是冲出原有界限而产生的新概念。(4)每当在新含义上使用一个词时，葛兰西往往加引号，以示对传统含义的超越。

在这次学术讨论会上意共同社会党的分歧也有所反映。南尼基金会的丹布拉诺尖锐地提出陶里亚蒂同葛兰西的关系问题。他认为，早在1926年两人在对苏关系上存在严重分歧。葛兰西代表意共中央写信给苏共中央，对苏党内斗争的严重形势表示关注，对这场斗争给国际共运带来的后果表示担忧。而当时任意共驻共产国际代表的陶里亚蒂没有将这封信交给斯大林。后来，葛兰西在《狱中札记》中批判了斯大林主义(如对官僚集中制的批判)，那时的陶里亚蒂正在莫斯科执行斯大林的路线。另外，陶里亚蒂并没有设法营救狱中的葛兰西。葛兰西在狱中处境艰难：思想不被同志们理解，受到孤立，甚至受到石子和雪球的袭击。

葛兰西研究所高级研究员杰拉塔纳教授不同意丹布拉诺的看法。他认为，陶里亚蒂扣留葛兰西给苏共中央的信，不能离开当时的历史环境来看。如果当时意共采取葛兰西的立场，就不会生存下来。在这之后，他俩之间的通信联系从未中断，尽管是间接的。虽然葛兰西采取了自主的和反传统的立场，但并没同党决裂。同时，陶里亚蒂也从未背弃葛兰西。

会议上的报告和有关通报表明葛兰西已成为具有世界影响的思想家。他的主要著作《狱中札记》和《狱中书简》在世界各地用26种文字印刷发行。目前，全世界关于葛兰西生平、活动及思想的论著已达6 000余种。与会学者一致认为，葛兰西是列宁逝世后最富独创性的马克思主义理论家之一，他对当代社会、政治、文化、宗教诸问题进行了全面考察，并对当代世界进步进程、道路与模式做过深入的探索。葛兰西的理论遗产，尤其是政治思想(领导权、"阵地战"、认同说等)，无论对于西欧、北美、日本等发达国家来说，还是对于取得革命胜利并正进行深入改革的社会主义国家来说，都具有现实指导意义。为此，28日与会者经过讨论一致同意成立"国际葛兰西学会"，以加强各国学者的交流，推动各国葛兰西研究活动的发展（但就学会会址尚未取得一致意见），并一致决定1991年葛兰西诞辰100周年之际，召开国际学术讨论会并宣布国际葛兰西学会正式成立。

由于中国学者是首次参加葛兰西国际学术讨论会，所以所作报告“葛兰西研究在中国”引起与会学者的极大兴趣。意大利主要报纸对此作了报道，国家电视台和国家电台也对笔者进行了采访。

苏联认识论专题学术讨论会印象

张 翼 星

一、一般情况

1989年10月28日至11月1日，“认识论与对知识的社会文化分析”学术讨论会在莫斯科近郊兹维尼戈罗德城召开。到会者除苏联科学院哲学研究所认识论研究室的大部分成员外，主要是来自苏联各地区的哲学教师和哲学工作者共50余人。应苏联科学院哲学所的邀请，中国学者张翼星、汤侠声出席了会议。

会议由苏联著名认识论专家、《哲学问题》主编列克托尔斯基简短致辞后进行发言和讨论。主要讨论了4个方面的问题：

1. 知识结构的方法论方式与社会学方式的相互关系。2. 真理与技术鉴定。3. 认识的方法论与人类学。4. 作为认识论基础的规范主义和描写语言。

会议就以上问题依次安排了若干中心发言，发言后随即提问、作答，展开讨论或争辩。会上未提交正式论文，亦未发任何文件、资料，到会代表一般只带简要提纲，或作即兴发言。我在会上作了题为“中国近10年来的认识论研究”的发言，并回答了若干问题。

二、几点印象

1. 在社会主义体制改革的推动下，苏联当前的哲学研究，出现了显著的进展和变化。由伏罗洛夫主编的教科书《哲学导论》已于最近出版，在书的名称、哲学对象、哲学功能的处理上，在范畴体系的安排上，特别是在吸取现代科学成果上，与以往的教科书相比，确有不少特点。从这次会议讨论的内容，也可大致看到，苏联理论界的认识论研究，确已出现新的态势。他们着重反映现代科学内容，应用现代科学方法，结合人类学、心理学、语言学等方面的材料，已基本突破原来认识论的框架，提出和探讨了不少新的问题和范畴；同时，苏联当前的认识论研究，十分关注人和主体的作用，关注价值范畴和整个人类的利益。中国近些年来的认识论研究，也有重要进展，并有自己的特点，但在与现代科学的结合上，还有较大的差距，要迎头赶上国际和先进科学的水平，就必须切实采取措施，加强哲学与科学、哲学工作者与科学工作者的联系，努力改变和更新哲学工作者的知识结构，并积极培养新生力量。这种任务已刻不容缓。

2.从会议讨论的情况看，苏联理论界学术探讨的气氛是十分活跃的。认识论方面的这类讨论会，他们每年举行一次，每次都有一些新的问题、范畴提出。会上不念讲稿，自由发言，及时提问，勇于争辩，而且形式灵活，收费低廉，因而这类会议易于召集。

3.当前，中、苏两国理论界都十分重视对认识论的研究并各有特点，成果较显著。为及时交流，互相促进，会议期间我建议在适当的时候或定期召开两国学者有关认识论专题的联合研讨会。此建议已向列克托尔斯基等学者提出，他们甚表赞同。

国外哲学见闻

访保哲学见闻

杨　远

1989年10月13～26日，我和景天魁应保加利亚科学院哲学研究所的邀请，对保哲学界进行了为期两周的访问。我们和保哲学界的朋友彼此都是陌生的。我们的访问，可以说是两国哲学界交流的开端。

在保加利亚，我们受到哲学界领导人H.依里巴德扎科夫、C.安格洛夫、C.加诺夫斯基、B.马莫夫、B.普罗丹诺夫等人的热情友好的接待。我们同哲学研究所、索菲亚大学的哲学同行举行了学术交流和座谈。

哲学研究所副所长K.克雷斯切夫等人向我们介绍了保哲学界的情况。保科学院前些年曾设有“哲学、社会学统一中心”，现已撤销。哲学研究所设有八个研究室：逻辑、辩证法、认识论研究室；科学和技术哲学研究室；人学研究室；伦理学、价值论、宗教学研究室；文化哲学、美学研究室；社会主义发展辩证法和世界、历史进程研究室；经济、政治、法哲学研究室；哲学史研究室。此外设有培养研究生的哲学教研室、《哲学思想》杂志编辑部。瓦尔纳国际哲学学园也附属于哲学研究所。

保哲学界人数虽不多，但却有比较高的学术水平，提出一些独特的理论观点，对发展哲学科学做出了自己的贡献。

以巴甫洛夫为首的一批哲学家在马克思主义哲学中创立了“辩证认识论学派”，其特点是在唯物辩证法、逻辑、美学、文艺哲学、伦理学的研究中都彻底应用和贯彻反映论原则。巴甫洛夫主持保苏合作项目，撰写了四卷本的反映论著作。现在又出版了巴甫洛夫文集三卷，主要是关于反映论方面的著作。近年，保哲学界有的学者开始批评巴甫洛夫关于反映论的某些论点。应当指出，巴甫洛夫在保哲学界虽有巨大威望，但一些学者并不盲从于他的学术观点，在巴甫洛夫在世时就同他进行了认识论方面的争论。

保哲学界特别重视人的研究。保科学院设有保加利亚“人的研究全国委员会”。这个委员会还是设在苏联的“社会主义国家人的研究协调委员会”的成员。保哲学所除人学研究室外，其他研究室也参加研究人的问题。全国有一半以上的科学机构参加研究人的问题。目前已出版了从哲学史、人类学、美学、伦理学、生物学角度论述人的问题的学术著作。现在研究中存在的问题是对人的理解不一致：有的人认为，人首先是社会的人；有的人认为，人首先是生物社会的人；有的人认为，首先应从文化角度研究人；有的人认为，应从人类学角度研究人。这样，如何对人进行综合研究，就发生了困难，意见不一。哲学所的同行认为，目前解决这个问题的关键在于制定出一个研究人的哲学方法论，有了共同承认的方法论，综合研究就好进行了。

保哲学界重视道德、伦理学的研究。从50年代末开始，保哲学家就把伦理学从哲学中分离出来，作为一门独立的社会科学看待。他们认为，伦理学虽然和一般哲学联系非常紧密，但并不是具有哲学性质的科学。保伦理学家对道德的本质、结构、功能进行了理论研究，取得了可喜成果。如强调道德的精神-实践性；一些伦理学家认为，道德结构因素是道德意识和行为，不认为道德关系是独立因素；有的伦理学家把反映论应用于道德领域中等。他们特别注重规范伦理学和应用伦理学的研究。应用伦理学的概念及其研究内容，在马克思主义伦理学中首先是由保学者提出来的。他们撰写了应用伦理学的理论、职业伦理学的各种著作，同时还有生命伦理学、生态伦理学、全球伦理学等著作。近两年研究、思考社会主义改革与道德、伦理学等方面的问题。

保哲学界的领导人同我们谈了社会主义理论与实践的问题。他认为，除了从资本主义向社会主义过渡阶段外，社会主义社会发展本身应分为发展社会主义和发达社会主义两个阶段，后者即是为向共产主义过渡的准备阶段。从资本主义往社会主义过渡的阶段，是为名副其实的、符合自己社会主义本性的阶段做准备的阶段，是为创造真正社会主义物质技术基础做准备的阶段。在发展社会主义阶段，就应赶上并超过发达资本主义国家。在发达社会主义阶段，在经济上应有在自身基础上发展起来的高度发达的物质技术基础、发达的大农业、商业供应网络，形式多样的全民所有制；在阶级结构上只存在工人阶级、农民、知识分子；在政治上要是真正的全民民主，每个公民都有切实参加国家管理的权利，要实行巴黎公社原则，官吏由人民直接选举，并能随时罢免。不然政权就有可能异化，由少数人统治多数人；科学、文化高度发达，人民都有高度的文化素养和道德素养，简言之要有全面发展的人。他说以此为标准，任何一个社会主义国家都没有达到发达社会主义阶段。

社会主义国家为什么没有能赶上并超过西方发达国家的经济、科技水平呢？他认为，问题在于社会主义国家没有找到符合社会主义本性所固有的经济、政治、文化、科技、教育的具体运行机制，因此社会主义优越性没有能够发挥出来。社会主义国家需要改革，但必须在社会主义范畴内改革。

保哲学界注意同国际哲学界的合作与交流。在瓦尔纳市设有国际哲学学园，每两年开一次国际哲学研讨会。保哲学家和苏联、东欧一些国家学者经常举行学术讨论会、合作写书等。他们很愿意与中国哲学界开展学术交流与合作。

日本的东方哲学研究
——访日纪行

巫白慧

1988年10月至1989年1月，我有机会到日本作学术访问。我的目的是考察日本东方学家近一个世纪以来在东方哲学领域所取得的研究成果。由于本人的专业和时间所限，我只就日本的印度哲学研究和伊斯兰哲学研究状况作了考察。

一、印度哲学研究

在日本，"印度哲学"一词的含义是指印度传统六派哲学、耆那教哲学和由印度、经中国传至日本的佛教哲学(佛教和佛学)。日本学者一般认为，日本在文化上是一个佛教国家。因此，在学术研究上，特别是在对传统文化的研究方面，他们首先把研究重点放在佛学上，其次，才研究佛教以外的其他哲学派别；而且，他们研究后者的目的在于进一步加深对前者的理解。印度哲学原著、包括印度佛学原著，都是用梵语写成的。因此，日本印度哲学研究者把学习梵语作为研究印度哲学的首要手段。

南條文雄是日本近代第一位梵语学者。他于1876年前往英国牛津大学，从师穆勒教授学习梵语达8年之久；1884年回到日本，随即被聘为东京大学讲师，第一次在正规大学开设梵语课程，介绍欧洲研究梵语方法。穆勒教授和他合作校订两部梵文佛典——《佛说无量寿经》(1883年英国牛津出版)和《般若波罗蜜多心经》(1884年同上出版地)，被认为是奠定日本近代梵语佛学研究的基石。继南條文雄之后的学者是高楠顺次郎，他于1897年从欧洲回到日本，先为东京大学梵语讲师，后于1901年被聘为东京大学第一个梵文讲座教授。1906年，他开始讲授《印度哲学宗教史》课程(东京大学于1910年才把印度哲学和梵语学列为正式的专修课程)。1912年，木村泰贤接讲这个课程。这个课程的讲义于1914年作为高楠顺次郎和木村泰贤合写的著作出版，题名为《印度哲学宗教史》。这部著作已成为世界名著之一。

上述学者是近代日本印度哲学和梵语学的奠基人，他们的学术研究业已形成一个具有日本特色的学术传统。这个传统又由以宇井伯寿和中村元为代表的一批当代日本印度学家发扬光大。今天，在日本，开展印度哲学研究和讲授梵文的机构，除东京大学之外，还有京都、北海道、东北、名古屋、大阪和九州等大学，以及许多专门研究所，它们所进行的广泛的研究活动构成“世界印度学”的一个分支——东洋学或者称为具有日本特色的“印度学”。

下述日本学者在这个学术领域中的成就便是这个具有日本特色的印度学的具体体现：宇井伯寿的《印度哲学史》（1932年），这是迄今为止亚洲学者写的最权威的印度哲学史，它旁征博引，深入阐述了各个时期印度哲学思想的来龙去脉；中村元的《印度思想史》（1956年）和《印度教史》（1968年），前一本书论述了从《梨俱吠陀》时期一直到现在印度思想的发展，并紧密地和印度各个历史时期的社会状况联系起来叙述哲学流派和宗教组织的兴衰变化；后一本书阐述古婆罗门教演变为新的印度教（即现在印度教徒普遍信奉的宗教）的发展史。中村元近年整理、出版了自己的《中村元选集》23卷，全面阐述亚洲思想的各个方面，东京大学教授、印度学专家前田专学认为，这是一部亚洲人重新发现亚洲的不朽巨著。前田专学主编的《亚洲的“人”的概念》（1987年）和《印度思想史》（1982年）两书，是日本印度学学术界的最新杰作。

日本印度学家对印度六个传统哲学流派的研究都有独到的见解，都发表了高水平的学术论著。根据前田专学教授和他助手谷泽淳三的统计，仅从1963～1987年发表、出版的研究成果就有：（一）关于数论派哲学的论著（论文、专著和译著）共88种；（二）关于瑜伽派哲学的论著38种；（三）关于逻辑学派（包括正理论派和因明学派）的论著77种；（四）关于胜论哲学，54种；（五）关于弥曼差派哲学，67种；（六）关于吠檀多哲学，117种。还有一批梵语语法学论著，约39种。

日本学术机构编辑、出版一大批与此有关的杂志、丛书、公报、工具书等。其中有《印度学佛教学研究》集刊，每年一集，到1988年，已出了37集；中村元博士主编、东方学院出版的《东方》学报，每年一期，至1988年，已出至第4期。这两份学术期刊是日本印度学学术界的“大动脉”，从它们那里人们可以比较全面地了解到日本在这一领域里研究的最新趋势。荻原雲来博士编辑的《佛教词典》，以及由他发起、主编的《汉译对照梵和大词典》几乎收录了所有中国佛教传统的梵汉对照（意译和音译）的单词、术语和词组；后者还补充了普通梵语词头和日语解释。这部大词典共有16分册，从1928年开始编写，一直到1974年才告完成，先后共46年，动员了数十名专业学者参加编写，可以称得起一座语言宝库，它对日本文化和国际印度学研究作出了巨大的贡献。

在日期间，我还访问了京都和名古屋。京都大学在印度学研究方面的水平和声誉并不亚于东京大学。京都大学和东京大学在研究方向或研究课题上似有一种自然的分工。一般地说，东京大学以研究奥义书哲学和印度传统六派哲学，特别是吠檀多哲学著称；京都大学以研究吠陀文献和西藏佛学闻名。京都学者除了研究西藏文化之外，还十分关注半个多世纪以来在西藏地区陆续发现的佛教梵文抄本。我在和京都三大学(京都、龙谷、佛教)教授座谈时，他们不约而同地提出一个关于中国近年来在西藏地区发现梵文经论的问题。

他们一致的意见是：(一)十分希望中国学者首先对这些梵文抄本进行分类，编出一个完整的目录，供世界梵文学者和佛学专家参考；(二)选出其中比较重要的、以前未被发现过的抄本校刊出版，以丰富现有的梵文原本的“三藏”；(三)日本学者愿意为编辑、校订和出版这些新发现的梵本提供财力的支持和人力的合作。

二、伊斯兰哲学研究

在日本，对阿拉伯语的研究似比伊斯兰哲学研究早一些。庆应大学于1942年创办“语言文化研究所”，为大学生和研究生开设包括阿拉伯语在内的各种语言的选修课和与各种语言有关的一般文化课(包括宗教、哲学和历史)。1982年，东京大学的宗教学宗教史学系正式开设“伊斯兰学”研究室，从而使这个系有两个研究室，分别负责讲授“宗教学宗教史学”和“伊斯兰学”两门专修课程。现在又增设伊斯兰学修士和博士课程。伊斯兰教研究室现有教师六人(教授二人、讲师四人)和助手一人；室主任是中村广治郎教授。东京大学附设一个“东方文化研究所”，它一方面广泛地收集东方各国图书资料，一方面也对包括印度文化和伊斯兰文化在内的东方各国文化进行科学研究。它出版几种期刊，在东方学术界颇有影响。

日本的伊斯兰哲学研究虽然比它的印度哲学研究起步晚，但据了解，伊斯兰学研究的发展速度并不慢，规模也不小。各有关教学和研究单位都藏有足够供基础研究的图书资料；它们不断派遣学生和学者到各伊斯兰国家学习和进修，培养出一批有水平的科研人才。现在，已有若干伊斯兰学权威学者，其中如国际知名的井筒俊彦教授，他是老一辈的伊斯兰学的权威。他的名著《存在的概念和现实》在日本国内伊斯兰学术界普遍受到重视和赞扬。其次，中村广治郎教授的《加沙利论祈祷》和牧野信弥教授的《创造和终结》这两本著作也是日本伊斯兰学研究的杰出成果。因此，可以说，日本的伊斯兰学研究正在这些权威学者影响和指导下稳步发展。

访日三月撷记

李 今 山

1989年9月18日至12月17日，根据日本学术振兴会和中国社会科学院学术交流协议，我作为日本东京国际基督教大学亚洲文化研究所的客座研究员，在日进行了3个月的访问研究。在日本哲学界新老友人的热心协助下，我顺利地完成了为自己的研究课题搜集资料、征询意见和访问日本年鉴界等任务，拜访了几位著名的学者源了圆、鱼住昌良、铃木正、沟口雄三、今道友信、上山春平、板昌寿郎和《朝日年鉴》主编野泽敬、岩波书店编辑佐冈末雄等；还参加了"生态伦理学"国际学术会议，结识了日本和英、美、加、法、意、南朝鲜、菲等国十余位哲学家；参观了一些博物馆、艺术馆；在图书馆搜集了一批资料。此次访问虽时日不多，但内容充实，收获良多。限于篇幅，这里仅撷取其二三，记述如下：

访国际基督教大学

9月19日上午，我到国际基督教大学亚洲文化研究所，会见了我这次访问的接待教授源了圆先生和研究所所长鱼住昌良教授。源先生是著名的日本思想史专家、汉学家，有专著多种(如《日本人的心》《实学思想系谱》)，现除任该研究所研究员外，还担任日本思想史学会会长。早在四年前他来中国任日本学中心教授时，我们就相识了。这次经源先生介绍新结识的鱼住昌良教授，早年留学西德，专攻社会科学学科，现从事日德城市比较研究，著有《日德中世纪城市比较研究》等书，他从1987年起担任该所所长职务，另兼日本历史学会理事、比较城市研究会干事等职。我们互赠了自己的著作。此外，我还赠送给该校图书馆、该研究所《中国哲学年鉴》《世界哲学年鉴》《东方哲学研究》各一册。他们另赠给我一本该所刊物《亚洲文化研究》1989年3月号(第17辑)，这是一本集录"日、中艺术和权力"学术会议论文的专号。此外，我应源先生之需，赠他李泽厚主编的《中国美学史》第一、二卷各一册。作为客座研究员，我谈了此次研究课题《近代中日美学比较》的纲要，当我谈到掌握现代美学科学的基本原理和范畴，是总结民族艺术、美学传统的关键这一观点时，他们表示十分赞赏，同时，帮助我落实了拟访问的教授的计划。然后，我与在所研究人员和办公室人员作简短会见，并到校图书馆参观。该所在研究所和图书馆内为我各设一个办公桌，为我的研究工作提供了方便。

会见铃木正教授

10月8日下午，我的故交、名古屋经济大学哲学教授铃木正来访。这是我们自1985年秋北京一别以后的第一次会面。从他那里得知，我们的朋友、关西大学教授、我哲学研究所主办的《世界哲学年鉴》顾问竹内良知先生因患重病，不便打扰。我为此次不能前往探问竹内先生而深感遗憾。铃木先生赠我近著《历史的横颜》，内容主要为回忆日本战后一些哲学家的思想、论争和事迹，十分有趣。我赠他齐白石长孙齐佛来先生专为他画的活虾画一幅，他十分高兴。我们主要就1985年以来我提议的、由中日两国五位哲学家共同执笔的《近代日本十大哲学家》一书出版（日文版名为《近代日本哲学家们》，已于1990年1月在日发行)后，下一步共同合作的问题进行了友好协商。我提出，从双方对等的原则出发，下一本书的内容，以介绍和论述中国近代10位著名哲学家为宜。同时，据我到日后的观察了解，这一方面的书似乎还是为社会所需要的。铃木先生对我这一意见十分赞同。他表示将进一步研究中国近代哲学家，并另请一两位日本学者参加这一合作。我也表示，中方也将另请一、两位学者参加这本书的写作。我们将为此作一些准备工作，以便在1990年着手投入写作。这是我此次访日为进一步推动两国学者间的合作所做的努力，我很高兴地看到，这种合作已经有了一个良好的开端。

访沟口雄三教授

10月19日下午，我应东京大学中国哲学教研室副主任沟口雄三教授之邀，来到东京大学。这是一座占地数百公顷的富有历史传统的日本最高学府。经“赤门”进入校园后，遥遥即可看到有名的安田大礼堂、图书馆、文学院、理学院各楼，这些西式建筑样式虽有些古旧，但依然气魄宏伟，可以想见它们初建时盛极一时的样子。校园内学子来去匆匆，自有浓重的学术气氛。在法文楼二号楼，我拜见了沟口先生。他会讲一些中国话，说：“很抱歉，收到你的信回复太晚了，前些日子我一直在外边主持召开一次国际会议。”他灰白头发，身材不高、不胖，思维敏捷，专攻中国思想史，著有《中国近代思想的曲折和展开》《儒教史》等。他赠我一本新近出版的《作为方法的中国》。这虽然是我们第一次见面，但在四年以前，我们已有过通信往来。我们谈了前一次为《中江兆民全集》出版而互相协作的事，他感谢我所作出的努力。当他了解到我此次来日的写作任务后，他愿聘我为他的教研室的“外国人研究员”，并热心帮我落实访问日本学者的计划。东京大学中国哲学教研室主任为户川芳郎教授，现在中国日本学中心任教一年。该教研室有教授2人，副教授6人，另有助手、博士生共30余人。一周后，经东大文学院教授会通过，我被聘为"外国人研究员"。

该校图书馆较国际基督教大学图书馆的规模大得多，特别是每层楼都设有参考阅览室。该馆备有开架的、按类别排列的常用基本著作、工具书等，可自由取用。另有总目录室，借书人持卡借书时不需填单，工作人员只要将借阅卡与书名输入计算机即可，还书时也不需办手续，将书归还，就可注销，十分方便、迅速。另外，有杂志、报纸阅览室，其中囊括世界各国学术杂志和重要报纸。我在这里查阅了哲学、美学、艺术、建筑、总类（年鉴、工具书、百科全书）等几个专业卡片和基本著作书架，收获很大。由于该校设有文、法、理、工、农、医等学院几百个专业，所以校内的书店甚大，与神保町的大书店如岩波书店、书泉书店等不相上下。它虽然主要销售东京大学出版会出版的书，但其他学术性强的有关出版社（如鹿岛出版社）出的书也有售，持有校内证件的人还可享受10%左右的优惠。它没有、也不陈列市面上书店充斥的各种色情文学、性暴露的漫画、杂志等，使人感到它与整个学校内浓厚的学术气氛是那么协调、融合。

加拿大哲学和逻辑学观感

张 家 龙

1988年10月30日至1989年5月1日，我受国家教委派遣，以高级访问学者身份赴加拿大阿尔伯特大学进行访问研究。

加拿大全国从事哲学专业教学和研究的人员约有1200人，大部分大学都设有哲学系，可以授予硕士学位的哲学系有14个，可以授予博士学位的有18个。阿尔伯特大学哲学系是加拿大较大的一个哲学系，有教授、副教授近20人，设有学士、优等学士、硕士和博士4种学位。这个系的教学和研究情况可以反映整个加拿大哲学教学和研究的情况，其特点如下：

一、课程丰富多彩。1988～1989年开设的哲学课程就有80多门，可供学生选修。

二、教学与研究相结合。教学时没有固定的教科书，讲课内容主要是教授的研究成果，或是对最近研究成果的综述。因此，学生必须看大量参考书和最近所发表的有关论文。

三、教学方式灵活。一种是上大课，老师讲课，但学生可以提问，课堂比较活跃。另一种是讨论班，对优等学士生、硕士生和博士生主要采用这种方式。首先由主持讨论班的教授列出讨论班课程的内容，提出讲课题目，由学生轮流主讲，师生进行讨论，最后由教授作小结。教授有时也主讲一些难度大的题目，报告自己的研究成果。有的讨论班以各种专题为主，有的以读一、两本专著为主。我参加过两个讨论班，深感这种方式能促使学生独立思考，提高研究能力，使教学和科研紧密结合，促进知识更新，使学生很快进入一门学科的前沿。

四、逻辑学具有重要地位。 1988～1989开设的逻辑课程有15门，主要有：

（一）200号课程：1.实用逻辑，主要内容是科学方法导论，初等统计推理，符号逻辑初步。2.初等符号逻辑，主要内容是两个演算的基础以及在推理、自然语言和计算机科学中的应用。

（二）300号课程：1.符号逻辑，比初等符号逻辑的内容加深一些。2.元逻辑，主要内容是形式公理系统，语形学和语义学，两个演算的可靠性和完全性。

（三）400号课程：1.高等符号逻辑，主要内容是哥德尔的两个不完全性定理，并运用模态逻辑分析这些结果。这是优等学士生和研究生的课程。2.逻辑哲学（与500号逻辑哲学课合在一起授课），这门课实际上是哲学逻辑，采用讨论班方式，参加者有优等学士生、硕士生和博士生，内容包括模态逻辑，可能世界语义学，反事实条件句逻辑，认知逻辑，多值逻辑，弗晰逻辑，自由逻辑，弗协调逻辑，相干逻辑，自然语言逻辑等。主持人是著名逻辑学家派列蒂尔教授。

（四）500号课程：模态的形而上学，这是研究生的讨论班，主要内容是模态逻辑的分析哲学，方式是读D.路易斯的《论世界的多样性》和G.福尔伯斯的《模态的形而上学》这两本专著，参读最近的有关文献。主持人是林斯基副教授。

阿尔伯特大学哲学系规定，优等学士生必须选修300号的符号逻辑课，博士生必须通过命题逻辑和谓词逻辑的考试。而在中国，对博士生没有提出这样的逻辑要求。中国一些大学逻辑学硕士生的现代逻辑课只相当于上述的符号逻辑课的内容（大学一、二年级学生的课程），陈旧的传统逻辑还是中国大学逻辑教学的主要内容。目前，中国的大学哲学系还不具备开设诸如“逻辑哲学”、“哲学逻辑”、“模态逻辑的分析哲学”这样一些课程的条件。我们必须承认中国逻辑学的落后状况，并尽一切可能改变这种状况。

五、重视中国哲学。 阿尔伯特大学哲学系开设了一门“东方哲学引论”课，实际上是“中国哲学”，由波斯利教授主讲，主要内容是读孔子和老子的原著，资料来源于普林斯顿大学出版社出版的《中国哲学资料书》。这门课属于300号课程，有近30人选课。我应波斯利教授的邀请到这个班作了“中国的哲学和逻辑”的讲演，参加者还有其他教授。我主要讲了中国哲学研究的主题，用数理逻辑的工具总结了《易经》和《墨经》的逻辑成就。我的讲演引起听讲师生的浓厚兴趣，不少学生对我用汉语说：“谢谢！谢谢！”这说明，中国传统文化在加拿大是有影响的，今后我们应当加强这方面的学术交流工作。

六、学术空气活跃。阿尔伯特大学哲学系经常组织学术活动，主要方式有4种：(一)研究生学术报告会。(二)系专题学术报告会，请系内外专家报告最新研究成果。我在阿尔伯特大学期间正在用数理逻辑的工具研究亚里士多德的模态逻辑，我应邀在报告会上作了“亚里士多德模态逻辑的现代解释”的讲演，报告了我的主要研究结果。参加者有该系的一些优等学士生、硕士生、博士生和教授。我的研究结果引起与会者的兴趣，派列蒂尔、林斯基、波斯利、迈森等教授对我的讲演提出一些问题，与我进行了讨论。(三)与邻校卡尔高里大学哲学系联合举行哲学讨论会。(四)参加加拿大全国性的哲学讨论会。

加拿大的哲学研究工作主要是在各大学哲学系进行的。全国性的哲学学术团体有“加拿大哲学学会”和“精密哲学学会”，全国性的杂志有《加拿大哲学杂志》和《加拿大哲学评论》。近年来，《加拿大哲学杂志》出版了各种专题的论文集，如《哲学与生物学》《哲学史新论》《精神哲学新论》《语言哲学新论》《理性主义和经验主义新论》《契约论新论》《穆勒和功利主义新论》《伦理学和公共政策新论》《科学，伦理和女权理论》《核武器，威慑力量和裁减军备》《马克思和伦理学》以及关于前苏格拉底、柏拉图、亚里士多德的研究论文集，等等。从这些论著的标题，可以看出加拿大哲学研究的一些动向。

中国已故哲学家传略

金岳霖传略

倪 鼎 夫

金岳霖是中国现代著名哲学家、逻辑学家，也是国际著名学者。他毕生致力于中国哲学、逻辑学的教学和研究，著书育人，作出了很大贡献。金岳霖历任清华、北大哲学系主任、教授、文学院院长、中国科学院哲学社会科学部学部委员、中国科学院和中国社会科学院哲学所副所长、中国逻辑学会会长和名誉会长等。他1953年参加中国民主同盟，1956年参加中国共产党。曾当选为中国民主同盟中央委员和中央常务委员，第三届全国人大代表，并任全国政协第三、五、六届委员。1984年10月逝世，终年89岁。

一

金岳霖，字龙荪(1895.7～1984.10)，出生在湖南省长沙市。父亲金聘之是清朝末年的一个官吏，原籍浙江省诸暨县，后来在长沙任湖南省铁路总办。金岳霖在兄弟中最小，排行第7。龙荪的“龙“字，颇有来历，据说在生金岳霖的那天，他父亲从外面骑马回来，见一条大蛇，回家后妻子唐氏就生一孩子。按封建习俗，“见龙蛇生贵子”，故起名龙荪。金聘之希望他的儿子走科举道路，因此，长子是清朝的一个举人。后来金聘之随张之洞参加洋务运动，主张中学为体，西学为用，就把以下几个儿子或派到汉冶萍公司工作，或派往英、美、德、俄等国留学。

金岳霖早年在长沙雅礼学校、明德学校学习，1911年转到北平清华学校，1914年毕业。后来去美国宾夕法尼亚大学学习政治学，1917年取得学士学位。之后又进哥伦比亚大学学习，写了英文论文《不同国家统治者的财政权》，1918年取得硕士学位。他继续深造写出论文《T.H.格林的政治学说》，1920年获得博士学位。1921年后游学英、德、法、意等国，于1925年回国。

回国后，金岳霖发现自己与国民党格格不入，国民党的一些官僚来拉拢他，他很不愿与他们同流合污。这时他十分苦恼，写信给他的5哥说："我不能改变这个社会，也不愿意为这个社会所改变。看来，从政的想法是错误的"。于是，他先在中国大学教英文和英国史，后来清华留美预备学校改为清华大学，他即到清华任教。

金岳霖从小爱读书，记忆力很强，有时晚上做梦也背诵四书，他的姐姐拿了书查对，发现他背得一字不差。他上中学时，经常跳级，他有一种天赋的逻辑感，在十几岁的时候就觉得中国的一个谚语："金钱如粪土，朋友值千金"有问题。他说如果把这两句话作为前提，得出的逻辑结论，就是"朋友如粪土"，和这个谚语的本意完全相反。他胸怀大志，在出国留美前，征求家长和兄长的意见，学习什么专业。当时国内要发展资本主义，父亲主张他学工商管理学，5哥主张他学簿记学，金岳霖的态度却是："簿计者，小技耳，俺长七尺之躯，何必学此雕虫之策。昔项羽之不学剑，盖剑乃一人敌，不足学也！"后来他决定学万人敌，学政治。终因国民党不可救药，使他不得不改变从政的思想。

生活中的偶然事件，有时竟成为一个人的终身事业。1924年在法国，有一天金岳霖、张奚若和一位美国朋友在巴黎大街上散步，遇到有一群人在辩论，双方争论得很激烈，互相不肯让步。这件事引起了金岳霖的好奇，使他考虑有没有一个科学的、可靠的解决争端的办法。莱布尼兹曾经设想一种宽广的逻辑演算，把推理变为演算，使人们能够在一切领域中机械地推演，计算出双方的辩论，谁赢谁输。金岳霖曾说过，他对逻辑的兴趣是在"巴黎街头"产生的。另一件事是，1926年赵元任先生要离开清华到当时的中央研究院工作，赵先生受清华校方的委托，邀请金岳霖接任他开设的逻辑课。偶然的兴趣和一个偶然的条件结合在一起，使他在事业上有了新的方向。也正是在这一年，金岳霖接受了学生沈有鼎、陶燠民的请求，创办了清华哲学系，从此开始了他一生的学术生涯和他哲学和逻辑的事业。

二

金岳霖在清华、西南联大任教期间，先后完成了《逻辑》（1937）、《论道》（1941）和抗战胜利后写出的《知识论》（1948）三部巨著。大致可以说，《逻辑》是方法论，《论道》是本体论，《知识论》是认识论，三者结合成一体，构成了他具有中国传统的现代哲学体系。这个哲学体系继承了中国哲学的固有传统。金岳霖认为，世界上存在着三大文化区：希腊、印度和中国。每个文化区都有自己的传统精神，这个传统精神是一定的民族、一定的社会在历史上长期形成和凝聚的。建立任何哲学体系都不能离开一定文化区的中坚思想。《论道》中说："每一文化区有它的中坚思想，每一中坚思想有它最崇高的概念，最基本的原动力”。[1] 中国思想中最崇高的概念就是道。中国思想与感情两方面的最基本的原动力也是道。道充塞于天地万物之中，天地万物又根据道而运动，道是中国历史上千万哲人深究的学问。金岳霖以道作为他哲学体系的基本概念，以《论道》为书名，正是为了继承中国文化区的传统精神。

当然，金岳霖阐述的道，不同于中国历史上儒、道、墨所阐述的道，也不同于后来各家弟子所解释的道。比如，老子所说的道是“先天地生”的“万物之宗”，它先于天地万物而独立存在，是派生天地万物的精神本源。而中国近代哲学家提出格物致知，他们或则“心外无物”、“心外无理”，或则“心物分离，事理脱节”。金岳霖哲学体系中的道，肯定现实世界中万事万物的存在，肯定每一个事物具有自己的殊相，殊相生灭的势又力求达到共相关联的理。所以说道是宇宙中万事万物川流不息运动变化的根据、历程和规律，也是现实世界中具体事物各有其变化生灭的根据、历程和规律。金岳霖所讲的道的丰富的内涵，不仅取自中国哲学，同时也是他研究西方哲学的结果。英国哲学家休谟的《人性论》混淆了理与势，否认了客观规律。《论道》中“理有固然，势无必至”这个至高无上的变的原则，正是总结休谟的错误，强调了理与势的区别而得出来的。金岳霖的哲学体系继承了中国哲学的传统，而又不是历史概念的简单重复，借鉴了西方哲学的经验，而又不是机械的移植。在他的哲学体系中，“道”的积极精神有了升华，“道”的消极方面有了扬弃，所以金岳霖说，他的道是“不道之道，各家所欲言而不能尽的道，国人对之油然而生景仰之心的道，万事万物之所不得不由，不得不依，不得不归的道…”[2]。这个以道为核心的哲学体系没有脱离中国的文化区、人民的心理和民族的传统。正是在这个意义上，金岳霖哲学系统的根本精神是中国式的。

金岳霖教授精通西方哲学，也深知中国哲学，是一位学贯中西的学者。在他的哲学体系里，吸收了西方哲学的科学成分，特别是它的认识论。欧洲在文艺复兴后，科技昌明，经济发达，认识论成了哲学研究的中心。洛克的《人类理解论》、莱布尼兹的《人类理解新论》、休谟的《人性论》《人类理解力研究》、康德的《纯粹理性批判》等等都是在这方面有影响的专著，而近代中国哲学长期停留在纯理性和社会伦理修养上，哲学远离事物、经验和自然科学，使科学技术和哲学自身的发展受到损害。无论是要发展科学，还是要发展哲学，都离不开对认识论的研究，因此金岳霖的哲学体系把认识论摆到十分重要的地位，他在这方面花精力最多、时间最长。冯友兰先生说：“美国的哲学

---

① 《论道》，商务印书馆 1987 年版，第 16 页。
② 《论道》，商务印书馆 1987 年版，第 16 页。

界认为有一种技术性高的专业哲学。一个讲哲学的人必须能讲这样的哲学，才能算是一个真正的哲学家。一个大学的哲学系，必须有这样的专家，才能算是像样的哲学系。无论如何金先生的《知识论》，可以算是一部技术性高的专业著作。"[①]在《知识论》里，金岳霖研究了西方认识论中提出的思想、事实、语言、知识和真理等问题，内容丰富，分析精细，其中既有合理的吸收，也有他自己独特的发挥。就以归纳为例，金岳霖说，在辛亥革命之后的几年中，因为大多数人注意科学，所以有一部分人特别喜欢谈归纳，我免不了受这种注意归纳的影响。但是"休谟底议论使他感觉到归纳说不通，因果靠不住，而科学在理论上的根基动摇"。[②]显然，归纳是个别上升为一般的方法，在西方从培根开始一直是科学方法的重要课题，尽管如此，归纳在理论和实践上都存在着许多难点，也就是要回答休谟对归纳提出的问题，诸如世界有没有秩序？我们能不能保证我们没有经验过的，类似于我们所经验过的例子？能不能保证明天的太阳一定和昨天的太阳一样从东方升起？能不能从自己本身的经验中推出超出经验以外的任何结果？金岳霖在《论道》中用"理有固然，势无必至"，从本体论上解决被休谟动摇的科学的理论基础问题。在《知识论》中金岳霖回答了休谟对归纳的诘难。他论证了归纳赖以存在的归纳原则的永真，反驳了怀疑主义的论点。他说，归纳原则是由许多个别性命题得出一个普遍的经验命题的根据，归纳推论由意念的摹状和规律的双重作用来反映，在逻辑上主要由归纳原则的永真性来保证。归纳原则既不能单纯用演绎逻辑的原则担保归纳原则的永真，又不能用单纯归纳方法本身来担保归纳原则不会被将来所推翻。金岳霖说明归纳原则的永真，首先是对这个命题进行逻辑分析，确定它在逻辑上是永真的，而且是一个蕴涵式。无论正例证还是反例证都是这个蕴涵式的前件，就是说假如在时间 t_{n+1} 时出现了新的正例证 $a_{t_{n+1}}$——$b_{t_{n+1}}$，或者在这个时间出现了反例证 $a_{t_{n+1}}$—\—$b_{t_{n+1}}$，都是归纳的前件，所得的后件或者是 A——B 或者是并非 A——B，无论是证实还是否证，就归纳原则来说是永真的。即使后件是否证，否证的是普遍命题，而不是否定前件中的正例证，所以不存在推翻以往的问题。当然，金岳霖没有完全回答休谟的诘难和问题，但他论证归纳原则命题的永真性方法，维护了归纳原则，无疑是很机智的。

在认识中个人的聪明才智当然很重要，但是如果不凭借一定的操作方法，就不可能获得正确的概念，任何意念、思维、概念都需要有一套相应的手

---

① 《金岳霖学术思想研究》，四川人民出版社 1987 年版，第 30 页。

② 《论道》，商务印书馆 1987 年版，第 4 页。

术，才能获得科学概念的意义。什么是手术论？金岳霖说："手术论说任何意念都是一套相当的手术。所谓圆是以一点为中心而用离此中心同一的距离的直线以一端占据此中心，另一端环绕此中心而得的平面图案。圆就是这一套手术"。[①]手术论认为所有存在的事物其过程和性质等都可以在一组操作和实验中定义而被人们理解。科学家有许多治学方法，手术论是一种科学方法的理论。手术论提供有效的认识，达到严格地按照科学实验和科学研究的实践建立科学的意念、思维和概念。金岳霖非常重视科学方法，他说所谓科学方法即以自然律去接受自然，或以自然律为手段或工具去研究自然。在观察、试验中运用自然律作为接受方式，即以自然过程之"理"还治自然过程，科学理论便转化为方法或工具。所有这些课题在科学哲学和认识论中至今保持着强大的生命力。

金岳霖教授哲学体系的另一个特点是强调逻辑分析。无论是分析日常语言还是建立人工语言，都离不开逻辑。为此他首先写出《逻辑》一书，介绍了现代逻辑，这是逻辑分析的重要工具。中国哲学虽然有儒家的正名，墨家的逻辑，但在近现代缺乏系统的逻辑学说，缺乏明确的形式观念，无法与西方的逻辑相比，以致在 20 年代学校里开不出象样的逻辑课。冯友兰先生说："当时在中国，稍微懂得一点逻辑的人实在是很少有。"[②]当时我国对传统逻辑都很陌生，更谈不上现代逻辑了。金岳霖在他的《逻辑》一书中，站在一个新的高度指出传统逻辑的许多毛病，例如由于不肯定主词存在，*A*、*E*、*I*、*O* 判断的换质换位和对当关系都发生困难，它只讨论"*S*——*P*"式的直言命题，不能包括关系命题和关系推理，老的传统逻辑使用自然语言，语义含混，如"所有 *S* 是 *P*"中的"是"意义繁多等等。然后金岳霖很有胆识很有见地的介绍怀特海和罗素所著《数学原理》的基本部分。这是一种全新的逻辑类型，与传统逻辑比较，有很大的优越性。它把逻辑加以纯粹的形式化的研究，展示出它的规律。体现了数学的精确性和严格性。在一个逻辑系统里，除了初始概念以外，引进任何概念必须有初始概念或已经定义过的概念构成定义，除初始命题（即公理）以外，任何断言必须是经过证明的，不允许引进初始命题以外的假定，作为证明的根据。由于使用符号语言，每一个符号必须有一个而且仅仅有一个"意义"，使逻辑命题成为像数学命题那样明确的东西，消除了自然语言的含混。

现代逻辑这个工具，使金岳霖走上了逻辑分析的道路。他说，罗素的《数学原理》一书，"使我想到哲理之为哲理不一定要靠大题目，就是日常生活中

① 《知识论》，商务印书馆 1983 年版，第 523 页。
② 冯友兰：《三松堂自序》，三联书店 1984 年版，第 198 页。

所常用的概念也可以有很深的分析，而此精深的分析也就是哲学。"①鉴于中国哲学范畴的意义非常不确定，在表达思想上显得芜杂不连贯，缺乏理智的精细，因此金岳霖就成为在中国提倡逻辑分析的哲学家。冯友兰先生认为，逻辑分析是西方哲学对中国哲学的永久性贡献，在这方面作出永久性贡献的第一个人就是金岳霖。金岳霖长于分析，他能把最简单的事物分析得很复杂。其分析方法运用之娴熟精到，细致慎密，措辞之严谨，思想之深刻，极不平凡，大家称他为"中国的 G.E. 摩尔"，决不是偶然的。（G.E. 摩尔是分析哲学的创始人之一，在英美两国有很大影响。）

三

金岳霖教授一生经历辛亥革命和全国解放两次伟大的革命。辛亥革命时，他才十几岁，他高高兴兴地剪掉了自己的辫子，仿照崔颢的《黄鹤楼》写了一首打油诗："辫子已随前清去，此地空余和尚头，辫子一去不复返，此头千载光溜溜。"欢乐之情溢于言表，丝毫不像有些人为封建家庭的沉沦而痛苦。后来，他生活在旧中国，却始终追求政治上的进步，向往着民主和自由。1928 年他和张奚若组织中国自由主义大同盟，发表反日宣言。同一时期还和张奚若、徐志摩等组织了《政治学报》编辑社，出版过政治学报。他对国民党的官僚统治是十分憎恨的，当胡适出任驻美大使前，金岳霖毫不客气地对胡适说："不能事人，焉能事鬼？"抗战胜利后，他和其他进步教授一起签名支持"反内战、反饥饿、反迫害"的学生运动。1947年 2 月与朱自清、俞平伯、徐炳昶、向达等署名发表"保障人权宣言"，抗议北平警宪"午夜闯入民宅，肆行搜捕"。1948 年 3 月和进步教授一起反驳国民党北平市党部主任吴铸人所谓每次学潮，皆为"奸匪宣传"与三教授"为奸匪利用"之指摘。1948 年 6 月与吴晗、徐炳昶等 103 人署名"抗议轰炸开封宣言"。1948 年 11 月与俞平伯、朱光潜等 46 人联名发表"我们对于政府压迫民盟的声明"。

全国解放前，国外有几个大学纷纷给他寄来聘书，请他到国外去讲学，他却坚决留在清华园，坐等解放。1951 年 5 月 1 日国际劳动节他在《新清华》校刊上发表《我热爱祖国》的文章，袒露了他一颗赤诚的心。

新中国的成立，对金岳霖教授的政治生活和学术思想有着巨大的影响。1950 年他就为清华大学的学生讲授马列主义哲学课，通过教学实践，学习辩证唯物主义。后来又参加对资产阶级哲学思想的批判，这是他对西方哲学的再认识。他说："从前也看过一些关于实用主义的书籍，但是我从来不知道实用主义究竟是怎么一回事，甚至连它是主观唯心主义我都不知道。经过批

① 《论道》，商务印书馆1987 年版，第 3～4 页。

判，我才了解了实用主义的本质，也知道了它为什么有那样的经验论和认识论了。"[①]此后，金岳霖认识到，以往的哲学都只是说明世界，马克思主义哲学不仅说明世界，而且要改造世界。1957 年 7 月，他在华沙召开的国际哲学会议上对实用主义作了批判。美国的马克昂(R. Mckeon)说美国的哲学是"科学的哲学"。它着重科学方法，所谓科学方法有 3 点：(1)根据事实，(2)确定其间的因果关系，(3)建立假设。他所说的就是实用主义的方法。金岳霖指出，他们所谓的事实，其实就是"感觉材料"，是主观的东西，由此得不出科学的结论来。1958 年他在英国访问时，向国外的朋友宣布了他在哲学信仰上的转变。他说，因为马列主义救了中国，所以他放弃了他以前所作的学院哲学，转成一个马克思主义者。作为一个学者，他经过革命的实践，经过中西内外的分析比较，在旧中国推进了哲学的发展和进步，在新中国又真诚地接受了马列主义哲学理论。在哲学研究的道路上，从旧哲学过渡到马克思主义哲学，是金岳霖在学术上必然的归宿。

这时期金岳霖教授担任中国社会科学院哲学研究所副所长，主管逻辑科学的研究。他在形式逻辑的提高和普及两方面作了许多工作。50 年代中期，国内开始在逻辑学领域内进行关于形式逻辑的客观基础、形式逻辑和辩证法关系、形式逻辑的真实性和正确性等问题的学术讨论。他写了多篇论文，认为形式逻辑作为一门独立的科学，它的存在价值是无可怀疑的，但他对形式逻辑的理论基础和与辩证法的关系等问题与其他学者还存在许多不同意见。比如形式逻辑的客观基础有的说是客观事物质的规定性，有的则认为是事物的相对稳定性，这些解释虽然有一定的道理，但都存在着不能自圆其说的矛盾。金岳霖通过深入的考虑，试图以马克思主义哲学的观点解决形式逻辑的客观基础问题，指出形式逻辑在形式上的对错与实质上的真假有区别，形式逻辑的抽象公式的正确性以真实性为基础，他提出事物的确实性是形式逻辑的客观基础。

60年代初期金岳霖教授主编新中国第一部高等学校文科逻辑教材《形式逻辑》。它突破了原有教材以直言判断和三段论为中心的框框，用现代逻辑的观点分析逻辑联结词的真值，介绍了有关命题及其推理，补充和丰富了逻辑教学的内容，至今仍是国内逻辑教学的重要参考书。

随着马克思主义哲学的普及，广大干部要求学习逻辑。金岳霖教授领导和组织了《逻辑通俗读本》的撰写。他亲自写了《判断》一章，这一章密切联系了人们的日常思维，不仅语言大众化、通俗化，并且有了逻辑内容上的提

① 金岳霖：《我怎样学习马列主义》，载 1956 年 2 月 29 日北京日报。

高。他总结了解放以后人们经常运用的几种判断，总结出它们的形式，如“个别的S是P”、“S一般是P”、“S基本上是P”、“S必须是P”等，并运用否定推演出它们之间的逻辑关系。此书多次再版，发行达近百万册，在国内被译成少数民族语言，在国外有日文译本。这是真正在提高指导下的普及，在普及基础上提高的一本优秀读物，深受广大群众和干部的欢迎。

金岳霖生活在一个社会大变动的时代，旧社会向新社会转变，民族矛盾、阶级矛盾、社会矛盾错综复杂地交织在一起，反映在文化领域里的中西冲突、古今关系纷纷呈现出各种色彩。在这个时代的激流里，金岳霖的政治思想和学术观点始终站在历史进步的方面，跟随着社会演变的巨轮前进，这是非常可贵的。但是由于金岳霖前后生活在两个不同的时代，他在解放前建立的哲学体系就不能不受旧哲学的影响和束缚。正如他自己在《知识论》中所说的，实在主义也许最能表示本书的主旨。但是也确有许多地方和实在主义是不相容的。在解放以后，金岳霖已逐渐认识到他以前的哲学体系和逻辑理论上的局限和缺点，但是繁重的社会工作和他的新的研究任务，已经使他没有充分的时间和精力来修正。有时，由于他高昂的政治热情，影响了他对学术问题作冷静的理智的思考，产生了一些过火的自我批评和提出过“左”的学术意见。

四

金岳霖教授在学术上的重大成就是和他严肃的治学态度和正确的治学方法分不开的。他生活的时代，正是帝国主义船坚炮利危及中国存亡的时代。在西方资本主义的冲击下，中国封建社会发生了根本动摇。中国的科学文化向何处去？长期处于闭关锁国的中国社会，一旦接触西方，或则容易产生对洋人、洋书、洋权威的迷信盲从，搞所谓全盘西化；或则固步自封，迷恋中国的旧文化，搞国粹主义。金岳霖教授以科学的态度，独立思考，决不人云亦云。他研究休谟哲学，并没有因此成了休谟的信徒。最后终于从学习休谟而离开了休谟，从休谟的怀疑论出发走上了否定怀疑主义。他的《论道》，就是反对休谟哲学的结果。对于罗素，尽管他非常之佩服，但并没有成为逻辑斯蒂的信徒①。因为一个坚定的逻辑斯蒂学者在当时决不会是形而上学家，而金岳霖的《论道》讨论的正是抽象的哲学理论问题，也就是逻辑斯蒂所反对的形而上学问题。金岳霖通过对中西哲学分析比较，博采众长。在他的哲学体系里，有中国古老的哲理，也有西方智者的名言，有现代化的逻辑算子，也有

---

① “逻辑斯蒂”这个词常用来指数理逻辑中以罗素为代表的逻辑主义学派，其基本观点是认为逻辑可以全部数学化。（本文作者注）

中国式的太极而无极，有继承和吸收的方面，也有前人没有的创见。他把继承和创新结合在一起，使旧中国的哲学提高到一个新的现代的水平。

中国哲学的传统认为个人不能离开社会而生活，知识和美德不可分，治学和修身融为一体。中国哲学家的理想往往是把自己修养到进于“无我的纯净境界”。对于金岳霖来说，他的知识和美德完全体现着一个中国哲学家的气质：

（1）谦虚诚实。金岳霖教授是学界名流，但从不以权威自封，也不受他封。他在哲学和逻辑方面有很深的造诣，却常常说自己落后了，说自己知识不够，不少书读不懂。

（2）崇尚学术民主。金岳霖教授德高望重，无论知识和年龄都是长者，但他和学生讨论问题时，总是平等相待。对问题互相可以争论得非常厉害，从不依势压人。他深知没有学术上的自由探讨，科学是不能发展的，他要求学生独立思考，提倡在学术上要有创造精神。正因为他崇尚学术民主，所以，他与持不同意见的人和反对自己的人，都相处得很好。

（3）乐于助人。金岳霖教授在清华任教时，常对生活有困难的学生给予物质上的帮助。有的从南方来的同学，衣单被薄难以抵御北方的寒冷，他就把自己的棉衣、毛毯给同学御寒。有的学生至今还珍藏着30多年前金老送给他的棉袍。而金岳霖教授自己却很节俭，一身旧棉袍穿了很多年。

金岳霖教授在学术上取得如此重大的成就，决不是偶然的。他知识渊博，基础扎实。在学校里，他先学的是实科，对自然科学有相当基础；后转文科，又读了很多书。他不但精通中国语言，而且也精通西方语言。金老治学非常重视基本训练。他认为，哲学和逻辑有很强的系统性和整体性，只有把前面的基础打牢，才能做进一步的研究。他提出逻辑工作者要具有两个专业：正业是逻辑学，副业是一门自然科学或工程技术方面的科学。他的这个思想同样表现在他在清华办哲学系时的情况。有一位当年的学生回忆说：“到哲学系后，金先生给我们讲课，有时约物理系的周培源教授讲课。周先生结合主题给我们讲一些物理学上的新成果，并从哲学上给以评论，引起我们很大兴趣。总之，清华哲学系养成了我一种倾向，就是要通过自然科学的途径达到哲学。”① 金老的这些思想完全符合研究逻辑和哲学的规律，符合文理渗透，自然科学和社会科学交相为用的原则。单就这点看，金老办学、治学也是高人一等的。

金老在学术上反对走捷径，图名图利，搞花架子、假把式，他所追求的是

---

① 《金岳霖学术思想研究》，四川人民出版社1987年版，第42页。

真正的科学价值。1958年金老作为中国文化代表团成员到英国、意大利和瑞士访问。在英国期间，金老在伦敦海德公园瞻仰了马克思墓，在公园里他还看到了斯宾塞的墓。两相对照，使他感触很多。19世纪哲学家斯宾塞生前在英国影响很大，他有3个大部头《社会静力学》、《心理学原理》，还有10卷本的《综合哲学》。当时在英国思想家中，斯宾塞俨然是一个巨人。但是在科学家看来，斯宾塞往往过分富有哲学家幻想的色彩，而缺乏专门知识，他的哲学是非常浅薄的。随着时间的流逝，思想巨人斯宾塞就在人们的记忆中逐渐消失。马克思生前的声名并不大，但他留下的《资本论》，为广大的被压迫民族、被压迫阶级提供了革命的精神武器。随着时间推移，他的学说愈来愈焕发出夺目的光彩，他因此获得了全世界人民广泛的爱戴和敬仰。金老的这些感触，说明他所追求的不是一时的名和利，不是哗众取宠的东西，而是经得起时间考验、在学术上有崇高价值的著作。金老的这些感触，也正是他一生埋头研究，真诚地追求，不断地探索，勇敢地创造的最好注解。

1982年10月中国社会科学院哲学研究所隆重举行金岳霖教授从事逻辑、哲学教学与科研工作56周年庆祝会。中央政治局委员胡乔木在庆祝会上说，我们党以自己的队伍中有像金老这样的著名老学者而感到骄傲，希望所有的科学工作者都要向金老学习。1983年北京大学为冯友兰先生从教60周年举行茶话会。冯友兰教授说："我今年88岁。日本人称88岁为"米"寿，108岁为"茶"寿。…到了"米"寿的人，应该向"茶"寿迈进。岳老(即金岳霖教授——引者注)88岁时，我作了一副对联，上联是'何止于米，相期于茶'，下联是'论高白马，道超青牛'"。[①]冯友兰教授对金岳霖教授的这种评价是为大家所公认的。

金岳霖主要著作：

《逻辑》，商务印书馆1937年版，解放后三联书店重印。

《论道》，商务印书馆1941年版，1987年重印。

《知识论》，商务印书馆1983年版。

《论手术论》《$A_H E_H$的理解》等载《清华学报》。

《客观事物的确定性和形式逻辑的头三条基本思维规律》《论中国哲学》等载《哲学研究》。

---

① "白马"：指公孙龙的"白马论"。"论高白马"：是说金岳霖先生的逻辑比公孙龙《白马论》高。"青牛"：指老子。传说老子骑青牛过函谷。"道超青牛"：老子有《道德经》，金岳霖先生有《论道》，金先生的论道远远超过老子《道德经》，故称"道超青牛"，见《哲学研究》1984年第2期。

附　录

台湾省哲学界概况

50年代以来哲学在台湾社会科学领域里颇受重视。到目前为止，研究机构有台湾中国哲学会、国父遗教研究室、哲学研究所及三民主义研究所。在不少公立、私立综合性大学也都设有哲学系。在研究机构和高校办的各种学术刊物中，专门哲学类的就有《哲学与文化》《中华易学》《鹅湖》《中国儒声》《新儒家》等。另外，在当地其他几十种综合性社会科学杂志中，哲学占较大比例的还有《中国文化月刊》《中华文化复兴月刊》《东方杂志》《思与言》《国立台湾大学文史哲学报》《复兴岗学报》《孔孟月刊》《当代》《食货月刊》《中国国学》《国教世纪》《大陆杂志》等等。此外，中央研究院和高校系统的不少学报也不时发表哲学教学与研究的成果。几十年来，台湾哲学界拥有一批十分活跃和颇具影响的哲学家，如方东美、唐君毅、牟宗三、吴经熊、钱穆、罗光、吴康、周世辅、赵雅博、吴怡、陈大齐、沈青松等等。他们在研究中国传统哲学，分析介绍西方哲学，或融合与比较中西哲学方面，都有独创的哲学思考。

1954年台湾省成立的"中国哲学会"，是台湾哲学界恢复系统的哲学研究的开始。这一阶段的哲学活动与台湾当局的提议和资助关系甚大。"阳明山革命实践研究院"就设在台湾"总统府"所在地，而"中国哲学会"是由台湾"行政院"以及以后的"国防部总政治部作战部"拨给活动经费。1973年9月公布的会员名单中，第一名是台湾"国防部长"、后又改任"总统府资政"的俞大惟，此人有过研究哲学的经历，曾获哈佛大学哲学博士，深知哲学的政治作用。因此，他以"国防部长"的身份兼任首席会员并以国防部的经费予以资助。还有曾任三青团中央常务干事、国民党中央宣传部代部长的任卓安任理事。由此可见，50～60年代台湾哲学与政治的关系是十分密切的。

台湾省"中国哲学会"是岛上哲学最高专门研究机构，其会员包括这一领域所有较有影响的人物。根据章程规定，该学会的目的在于：(1)沟通台湾省内外哲学研究事项；(2)哲学书籍之搜集、保管、整理及印行事项；(3)出版哲学书刊事项；(4)举行学术演讲事项；(5)协助会员从事专门研究事项。它每年举行会员大会一次，每年出版《哲学论文集》。从历年出版的《哲学论文集》来看，台湾哲学界哲学研究大致分为下面几个方面：第一，形而上学——宇宙开辟论、本质与现象、心灵与物体的关系；第二，知识论与科学哲学——逻辑、知识内容之探究；第三，价值哲学——客观的事实与主观的评价之关系、知识在价值论中的地位、道德之标准及道德生活之价值、美学与艺术哲学、宗教信仰之心理的基础与神的意义；第四，社会与政治哲学——社会进化史、理想社会的构想、政治组织之形态及法律与自由观念、各种社会主义学说中的经济思想；第五，哲学史——哲学史中之重要学派及专题研究。可以认为，台湾"中国哲学会"在当地几十年哲学研究中，起着重要的组织者的作用。

另一方面，台湾省不少公立、私立高校的哲学系中，也聚集一批哲学专业教育和研究人才。根据1973年台湾"国立教育资料馆"编的《中华民国大学暨独立学院简介》一书，目前台湾高校设哲学系的有4个大学：台湾大学、政治大学、辅仁大学、中国文化学院。这些哲学系都有较整齐的师资力量。包括专任和兼任教师，总共有教授52人，副教授23人，讲师19人，助教4人。不过，设哲学系的高校，其设系目的各不相同，因而各自课程设置也有所不同。如台湾大学设哲学系的目的是为了培养哲学研究专门人才，故其课程设置侧重于训练研究能力方面；政治大学设哲学系在于整理和发扬传统哲学，并研究采集西方思想之精华，课程设置侧重于较系统地介绍分析中国古代哲学思想方面；辅仁大学设哲学系是为培育社会领导人才，其课程设置侧重于较具抽象、思辨的西方中古时期的哲学思想方面；中国文化学院设哲学系是为了培养复兴中国传统文化，促进东西哲学思想交流人才，其课程设置比较偏向于各个历史时期东西方哲学思想的对应比较。除此之外，在台湾大学、辅仁大学、中国文化学院还都设有自己的哲学研究所。进入80年代以来，上述的科系设置和师资队伍的结构又有发展和调整。

从总体上看，台湾省各高校哲学系在培养哲学专门人才方面走着一条特殊的道路。尤其是在专业课程设置上，似乎表现出其较多地接受西方哲学理论影响的特点。即使在侧重于对中国传统哲学进行系统分析和介绍的政治大学和中国文化学院里，这种影响仍然是比较明显的。

关于台湾省高校哲学系课程设置的基本情况，我们可以台湾大学哲学系所开设的专业科目为例作一概括了解。1.必修：国父思想、国文、英文、普通心理学、理则学、哲学概论、中国近代史、国际组织与现势、社会学、第二外国语、中国哲学史、西洋哲学史、伦理学、哲学名著选读、知识论、形上学、印度哲学、哲学家或专题。2.选修：数理逻辑、哲学解析、语言哲学、佛学概论、科学的哲学、宇宙论、现象学、实在哲学、哲学人类学、人生哲学、文化哲学、中国哲学之精神及发展、比较哲学、现代知识学说、易经哲学、美国哲学、禅宗、数理哲学、毕业论文。进入80年代以来，这些课程设置也发生了不同程度的变化。其中"哲学概论"、"理则学"等课程，是台湾所有高校哲学系都有的必修课，并由台湾"国立编译馆"部定大学用书编审委员会主编。特别是《哲学概论》一书，作为哲学教学的最基本理论教科书是根据蒋介石当时的特定意思，由吴康、周世辅合著而成的。全书共分为总论、形上学、智知哲学、人生哲学、社会哲学5个部分，合30多万字。这可以说是近期台湾官方所界定的三民主义哲学最具权威性的一个体系。此书从阐发"心物合一论"的本体论出发，系统阐述了企图调合唯物论与唯心论的台湾折中主义哲学体系。不仅得到台湾官方的赏识，自1973年被提出后，一直颇为盛行，而且具有代表性，几乎包括台湾主要的官方哲学思想，并在本体论、宇宙论、认识论以及人生哲学、道德哲学、宗教哲学等方面的唯物论与唯心论的尖锐对立和斗争中，始终持折中主义的中性一元论观点，台湾当局希望以此作为整个社会政治的理论基础。

由此可见，哲学理论的教育和研究在台湾，尤其是80年代以前，其官方色彩是相当浓厚的。80年代后，台湾哲学界相对来说比较活跃一些，目前大体上可分为三大派别：一是以吴康、崔载阳、周世辅等台湾官方学人为代表的，以台湾省"中国哲学会"、国父遗教研究会、政治作战学校、政治大学三民主义研究所、台湾师范大学三民主义研究所等为基地的官方哲学派别。其研究工作主要是以"心物合一论"或"心物一体论"为指导，围绕着如何使"三民主义"理论化这一总目标进行的；二是以牟宗三、唐君毅、方东美、吴怡等人为代表，主要从事研究儒家、道家等经典著作的中国古代哲学注释演绎派；三是以吴经熊、罗光、殷海光、赵雅博等人为代表的，主要从事西方哲学研究的台湾哲学界的自由主义派，他们长期受西方教育，受西方宗教思想的熏陶，在台湾又主要从事西方哲学或神学的研究、传授工作。从台湾哲学发展过程看，后两派的研究目的和方向正在不断地趋近。

70年代后期，台湾哲学研究方向出现了一个令人关注的新动向，提出了"哲学现代化"的口号。1984年4月台湾省"中国哲学会"举办了一次规模最大的哲学会议，其中心议题就是中国哲学现代化。因为，长期以来给人们的印象是西方思潮引进无已，西化程度不断加深。一方面研究西方哲学的目的，不仅在于介绍西方哲学，而且越来越强烈地趋向于中西哲学的融合，或者更强烈地以西方哲学问题为唯一之哲学问题，乐此不疲而轻忽中国哲学；另一方面，即使是研究中国传统哲学的也几乎只是大量套用西方哲学概念。这种情况造成了台湾哲学界某种程度的混乱，西化与反西化的争论一直延续至今。但基本的趋势是中西哲学大融合思想占居主导地位，许多有影响的台湾哲学家，纷纷提倡学术研究应建立自己的体系，在深入了解西方文化及其哲学的条件下，以中国的文化与哲学传统为主体，自觉地融合中西哲学。

由于融合程度、方式以及侧重点不同，这一趋势的内部亦存在着多种分支。主要表现为全方位的融合趋势、当代新儒家的融合趋势、士林哲学的融合趋势三种。以原台湾大学、辅仁大学教授方东美为代表的全方位中西哲学融合趋势，力图贯串各种差别境界，以人性论和本性论为总线索，融合西方与中国各代各派各家，跨时代、跨体系、多层次地进行中西哲学的分析比较，为中西哲学融合的趋势提供了一个兼收并蓄的蓝图。另一分支为当代新儒家的融合方式。主要代表人物为唐君毅、牟宗三等，他们创立的仍是一种以主体哲学为基调的融合体系，主要目的在于考证德国古典哲学中的康德与黑格尔，重构以宋明理学为主的中国哲学史，以确定认识主体与道德主体的结构与动力。至于中西哲学融合研究的第三个分支——台湾士林的融合趋向，则主要是一种外倾型综合方式，主要人物有吴经熊、罗光、赵雅博等人。他们主张通过托马斯哲学体系的分析，把儒家学说和天主教思想结合起来，这实际上是对托马斯哲学进行所谓"否定之否定"的中国化。

自提"哲学现代化"主张之后，在传统哲学研究方面出现了十分重要的变化，这就是特别强调对儒家哲学内容的现代化研究。具体地说，就是既要复兴、发挥具有"传统文化"性质的儒家哲学思想，又不固执儒家哲学中的旧思想，而主张采取科学的方法，吸收欧美的哲学思想来对自身进行一番改造或创造。最明显的是使儒家哲学中的一些基本范畴、原理，如仁、中庸、忠恕、忠孝、礼教等赋予现代性、时尚性意义。这一工作以台湾新儒家为主体，包括当代台湾哲学界的相当一部分知名学者，如沈青松、罗光、傅伟勋、蔡仁厚等，他们的态度是既强调保持儒家基本价值的认同，又希望使儒学经过转化或发展成为可以包容或创出科学与民主的新体系。以致有的学者具体地提出了形上学、认识论、伦理学乃至政治模型方面的新设计，希望儒家的认识论可以成为科学的认识论的基础，儒家的政治思想可以为民主政治提供现实理论依据。这些学者的文化理想以及他们的具体研究途径已成为台湾目前研究和探讨儒学思想的基本趋向。

从目前情况来看，台湾儒学现代化研究主要有以下几个方面：第一，解决儒学与现代民主的关系。不少学者认为，推展现代民主不是中国文化的扩大，而是原有的中国文化理想更高更大的伸展。不过，他们又坦然地承认民主思想始终未能在历史上从传统文化中发展出来，因此中国文化须接受西方或世界之文化。在具体的儒学现代化研究与民主发展的思考上，台湾新儒家不仅分析了传统儒学政治理想，解释当代台湾的一些社会现象如自力救济与儒学一贯的社会意义之间的深层结构上的关系，而且还较详细地描述了儒学现代化研究与社会民主之间的同步发展途径。第二，儒学伦理如何应对工业化社会的挑战。现在台湾新儒家基本上由开始的“泛道德意识”转变为对“道德理想主义”的肯定，但是这种“道德理想主义”也已经越来越强烈地感受到西方“道德现实主义”的冲击。目前，许多新儒家学者对于从理论上在道德的理想主义与道德的现实主义之间相互融通，从而找出一条现代式的中庸之道抱着浓厚的兴趣。台湾新儒家虽然在这方面做了大量的工作，但如何在“社会转型”期间的重整社会秩序上，重新发挥儒家伦理的“教化”作用，目前还是一个十分令人头痛的问题。第三，超越传统儒学本身已有的内在难题。不少台湾学者对于儒学摆脱单元简易的思维方式推出了种种方案，其中根本的一点在于，谋求这种单元简易心理与较有现代化色彩的多元开放心理之间的相互沟通。(1) 必须修正泛道德主义儒家认识论，也就是应予承认德性之知(主体性道德)与闻见之知(科学知识)二者之间层次上的差异；(2)在形上学与宗教思想方面，新儒家必须放弃传统的“道德的形上学”不是宗教，而是客观甚至绝对的哲学思想主张，同时也应放弃自家形上学为最高至上的独断观点。台湾许多儒学研究者开始对是否可以重新阐扬“天”与“天命”等原有的宗教超越性方面，来补充世俗伦理性方面等问题进行过较多的讨论；(3)在心性论方面继续坚持孟子直至熊十力、牟宗三等人所主张的本心本性论或良知说，同时认为儒学心性论只能是具有一种相互主体性意义的强有力的道理，而不能看成是有其事实经验充分证明的客观真理。所以，他们主张，在本心本性层次之下吸收其他有助于扩充儒家心性论的种种理论，从而突破那种偏重理想主义的儒家伦理本身的局限性。

从台湾学者提出的对儒学思想体系的重新阐释的几个观点来看，台湾当代新儒家学者试图大大突破传统儒学的思想框架，通过把儒家思想现代化，从而建立一个极具理论开放性与兼容性，并与社会发展相平行的思想模式。

总的来说，40年来台湾哲学界组成了一支具有一定素质的哲学教育、研究力量，并在哲学发展方面进行了一些探索，也取得了一定学术成果。但正如他们中的一些学者所感觉到的，由于种种因素的限制，研究工作缺少深入下去的努力。引进西方哲学，常常是引进一支沉迷于一支，而对传统哲学的研究则显得过于分散，以至在有些中西哲学综合分析比较方面，在研究的成果中，存在一定程度的简单化倾向。 (张文彪)

1989 年哲学新书目

说明：本书目（1988 年）因篇幅所限，未能收入《中国哲学年鉴（1989）》，故本年度的收录范围仅限于1989年出版或再版的哲学书籍，重印书一般不收。同样因篇幅所限，本年度书目将部分教材及通俗性著作等删去未收。

本书目的著录事项依次为书名、著者、出版单位、出版时间。其中出版单位的“出版社”三字一般省略，如“人民”，即指人民出版社。

马克思主义经典哲学著作

马克思恩格斯书信论哲学　徐吉升等主编　中国人民公安大学　1989.1　620 页

总　论

辩证唯物主义和历史唯物主义教程　王生良等编　成都电讯工程学院　1989.1　330 页

马克思主义哲学原理纲要　冯茂雄主编　对外贸易教育　1989.1　2 版　270 页

马克思主义哲学原理　周雪心、程汉邦主编　东营石油大学　1989.1　317 页

马克思主义哲学简明教程　魏钦公主编　中共中央党校　1989.2　2 版　317 页

马克思主义哲学基础知识　陆善功、王道君编　中央广播电视大学　1989.4　2 版　294 页

马克思主义哲学　孙廷璜等主编　山东大学　1989.4　315 页

哲学基础教程　潘登榆主编　四川大学　1989.4　348 页

马克思主义哲学教程新编　李有忠等编　陕西人民　1989.5　336 页

马克思主义哲学概论　苗枫林主编　山东人民　1989.6　345 页

马克思主义哲学　孙振海等编　外语教学与研究　1989.6　310 页

简明哲学教程　刘盛际等主编　对外贸易教育　1989.6　368 页

马克思主义哲学原理　黄美来编著　清华大学　1989.8　476 页

哲学经典著作选讲　陈九年等编著　黑龙江科学技术　1989.1　281 页

论马克思主义哲学逻辑结构——兼评主客体认识论　陆生苍著　四川省社会科学院　1989.4　300 页

实践唯物主义　严华年主编　中国矿业大学　1989.8　357 页

从哲学看符号　肖峰著　中国人民大学　1989.3　297 页

价值哲学　王玉梁著　陕西人民　1989.3　407 页

传统学引论　张立文著　中国人民大学　1989.1

哲学史专题教程　霍方雷等编著　黑龙江科学技术　1989.3　247 页

哲学与现实　黄树勋等主编　陕西人民　1989.2　220 页

冯定文集（第二卷）　冯定著　《冯定文集》编辑组编　人民　1989.4　548 页

从西方哲学到禅佛教(海外学人丛书)
傅伟勋著　三联书店　1989．4　493页
论彻底唯物主义(论文集)　杨友吾著　中国卓越出版公司　1989.10　225页
李连科集：人·主体·价值(开放丛书·中青年学者文库)　李连科著　黑龙江教育　1989.4　373页
思考与探索：青年哲学社会科学工作者黄山会议论文集　罗匡、栾玉广主编　中国科学技术大学　1989.5　314页
中国哲学年鉴(1989)　北京中国社会科学院哲学研究所编　中国大百科全书出版社上海分社　1989.7　441页
哲学知识全书　张永谦主编　甘肃人民　1989.6　754页
中国哲学四十年(1949～1989)　杨春贵主编　中共中央党校　1989.9　603页
哲学争鸣录：近十年哲学理论问题研究举要　包锡妹、立斌编　齐鲁书社　1989.6　263页
近期台湾哲学　李世家著　贵州人民　1989·1　433页
微观世界的哲学漫步(真善美丛书)　杨世昌著　华东师范大学　1989.6　157页
教育哲学——问题与观念(现代教育科学丛书)　王佩雄、蒋晓著　辽宁教育　1989.5　263页
克劳塞维茨战争哲学思想研究　夏征难著　解放军　1989.3　349页
实践经营哲学　(日)松下幸之助著　滕颖编译　中国社会科学　1989.6　163页

辩证唯物主义

辩证唯物主义原理　赵光武主编　北京大学　1989.6　472页
辩证唯物主义方法论　《辩证唯物主义方法论》编写组编写　解放军　1989.1　511页
具体的辩证法：关于人与世界问题的研究　(捷)科西克著　傅小平译　社会科学文献　1989.6　203页
发展观概述　田禄年著　甘肃人民　1989.3　199页
对立统一学说的发展　张华金等编　福建人民　1989.2　384页
唯物辩证法的问题：中日唯物辩证法研讨会论文集　北京大学哲学系、日本大阪经济法科大学哲学教研室编　人民　1989.3　224页
旧问题新探索——质量互变规律纵横论　孔幼真等著　上海社会科学院　1989.1　185页
个别和一般范畴简论　孙纪成著　上海社会科学院　1989.5　174页
整体性原则·方法及其应用　吕国忱著　辽宁大学　1989.8　266页
军事辩证法思想史　林伯野主编　解放军　1989.4　608页
马克思主义认识论纲要　哈斯、毕文波主编　军事科学　1989.6　269页
史前认识研究(博士论丛)　李景源著　湖南教育　1989.3　343页
宏微论：崭新的认知观、方法论　小微著　学苑　1989.4　190页

历史唯物主义

现代唯物史观纲要(当代哲学丛书)
孟庆仁著　广西人民　1989．7　228

页

唯物史观基本范畴史纲 张战生等著 湖北教育 1989.3 487页

历史过程主客体问题探讨(历史唯物主义研究‹88-3›) 中国历史唯物主义研究会等编 社会科学文献 1989.4 252页

科学的社会历史观与改革 黄枬森主编 黑龙江人民 1989.6 306页

社会哲学(干部之友丛书) 曾杰、毛金先著 人民 1989.1 241页

政治哲学(当代哲学丛书) 王连法 姚荣祥著 广西人民 1989.7 346页

社会主义思想史新论 王永江著 人民 1989.9 408页

在历史的多样性面前:社会经济形态运动的确定性与不确定性及其科学选择 贾高建著 求实 1989.2 151页

科学——改变世界的主导力量(社会主义再认识丛书) 林京耀、陈荷清著 江苏人民 1989.5 357页

观念世界探幽(文化哲学丛书) 翟华、张代芹等著 山东文艺 1989.3 278页

大樊笼·小樊笼——中国传统生活方式(中国病丛书) 王玉波著 中国新闻 1989.1 299页

生活方式概论 王雅林主编 黑龙江人民 1989.1 488页

生活方式论 王玉波等著 上海人民 1989.4 410页

科学技术中的哲学问题

自然辩证法概论 张红薇、杜金铭主编 西南交通大学 1989.4 342页

自然辩证法——自然哲学、科学哲学、技术哲学 邓树增等主编 湖南大学 1989.6 510页

自然辩证法概论 关士续等编写 高等教育 1989.8 361页

科学哲学引论 董孟华主编 知识出版社(沪) 1989.2 292页

科学的唯物主义(二十世纪西方哲学译丛) (加)本格著 张相轮、郑毓信译 上海译文 1989.6 213页

科学技术论 杨沛霆等著 浙江教育 1989.6 286页

活物质 (苏)维尔纳茨基著 余谋昌译 商务印书馆 1989.3 419页

科学方法论的理论和历史 孙世雄著 科学 1989.1 550页

科学与价值——科学的目的及其在科学争论中的作用(国外社会科学译丛) (美)劳丹著 殷正坤、张丽萍译 福建人民 1989.7 198页

数学哲学(文化:中国与世界丛书) (美)史蒂芬·巴克尔著 韩光焘译 三联书店 1989.3 220页

反熵·生命意识·创造 谢嘉幸著 工人 1989.2 432页

科学和艺术中的结构(真善美丛书) 童世骏、陈克艰编译 华东师范大学 1989.6 162页

灵魂学手记:对一切不明事物的探索 林清泉著 甘肃科学技术 1989.4 166页

心理学的哲学问题

中国心理学史资料选编(第一卷) 燕国材主编 人民教育 1988.12 421页

弗洛伊德的马克思主义(面向世界丛书) 陈学明著 辽宁人民 1989.2 454页

机智及其与无意识的关系 (奥)弗洛伊德著 张增武、阎广林译著 上海社会科学院 1989.6 216页

退缩的历史——论弗洛伊德及心理史学的破产 (美)斯坦纳德著 冯刚、关颖译 浙江人民 1989.7 223页

弗洛伊德主义原著选辑(下卷) 车文博主编 辽宁人民 1989.7 582页

占有或存在——一个新型社会的心灵基础(人学丛书) (美)弗洛姆著 杨慧译 国际文化出版公司 1989.2 185页

恶的本性 (美)弗洛姆著 薛冬译 中国妇女 1989.4 146页

占有还是生存:一个新社会的精神基础(文化:中国与世界系列丛书·现代西方学术文库) (美)弗罗姆著 关山译 三联书店 1989.6 234页

弗洛姆著作精选——人性·社会·拯救 (奥)埃里希·弗洛姆著 黄颂杰主编 上海人民 1989.8 710页

荣格、弗洛伊德与艺术 (美)刘耀中著 宝文堂书店 1989.4 370页

心理类型学(世界文化艺术译丛) (瑞士)荣格著 吴康等译 华岳文艺 1989.4 600页

未发现的自我 (瑞士)荣格著 张增武、阎广林译 华岳文艺 1989.7 116页

人,艺术和文学中的精神(二十世纪文库) (瑞士)荣格著 孔长安、丁刚译 华夏 1989.7 151页

荣格(外国著名思想家译丛) (英)斯托尔著 陈静、章建刚译 中国社会科学 1989.7 188页

生物学与认识论:论器官调节与认知过程的关系(文化:中国与世界系列丛书·现代西方学术文库) (瑞士)皮亚杰著 尚新建等译 三联书店 1989.3 387页

认知心理学 (美)安德森著 杨清等译 吉林教育 1989.2 601页

人心中的宇宙:探究人心智的一门新科学——认知心理学 亨特著 章益译 人民教育 1989.3 444页

现代认知心理学:人的信息加工 陈永明、罗永东编著 团结 1989.8 308页

个性心理学和生活方式 (苏)肖洛霍娃主编 吴志革等译 社会科学文献 1989.3 258页

信念的魔力(青年译丛) (美)布里斯托著 朱国安、秦裕译 上海人民 1989.4 192页

信念的魔力:选定你的目标并实现它的科学 (美)伯里斯道著 王正平等译 中国青年 1989.3 210页

神秘的意志世界(万物之灵丛书) (美)法贝尔著 沈洁民、刘谧辰译 上海文化 1989.5 186页

自我的发展(当代西方心理学名著译丛) (美)简·卢文格著 李维译 辽宁人民 1989.10 498页

戴尼提——自我心理调节技术 (美)哈伯德著 于晓等译 三联书店 1989.1 544页

变态心理学派别(东西方文化研究影印文库) 朱光潜著 上海文化 1989.1 167页

马克思主义哲学史

马克思主义哲学史教程 王复三、汪建主编 山东大学 1989.4 623页

马克思主义哲学史：从诞生到当代 祝大征、马润青主编 陕西师范大学 1989.8 542 页

马克思恩格斯哲学思想研究总览（学术研究指南丛书） 陈先达等编著 天津教育 1989.7 366 页

通向真理之路：马克思恩格斯认识论思想巡礼 刘德福等著 求实 1989.2 197 页

马克思恩格斯唯物史观的创立与发展 彭立荣著 上海社会科学院 1989.3 428 页

马克思恩格斯科学社会主义史 陈陆达、邹积贵主编 山东人民 1989.4 320 页

马克思恩格斯列宁斯大林著作介绍：哲学 蔡灿津主编 新疆人民 1989.1 559 页

马克思主义哲学原著选读教程 潘宝卿主编 广西师范大学 1989.1 542 页

马克思主义哲学形成的标志——《德意志意识形态》的学习与探讨 马迅著 求实 1989.2 119 页

《资本论》辩证法 马平著 求实 1989.4 385 页

《反杜林论·哲学编》自学纲要 涂荫森等编著 山西人民 1989.7 413 页

列宁主义：列宁主义研究导论 （苏）季诺维也夫著 郑异凡、郑桥译 东方 1989.3 317 页

列宁科学社会主义发展史 胡瑾、王礼训主编 山东人民 1989.5 256 页

列宁传 黄楠森、曾盛林著 河南人民 1989.7 768 页

毛泽东哲学思想

毛泽东哲学思想教程 宋一秀、商孝才主编 华东师大 1989.6 473 页

毛泽东哲学思想的民族性探源 侯树栋等著 求实 1989.1 386 页

中西文化与毛泽东早期思想 黎永泰著 四川大学 1989.4 394 页

毛泽东思想研究论纲 王怀玉、张先亮编著 新疆大学 1989.8 398页

晚年毛泽东 萧延中编 春秋 1989.1 383 页

邓小平哲学思想研究 邓兆明著 甘肃人民 1989.1 218 页

邓小平的哲学思想研究（邓小平的思想研究丛书） 袁训忠主编 国防大学 1989.3 257 页

邓小平哲学思想研究 李长福著 中国国际广播 1989.8 297 页

中国哲学史

中国哲学史新编（第六册） 冯友兰著 人民 1989.1 207 页

中国思想史 张岂之主编 西北大学 1989.6 1084 页

中国哲学史教程 丁祯彦、臧宏主编 华东师范大学 1989.7 519 页

中国哲学辞典大全 韦政通主编 世界图书出版公司 1989.2 905 页

中国历史大辞典·思想史卷 《中国历史大辞典·思想史卷》编纂委员会编 上海辞书 1989.6 475 页

中国历代思想家传记汇诠（先秦两汉分册） 王蘧常主编 复旦大学 1989.2 563 页

十大思想家（“十大”系列丛刊） 蔡德贵、刘宗贤著 上海古籍 1989.8

214 页

中国思想文化论稿 苏渊雷著 华东师范大学 1989.3 374 页

中国文化传统简论 张岱年、姜广辉著 浙江人民 1989.5 150 页

道(中国哲学范畴精粹丛书) 张立文等著 中国人民大学 1989.3 346 页

道论 张汉编著 西南交通大学 1989.8 252 页

中国认识论史 姜国柱著 河南人民 1989.7 584 页

新人学导论——中国传统人学的省察 张立文著 职工教育 1989.6 233 页

中国历史上的人性论 姜国柱、朱葵菊著 中国社会科学 1989.4 407 页

中国哲学的探索与困惑(殷周—魏晋) 冯达文著 中山大学 1989.9

天人象:阴阳五行学说史导论(文化哲学丛书) 谢松龄著 山东文艺 1989.1 357 页

易象通说 钱世明著 华夏 1989.3 175 页

今人读易 阚角如撰 赵来祥整理 湖南教育 1989.4 158 页

周易译注 黄寿祺、张善文撰 上海古籍 1989.5 677 页

白话易经 张园齐编 光明日报 1989.5 335 页

大众实用周易 刘锡哲著 中国卓越出版公司 1989.5 235 页

易经来注图解 郑灿订正 巴蜀书社 1989.5 605 页

易经探微——六十四卦经解读 雾灵叟编著 气象 1989.5 374 页

周易全解 金景芳、吕绍纲著 吉林大学 1989.6 552 页

易经 苏勇点校 北京大学 1989.7 91 页

周易秘义 黎子耀著 浙江古籍 1989.8 296 页

神奇的八卦文化与游戏 王红旗著 中国民间文艺 1989.5 277 页

周礼·仪礼·礼记(古典名著普及文库) 岳麓书社 1989.7 552 页

礼记集解 孙希旦撰 沈啸寰、王星贤点校 中华书局 1989.2 三册(1487 页)

儒学与中国人 李颖科著 陕西师范大学 1989.2 161 页

儒学国际学术讨论会论文集 中国孔子基金会、新加坡东亚哲学研究所编 齐鲁书社 1989.4 二册(1428 页)

孔子精神与基督精神——中西文化纵横谈(中外比较文化丛书) 高旭东等著 河北人民 1989.8 202 页

孔子集语 文中子中说(诸子百家丛书) 孙星衍辑 王通著 上海古籍 1989.3 168+55 页

孔孟荀比较研究 赵宗正等编 山东大学 1989.9 315 页

孟子通译 陈器之译注 湖南大学 1989.5 505 页

老子研究 王力著 天津市古籍书店 1989.11 108 页

老子秘义 黎子耀著 三秦 1989.1 156 页

老子 列子(诸子百家丛书) 老子著 王弼注 列御寇著 张湛注 上海古籍 1989.3 25～64 页

老子 庄子 列子(古典名著普及文库) 张震点校 岳麓书社 1989.8 页数

不连

庄子(诸子百家丛书) 庄周著 郭象注 上海古籍 1989.3 171页

《庄子》与现代主义:古今文化比较(中外比较文化丛书) 张石著 河北人民 1989.8 140页

墨子(诸子百家丛书) 墨翟著 上海古籍 1989.3 139页

管子经济思想研究 赵守正著 上海古籍 1989.2 154页

商鞅及其学派 郑良树著 上海古籍 1989.6 289页

吕氏春秋(诸子百家丛书) (秦)吕不韦著 (汉)高诱注 上海古籍 1989.3 233页

吕氏春秋 淮南子(古典名著普及文库) (秦)吕不韦撰 杨坚点校 (汉)刘安撰 杨坚点校 岳麓书社 1989.3 327页

淮南鸿烈集解(新编诸子集成·第一辑) 刘文典撰 冯逸、乔华点校 中华书局 1989.5 二册(925页)

两汉思想史 祝瑞开著 上海古籍 1989.6 425页

董学探微 周桂钿著 北京师范大学 1989.1 416页

太玄校释 (汉)杨雄著 郑万耕校释 北京师范大学 1989.2 436页

论衡导读(中华文化要籍导读丛书) 田昌五著 巴蜀书社 1989.6 423页

理学范畴系统 蒙培元著 人民 1989.7 530页

朱熹与中国文化 武夷山朱熹研究中心编 学林 1989.6 353页

朱熹王守仁哲学研究 邓艾民著 华东师范大学 1989.3 228页

朱熹和白鹿洞书院 李邦国著 湖北教育 1989.5 188页

朱子书信编年考证 陈来著 上海人民 1989.4 493页

浙东学派溯源 何炳松著 中华书局 1989.3 250页

王阳明心学研究(博士论丛) 方尔加著 湖南教育 1989.3 176页

明清实学思潮史 陈鼓应等主编 齐鲁书社 1989.7 三册(1786页)

王夫之学行系年 刘春建编著 中州古籍 1989.4 326页

王夫之年谱(年谱丛刊) (清)王之春撰 汪茂和点校 中华书局 1989.4 187页

颜习斋哲学思想述(中国学术丛书) 陈登原著 中国大百科全书 1989.3 238页

廖平学术论著选集(一) 李耀仙主编 巴蜀书社 1989.5 626页

中国近代哲学史(上、下册) 冯契主编 上海人民 1989.5、7 二册(1192页)

中国近代哲学的革命进程 冯契著 上海人民 1989.8 630页

饮冰室合集 梁启超著 中华书局 1989.3 影印本 十二册

严复思想研究 张志建著 广西师范大学 1989.7 241页

中国现代哲学原著选(中国近现代思想文化史史料丛书) 忻剑飞、方松华编 复旦大学 1989.1 679页

中国现代思想中的唯科学主义:1900～1950(海外中国研究丛书) (美)郭颖颐著 雷颐译 江苏人民 1989.3 172页

时代的错位与理论的选择:西方近代思

潮与中国“五四”启蒙思想 刘桂生主编 清华大学 1989.4 243页

五四——文化的阐释与评价：西方学者论五四(五四与现代中国丛书) 王跃、高力克编 山西人民 1989.4 219页

启蒙的价值与局限:台港学者论五四(五四与现代中国丛书) 萧延中、朱艺编 山西人民 1989.4 246页

现代中国的思想冲突——民主主义与权威主义(五四与现代中国丛书) (美)纪文勋著 程农、许剑波译 山西人民 1989.4 319页

中国的启蒙运动——知识分子与五四遗产(五四与现代中国丛书) (美)施瓦友著 李国英等译 山西人民 1989.4 381页

时代与思潮(1):五四反思 上海中西哲学与文化交流研究中心编 华东师范大学 1989.4 174页

近代经学与政治 汤志钧著 中华书局 1989.8 393页

当代新儒家(中国文化书院文库·论著集，港台海外中国文化论丛) 封祖盛编 三联书店 1989.4 323页

回忆熊十力 中国人民政治协商会议湖北省黄冈县委员会编 湖北人民 1989.2 277页

传统·科学·奋斗 (美)李绍昆著 文化艺术 1989.2 208页

中国思想传统的现代诠释(海外中国研究丛书) 余英时著 江苏人民出版社 1989.6 368页

张岱年文集(第一卷) 张岱年著 清华大学 1989.4 388页

三松堂全集(第三卷)(中国哲学史·下册) 冯友兰著 河南人民 1989.7 536页

外国哲学史

外国哲学(第十辑) 《外国哲学》编委会编 商务印书馆 1989.4 445页

东方民族的思维方法(世界文化丛书) (日)中村元著 林太、马小鹤译 浙江人民 1989.4 343页

印度哲学史 黄心川著 商务印书馆 1989.7 490页

日本哲学史教程 王守华、卞崇道著 山东大学 1989.5 525页

朝鲜哲学思想史 朱红星等著 延边人民 1989.8 417页

西方哲学史纲要 李培湘等主编 西南师范大学 1989.7 452页

古今西方哲学教程 盛晓明主编 浙江大学 1989.10 532页

西方哲学名著介绍(下册) 全国二十二所高等师范院校编著 华东师范大学 1989.2 350页

欧洲哲学史著名命题史话 陶济著 北京 1989.1 315页

六大观念——真、善、美、自由、平等、正义 (美)阿德勒著 陈珠泉、杨建国译 团结 1989.4 255页

性灵之光：西方大哲学家轶事 武斌编写 光明日报 1989.4 521页

西方一百个哲学家(下册) 谢庆绵等主编 江西人民 1989.12

西方哲学史上的诡辩论和辩证法 王珠元编著 中国展望 1989.5 155页

古希腊名著精要 陈村富等编写 浙江人民 1989.2 532页

古希腊哲学 苗力田主编 中国人民大学 1989.4 703页

悬疑与宁静——皮浪主义文集（世界贤哲名著选译·猫头鹰文库） （古希腊）塞克斯都·恩披里可著 杨适等译 三联书店上海分店 1989.4 262页

沉思录（外国伦理学名著译丛） （古罗马）奥勒留著 何怀宏译 中国社会科学 1989.4 118页

信仰的时代：中世纪哲学家（国际文化系列丛书·太阳神译丛） （美）弗里曼特勒编著 程志民等译 光明日报 1989.3 216页

冒险的时代：文艺复兴时期哲学家（国际文化系列丛书·太阳神译丛） （美）桑迪拉纳编著 周建漳、陈墀成译 光明日报 1989.3 317页

理性的时代：十七世纪哲学家（国际文化系列丛书·太阳神译丛） （美）汉姆普西耳编著 陈嘉明译 光明日报 1989.3 184页

人性的探索——培根随笔全集 （英）培根著 何新译 黑龙江人民 1989.2 234页

启蒙思想泰斗伏尔泰 葛力、姚鹏著 世界知识 1989.6 370页

怀疑论者的漫步：狄德罗文集（世界贤哲名著选译·猫头鹰文库） （法）狄德罗著 陈修斋、张冠尧译 三联书店上海分店 1989.1 305页

人类知识起源论 （法）孔狄亚克著 洪洁求、洪丕柱译 商务印书馆 1989.8 314页

创造思维理论——德国古典哲学创造思维理论的精华 王天成著 吉林教育 1989.7 276页

德国三大哲人歌德黑格尔费希特的爱国主义 贺麟著 商务印书馆 1989.7 95页 本书原名：«德国三大哲人处国难时之态度»

砍去自然神论头颅的大刀：康德«纯粹理性批判»（名著导读丛书） 谢遐龄著 云南人民 1989.3 139页

黑格尔哲学 （美）司退斯著 廖惠和、宋祖良译 中国社会科学 1989.1 462页

青年黑格尔的哲学思想（博士论丛） 宋祖良著 湖南教育 1989.3 207页

黑格尔法律思想研究 吕世伦著 中国人民公安大学 1989.3 298页

上帝死了——尼采文选（世界贤哲名著选译·猫头鹰文库） 戚仁译 三联书店上海分店 1989.1 374页

新科学（汉译世界学术名著丛书） （意）维柯著 朱光潜译 商务印书馆 1989.6 二册(726页)

美国哲学史 罗志野等著 广西师范大学 1989.7

现代外国哲学

现代西方哲学导论 宗文举主编 天津人民 1989.7 366页

现代西方哲学评介 汪永康、孙佩贞主编 云南教育 1989.8

智者的思路：二十世纪西方哲学思维方式（学苑丛书） 孙翠宝主编 复旦大学 1989.1 398页

现代世界的预言者（开放丛书·思想文化系列） （美）李维著 谭振球译 黑龙江教育 1989.6 426页

日本近代十大哲学家 （日）铃木正、卞崇道等著 上海人民 1989.4 374页

价值哲学（价值论译丛） （日）牧口常三郎著 马俊峰、江畅译 中国人民大学 1989.8 147页

第三感性:一种新的观察和分析方法 (日)谷口正和著 朱福华译 中国国际广播 1989.3 227页

逻辑经验主义 洪谦主编 商务印书馆 1989.2 705页

维也纳学派哲学 洪谦著 商务印书馆 1989.4 213页

现代西方语言哲学 车铭洲主编 四川人民 1989.2 533页

西方现代语言哲学 车铭洲编选 李连江译 南开大学 1989.2 128页

分析哲学 涂纪亮主编 上海人民 1989.11 349页

语言与心理(二十世纪文库) (美)乔姆斯基著 牟小华、侯月英译 华夏 1989.1 125页

指号·语言和行为(西方学术译丛) (美)莫里斯著 罗兰、周易译 上海人民 1989.9 408页

"西方马克思主义"论丛(国外马克思主义和社会主义研究丛书) 徐崇温著 重庆 1989.4 477页

当代西方马克思主义(现代思想文化译丛) (英)安德森著 余文烈译 东方 1989.10 150页

猜想与反驳(世界学术名著精要) (英)波普尔著 沈恩明缩编 浙江人民 1989.1 128页

卡尔·马克思的历史理论——一个辩护(国外马克思主义和社会主义研究丛书) (英)柯亨著 岳长龄译 重庆 1989.2 385页

人的模式(面向世界丛书) (英)霍利斯著 李述一、李联先译 辽宁人民 1989.2 274页

历史思想导论(二十世纪文库) (英)哈多克著 王加丰译 华夏 1989.3 234页

汤因比论汤因比——汤因比与厄本对话录(世界贤哲名著选译·猫头鹰文库) 王少如、沈晓红译 三联书店上海分店 1989.3 180页

思维方式 (英)怀特海著 黄龙保等译 天津教育 1989.8 211页

罗素哲学译述集(中华文化·教育丛书) 张申府著译 教育科学 1989.6 238页

婚姻与道德 (英)罗素著 李惟远译 上海文艺 1989.7 影印 258页

人的现象(世界学术名著精要) (法)夏尔丹著 浩鸣编译 浙江人民 1989.1 88页

性史(1、2卷) (法)福柯著 张廷琛等译 上海科学技术 1989.1 429页

创造进化论 (法)伯格森著 王珍丽、余习广译 湖南人民 1989.5 287页

卡缪的荒谬哲学(面向世界丛书) 袁澍涓、徐崇温著 辽宁人民 1989.2 380页

置身于苦难与阳光之间——加缪散文集(世界贤哲名著选译·猫头鹰文库) 杜小真译 三联书店上海分店 1989.4 224页

一个"孤独"者对自由的探索:读萨特的《存在与虚无》(名著导读丛书) 余源培、夏耕著 云南人民 1989.3 144页

七十述怀 (法)萨特著 施康强译 湖南人民 1989.6 203页

尼采·弗洛伊德·萨特 宋继凯编著 大连海运学院 1989.1 2版 136页

西方的没落(世界学术名著精要) (德)施本格勒著 花永年编译 浙江人民 1989.1 101页

雅斯贝斯哲学自传 (德)雅斯贝斯著 王立权译 上海译文 1989.2 119页

历史的起源与目标(二十世纪文库) (德)雅斯贝斯著 魏楚雄、俞新天译 华夏 1989.6 332页

交往与社会进化(国外马克思主义和社会主义研究丛书) (联邦德国)哈贝马斯著 张博树译 重庆 1989.3 252页

马克思主义和哲学(国外马克思主义和社会主义研究丛书) (德)卡尔·柯尔施著 王南湜、荣新海译 重庆 1989.2 117页

批判理论(国外马克思主义和社会主义研究丛书) (联邦德国)麦克斯·霍克海默著 李小兵等译 重庆 1989.3 275页

人的存在——"存在主义之父"克尔凯戈尔述评(西方文化思潮名著导引丛书) 翁绍军著 文化艺术 1989.3 242页

在约伯的天平上:灵魂中漫游(文化:中国与世界系列丛书·现代西方学术文库) (苏)舍斯托夫著 童友等译 三联书店 1989.7 428页

历史和阶级意识:马克思主义辩证法研究(国外马克思主义和社会主义研究丛书) (匈)卢卡奇著 张西平译 重庆 1989.1 367页

社会存在本体论导论(二十世纪文库) (匈)卢卡奇著 沈耕、毛怡红译 华夏 1989.3 336页

卢卡奇(外国著名思想家译丛) (英)里希特海姆著 王少军、晓莎译 中国社会科学 1989.5 221页

处在21世纪前夜的社会主义(国外马克思主义和社会主义研究丛书) (南)米洛斯·尼科利奇编 赵培杰等译 重庆 1989.2 321页

对卡尔·马克思的理解(国外马克思主义和社会主义研究丛书) (美)胡克著 徐崇温译 重庆 1989.1 386页

现代文明与人的困境(马尔库塞文集)(世界贤哲名著选译·猫头鹰文库) (美)马尔库塞著 李小兵等译 三联书店上海分店 1989.1 383页

单向度的人:发达工业社会意识形态研究(二十世纪西方哲学译丛) (美)马尔库塞著 刘继译 上海译文 1989.2 231页

二十世纪的思想库:马尔库塞的六本书(名著导读丛书) 陈学明编 云南人民 1989.3 202页

现代知识论 (美)希尔著 刘大椿等译 中国人民大学 1989.1 714页

文化唯物主义(二十世纪文库) (美)哈里斯著 张海洋、王曼萍译 华夏 1989.2 400页

原始人的心智(人学丛书) (美)博厄斯著 项龙、王星译 国际文化出版公司 1989.2 151页

情感论(面向世界丛书) (美)丹森著 魏中军 孙安迹译 辽宁人民 1989.2 439页

哲学:理论与实践 (美)蒂洛著 古平等译 中国人民大学 1989.3 610页

批判性思维 (美)查菲著 姜丽蓉等编译 山西人民 1989.5 619页

认识和想象的起源　(美)布朗劳斯基著　王南湜、周熙明译　求实　1989.7　112页

知觉之谜　(美)欧文·洛克著　武夷山译　科学技术文献　1989.11　304页

逻辑学

新体系逻辑引论　卢青山编著　青海人民　1989.1　372页

现代逻辑启蒙　杨百顺主编　中国青年　1989.2　384页

现代逻辑学(现代社会科学丛书)　李树琦等著　重庆　1989.7　438页

简明逻辑实用辞典　袁野等主编　四川辞书　1989.3　354页

因明新探　中国逻辑史学会因明研究工作小组编　甘肃人民　1989.9　383页

大学生逻辑学　(美)克雷切著　宋文淦等译　北京大学　1989.1　252页

现代逻辑　(法)格里兹著　李锡胤译　社会科学文献　1989.7　177页

数学家的逻辑　(英)哈密尔顿著　骆如枫等译　商务　1989.8　294页

辩证思维逻辑学　于惠棠著　青岛　1989.1　222页

辩证逻辑概论　刘景泉著　中山大学　1989.5　325页

辩证逻辑导论　张巨青主编　人民　1989.7　328页

辩证逻辑与军事应用　侯树栋　丁士峰主编　军事科学　1989.6　277页

模态逻辑导论　(美)切莱士著　郑文辉、张宜生译　中山大学　1989.5　354页

模糊逻辑与模糊推理　刘叙华著　吉林大学　1989.6　155页

逻辑与人生(开放丛书·思想文化系列)　杨士毅原著　富育兰编　黑龙江教育　1989.2　184页

语言逻辑引论　王维贤等著　湖北教育　1989.10　582页

逻辑重疑难点新析　牛曼卿、冯景国主编　云南教育　1989.7　400页

论思维——思维探新　肖君和著　时代文艺　1989.4　377页

决策与当代思维　孙奎贞著　广西人民　1989.4　159页

思维的诀窍　恋垆、曾本祥编译　科学技术文献　1989.8　219页

思维技巧与实践　陈翼浦著　地震　1989.8　184页

思维科学导论　刘奎林、杨春鼎编著　工人　1989.9　288页

智慧与思维　田运著　宇航　1989.10　257页

财经专业逻辑学　张利权、王学鸿编著　云南人民　1989.2　307页

逻辑与言语交际　盛新华编著　湖南人民　1989.4　276页

说话写文章中的逻辑　陈宗明著　求实　1989.7　285页

医学逻辑学　彭庆星等主编　湖南科技　1989.5　404页

伦理学

马克思恩格斯列宁斯大林论德育(德育丛书)　西南师范学院马列主义教研室编选　四川教育　1989.4　2版　258页

伦理学　罗国杰主编　人民　1989.1　478页

马克思主义伦理学　(苏)阿尔汉格尔

斯基著 郑裕人等译 中国人民大学 1989.3 263页

新编伦理学 李秀筠主编 河南大学 1989.6 346页

伦理学研究初探(学术研究指南丛书) 许启贤主编 天津教育 1989.8 405页

现代青年伦理学 刘继华、胡庆云主编 上海交通大学 1989.1 328页

青年学生伦理学 阎保辅主编 红旗 1989.2 333页

现代化与现代伦理精神(新人新论丛书) 王润生著 广西人民 1989.5 263页

伦理学大辞典 宋希仁等主编 吉林人民 1989.2 1220页

中国伦理大辞典 陈瑛、许启贤主编 辽宁人民 1989.12 770页

中国伦理思想研究 张岱年著 上海人民 1989.5 261页

中国传统伦理思想史 朱贻庭等著 华东师范大学 1989.6 515页

老年·友谊·义务:西塞罗文集(世界贤哲名著选译·猫头鹰文库) (古罗马)西塞罗著 高地、张峰译 三联书店上海分店 1989.4 216页

幸福而短促的人生——塞涅卡道德书简(世界贤哲名著选译·猫头鹰文库) 赵又春、张建军译 三联书店上海分店 1989.6 292页

信任:信任的逻辑和局限 (美)巴伯著 牟斌等译 福建人民 1989.3 187页

美学视野中的人生(人生丛书) 庄志民著 中国青年 1989.2 289页

人生大策略 胡适著 邹世毅 刘周堂选编 湖南文艺 1989.5 315页

人生哲学新编 夏国乘等主编 上海科学普及 1989.6 273页

人生的哲学思考(德育丛书) 杨黎华等编著 四川教育 1989.6 235页

自爱论 洪德裕等著 华夏 1989.7 326页

人格论(面向世界丛书) 李江涛、朱秉衡著 辽宁人民 1989.2 382页

现代西方人格理论(面向世界丛书) 武斌著 辽宁人民 1989.2 481页

价值论伦理学:从布伦坦诺到哈特曼(价值论译丛) (美)芬德莱著 刘继译 中国人民大学 1989.4 100页

新价值观:人能自我实现吗(现代思想文化译丛) (美)扬克洛维奇著 罗雅、姜涛译 东方 1989.9 454页

儒家经济伦理(博士论丛) 张鸿翼著 湖南教育 1989.8 310页

道德与心理 曾钊新著 湖北教育 1989.3 325页

“修身学”新说:谈心理与道德的边缘关系 谷文康著 湖南大学 1989.4 118页

性伦理学 王东峰、林小璋编译 农村读物 1989.1 174页

性哲学 郑卫民等编译 农村读物 1989.1 196页

死亡哲学 毕治国著 黑龙江人民 1989.6 595页

劳动伦理学 王昕杰、乔法容著 河南大学 1989.6

说谎:公共生活与私人生活中的道德选择 (美)鲍克著 张彤华、王立影编译 吉林科学技术 1989.8 271页

社会主义职业道德概论 王干弓等主编 武汉 1989.1 312页

职业伦理学 (美)贝里斯著 郑文川等译 学苑 1989.5 224页

教育伦理学 施修华、严缘华主编 上海科学普及 1989.1 264页

科学伦理学 (苏)弗罗洛夫、尤金著 齐戎译 辽宁大学 1989.6 279页

科技伦理学 徐少锦主编 上海人民 1989.7

简明科技伦理学 刘凤瑞主编 航空工业 1989.8 248页

科学道德问答 吴学珍主编 科学 1989.8 127页

金融职业道德 宋岩、王福义主编 吉林人民 1989.1 253页

测绘职工职业道德 《测绘职工职业道德》编写组编 测绘 1989.2 239页

护理伦理学 朱琼瑶、黄加海主编 湖北人民 1989.5 340页

美 学

美学纲要 陈瑞生、盛天启编著 中共中央党校 1989.5 302页

新美学原理(大学语言文学自学丛书) 陆一帆著 广西教育 1989.7 367页

大学美学教程 (苏)奥夫相尼科夫主编 汤侠声主译 北京大学 1989.6 522页

马克思列宁主义美学 (苏)奥夫相尼科夫主编 傅仲选等译 人民教育 1989.8 512页

中国当代美学家 穆纪光主编 河北教育 1989.8 847页

89美学文集 上海市美学学会编 上海社会科学院 1989.4 210页

美学论丛(10) 中国社会科学院文学研究所文艺理论研究室编 文化艺术 1989.5 346页

朱光潜全集(第五卷) 朱光潜著 安徽教育 1989.1 527页

朱光潜美学文集(第五卷) 朱光潜著 上海文艺 1989.4 640页

美学四讲 李泽厚著 三联书店 1989.1 251页

华夏美学 李泽厚著 中外文化出版公司 1989.2 232页

实践——建构美学初论 栾贻信、马龙潜著 山东大学 1989.4 316页

走出美学的迷惘：中西美学思想的嬗变与美学方法论的革命(文化开放丛书) 邓晓芒、易中天著 花山文艺 1989.4 507页

生命之诗：人类美学或自由美学(文化开放丛书) 彭富春著 花山文艺 1989.4 324页

美的网络 平海南著 书海 1989.4 302页

“天人合一”与“神人合一”：中西美学的宏观比较(中外比较文化丛书) 王生平著 河北人民 1989.8 175页

接受美学译文集(文化：中国与世界系列丛书·现代西方学术文库) 刘小枫选编 三联书店 1989.1 331页

中国接受美学导论(文化专题研究丛书) 张思齐著 巴蜀书社 1989.4 208页

接受美学(新学科丛书) 朱立元著 上海人民 1989.8 405页

马克思主义经典作家论审美教育 董学文编注 河南教育 1989.6 154页

美学：审美理论 戚廷贵主编 东北师范大学 1989.3 441页

神与物游——论中国传统审美方式（美学教学与研究丛书） 成复旺著 中国人民大学 1989.5 278页

中国审美意识的探讨 于民等著 中国戏剧 1989.5 310页

审美心态 王朝闻著 中国青年 1989.8 566页

地域审美特征初探 关德富著 时代文艺 1989.1 188页

三大戏剧体系审美关系初探 康洪兴著 中国戏剧 1989.4 235页

和：中国古典审美理想 袁济喜著 中国人民大学 1989.10 238页

庄子与中国美学（传统文学与当代意识丛书） 刘绍瑾著 广东高等教育 1989.4 318页

众妙之门——中国美感心态的深层结构（文艺心理学著译丛书） 潘知常著 黄河文艺 1989.7 341页

西欧美学史论集（外国文学研究资料丛书） 陈燊、郭家申编选 中国社会科学 1989.4 580页

西方古典美学导论 邹英编著 东北师范大学 1989.5 368页

外国美学(第五辑) «外国美学»编委会编 商务印书馆 1989.7 380页

门类艺术探美 卢善庆主编 厦门大学 1989.1

比较文化与艺术哲学 金丹元著 云南教育 1989.2 508页

马克思主义与艺术（外国文艺理论研究资料丛书） (美)梅·所罗门编 杜章智、王以铸等译 文化艺术 1989.3

艺术美学新义 徐书城著 重庆 1989.3 245页

艺术与哲学 文化部教育局编著 上海文艺 1989.4 412页

美学与艺术讲演录续编 蒋冰海、林同华编 上海人民 1989.4 540页

艺术的辩证法 李尔重著 广州文化 1989.4 166页

艺术创作之谜 陈望衡著 红旗 1989.1

文化心理阐释(文艺探索书系) 鲁枢元著 上海文艺 1989.6 887页

真的感悟(文艺探索书系) 朱立元、王文英著 上海文艺 1989.7 352页

艺术的社会学解释 马奇著 中国人民大学 1989.12

文学活动的美学阐释 童庆炳著 陕西人民 1989.2 334页

精神分析(二十世纪西方文学批评丛书) 王宁编 四川文艺 1989.5 350页

人类与悲剧意识(人文丛书) 赵凯著 学林 1989.6 275页

古乐的沉浮——中国古代音乐文化的历史考察(文化哲学丛书) 修海林著 山东文艺 1989.1 334页

现代电影美学论集 罗慧生著 中国电影 1989.3 311页

影视美学 张涵等著 山西人民 1989.7 301页

中国书法美学 陈廷祐著 中国和平 1989.8 258页

服装美学——穿着艺术与科学 孔寿山编著 上海科学技术 1989.1 352页

技术美学(新学科丛书) 徐恒醇等著 上海人民 1989.7 283页

宗教·无神论

宗教学概论 赖永海编著 南京大学 1989.3 399页

宗教学通论 吕大吉主编 中国社会科学 1989.7 884页

宗教的奥秘 吕鸿儒、辛世俊著 河南人民 1989.1 432页

政治期望(宗教与世界丛书) 蒂里希著 徐钧尧译 四川人民 1989.3 253页

宗教心理学 (苏)乌格里诺维奇著 沈翼鹏译 社会科学文献 1989.5 260页

宗教问题探索(一九八八年文集) 上海社会科学院宗教研究所、上海市宗教学会编 上海社会科学院 1989.5 282页

宗教社会学(宗教与世界丛书) (苏)亚布洛柯夫著 王孝云、王学富译 四川人民 1989.6 188页

非宗教论 罗章龙编 巴蜀书社 1989.6 184页

"现代宗教热"之谜 (日)小田晋著 公克、晨华译 工人 1989.5 174页

宗教的起源与发展(西方学术译丛) (英)缪勒著 金泽译 上海人民 1989.6 277页

二十世纪宗教思想(西方学术译丛) (美)麦奎利著 高师宁、何光沪译 上海人民 1989.7 564页

神话学的历程 潜明兹著 北方文艺 1989.4 460页

比较神话学(原始文化名著译丛) (英)麦克斯·缪勒著 金泽译 上海文艺 1989.8 153页

中国创世神话(中国文化史丛书) 陶阳、钟秀著 上海人民 1989.9 327页

中国佛教(三、四) 中国佛教协会编 知识 1989.5 二册

中国佛教史 («民国丛书»选印) 蒋维乔著 上海书店 1989.8 页数不连

中国佛教思想资料选编(第三卷第三册) 石峻等编 中华书局 1989.7 553页

佛祖释迦牟尼 赵敬强著 北京理工大学 1989.4 255页

广弘明集 (唐)(释)道宜撰 江苏广陵古籍刻印社 1989.4 二函12册(线装)

宋初天台佛学窥豹(宗教文化丛书) 王志远著 中国建设 1989.7 203页

藏族宗教史之实地研究 李安宅著 中国藏学 1989.9 259页

禅与西方思想(当代学术思潮译丛) (日)阿部正雄著 王雷泉、张汝伦译 上海译文 1989.2 315页

禅风禅骨 (日)铃木大拙著 耿仁秋译 中国青年 1989.10 302页

中日佛教研究 中国社会科学院世界宗教研究所佛教研究室编 中国社会科学 1989.4 165页

道教概说 李养正著 中华书局 1989.2 418页

道教诸神 (日)窪德忠著 萧坤华译 四川人民 1989.4 241页

魏晋神仙道教:抱朴子内篇研究 胡孚琛著 人民 1989.6 340页

玄珠录校释 朱森溥著 巴蜀书社 1989.3 232页

道藏要籍选刊(1-10) 胡道静等选辑 上海古籍 1989.6 十册

中国文化与基督教的冲撞(中国学汉译名著丛书) (法)谢和耐著 于

硕等译 辽宁人民 1989.4 347页

基督的人生观(文化:中国与世界系列丛书·新知文库) (英)里德著 蒋庆译 三联书店 1989.5 224页

基督教与文化(宗教与世界丛书) 艾略特著 杨民生、陈常锦译 四川人民 1989.7 207页

附：1989年台湾部分哲学新书目

总 论

哲学概论 高广孚著 五南图书公司 1989.2 299页

哲学概论 李雄辉著 五南图书公司 1989.3 400页

现阶段国家意识型态之研究 陈家岳著 正中书局 1989.3 267页

人生随笔(唐君毅全集卷三之四) 唐君毅著 台湾学生书局 1989.1 113页

儒家哲学体系续编 罗光著 台湾学生书局 1989.6 257页

方东美先生的哲学 国际方东美哲学研讨会执行委员会主编 幼狮文化事业公司 1989.7 652页

儒学第三期发展的前景问题 杜维明著 联经出版事业公司 1989.5 353页

哲学与思想 王晓波著 东大图书公司 1989.2 280页

现代与反现代 龚鹏程著 幼狮文化事业公司 1989.4 233页

从中山先生人生观论马克思异化论之谬误 翁振耀著 正中书局 1989.5 267页

教育哲学导论 刘贵杰译 师大书苑 1989.7 108页

科 学 哲 学

哲学和物理学 方励之著 牛顿出版社 1989.4 233页

科学革命的结构 (美)孔恩著 远流出版社 1989.7 376页

中国哲学史

中国哲学思想探研 潘清芳著 复文图书公司 1989.2 135页

中国哲学史话 张起钧、吴恬著 东大书局 1989.8

中国经学发展史论(上) 李威熊著 文史哲出版社 1989.1 352页

易学新探 程石泉著 黎明文化事业公司 1989.1 342页

周易古史观(最新点校本) 胡朴安著 明文书局 1989.2 280页

大易探微 金文杰著 千华出版公司 1989.5 140页

易传之形成及其思想 戴琏璋著 文津出版社 1989.6 243页

周易与怀德海之间 唐力权著 黎明文化事业公司 1989.6 424页

儒家哲学论集 曾春海著 文津出版社 1989.5 516页

孟子的哲学 许宗兴著 台湾商务印书馆 1989.4 316页

老子探微 朱荣智著 师大书苑 1989.3 236页

李耳道德经补正 秦维聪著 明文书局 1989.3 415页

智慧的老子 张起钧著 东大书局 1989.8

庄学中的禅趣 刘光义著 台湾商务印书馆 1989.2 238页

从中国古代思考方式论较荀子思想之本色 蔡锦昌著 唐山出版社 1989.3 238页

韩非子政治思想新探 卢瑞钟著 三

民书局 1989.4 251页
韩非子帝王学 宋世亮译 汉欣文化事业公司 1989.6 186页
墨子：伟大的教育家 李绍崑著 台湾商务印书馆 1989.8 188页
中国法家哲学 王赞源著 东大图书公司 1989.2 223页
扬子《法言》研究 蓝秀隆著 文史哲出版社 1989.4 230页
宋代学术思想研究 金中枢著 幼狮文化事业公司 1989.3 616页
宋代经学之研究 汪惠敏著 师大书苑 1989.4 316页
李觏王安石研究 夏长朴著 大安出版社 1989.5 310页
幽暗意识与民主传统 张灏著 联经出版事业公司 1989.5 243页
论传统与反传统——五四70周年纪念文选 汤一介编 联经出版事业公司 1989.5 428页
五四：多元的反思 李泽厚等著 风云时代出版公司 1989.5 274页
十力语要 熊十力著 明文出版社 1989.8 584页
恕道与大同 张起钧著 东大图书公司 1989.1

哲学史

印度哲学史讲义 李世杰著 新文丰出版公司 1989
日本近代哲学思想史 江日新译 东大书局 1989.6
西洋哲学史(卷三)——奥坎到苏亚雷 柯普斯登著 陈俊辉译 黎明文化事业公司 1989.2 650页
西方哲学 傅佩荣译 业强出版社 1989.6 177页
欧洲思想引介(一、二卷) 张君励学会编译 稻乡出版社 1989.2 二册
西洋哲学观念的发展 刘贵杰译 新文丰出版公司 1989
意识形态(欧洲百科文库) 吴永昌译 远流出版公司 1989.3 128页
追思录——苏格拉底的言行 (古希腊)克舍挪防著 邝建行译 联经出版事业公司 1989.5 163页
亚里斯多德 曾仰如著 东大图书公司 1989.3 561页
亚里斯多德 阿德勒著 久大出版公司 1989.4 234页
真理的探求——培根论文集 (英)培根著 水天同译 远流出版公司 1989
历史的哲学反思——关于精神现象学的研究 王树人著 淑馨出版社 1989.4 271页
意志和表象的世界 (德)叔本华著 林建国译 远流出版公司 1989.1
查拉图斯特拉如是说 (德)尼采著 林建国译 远流出版公司 1989.1
尼采新论 陈鼓应著 唐山出版社 1989.4 311页

现代外国哲学

20世纪哲学 (英)艾耶尔著 骆驼出版社 1989.4
历史的现代观 (日)堺屋太一著 叶淑惠译 久大出版公司 1989.5 238页
资本主义与现代社会理论：马克思、涂尔干、韦伯 纪登斯著 简惠美译 远流出版公司 1989.1 424页
马克斯哲学简介与评价 袁廷栋著 光启出版社 1989

马克思后的马克思主义　蔡伸章译　巨流图书公司　1989.4　501页

新马克思主义导引　高宣扬著　洞察出版社　1989.6　293页

新马克思主义思潮　李超宗著　桂冠图书公司　1989.8　380页

维根斯坦逻辑哲学论　郭英译　唐山出版社　1989.2　135页

人之跃升　(英)布鲁诺斯基著　孔繁云译　久大出版公司　1989.5　344页

当代法国思想　库兹韦尔著　尹大贻译　雅典出版社　1989.1　318页

野性的思维　(法)史特劳斯著　李幼蒸译　联经出版事业公司　1989.5　369页

忧郁的热带　(法)史特劳斯著　王志明译　联经出版事业公司　1989.5　589页

一个绝望者的希望——沙特引论　杜小真著　桂冠图书公司　1989.8　280页

海德格　项退结著　东大图书公司　1989.3　270页

回归弗洛伊德　梁濃刚著　远流出版公司　1989.1

弗洛伊德著作选　贺明明译　唐山出版社　1989.2　135页

支配的类型　(德)韦伯著　康乐编译　远流出版公司　1989.1　266页

理性化及其限制——韦伯思想引论　苏国勋著　桂冠图书公司　1989.8　384页

史怀哲的世界　陈五福等著　志文出版社　1989.1

单面向的人　(美)马库色著　李亦华译　南方出版社　1989.2　243页

伦　理　学

儒家与现代人生　傅佩荣著　业强出版社　1989

劳资伦理的重建　张瑞猛等著　国家政策研究资料中心　1989.4　106页

洛尔斯　石元康著　东大书局　1989.6

美　　学

西方美学名著引论　彭立勋著　木铎出版社　1989.8　320页

华夏美学　李泽厚著　时报出版公司　1989.4　244页

美学与意境　宗白华著　淑馨出版社　1989.4　484页

审美教育书简　(德)席勒著　冯至、范大灿译　淑馨出版社　1989.7　176页

小说结构美学　金健人著　木铎出版社　1989.8　302页

宗　　教

宗教与世界——韦伯选集　(德)韦伯著　康乐、简惠美译　远流出版公司　1989.1　二册

中国的宗教：儒教与道教　(德)韦伯著　简惠美译　远流出版公司　1989.1　426页

中国宗教与西方神学　孔汉恩著　秦家懿译　联经出版社　1989.7　302页

佛教概说　(释)圣印著　新文丰出版公司　1989　320页

东方佛教文化　罗照辉撰　木铎出版社　1989.7　316页

印度大乘佛教哲学史　李世杰著　新

文丰出版公司 1989

禅宗大意 正果禅师编述 千华出版公司 1989.4 195 页

僧肇 李润生著 东大书局 1989.7

吉藏 杨惠南著 东大图书公司 1989.4 307 页

基督教与近代中国文化 李志刚著 宇宙光出版社 1989.7

1989 年全国报刊部分哲学论文索引

哲 学

挣脱羁绊 投身变革——十年来哲学与哲学史研究的若干反思 王树人 学术月刊 1989年第 1 期

哲学革命的结构 刘仲林 天津师大学报(社) 1989 年第 1 期

哲学观念变革简论 王干才 天津社会科学 1989 年第 1 期

哲学改革的思考提纲 朱德生 天津社会科学 1989 年第 1 期

从"理论硬核"上变革哲学观念——剖析本体论化的哲学模式 高清海 孙正聿 吉林大学社会科学学报 1989 年第 2 期

当前关于哲学改革的主要观点 任欣文 求是 1989 年第 6 期

评新时期十年的五次哲学争论 陈卫平 高瑞泉 华东师范大学学报(社) 1989 年第 1 期

哲学是科学吗? 郭必选 经济学周报 1989.1.8

哲学的使命(上)(中)(下) 吴国盛 北京科技报 1989.2.11;2.18;2.25

本体论、人本主义与马克思主义哲学 郭立田 丁立群 学习与探索 1989 年第 6 期

彩色哲学与多元化 高浩 范海昌 天津师大学报(社) 1989 年第 2 期

一分为三与彩色哲学观 坚毅 天津师大学报(社) 1989 年第 2 期

未来哲学发展的形势 赵汀阳 哲学动态 1989 年第 7 期

二十世纪哲学意识及当代中国哲学取向 清海 宪忠 光明日报 1989.3.20

论"中国式"哲学的道路 刘潼福 社会科学(上海) 1989 年第 11 期

哲学的归宿与当代的中国 冯秀峰 社会科学(上海) 1989 年第 7 期

马克思主义哲学中国化的问题 李毅 毛泽东哲学思想研究 1989年第 2 期

比较与昭示:中国当代哲学与"西方马克思主义" 荆学民 中州学刊 1989 年第 4 期

对马克思主义哲学的再认识 柯木火 现代哲学 1989 年第 1 期

马克思主义哲学的历史还原与新的理论建构 孙伯鍨 姚顺良 张一兵 江海学刊 1989 年第 3 期

试论马克思的哲学及对它的背离现象 柯木火 暨南学报(社) 1989年第 3 期

马克思主义哲学的二重化 陈志良 杨耕 光明日报 1989.5.15

马克思主义哲学"二重化"刍议 刘文仲 兰州学刊 1989 年第 5 期

马克思主义哲学理论体系及其演变过程的开放性 李恒瑞 学术研究 1989 年第 3 期

对发展马克思主义哲学的前提思考

孙正聿 天津社会科学 1989年第4期

以和平与发展为主题的现时代同马克思主义哲学的发展 吴瑕 马克思主义研究 1989年第3期

拒斥形而上学是马克思哲学的基本原则 陈志良 杨耕 光明日报 1989.1.16

“拒斥形而上学”的基本涵义——兼与陈志良、杨耕同志商榷 江怡 光明日报 1989.3.20

世界的二重化与哲学的演化——对“拒斥形而上学”的思考 颜晓峰 哲学研究 1989年第8期

论哲学基本派别的划分问题 李饰 安徽大学学报(社) 1989年第1期

主体唯物主义：马克思主义元哲学的实质 冯景源 江海学刊 1989年第2期

论哲学主体化趋势 贺善侃 学术月刊 1989年第2期

物质实践一元论：马克思主义主体性哲学的基础 王南湜 江海学刊 1989年第1期

实践的唯物主义和实践的唯心主义——马克思主义和实用主义哲学的比较研究 田心铭 北京大学学报(社) 1989年第1期

论实践唯物主义的科学含义 易杰雄 卞崇道 河北学刊 1989年第1期

世界的统一性：主体—客体的双向对象化——对实践唯物主义的一种新思考 郝立新 王永昌 现代哲学 1989年第1期

“实践唯物主义”内蕴的欠缺 汪信砚 哲学动态 1989年第1期

“实践唯物主义”是马克思主义哲学的确切表述 肖前 百科知识 1989年第2期

马克思的哲学世界观是实践的唯物主义 徐崇温 求是 1989年第3期

评“本体论”哲学——兼论实践唯物主义 刘福森 人文杂志 1989年第2期

实践唯物主义是唯物主义的现代形态 陈志良 杨耕 哲学动态 1989年第3期

实践的唯物主义和“合理形态”的辩证法 夏甄陶 欧阳康 河北学刊 1989年第2期

我们时代的哲学旗帜——实践唯物主义 王于 陈志良 杨耕 江海学刊 1989年第2期

实践唯物主义与人道主义 林剑 哲学动态 1989年第4期

关于实践唯物主义的几点意见 杨正江 哲学动态 1989年第4期

实践唯物主义是一个新的哲学框架 张一兵 哲学动态 1989年第5期

从实践唯物主义观点看辩证法的研究 王德存 哲学动态 1989年第5期

哲学体系的改革要复归于实践唯物主义 王锐生 社会科学辑刊 1989年第4期

论实践唯物主义理论体系中的物质范畴 陆剑杰 江海学刊 1989年第4期

实践唯物主义——自然概念与本体论的一个考察 庄国雄 学术月刊 1989年第7期

实践唯物主义并不是一种超越唯物、唯心斗争的哲学 翁寒松 理论信息报 1989.8.21

不要把唯心实践观说成实践唯物主义——评杜章智、翁寒松等同志的青年卢卡奇观 徐崇温 马克思主义研究 1989年第3期实践唯物主义还是旧唯物主义？——评徐崇温同志对实践唯物主义的理解及其对葛兰西等人的批判 王吉胜 李惠斌 马克思主义研究 1989年第3期

关于实践唯物主义的几个问题 郭建宁 学术论坛 1989年第5期

试论实践唯物主义的自然观 姚顺良 张一兵 南京大学学报(社) 1989年第5期

是“实践唯物主义”还是辩证唯物主义？ 则鸣 毛泽东哲学思想研究 1989年第5期

实践唯物主义不是唯实践主义 徐崇温 哲学动态 1989年第10期

超越“实践唯物主义“的困境 衣俊卿 哲学动态 1989年第10期

析“实践唯物主义” 岳华亭 哲学动态 1989年第10期

不断完善马克思主义哲学体系——与徐崇温等主张用实践唯物主义代替辩证唯物主义的同志商榷 王仲 光明日报 1989.10.30

评对实践唯物主义的一种理解 黄枬森 哲学研究 1989年第11期

实践唯物主义的实质辨析 刘幼樵 河南大学学报(社) 1989年第6期

用马克思的思想统一对实践唯物主义的认识 徐崇温 哲学研究 1989年第12期

马克思主义，还是自然主义？ 徐崇温 光明日报 1989.12.11

关于哲学对象和哲学思维特点的思考 安启念 探索(浙江) 1989年第3期

本体论的分化与辩证法的发展前景——关于当代哲学对象的思考 车洪波 学术交流 1989年第4期

哲学对象研究评析 彭泽农 哲学动态 1989年第9期

马克思主义哲学体系多样化的基本依据 高齐云 广东社会科学 1989年第3期

列宁与哲学体系的“板块结构” 徐俊忠 广东社会科学 1989年第3期

哲学体系中应包含实践辩证法 朱德龙 教学与研究 1989年第5期

关于马克思主义哲学体系的一点想法 陈先达 哲学动态 1989年第12期

论哲学的主体化原则与整体化方法的辩证统一——兼谈一种新哲学体系的逻辑 郭国勋 杨俊一 社会科学辑刊 1989年第2、3期(合刊)

对一个提法的质疑 杨晓雍 河北师范大学学报(社) 1989年第2期

论坚持和发展哲学的党性原则 郑忆石 中国人民大学学报 1989年第2期

应用哲学研究:摆脱哲学危机的出路 陈章亮 毛泽东哲学思想研究 1989年第2期

经济哲学初探 王先庆 探索(四川) 1989年第1期

论哲学与社会心理 李澄 学术界 1989年第2期

关于人类本体论哲学 杜书瀛 云南社会科学 1989年第2期

简论社会哲学的对象、任务和方法 欧阳斌 杨焕章 中国人民大学学报 1989年第5期

决策哲学设想 陈建国 哲学动态 1989年第9期

略论哲学和科学的关系 查汝强 社会科学辑刊 1989年第1期

马克思主义哲学的伟大生命力——答科

学与哲学关系问题的争论 黄顺基 人民日报 1989.10.6

基础科学研究应该接受马克思主义哲学的指导 钱学森 哲学研究 1989年第10期

论科学方法的双重作用 吴彤 科学技术与辩证法 1989年第1期

社会科学和自然科学方法论的比较研究 陈燮君 社会科学(上海) 1989年第3期

比较方法论 黎红雷 广西大学学报(社) 1989年第3期

近年来国内哲学方法论研究概述 韦诚 哲学动态 1989年第9期

方法根源论 刘幼樵 中州学刊 1989年第6期

论四项基本原则与资产阶级自由化的对立 卢之超 人民日报 1989.11.1

辩证唯物主义

关于"辩证唯物主义"概念的历史考察 鲁丁 中州学刊 1989年第1期

唯物论和实践本体论 陈志尚 北京大学学报(社) 1989年第1期

哲理逻辑:四大研究的统一 苗启明 求是学刊 1989年第4期

重新发现本体论 安维复 东岳论丛 1989年第3期

对马克思主义哲学中的唯物主义问题的重新考察 刘纲纪 天津社会科学 1989年第3期

唯物主义被证伪了吗?——评金观涛《人的哲学》 胡懋仁 光明日报 1989.11.27

哲学基本问题包含人与世界的关系问题 叶小文 光明日报 1989.6.12

全部哲学的基本问题与每一种哲学理论的基本问题 蒋泽新 内蒙古社会科学(文史哲版) 1989年第4期

哲学的困惑源于哲学基本问题两个方面的割裂 顿占民 社会科学(上海) 1989年第11期

坚持唯物论反对唯心论——与高清海同志商榷 刘守和 理论探讨 1989年第6期

形而上学的否定与重建——康德与柏格森的比较分析 陈德荣 天府新论 1989年第2期

形而上学的性质 舒可文 思想战线 1989年第3期

好走极端是形而上学的思想方法 赵树声 社会科学(甘肃) 1989年第3期

批判哲学:形而上学的历史和命运 李飞跃 学术界 1989年第4期

"形而上学"考评 李海荣 宁夏社会科学 1989年第6期

中国传统哲学中的形而上学 邢东风 理论信息报 1989.10.2

辩证法实质新解 辜堪生 四川师范学院学报(社) 1989年第5期

再谈发展观 庄国雄 探索与争鸣 1989年第5期

关于逻辑、辩证法和唯物主义认识论的同一 孙伯鍨 南京大学学报(社) 1989年第5期

论现行哲学体系中机械决定论的表现及根源 孙云 江山 求是学刊 1989年第2期

自然科学唯物主义的形成机制及其类型 李保明 山西师大学报(社) 1989年第2期

世界的统一性在于实践性 张明锁 郑州大学学报(社) 1989年第4期

物质本体论的困境　张文喜　探索（四川）　1989 年第 4 期

一个被忽视了的问题——物质属性探讨　王起奎　求是学刊　1989 年第 2 期

现代自然科学的运动观　孙显元　社会科学辑刊　1989 年第 1 期

时空观念的嬗变(一)(续)　高定彝　哲学动态　1989 年第 2 期；第 3 期

论意识内容的主观性　陈波　湖北大学学报　1989 年第 1 期

认知结构与思维的操作机制　汪信砚　江汉论坛　1989 年第 3 期

社会思维初探　曾杰　理论探讨　1989 年第 3 期

论群体思维　高钟力　探索(四川)　1989 年第 3 期

意识的本质新解　赵坦　教学与研究　1989 年第 4 期

预见机制新探　杨孟君　中国人民大学学报　1989 年第 4 期

论自我意识　韩璞　江汉论坛　1989 年第 8 期

直觉思维本质的实证研究　徐俊杰　东岳论丛　1989年第 5 期

意象与思维　章士嵘　哲学动态　1989 年第 10 期

论意志在实践观念形成中的作用　周岩　社会科学辑刊　1989 年第 6 期

思想就是使用语言　朱光潜　哲学研究　1989 年第 1 期

规律观的两次嬗变　王为高　李莉　思想战线　1989 年第 2 期

规律·趋势·人的活动　沈晓阳　哲学研究　1989 年第 6 期

人的活动与效率　郭湛　哲学研究　1989 年第 6 期

试评三十年代关于唯物辩证法和形式逻辑关系的争论　徐素华　中国哲学史研究　1989 年第 1 期

唯物辩证法的核心应是“一分为三”　坚毅　江西师范大学学报(社)　1989年第 1 期

关于唯物辩证法的两个理论模型的对话　张华夏　哲学研究　1989年第 2 期

略论辩证法的基本历史形式　蔡起元　刘可风　江汉论坛　1989 年第 3 期

辩证法创始人新探　刘天喜　辽宁师范大学学报(社)　1989 年第 3 期

平衡律：唯物辩证法的第四条规律　匡荣顺　理论学刊　1989 年第 4 期

辩证法：高级的理性运动　卞敏　江海学刊　1989 年第 5 期

不能忽视形而上学统治时期（欧洲 16～18世纪）的辩证法　毕志国　社会科学战线　1989 年第 4 期

人本学辩证法与唯物辩证法的产生　许俊达　南京大学学报(社)　1989年第 5 期

认识中介的结构与功能　颜世元　哲学动态　1989 年第 4 期

“中介”范畴研究综述　袁迅钊　争鸣　1989 年第 6 期

略论“普遍联系”的科学方法论意义　晋来丁　袁书勤　中州学刊　1989年第 6 期

两分法不同于对立统一规律　宋涛　科学技术与辩证法　1989 年第 1 期

“矛盾是事物发展的动力”之我见　薛永武　山东社会科学　1989年第 5 期

阴阳学说与对立统一规律　赵静娴　张建云　社会科学家　1989 年第 3 期

论对立面的两种差异　翟荫塘　内蒙古社会科学（文史哲版）　1989 年第

3期
内因和外因新探索 张可尧 社会科学家 1989年第2期
论普遍性 于海江 晋阳学刊 1989年第3期
对“矛盾斗争的无条件性”的质疑 刘维良 理论探讨 1989年第3期
转化范畴在辩证法中的地位 杨昌才 姜涛 四川大学学报(社) 1989年第4期
相对主义评析 林希安 高校社会科学 1989年第1期
关于质量互变规律的几点疑问 闵龙昌 科学技术与辩证法 1989年第4期
辩证的否定不应包括倒退 王庆仁 扬州师院学报(社) 1989年第1期
对否定之否定规律两个特征的质疑 郭和平 求索 1989年第2期
否定之否定规律新探 王海明 中国人民大学学报 1989年第6期
关于确定事物发展周期起终点的原则标准问题 陈晓和 内蒙古师大学报(社) 1989年第4期
对唯物辩证法范畴排列次序的一点看法 曾翠云 四川师范学院学报(社) 1989年第4期
价值经验因果律略解 卜浙闽 北京师范大学学报(社) 1989年第2期
引起还是产生——论因果关系的本质特征 郇中建 求是学刊 1989年第2期
必然性和偶然性相互关系的几种类型 翁光明 江汉论坛 1989年第2期
有序性与偶然性 郑玉玲 自然辩证法研究 1989年第3期
论自由和历史的必然 谢遐龄 江海学刊 1989年第1期
“可能性空间”及其认识和实践意义 王天恩 江西社会科学 1989年第4期
论哲学认识与科学认识的特征 罗勇 四川大学学报(社) 1989年第1期
现代认识论与认识主体性 王玉梁 社会科学战线 1989年第3期
物质与精神“互变”是对马克思主义认识论的新概括 唐梅芳 周以俊 学术界 1989年第5期
认识论研究应澄清的几个问题 李莉 王为高 求索 1989年第5期
论思维反映存在的现代尺度 陈志良 江淮论坛 1989年第4期
有关反映论的几个理论问题 赵璧如 文艺理论与批评 1989年第5期
主体对世界的哲学把握与哲理逻辑 苗启明 江海学刊 1989年第1期
论主体的思维参照系 邓兆明 社会科学探索 1989年第3期
论主体认识图式功能的二重性 周文彰 学术论坛 1989年第4期
客体能动性之说值得商榷 姜保志 理论探讨 1989年第5期
两类认识客体的划分和哲学思维方式的转换 叶海平 学术月刊 1989年第4期
认识活动中主体和客体的辩证法 陈中立 学术研究 1989年第1期
试论认识系统中的主—客体相关律 夏甄陶 哲学研究 1989年第7期
现象的分析 杨河 哲学研究 1989年第5期
认识的主体性与真理的客观性 叶玉殿 求是学刊 1989年第4期
论主客体的双向选择及其对唯物论和唯

心论的超越　王振武　江汉论坛　1989年第6期

认识论的超越　周农建　社会科学战线　1989年第3期

认识本质新论　孙庆和　中国青年论坛　1989年第4、5期(合刊)

本质的认识和认识的本质　马俊峰　教学与研究　1989年第6期

论反映是选择与重构的统一——兼及认识的本质问题　刘啸霆　理论探讨　1989年第6期

认识背景初论　曹可建　湖南师大社会科学学报　1989年第2期

论认识的"困惑境界"　鲍宗豪　江汉论坛　1989年第7期

认识活动的动力学考察　袁金富　江汉论坛　1989年第2期

论认识活动中的认识意识、道德意识和审美意识　周文彰　南京大学学报(社)　1989年第2期

认识活动中的对象意识、自我意识和实践意识　周文彰　天津社会科学　1989年第5期

认识活动本身就是一种实践　黄盛华　争鸣　1989年第5期

试论信息不守恒的认识论意义——认识不确定性初探　戴世平　云南社会科学　1989年第5期

试论个体认识的社会效应　姚俭建　哲学研究　1989年第8期

创造论论纲——一种新的认识论新构想　董玉整　学术界　1989年第1期

把参照系范畴引入认识论的沉思　于险峰　社会科学战线　1989年第2期

泛脑网络学说与认识论　萧静宁　哲学研究　1989年第4期

需要与认识　苑士军　山西大学学报(社)　1989年第3期

论非理性因素在认识中的作用　何颖　求是学刊　1989年第3期

思维定势在认识中的地位和作用　刘怀惠　中州学刊　1989年第4期

论无意识在认识中的地位和作用　杨永德　人文杂志　1989年第5期

论镜象效应及其在认识论中的地位　龚晖　郑州大学学报(社)　1989年第5期

生存认识论　道尔吉希日布　内蒙古社会科学(文史哲版)　1989年第4期

反映论与心理学　朱智贤　北京师范大学学报(社)　1989年第1期

试述认识的主体性、超前性和验证性　叶海平　徐云望　江西社会科学　1989年第3期

超前认识的特点　刘进富　争鸣　1989年第5期

超前认识：反映性与创造性、现实性与超越性的统一　杜理　中州学刊　1989年第4期

认知科学的智能范畴研究　章士嵘　哲学动态　1989年第2期

认知的信息加工理论　史忠植　哲学动态　1989年第6期

科学认识发展的加速律　马来平　山东社会科学　1989年第5期

体验认识形式初探　高帆　教学与研究　1989年第3期

知觉的现代理论　彭聃龄　哲学动态　1989年第7期

特异功能感识论　胡义成　人文杂志　1989年第4期

试论感觉的局限性和可靠性　陈金清　江汉论坛　1989年第8期

关于理念的几个问题　张忠平　江淮

论坛 1989年第2期
论认识关系及其运动 张南 晋阳学刊 1989年第5期
认识过程新论 孙家驹 争鸣 1989年第6期
再论实践观点的超越性本质 高清海 哲学动态 1989年第1期
评“实践超越”论 徐崇温 天津社会科学 1989年第2期
论实践的选择性 陈章龙 求是学刊 1989年第1期
个体实践的本质和结构 王晓华 求是学刊 1989年第1期
实践定义新探——兼论知识分子的精神生产是实践活动 车洪波 海南师范学院学报(社) 1989年第1期
论实践发展的若干规律 萨德金 理论学习月刊 1989年第4期
论实践的多重哲学内涵 衣俊卿 吉林大学社会科学学报 1989年第3期
实践本体与人的主体性 刘纲纪 社会科学家 1989年第3期
略论物质本体论与实践本体论的统一 王正萍 李崇富 哲学动态 1989年第6期
“实践本体论”刍议 陈尚伟 哲学动态 1989年第8期
马克思主张“实践本体论”吗? 徐玉诺 赵贵军 中州学刊 1989年第5期
实践本体的系统发生论 刘怀玉 中州学刊 1989年第5期
实践本体论存在的前提 黄盛华 哲学动态 1989年第10期
实践本体论还是辩证唯物主义的物质一元论——与实践本体论者讨论 王金福哲学研究 1989年第12期
实践的正确性要靠真理来检验 赵景华 东岳论丛 1989年第1期
论实践检验和逻辑证明的统一 胡俊卿 哲学研究 1989年第6期
实践的标准和真理的标准之关系 廖小平 争鸣 1989年第4期
也论实践检验和逻辑证明的统一——兼与胡俊卿同志商榷 林绍春 学术论坛 1989年第6期
实践思维导论 王干才 江海学刊 1989年第6期
批判·探索·创新——当代实践中理论思维的命运和使命 刘思明 哲学研究 1989年第11期
试析实践活动运行机制 赵剑英 哲学研究 1989年第12期
论真理的变更律 张健 晋阳学刊 1989年第2期
真理冗余论述评 牟博 哲学研究 1989年第3期
真理的定义和属性异议 郭廷君 湖南师范大学社会科学学报 1989年第4期
从认识论真理论到实践论真理论 孟宪忠 吉林大学社会科学学报 1989年第5期
评“真理多元论” 吴戈 李征 光明日报 1989.10.2
关于真理的属性、形态和层次 郭志鹏 马克思主义研究 1989年第4期
偶然性之光与必然性王国——关于科学真理本质的探讨 沙青 河北学刊 1989年第6期
国内谬误理论研究 黄华新 哲学动态 1989年第4期
当代谬误研究评论 武宏志 丁煌 哲学动态 1989年第9期

认识事物的知识与改造事物的知识 张斌 教学与研究 1989年第1期

理性的现代课题 殷鼎 中国社会科学 1989年第1期

论知识的客观化和客观知识的主观化 陈新汉 人文杂志 1989年第4期

科学知识中的主体性和客观性 王思隽 哲学研究 1989年第8期

“无知”新释 鲍宗豪 哲学动态 1989年第11期

知识的表达 章士嵘 哲学动态 1989年第12期

思维整合的发生机制 李晓明 中国社会科学 1989年第3期

思维方式论 宋德宣 社会科学（甘肃） 1989年第1期

思维方式研究 宋周尧 社会科学述评 1989年第2、3期(合刊)

论思维模式的构成及其本质 郑仓元 争鸣 1989年第3期

论主体思维方式及时代特征 王铁林 河北学刊 1989年第5期

“问题”是思维的一种形式 马健龄 学术论坛 1989年第2期

思场流是思维的现实 陶同 齐齐哈尔师范学院学报 1989年第2期

线性思维和非线性思维 姜念涛 求是 1989年第5期

两种互补的思维方式：逻辑思维和直觉思维 孙伟平 湖南师大社会科学学报 1989年第1期

创造性思维与非逻辑性 周慧超 山东社会科学 1989年第4期

创造性思维中有关灵感的若干问题 刘二中 自然辩证法研究 1989年第3期

论中国传统思维方式的两重性及变革的艰巨性 李志林 哲学研究 1989年第7期

中国传统思维向现代思维的转型 李甦平 晋阳学刊 1989年第5期

大而化之——儒、道传统思维方式的基本特点 尚乐林 社会科学(甘肃) 1989年第5期

“原子”型思维与“元气”型思维——中西科学思维比较分析 王前 天津师大学报(社) 1989年第4期

思维科学、系统科学对马克思主义认识论的发展 孙凯飞 马克思主义在当代 1989年第2期

新的科学技术革命和思维方式的变革 荣开明 江西社会科学 1989年第2期

实事求是要“求”些什么 李兴 晋阳学刊 1989年第5期

谈谈怀疑的特点、作用及其它 黄尔 社会科学探索 1989年第3期

经验、先验与超验 陈本益 东岳论丛 1989年第3期

当代中国教条思维的主要特征 武文军 社会科学(甘肃) 1989年第1期

关于僵化范畴的探讨 乔效民 晋阳学刊 1989年第5期

自然辩证法

略议自然辩证法的性质 陈瑞平 自然辩证法报 1989.2.4

关于自然辩证法的反思 仁知焕 自然辩证法报 1989.3.19

自然辩证法辨 吴国盛 自然辩证法研究 1989年第2期

自然辩证法的研究内容和学科体系 查汝强 自然辩证法研究 1989年第3期

也谈自然辩证法学科的研究对象　杨新华　自然辩证法报　1989.2.19

自然辩证法研究方向之我见　周冠华　西北师大学报(社)　1989年增刊

现代科技革命推动劳动方式变革　李庆臻　自然辩证法研究　1989年第2期

谈"互补原理"在历史研究中的运用　李桂海　史学理论　1989年第2期

论自然科学与政治的关系　吴义生　科学技术与辩证法　1989年第3期

新技术革命与马克思主义的阶级论　陶富源　安徽省委党校学报　1989年第3期

论科学美在科学认识发展中的作用　王琦　兰州大学学报(社)　1989年第4期

宗教与科学是两种不同的精神功能——兼与毛建儒同志商榷　安希孟　科学技术与辩证法　1989年第4期

论科学革命的实质　张之沧　江海学刊　1989年第1期

凯德洛夫的科学革命观述评　马名驹　社会科学(甘肃)　1989年第5期

科学革命研究述略　诸大建　哲学动态　1989年第12期

研究当代西方科学哲学的意义　郭必康　学习与研究　1989年第2、3期

分析哲学和科学哲学　邱仁宗　自然辩证法研究　1989年第2期

科学哲学不能缺少辩证法　张之沧　学术月刊　1989年第3期

五十年来的科学哲学(上、下)——从逻辑经验主义到历史主义　江天骥　江汉论坛　1989年第4期，第5期

西方科学哲学之我见　黄顺基　陈振明　自然辩证法研究　1989年第4期

从系统论到系集学：科学哲学主题的转换　姜照华　刘啸霆　求是学刊　1989年第5期

简论迪昂的科学哲学思想　李醒民　思想战线　1989年第5期

关于技术科学的哲学特征　张斌　安徽省委党校学报　1989年第1期

技术活动与哲学思维　邹青　哲学研究　1989年第2期

论科学对哲学的作用　刘湘溶　湖南社会科学　1989年第4期

略论科学哲学化　陈建涛　陕西师大学报(社)　1989年第3期

论科学研究中的哲学思维　李荫榕　自然辩证法研究　1989年第6期

逻辑哲学与哲学逻辑　郑毓信　自然辩证法通讯　1989年第3期

论哲学在认识论上对科学的指导作用——兼评所谓"哲学信仰危机"中的一种流行观点　张国祚　哲学研究　1989年第9期

论科学理论的经验评价——兼论经验评价向背景理论评价的渗透　郑玉玲　哲学研究　1989年第9期

论科学的全息性　严春友　科学学研究　1989年第2期

科学理论的特点与结构　林定夷　求索　1989年第5期

对称性：科学认识论的工具　古祖雪　中国社会科学　1989年第1期

反思：科学发展的内动力　陈志良　北京社会科学　1989年第2期

时空转换——科学研究的一种方法　包哲兴　宁夏社会科学　1989年第5期

论科学发现与科学证明关系的合理重建　张大松　华中师范大学学报(社)

1989年第3期

关于科学发现的思维结构 钱时惕 科学技术与辩证法 1989年第3期

如何认识科学探索中的机遇问题 杨明震 社会科学(甘肃) 1989年第3期

科学学该怎么办 张永谦 科学学与科学技术管理 1989年第1、2期(合刊)

科学理性与科学实在论 郭贵春 江海学刊 1989年第4期

科学主义方法论刍议 郭金平 河北学刊 1989年第4期

认识、理论变化与评价——一种历史的批判考查与重建 徐向东 自然辩证法通讯 1989年第3期

认知科学与库恩的"范式" 章士嵘 自然辩证法通讯 1989年第3期

知识与认识中的人 邢新力 江海平 自然辩证法通讯 1989年第3期

中世纪中西科学技术发展的哲学思考 白才儒 四川师范大学学报(社) 1989年第3期

论科学危机——对科学史的一点思考 樊坚 云南社会科学 1989年第6期

从自然观发展史谈当代自然观面临的问题 周永炜 河北师范大学学报(社) 1989年第2期

关于物质层次的自然哲学分类原则和运动规律 黄衡平 科学技术与辩证法 1989年第4期

现代自然科学的运动观(一、续) 孙显元 社会科学辑刊 1989年第1期;第2、3期(合刊)

关于科学技术发展规律的思考 许良英 自然辩证法通讯 1989年第1期

普特南的数学实在论 郭贵春 哲学研究 1989年第1期

数学对唯物主义自然观的影响 梁立明 河南师范大学学报(社) 1989年第3期

康托的数学哲学思想 刘晓力 内蒙古大学学报(社) 1989年第3期

一个时代的终结——数学哲学现代发展概述 郑毓信 科学技术与辩证法 1989年第5期

毕达哥拉斯学派的数本说 林夏水 自然辩证法研究 1989年第6期

论莫里斯·克莱因的数学哲学思想 张祖贵 自然辩证法通讯 1989年第6期

"三论"的基本方法与马克思主义认识论的深化 冯国瑞 北京大学学报(社) 1989年第1期

系统论、信息论、控制论在认识史上的意义 冯国瑞 晋阳学刊 1989年第6期

控制理论——模型论还是控制论 韩京清 系统科学与数学 1989年第4期

控制论与实践论 李升 西北师大学报(社) 1989年第4期

反馈原理的哲学意义初探 杨新华 福建师范大学学报(社) 1989年第4期

试论信息的唯物主义本体论模型 何微 内蒙古社会科学(文史哲版) 1989年第1期

试论信息及其本质特征 孟庆平 学术交流 1989年第5期

我对信息本质的认识 李国材 科学技术与辩证法 1989年第5期

论信息守恒 鲁晨光 科学技术与辩证法 1989年第3期

试论信息不守恒的认识论意义——认识不确定性初探　戴世平　云南社会科学　1989年第5期

反馈规律——自然界第四条普遍规律　王怀玉　北京大学研究生学刊　1989年第2、3期(合刊)

一般系统论哲学问题辨析　郭晓晖　自然辩证法报　1989.1.19

"系统基本特性的哲学沉思"纲要　谌垦华　张强　人文杂志　1989年第1期

现代哲学系统观引论　韩民青　山东社会科学　1989年第1期

系统科学与哲学　谌垦华　张强　哲学动态　1989年第3期

系统哲学是东西方哲学统一的基础吗？——"依·拉兹洛教授一席谈"之商榷　乐志强　学术研究　1989年第3期

系统论与中观哲学　黄建彬　华南师范大学学报(社)　1989年第3期

系统哲学试析　李长域　内蒙古社会科学(文史哲版)　1989年第4期

有序、无序和混沌　王兆强　科学技术与辩证法　1989年第1期

论系统与环境　谌垦华　张强　哲学研究　1989年第1期

当代系统科学丰富了辩证自然观　张强　科学技术与辩证法　1989年第2期

系统论的发展观和现时代　闵家胤　马克思主义研究　1989年第2期

系统演变的目的性——从语言学的观点看　陈保亚　哲学研究　1989年第9期

论系统科学和矛盾学说的区别　武天林　人文杂志　1989年第6期

耗散结构理论与心理、心理学　王大鹏　社会科学(甘肃)　1989年第1期

耗散结构论与心理学　李仲涟　湖南师范大学社会科学学报　1989年第5期

协同学对唯物辩证法的丰富和深化　钟月明　社会科学(上海)　1989年第2期

协同学的哲学意义　王珍　贵州民族学院学报(社)　1989年第3期

熵与世界观浅析——同«熵，一种新的世界观»作者商榷　曾繁刚　哲学研究　1989年第7期

对克劳胥斯的热寂说应重新估价　刘爱群　南京政治学院学报　1989年第4期

BCS理论能否被推翻？——高温超导研究的哲学思考　张国祚　吉林大学社会科学学报　1989年第5期

时空的物理理论与哲学　董光璧　自然辩证法通讯　1989年第6期

论普朗克的自觉的科学历史意识　赵鑫珊　自然辩证法通讯　1989年第2期

量子力学中的测量过程是否必须有"主观介入"？(上、下)　何祚庥　自然辩证法研究　1989年第1期；第2期

爱因斯坦为什么反对量子力学　李正风　李勇枝　哲学研究　1989年第3期

爱因斯坦关于宗教与科学关系的思想　李恩波　中州学刊　1989年第4期

量子力学的"性质观"和"实在观"　王玉北　哲学研究　1989年第11期

相对论时空理论及其评价再探讨　文兴吾　哲学研究　1989年第12期

对宇宙概念的哲学思考　张剑瑛　松

辽学刊(社) 1989年第1期

地学哲学研究综述 诸大建 哲学动态 1989年第5期

分子生物学中的几个哲学问题 郭华庆 自然辩证法研究 1989年第1期

关于气功的哲学思考 徐仪明 学术百家 1989年第5期

超循环论的哲学问题 沈小峰 曾国屏 中国社会科学 1989年第4期

原始人类对生命意识的反思——死亡、复活再生神话研究 张福三 思想战线 1989年第6期

现代心理学与哲学 张小乔 中国人民大学学报 1989年第1期

论人的心理空间 彭继红 湖南师范大学社会科学学报 1989年第4期

对现代认知心理学的理论思考 乐国安 天津师大学报(社) 1989年第3期

心理发展系统初探 杨帆 湖南师范大学社会科学学报 1989年第5期

马斯洛的需要层次理论述评 朱志强 武汉大学学报(社) 1989年第2期

马斯洛人本主义心理学的哲学确证 张一兵 人文杂志 1989年第3期

现代西方心理学中一种新的人格理论——评阿萨格里的“心理综合”论 肖中华 陕西师大学报(社) 1989年第2期

论元认知 董奇 北京师范大学学报(社) 1989年第1期

论皮亚杰的“认知结构”学说 刘锋 求索 1989年第1期

皮亚杰的动态体系——发生认识论研究述评之一、二、三、四 杜丽燕 哲学动态 1989年第2、3、4、5期

论民族社会心理与近代中国改革、革命的失败 季云飞 江海学刊 1989年第1期

试论逆反心理 王秉铎 福建师范大学学报(社) 1989年第1期

情感——评价的振荡器 冯平 江淮论坛 1989年第3期

酝酿中的第二代边缘学科——社会语言心理学 王德春 现代外国哲学社会科学文摘 1989年第11期

“生物学父亲”与“社会学父亲”——一个关于遗传学中的伦理学问题的研讨 方福德 医学与哲学 1989年第3期

对传统观念的冲击——关于安乐死的思考 黄舒 山东医科大学学报(社) 1989年第3期

生命伦理观的震荡 吴泽伟 周镇宏 现代人报 1989.1.3

生命伦理学 翁其银 山东医科大学学报(社) 1989年第3期

人类生死问题的历史研究的伦理学价值 王东营 医学与哲学 1989年第9期

医学美学浅论 胡长鑫 医学与哲学 1989年第7期

理论的圆满与实践的缺陷 毕焕州 医学与哲学 1989年第8期

传统中医学的现代思考 聂广 医学与哲学 1989年第8期

对用现代科学方法研究中医的反思 聂菁葆 医学与哲学 1989年第8期

从现代控制论的观点看中医方法论的局限——兼与金观涛同志商榷 邢兆良 科学技术与辩证法 1989年第3期

关于环境整体主义的一场争论 王锐生 哲学动态 1989年第8期

泛系方法论为哲学现代化提供了什么? 丛大川 中国社会科学 1989年第

1 期

历史唯物主义

论历史唯物主义的方法论意义 李澄 刘星 晋阳学刊 1989 年第 1 期

论一元多线历史发展观 罗荣渠 历史研究 1989 年第 1 期

唯物史观现代存在形式的构想 周积泉 毛泽东哲学思想研究 1989年第 1 期

论唯物史观由经典形态向现代形态的发展 宋周尧 探索与争鸣 1989年第 5 期

论历史唯物主义研究的前景 高惠珠 毛泽东哲学思想研究 1989年第 2 期

关于深化唯物史观研究的构想 宋周尧 理论探讨 1989 年第 4 期

历史唯物主义现代形态的建构原则 杨耕 学术月刊 1989 年第 11 期

东西方马克思主义历史观之比较 顾幸伟 争鸣 1989 年第 2 期

历史唯物主义：决定论还是宿命论 赵冬垠 广东社会科学 1989年第 2 期

历史认识论 欧阳康 社会科学战线 1989 年第 2 期

历史主客体的直接同一性与社会规律的性质 田心铭 江海学刊 1989年第 4 期

社会主义实践与历史唯物主义的命运 周积泉 毛泽东哲学思想研究 1989 年第 6 期

关于历史唯物主义对象、性质和职能的沉思 杨耕 教学与研究 1989年第 1 期

从历史主体活动与社会规律的统一看历史唯物主义的对象和体系 穆怀中 辽宁大学学报(社) 1989 年第 1 期

以科学实践观为基点建立科学历史观——评“社会规律和人的活动关系”的讨论 陆剑杰 哲学研究 1989年第 1 期

关于社会形态演进一般规律的假说 秦晖 天津社会科学 1989年第 1 期

论社会发展合规律性与合目的性的统一 赵家祥 河北学刊 1989 年第 2 期

现代社会发展的根本规律：动态平衡规律 徐慧萍 福建论坛(文史哲版) 1989 年第 3 期

破除古典理想主义的社会发展观 邴正 社会科学战线 1989 年第 3 期

马克思与马斯洛关于人的需要理论之异同 迟克举 社会科学(上海) 1989 年第 1 期

需要范畴与历史唯物主义 朱贯民 松辽学刊(社) 1989 年第 2 期

简论社会关系的层次 张尚仁 现代哲学 1989 年第 1 期

社会开放应成为历史唯物主义范畴 刘李胜 王西华 晋阳学刊 1989年第 4 期

爱应是历史唯物主义的一个范畴 罗秀球 湖南师范大学社会科学学报 1989 年第 5 期

再论社会主义初级阶段中的劳动异化残余——兼与胡乔木、邢贲思两同志商榷 洪大璘 社会科学(上海)1989 年第 3 期

论人的本质和人性规律 邹化政 吉林大学社会科学学报 1989年第 1 期

论人之主体性的双重内涵 衣俊卿 社会科学战线 1989 年第 2 期

人的本质：三种整体的探讨——论费尔巴哈、舍勒、马克思对人的本质的理解

杨耕 郭利 社会科学战线 1989年第3期

论人的个性的哲学内涵 沈建国 江西社会科学 1989年第4期

建树完整的现代人格——论现代人本主义哲学之发展 李燕 社会科学战线 1989年第4期

论人的价值的主体性 刘福森 江海学刊 1989年第1期

论人的价值系统 张尚仁 华南师范大学学报(社) 1989年第1期

论活动的展开和有效性 郭湛 中国人民大学学报 1989年第6期

关于建构人学的几点设想 黄枬森 韩庆祥 社会科学战线 1989年第3期

人的自我实现理论论纲 王为高 河北学刊 1989年第4期

论价值客体的二重性 李剑锋 人文杂志 1989年第1期

论价值的客观性、主体性、相对性 王玉梁 社会科学研究 1989年第2期

价值方法论初探 蒋德海 江淮论坛 1989年第3期

价值与历史主体的能动性 王玉梁 学习与探索 1989年第1期

价值与历史主体、历史客体 李林昆 争鸣 1989年第4期

价值环境与人格导向——关于社会认识过程中的价值因素 李剑锋 社会科学研究 1989年第4期

"价值"是逻辑抽象与历史抽象的统一 朱永贻 社会科学辑刊 1989年第6期

现代西方价值哲学述要 王克千 辽宁大学学报(社) 1989年第1期

有关社会辩证法基本规律的几个问题 柳昌清 学习论坛 1989年第1期

社会主义社会辩证法的研究对象和方法 张江明 社会科学辑刊 1989年第2、3期(合刊)

社会主义辩证法研究中几个困惑问题的探讨 邹永诚 探索(四川) 1989年第3期

唯物史观方法论与社会形态演进图式 胡承槐 哲学研究 1989年第8期

劳动手段的主体性本质与社会规律对生命进化规律的超越 刘福森 吉林大学社会科学学报 1989年第6期

不应把地理环境对社会发展不起决定作用的命题简单化 李澄 北京师院学报(社) 1989年第1期

论人类社会与自然环境的关系——兼评传统的地理环境理论 严高鸿 哲学研究 1989年第4期

对"两种生产"中有关问题的再认识 阎海琴 贵州财经学院学报 1989年第1期

两种生产理论是对唯物史观的发展 王贵明 探索(四川) 1989年第4期

从"两种生产论"到"两种价值论" 李宝元 中南财经大学学报 1989年第3期

"两对社会基本矛盾"的再认识 董仲其 四川大学学报(社) 1989年第1期

需要和生产的矛盾不是社会的基本矛盾 马学融 西南师范大学学报(社) 1989年第4期

生产力和生产关系两者的关系新探 王春庭 湖南社会科学 1989年第6期

科学技术动力论——唯物史观的新发展 黄顺基 中国人民大学学报

1989年第1期

原始社会与社会发展的原动因——兼与权文荣同志商榷　王贵明　哲学研究　1989年第6期

作为哲学概念的生产力　赵又春　湖南师范大学社会科学学报　1989年第1期

生产力新论　胡湘韩　于汇江　北方经济　1989年第1期

生产力协同论　刘景林　北方经济　1989年第1期

对"生产力是最大的决定者和最大的被决定者"论点的质疑——与石松同志商榷　董承安　江西社会科学　1989年第1期

马克思的生产力理论与对当前社会主义研究方法的反思　刘炯忠　叶险明　中国人民大学学报　1989年第3期

生产力自身发展的内在机制和基本规律　王东　孙承叔　内蒙古社会科学（文史哲版）　1989年第1期

什么是生产力发展的终极原因?　何祚庥　科技日报　1989.3.13

生产力是检验实践是否正确的标准——兼与赵守智同志商榷　祝福恩　北方论丛　1989年第1期

生产力标准与社会价值评价　王灿　江海学刊　1989年第1期

对生产力标准不能随意附加——与段若非同志商榷　黄德刚　求是　1989年第5期

辩证地把握"生产力标准"　王毓　松辽学刊(社)　1989年第4期

生产关系和所有制的系统再认识　程海　学术界　1989年第3期

论生产关系的"两因素决定论"　陈湘柯　邓国用　湖南师范大学社会科学学报　1989年第4期

谈生产关系、上层建筑的决定作用　王逢春　理论探讨　1989年第5期

社会主义初级阶段实行以按劳分配为主体的多种分配方式　王景义　松辽学刊(社)　1989年第1期

略论社会主义按劳分配的空想性　王建国　山西大学学报(社)　1989年第1期

按劳分配是一种假说　张庆仁　山东社会科学　1989年第2期

利益结构论　陈祖华　武汉大学学报(社)　1989年第4期

论五种生产方式说的理论失误、内部矛盾与依次更替　杨生民　北京师院学报(社)　1989年第1期

传统体制是向"亚细亚生产方式"的复活　荣剑　光明日报　1989.3.27

现代资本主义是国家垄断资本主义　吴健　光明日报　1989.7.24

资本主义的衰亡是一个历史过程　张式谷　光明日报　1989.10.23

当代资本主义出现的新现象新特点　李存训　兰州学刊　1989年第4期

对资本主义基本矛盾问题的再认识　李琮　中国社会科学　1989年第1期

对当代资本主义及其与社会主义关系若干问题的再认识　施岳群　社会科学(上海)　1989年第1期

试论当代资本主义社会中的社会主义因素　郑志全　叶凌霄　理论学习月刊　1989年第6、7期(合刊)

从新民主主义到社会主义初级阶段　薛暮桥　求是　1989年第1期

对基本完成社会主义改造历史时期的再认识　张传贤　江西师范大学学报(社)　1989年第1期

理想的社会主义和现实的社会主义——评所谓“空想”和“超越” 谌克祥 湖南社会科学 1989年第2期

社会主义：先得认识你自己——社会主义社会在本质上是自主劳动社会 巫继学 哲学研究 1989年第4期

社会主义主体和客体的辩证关系 张江明 学术研究 1989年第3期

科学社会主义理论研究中若干问题的思考 常樵 科学社会主义 1989年第4期

中国在50年代怎样选择了社会主义 胡乔木 光明日报 1989.9.27

科学社会主义在当代面临的挑战 陆丽娜 兰州学刊 1989年第3期

科学社会主义的理论前提与思维方式——社会主义改革理论反思之一 陶玉泉 哲学研究 1989年第9期

走出“初级阶段”、“生产力标准”研究中的误区 郑镇 社会主义研究 1989年第5期

社会主义是一个相对独立的社会形态——对社会主义的再认识 商孝才 科学社会主义研究 1989年第10期

社会主义所有制是社会所有制吗？——也谈对社会主义所有制的再认识 曹荫全 哲学研究 1989年第3期

公有制面临的四个问题 苏绍智 理论信息报 1989.4.3

坚持辩证的整体经济观——对经济过热的哲学思考 冉昌光 社会科学研究 1989年第4期

共产主义社会按需分配吗？ 李济广 江汉论坛 1989年第2期

关于经济基础的定义 王乐耕 河南师范大学学报(社) 1989年第1期

生产力对上层建筑有直接决定作用 黎祖谦 江西社会科学 1989年第2期

“上层建筑一定要适合经济基础的状况”不是一条规律吗？——与金钟同志商榷 张杰 高哲 延安大学学报(社) 1989年第3期

论社会主义初级阶段的经济基础和上层建筑 张系朗 学术研究 1989年第4期

社会主义初级阶段会不会产生阶级分化？ 陈颐 新华日报 1989.1.29

怎样从哲学层次上探讨阶级范畴 王锐生 哲学动态 1989年第12期

非阶级矛盾与非阶级分析 郭景萍 赵立航 湘潭大学学报(社) 1989年第2期

论反对自由化和贯彻“双百”方针 南海 文艺理论与批评 1989年第6期

人民民主专政在社会主义时期的地位与作用 陈基余 学术界 1989年第6期

国家性质问题再探讨 薛刚 江西社会科学 1989年第2期

政治科学化的一个必要条件——与陈承德同志商榷 周德海 哲学研究 1989年第3期

社会主义民主政治建设：一个有序的探索过程 郑剑楚 人民日报 1989.7.10

我国政治体制改革的直接理论依据 郭丹 社会科学研究 1989年第1期

经济民主论 蒋一苇 中国社会科学 1989年第1期

中国伦理政治观与民主意识的强化 朱昌宁 学习与探索 1989年第1期

近年来国内关于“民主”内涵的几种观点

喻力新 教学与研究 1989年第2期

试论动态法制与静态法制相悖的文化因素 贺晓荣 法律科学 1989年第2期

论民主与权威的关系 燕继荣 经济学周报 1989.4.9

对民主社会主义的再认识 吴耀辉 社会科学(上海) 1989年第4期

资产阶级民主与社会主义民主再认识 贺培育 学术论坛 1989年第3期

民主系统的显性结构和隐性结构 刘宝三 江汉论坛 1989年第10期

试论社会主义天赋人权论 武高寿 山西大学学报(社) 1989年第1期

认真研究马克思主义人权理论——与《社会主义与人权》一文商榷 胡义成 光明日报 1989.5.22

什么是社会主义的人权? 姜斌 北京日报 1989.8.24

两种根本对立的人权观——从某些人炮制的"争取人权"口号谈起 谷春德 法制日报 1989.11.11

人权问题的历史与现实 季英 光明日报 1989.12.7

完整系统地把握马克思主义的自由观——从搞资产阶级自由化的人对自由的歪曲谈起 李鸿烈 福建论坛(文史哲版) 1989年第5期

关于民主集中制的哲学思考 高俊成 郑学敏 辽宁大学学报(社) 1989年第2期

自由内涵着限制 章炳元 光明日报 1989.10.30

也谈民主集中制的由来和实质 春阳 北京大学学报(社) 1989年第6期

试论区别中国新民主主义革命的根本标志 刘永明 松辽学刊(社) 1989年第1期

"新民主主义社会论"的历史命运 于光远 求索 1989年第1期

革命"同时胜利"的论断在当时是正确的吗?——兼谈历史主义观点及其应用 牛耕 鲁丁 教学与研究 1989年第3期

意识形态的神化与现实 谢选骏 中国青年论坛 1989年第1期

我国社会主义初级阶段意识形态系统运动规律初探 陈远宁 王兴国 江汉论坛 1989年第3期

初级阶段意识形态的错位及其校正 熊述碧 贵州社会科学(文史哲版) 1989年第4期

中国民族文化基因及其阴性倾向 刘长林 哲学动态 1989年第1期

中西文化的哲学基础 邹化政 天津社会科学 1989年第5期

文化与人的主体意识 邹广文 学习与探索 1989年第2期

社会主义初级阶段文化结构的多维分析 黄南珊 社会科学研究 1989年第2期

文化体系及其改造 张岱年 中国哲学史研究 1989年第3期

当代中国的文化难题——说我的文化见解兼答牟钟鉴 黄克剑 哲学研究 1989年第2期

论当代中国的文化选择——为纪念五四运动70周年而作 王鹏令 光明日报 1989.4.3

文明与演化:对中国传统社会的重新认识和评估(论纲) 陈剩勇 学习与探索 1989年第4期

对"人民群众"这一概念需要作具体分析 张长兰 社会科学(甘肃) 1989年第

3 期

也谈历史的创造者——与黎鸣同志共商　启良　争鸣　1989 年第 4 期

群众运动的负面效应　俞新天　探索与争鸣　1989 年第 5 期

论个人意志的历史发展与历史作用　彭继红　湖南师范大学社会科学学报　1989 年第 1 期

“新权威主义”讨论会综述　刘在平　光明日报　1989.3.24

“新权威”论争的意义与不足　姜洪　经济学周报　1989.4.23

新权威主义理论构造的缺陷　陈子明　经济学周报　1989.4.30

马克思主义哲学史

马克思革命观的再认识　衣俊卿　光明日报　1989.3.6

应当克服直线性和单线性的模式——当前马克思主义哲学史研究刍议　张翼星　哲学动态　1989 年第 6 期

关于马克思主义的一元与多元问题　徐崇温　国外社会科学动态　1989年第 6 期

试论马克思主义的本质、结构和功能　陈先达　教学与研究　1989年第 5 期

世界历史时代与“跨越”问题　叶险明　哲学研究　1989 年第 9 期

评“马克思主义是一个学派”　张建新　光明日报　1989.7.31

论对马克思主义的再认识　雷云　浙江学刊　1989 年第 3 期

坚持和发展马克思主义，还是反对和否定马克思主义？——对反对马克思主义的几个论点的剖析　初雪　中国青年论坛　1989 年第 6 期

关于坚持和发展马克思主义及马克思主义理论体系的探讨——理论界部分观点综述　王煜　马克思主义研究　1989 年第 1 期

重新理解社会发展的“自然历史过程”　陈志良　杨耕　哲学研究　1989年第 2 期

怎样理解社会发展的“自然历史过程”　黎声　哲学动态　1989 年第 9 期

超越决定论与非决定论的两极对立——社会历史过程主体性的再探讨　刘福森　人文杂志　1989 年第 5 期

超越“自然历史过程”——也论重新理解社会发展的“自然历史过程”　刘森林　哲学研究　1989 年第 10 期

论马克思、恩格斯在所有制问题上的理论局限　张国平　学习与探索　1989 年第 2 期

重新认识私有制的命运——读马克思恩格斯论私有制　林慧勇　兰州学刊　1989 年第 2 期

马恩对未来社会基本特征的设想是空想吗——对一种流行观点的不同看法　赖孝辉　攀登　1989 年第 5 期

康德、席勒、马克思的审美哲学　彭富春　文艺研究　1989 年第 1 期

马克思由唯心主义向唯物主义彻底转变的自主发展　李万古　齐鲁学刊　1989 年第 5 期

论马克思实践论的二重形式　张曙光　哲学动态　1989 年第 10 期

马克思对人的价值的一般理解　陈中亚　复旦学报(社)　1989 年第 2 期

马克思思想的新界碑　李朝远　江汉论坛　1989 年第 4 期

从价值批判到科学批判——马克思的价值批判方法与唯物史观的创立　赵剑英　教学与研究　1989 年第 2 期

论马克思的“个人所有制”　刘德福

陈述君 学习与探索 1989年第1期

马克思关于俄国农村公社发展道路的理论与现实意义 赵仲英 哲学研究 1989年第7期

关于马克思人类学笔记的思考 陈胜华 史学理论 1989年第4期

哲学和宗教——马克思《博士论文》研究 马泽民 吉林大学社会科学学报 1989年第2期

《1844年经济学哲学手稿》与马克思学说的内在统一性 齐雨 中国人民大学学报 1989年第2期

马克思《1844年经济学哲学手稿》在科学伦理观形成中的地位 郭夏娟 中国人民大学学报 1989年第3期

论唯物史观的前提——读《德意志意识形态》 郑凤 学术探讨 1989年第1期

《资本论》终点范畴和逻辑终点 巫继学 中国经济问题 1989年第2期

恩格斯关于哲学基本问题的理论对当代哲学发展的意义 刘培学 山东师大学报(社) 1989年第4期

恩格斯两种生产理论再探讨 朱法贞 探索(四川) 1989年第1期

关于恩格斯的光学观 王枫星 科学技术与辩证法 1989年第2期

恩格斯伦理思想简论 朱法贞 杭州大学学报(社) 1989年第1期

历史是自然的复活——兼论恩格斯、卢卡奇的哲学倾向 张西平 光明日报 1989.4.17

《路德维希·费尔巴哈和德国古典哲学的终结》新论 史小华 河北大学学报(社) 1989年第3期

关于唯能论的争论和列宁对唯能论的批判问题 阎康年 光明日报 1989.10.16

从《哲学笔记》看列宁对辩证法核心原理的贡献 周久义 江淮论坛 1989年第1期

谈谈学习《哲学笔记》的几个问题 谷景华 内蒙古师大学报(社) 1989年第4期

黑格尔质量互变规律所体现的"三者统一"——从《哲学笔记》看列宁注意的一个重要问题 徐向红 山东社会科学 1989年第5期

列宁的哲学党性原则与苏联某些哲学家的实用主义倾向 徐运朴 苏联东欧问题 1989年第3期

重温列宁关于无产阶级专政体系的思想 张仲华 杨丽娟 中国人民大学学报 1989年第1期

关于正确评价《唯物主义与经验批判主义》的若干问题 陈柏灵 中国社会科学 1989年第6期

对斯大林宣布"基本实现"社会主义的反思 金重 北京大学学报(社) 1989年第3期

重评斯大林的列宁主义定义 余源培 学术月刊 1989年第6期

毛泽东哲学思想理论渊源 都培炎 毛泽东哲学思想研究 1989年第3期

毛泽东早期哲学思想探析 陈建中 金邦秋 毛泽东哲学思想研究 1989年第4期

更新毛泽东思想研究方法的几点思考 冯显诚 毛泽东哲学思想研究 1989年第3期

毛泽东方法论思想的基本特征 王可平 江淮论坛 1989年第2期

毛泽东的矛盾群思想初探 吴齐林 江淮论坛 1989年第4期

正确评价"设置对立面"　程明华　湘潭大学学报(社)　1989年第4期

毛泽东认识论思想并不囿于《实践论》——毛泽东认识论思想体系建构的研究　吴军　毛泽东哲学思想研究　1989年第2期

毛泽东的早期认识论是经验论吗?　黎永泰　毛泽东思想研究　1989年第2期

谈谈毛泽东对中庸范畴的改造　钟克钊　毛泽东哲学思想研究　1989年第4期

毛泽东与斯大林哲学的关系——读《毛泽东哲学批注集》　李君如　毛泽东思想研究　1989年第1期

怎样分析"西方马克思主义"的性质　张翼星　中州学刊　1989年第2期

当前"西方马克思主义"问题新争论之我见　翁寒松　马克思主义研究　1989年第1期

"西方马克思主义"的讨论与展望　西平　一明　哲学动态　1989年第4期

"西方马克思主义"研究中的几个方法论问题　刘玉昕　内蒙古社会科学(文史哲版)　1989年第3期

"分析的马克思主义"的分析　余文烈　马克思主义研究　1989年第2期

关于"西方马克思主义"的争鸣　叶汝贤　蒋斌　哲学动态　1989年第8期

"西方马克思主义"批判性理论概述　赵玉瑾　哲学动态　1989年第8期

"西方马克思主义"实践范畴商兑　葛洪泽　马克思主义研究　1989年第4期

有关西方"马克思主义者学"的若干问题　叶卫平　马克思主义研究　1989年第1期

西方马克思主义者的阶级结构论评介　段荣丰　新疆社会科学　1989年1期

法兰克福学派的"主体—客体"学说　欧力同　学术月刊　1989年第3期

中国哲学史

传统学导论　张立天　上海社会科学院学术季刊　1989年第1期

"道"与中国传统文化　张立文　中国哲学史研究　1989年第1期

"数"在中国传统文化中的符号功能　戴昭铭　学习与探索　1989年第1期

中国传统文化与语言符号系统　张立文　浙江学刊　1989年第1期

论中国传统文化的知识系统　张立文　社会科学研究　1989年第1期

论中国传统文化与价值系统　张立文　船山学报　1989年第1期

论中国传统文化的整合　张立文　天津社会科学　1989年第3期

论中华民族传统文化的起源　张立文　社会科学(甘肃)　1989年第3期

论中国传统文化的核心及其特点　李宗桂　中山大学学报(社)　1989年第4期

论中国传统思维及其特征　张立文　中州学刊　1989年第2期

从传统哲学思维结构观的失误看思维结构的本质　安维复　齐鲁学刊　1989年第2期

价值·权威·传统与中国哲学　陈来　哲学研究　1989年第10期

当代中国哲学界的"大三角"——对"五四"以来中国哲学思潮的反思　黄颂杰　学术月刊　1989年第4期

当代中国哲学发展的大趋势　程伟礼　复旦学报(社)　1989年第3期

当代中国哲学取向与科学理性——兼与高清海、孟宪忠同志商榷 李明华 光明日报 1989.5.1

中国哲学的道德价值论 张岱年 社会科学辑刊 1989年第2、3期(合刊)

追溯东西方科技发展的不同脉络……五行说与四元素说之差异辨析 李力研 北京科技报 1989.2.4

"形"是什么？——"形而下"替代"形"的根据 焦国标 社会科学报 1989.3.9

论天人感应思想的四个类型 冯禹 孔子研究 1989年第1期

"人定胜天"的变迁 郭建荣 自然辩证法研究 1989年第4期

求善与求真：中西哲学的分野 李宗桂 贵州社会科学(文史哲版) 1989年第2期

中国哲学史研究的四十年 谷方 中国哲学史研究 1989年第4期

关于哲学史的对象和规律的再探讨 李培湘 四川师范学院学报(社) 1989年第5期

哲学史方法论新探 邓晓芒 中州学刊 1989年第1期

理性与"悟"——关于东西方哲学方法的一个比较研究 郭良 中国社会科学院研究生院学报 1989年第5期

谈谈中国古代哲学的原则 薛华 中国哲学史研究 1989年第1期

中国古代有否本体论研究？——兼析阴阳说的三位一体化 夏志厚 社会科学报 1989.3.2

中国古代哲学的"心性"论 曾乐山 中国哲学史研究 1989年第4期

中国古代哲学中的本体论与宇宙论 张天行 理论信息报 1989.12.4

佛教的人生哲学——兼论佛儒人生哲学之异同 方立天 中国哲学史研究 1989年第1期

先秦子学中的辩证法光辉 李辛生 广东社会科学 1989年第2期

先秦思想家对"必然性"的探索 夏乃儒 西北大学学报(社) 1989年第3期

试论先秦儒家道德观的内向性 王齐彦 孔子研究 1989年第3期

论儒道"天人合一"的生命哲学 惠吉兴 求索 1989年第4期

一个值得民族自豪的伟大思潮——春秋战国以人为本思潮的兴起及其历史意义 乔长路 哲学研究 1989年第12期

先秦理性思维与科学实验的萌芽 黄世瑞 自然辩证法通讯 1989年第6期

《易传·系辞》所受老子思想的影响——兼论《易传》乃道家系统之作 陈鼓应 哲学研究 1989年第1期

《易大传》与《老子》是两个根本不同的思想体系——兼与陈鼓应先生商榷 吕绍纲 哲学研究 1989年第8期

《周易》思想新探——兼论孔子与《周易》的关系 李大用 孔子研究 1989年第3期

《周易》之天人哲学与传统艺术观 尚非 齐鲁学刊 1989年第5期

周易的太和思想 余敦康 社会科学战线 1989年第3期

"易传"辩证法探微 吴为 学术界 1989年第4期

《周易》的"取象运数"方法 周瀚光 科技日报 1989.3.1

易学传统中的象数思维模式 唐明邦

中国哲学史研究　1989年第4期
《周易》与中国古典美学　王兴华　南开学报(社)　1989年第1期
《周易》重"生"美学思想及其历史影响　王振复　学术月刊　1989年第3期
《周易》、《内经》的理想人格及修养　李兰芝　道德与文明　1989年第6期
当代易学研究的困境　刘正　哲学研究　1989年第10期
从数理逻辑观点看《周易》　张家龙　哲学动态　1989年第11期
孔子、儒家与传统文化　赵光贤　北京师范大学学报(社)　1989年第1期
儒家哲学是教育家的哲学　张岱年　华东师范大学学报(教)　1989年第1期
儒家人本主义评价　李明友　浙江学刊　1989年第3期
儒家心性论的基本特征和研究方法　韩强　南开学报(社)　1989年第3期
转化儒学论　牟钟鉴　东岳论丛　1989年第3期
试论儒家伦理思想的"型范"问题　查中林　四川师范学院学报(社)　1989年第4期
论儒家人文思想的历史地位　李锦全　哲学研究　1989年第11期
儒道两家思想对中国文化的影响　张岱年　高校社会科学　1989年第2期
论儒家传统文化的二重性　葛荣晋　东岳论丛　1989年第4期
论礼在先秦儒家思想中的地位和作用　欧阳小桃　江西社会科学　1989年第4期
儒教(儒学)在日本的影响　林其根　光明日报　1989.11.22
人本主义的困惑——关于儒家哲学和美学的一点思考　徐缉熙　江海学刊　1989年第5期
公羊历史哲学的形成和发展　陈其泰　孔子研究　1989年第2期
孔子的中庸与《周易》的中道　陈德述　天府新论　1989年第3期
仁道为用　天道为本——孔子避谈天道力倡仁道探原　周勤勤　中国社会科学院研究生院学报　1989年第2期
论孔子的"人性说"——兼评"孔子主张人性恶"说　陈思迪　郑州大学学报(社)　1989年第3期
对于孔子所讲的仁的进一步理解和体会　冯友兰　孔子研究　1989年第3期
孔子所讲的仁义有没有超时代意义？　金景芳　孔子研究　1989年第3期
孔子的礼学体系——纪念孔子诞辰2540周年　蔡尚思　孔子研究　1989年第3期
不宜贬低孔子——与蔡尚思先生商榷　陈增辉　孔子研究　1989年第3期
试论孔子的仁学价值思想体系——兼论中西价值观之比较　刘兴邦　中国哲学史研究　1989年第4期
孔子义利观的主旨和价值取向　贾顺先　张小飞　天府新论　1989年第6期
试论孔子的历史哲学　宋太庆　贵州大学学报(社)　1989年第4期
孔丘的自我意识与道德主体观念——剖析"克己"与"为仁由己"　李奇　中国哲学史研究　1989年第4期
论孔子思想的包容性与中国儒学的发展　李锦全　孔子研究　1989年第3期
孔子与中国文化　钟肇鹏　中国哲学史研究　1989年第4期
论孔子的崇高精神境界及其历史影响

张岱年 文汇报 1989.12.23

孔子思想“属于整个世界” 张国光 社会科学报 1989.11.16

探索孔子思想的真谛——六十年来对于孔子思想的体会 张岱年 孔子研究 1989年第3期

孟子与中国传统文化 梁宗华 哲学动态 1989年第1期

试论孟子的个体需要 王其俊 东岳论丛 1989年第4期

荀子思维方式中的直觉性特征考察 赵昆生 重庆师院学报(社) 1989年第1期

圣人化性起伪与圣王专制——荀子政治理论释析 上官节 学习与探索 1989年第2期

荀韩李之比较研究 何成轩 孔子研究 1989年第3期

荀况逻辑思想对《墨辩》的发展及其局限 陈孟麟 中国社会科学 1989年第6期

从《乐论》看荀子美学及其与老庄美学之比较 毛殊凡 学术论坛 1989年第2期

荀子文学观辨析 王雁冰 北方论丛 1989年第2期

老子与夏族文化 王博 哲学研究 1989年第1期

论老子与传统文化 李元 孔子研究 1989年第2期

老子与孔子思想比较研究 陈鼓应 哲学研究 1989年第8期

评老子的哲学观及社会史观 徐治孝 湖南师范大学社会科学学报 1989年第5期

试论老子的否定思维方式 王士伟 中国哲学史研究 1989年第2期

也谈“无为” 贾东城 河北师范大学学报(社) 1989年第2期

也谈“道”及宇宙的起源和统一 赵尚弘 社会科学(甘肃) 1989年第3期

《老子》伦理思想初探 朱森溥 四川大学学报(社) 1989年第1期

《老子》中的“无”辨析 赵云龙 学习与探索 1989年第2期

《老子》崇尚自然的价值取向 顾林玉 学术月刊 1989年第7期

庄子自由观产生的文化背景 谢圣坤 湖南师大社会科学学报 1989年第3期

评庄子人生哲学 颜世安 南京大学学报(社) 1989年第5期

从庄子哲学看中国哲学的思维特征 杨宏声 社会科学报 1989.12.14

《庄子》意象试论 刘松来 江西师范大学学报(社) 1989年第1期

从《齐物论》的两个体系探索庄子齐一观的认识根源 饶东原 湖南师大社会科学学报 1989年第2期

《庄子·齐物说》窥管 高正 中国哲学史研究 1989年第3期

“息我与死”与“向死而在”——庄子和海德格尔的死亡哲学 李向平 社会科学家 1989年第1期

庄子不可知论与古希腊罗马怀疑派哲学的比较 陈绍燕 文史哲 1989年第2期

论庄子美学与柏拉图美学 李文方 学习与探索 1989年第6期

“三物”是《墨辩》中论辩方法的范畴 赵继伦 齐鲁学刊 1989年第3期

《墨辩》是中国古典的非形式逻辑 赵继伦 天津师大学报(社) 1989年第6期

论《墨辩》逻辑中概念的辩证法 陈祖军 求索 1989年第6期

墨辩、因明与亚里士多德的归纳逻辑比较 陈克守 齐鲁学刊 1989年第6期

墨辩逻辑与亚里斯多德逻辑谬误理论之比较 丁煌 湖北师范学院学报(社) 1989年第1期

墨家和亚里士多德论逻辑谬误 陈江 内蒙古师大学报(社) 1989年第3期

墨家的时空观 张荫芝 浙江学刊 1989年第2期

墨、荀心性论的特质及其比较 蒙培元 中国哲学史研究 1989年第2期

后期墨家已经提出了相当于三段论的推理形式——论"故"、"理"、"类"与"三物论式" 周云之 哲学研究 1989年第4期

"白马非马"与诡辩哲学 谷方 管子学刊 1989年第1期

《公孙龙子》考——从较早的文献考察辩者公孙龙的学说倾向性 沈有鼎 中国哲学史研究 1989年第3期

管仲的义利并重价值观 王德敏 中国哲学史研究 1989年第3期

《内业》等四篇的精气思想探微 李存山 管子学刊 1989年第2期

法家"君节无私"、"臣德废私立公"论考——兼对"法家非道德主义"说的质疑 陈升 中国青年论坛 1989年第6期

论阴阳中对和参——关于中国传统矛盾概念的数理分析 罗翊重 学术界 1989年第4期

《吕氏春秋》是一部以儒家思想为主体的"杂家"著作 修健军 中国哲学史研究 1989年第4期

孙子势、知、法三论 刘长林 孔子研究 1989年第4期

论汉唐道范畴涵义的新发展 徐荪铭 船山学报 1989年第2期

再论《太平经》思想的几个问题 刘序琦 江西师范大学学报(社) 1989年第1期

西汉易学卦气说源流考 王葆玹 中国哲学史研究 1989年第4期

《易纬》的朴素辩证法思想 罗锡冬 求索 1989年第5期

慎到应是黄老思想家——兼论黄老思想与老子、韩非的区别 江荣海 北京大学学报(社) 1989年第1期

陆贾的辩证法思想 王兴国 求索 1989年第4期

董仲舒与汉代新儒学的发展 黄朴民 文献 1989年第2期

《淮南子》形而上学探研 董平 杭州大学学报(社) 1989年第3期

扬雄《法言》的人论及意义 黄开国 江西社会科学 1989年第4期

充满唯物主义的唯心主义哲学体系 黄开国 社会科学(甘肃) 1989年第1期

王符的天人宇宙图式与社会历史观 罗传芳 社会科学(甘肃) 1989年第1期

天人之辨的演化与王符哲学的意义 高新民 社会科学(甘肃) 1989年第1期

王符本末论刍议 钮恬 社会科学(甘肃) 1989年第2期

王符人性思想发微 王步贵 兰州学刊 1989年第2期

魏晋南北朝时期的儒学与中国传统文化 刘学智 喀什师范学院学报 1989年

第4期
重估魏晋思潮的时代主题与文化精神——读《魏晋三大思潮论稿》 赵吉惠 哲学研究 1989年第8期
玄学的产生原因与分派 周桂钿 社会科学(甘肃) 1989年第3期
一场虚假的论辨——魏晋之际言意之辨剖析 余卫国 天府新论 1989年第6期
论嵇康的"唯美主义"美学思想 刘金山 哲学研究 1989年第2期
阮籍嵇康的自然主义 刘金山 中国社会科学院研究生院学报 1989年第2期
阮籍的猖狂与明哲 俞明仁 浙江学刊 1989年第2期
阮籍与魏晋玄学的演变 丁怀轸 丁怀超 浙江学刊 1989年第6期
论王弼的"自然主义" 刘金山 中国哲学史研究 1989年第4期
葛洪的思想脉络和心理特征 胡孚琛 社会科学辑刊 1989年第5期
皮日休与晚唐儒学 王国轩 孔子研究 1989年第1期
对柳宗元两个哲学观点的辨正 张铁夫 中国哲学史研究 1989年第4期
试论刘禹锡的宇宙观 纪作亮 学术界 1989年第5期
试论刘知几的孔子观 许凌云 齐鲁学刊 1989年第2期
吕才的因明研究 崔清田 河北大学学报(社) 1989年第3期
陈抟的《易》《老》之学及《无极图》思想探源 卢国龙 江西社会科学 1989年第5期
阳明前的浙江心学 滕复 浙江学刊 1989年第1期
南宋湖湘学派初探 衷尔钜 中州学刊 1989年第4期
孙奇逢心学体系中的辩证法思想 李之鉴 中州学刊 1989年第5期
宋明理学与自然科学 张岂之 董英哲 人文杂志 1989年第4期
"先识造化"与"先识仁"——从关学与洛学的异同看中国传统哲学的特质及其转型 李存山 人文杂志 1989年第5期
论张载的"知礼成性"说 邵显侠 哲学研究 1989年第4期
横渠气论结构说 王世达 四川师范大学学报(社) 1989年第3期
程朱理学何时成为统治阶级的统治思想 唐宇元 中国史研究 1989年第1期
新理学的"理"论与方法 涂又光 中州学刊 1989年第1期
理学衰落的两个理论因素 崔大华 哲学研究 1989年第3期
二程的"以易胜佛"与儒学的突变 戢斗勇 江西社会科学 1989年第1期
略论二程的直觉观 徐远和 中国哲学史研究 1989年第2期
程颢程颐哲学异同论 李之鉴 河南师范大学学报(社) 1989年第2期
"诚":二程的道德理想 叶玉殿 天府新论 1989年第5期
试论二程哲学的不同风格 刘宗贤 文史哲 1989年第5期
朱熹和张栻关于仁的讨论 蔡方鹿 江西社会科学 1989年第2期
简论朱熹理气思想的认识论构架 王健 哲学研究 1989年第5期
朱熹"理一分殊"说再评价 李志林 华东师大学报(社) 1989年第3期
朱熹理欲观评析述要 田文军 武汉

大学学报(社)　1989年第5期
评朱熹的理欲观　庞献青　马战军等　武汉学刊　1989年第4期
朱熹"理"范畴在日本的嬗变及其与日本现代化的关联　李甦平　中国人民大学学报　1989年第4期
论朱熹对道教的影响　詹石窗　福建师范大学学报(社)　1989年第1期
朱熹的哲学与宗教　魏琪　世界宗教研究　1989年第4期
陆九渊与禅学　焦克明　争鸣　1989年第2期
心学并非仅指陆王一派——工具书"心学"定义稽疑　戢斗勇　争鸣　1989年第4期
陆王心性论概说　蒙培元　浙江学刊　1989年第5期
陆九渊哲学和贝克莱哲学的区别　董根洪　江西大学学报(社)　1989年第1期
论杨简心学　梅彦　中国哲学史研究　1989年第2期
论张栻的理学思想　朱汉民　船山学报　1989年第2期
陈亮的义利观　魏德东　晋阳学刊　1989年第3期
从宋初三先生看理学的经院哲学实质　何兆武　晋阳学刊　1989年第6期
"心即理"与人的主体性——明代心学家对主体人格的追求　程念祺　学术界　1989年第4期
孙应鳌的哲学思想　刘宗碧　贵州社会科学　1989年第8期
论陈白沙哲学的历史地位和作用　李锦全　中州学刊　1989年第6期
从伦理到心理——阳明心学的逻辑归宿　赵士林　中国社会科学院研究生院学报　1989年第2期
近年来陆王心学研究的新进展　刘宗贤　哲学动态　1989年第3期
王阳明心学与萨特存在主义的比较　王路平　贵州社会科学(文史哲版)　1989年第4期
王学旨归与王学之革命性质　程念祺　华东师范大学学报(社)　1989年第3期
论王阳明思想的逻辑展开　张学智　北京大学学报(社)　1989年第4期
王阳明在中国哲学史上的独特贡献——兼评《王学通论》　冯契　光明日报　1989.7.3
王廷相哲学思想述评　程方平　河北师范大学学报(社)　1989年第1期
王廷相对唯物主义认识论的重大贡献　严健羽　社会科学(甘肃)　1989年第3期
王廷相认识论范畴体系　力涛　社会科学(甘肃)　1989年第5期
王廷相的自然观与辩证法思想　吴玉兰　内蒙古师大学报(社)　1989年第4期
太谷学派研究的历史与现状　方宝川　哲学动态　1989年第10期
洪秀全"反孔"活动再评价——与方之光等同志商榷　季云飞　争鸣　1989年第2期
试论黄宗羲的经世学风　潘群　南京大学学报(社)　1989年第2期
从《孟子师说》看黄宗羲的唯心主义思想　夏瑰琦　中国哲学史研究　1989年第3期
黄宗羲晚年思想探析　王政尧　光明日报　1989.11.22
黄道周与刘宗周哲学思想比较　衷尔

钜　社会科学(甘肃)　1989年第5期
中国十八世纪伦理观念的新突破——戴震自然、必然伦理观新探　王杰　社会科学辑刊　1989年第2、3期(合刊)
戴东原哲学思想分析　杨向奎　历史研究　1989年第5期
王夫之的实践观　吴乃恭　东北师大学报(社)　1989年第1期
论王夫之的治统道统观　李宝臣　北京社会科学　1989年第1期
船山理欲合性的道德发生论　熊考核　船山学报　1989年第1期
船山气论　张怀承　船山学报　1989年第2期
王夫之与康德认识论特征的比较　韩锦生　河南大学学报(社)　1989年第3期
龚自珍——近代唯意志论的先驱　高瑞泉　学术月刊　1989年第8期
魏源的本原论初探　尹乐永　湘潭大学学报(社)　1989年第1期
严复的天演哲学与老庄思想　杨达荣　江西社会科学　1989年第1期
论王国维对近代德国哲学的研究　黄见德　江淮论坛　1989年第6期
“心学”、今文经学与康有为的变法维新　吴雁南　近代史研究　1989年第2期
论梁启超在中国传播西方哲学的启蒙意义　黄见德　安徽师大学报(社)　1989年第3期
唐君毅《中国哲学原论》评介　方克立　中国哲学史研究　1989年第3期
中国传统文化的现代走向——方东美论著抉奥　蒋国保　哲学研究　1989年第9期
五四运动与中国现代哲学　徐素华　孔子研究　1989年第2期
历史·现实·历史观——五四运动及其评价的反思(一、续)　刘奔　张智彦　哲学研究　1989年第5期；第6期
论“五四”的全盘反传统　许纪霖　社会科学报　1989.4.13
论“五四”反传统的性质与意义　黄万盛　光明日报　1989.4.14
五四运动和传统文化　苏双碧　光明日报　1989.4.19
“五四”思潮在伦理道德问题上的偏失　杨百揆　天津社会科学　1989年第4期
科学·民主与传统道德——对“五四”的“道德革命”口号剖析　蒙培元　学术月刊　1989年第9期
现代新儒学思潮——由来、发展及思想特征　李宗桂　人民日报　1989.3.6
儒学传统能否适应现代化——兼对现代新儒家及反传统派思想观点的述评　李锦全　中国哲学史研究　1989年第2期
现代新儒学与中国现代化　方克立　南开学报(社)　1989年第4期
新儒学与中华文化活精神　施忠连　哲学研究　1989年第9期
孙中山的民生主义思想与马克思主义科学社会主义　袁志学　西北师大学报(社)　1989年增刊
李大钊哲学思想研究概述　擎文　社会科学述评　1989年第4期
鲁迅的“立人”思想和尼采学说　程致中　学习与探索　1989年第3期
胡适与实用主义：排拒形而上学及其他　杨国荣　华东师范大学学报(社)　1989年第4期

论胡适的历史哲学 杨国荣 江淮论坛 1989年第3期

现代新儒家梁漱溟的儒佛会通观 卢升法 南开学报(社) 1989年第4期

冯友兰新理学再评价 郑家栋 中州学刊 1989年第6期

论贺麟前期思想的特点 张学智 中国哲学史研究 1989年第3期

台湾融合中西哲学的三大趋势 张文彪 哲学动态 1989年第9期

外国哲学史

超越知识论——论西方哲学主导精神的根本转向 俞吾金 复旦学报(社) 1989年第4期

欧洲辩证法思想的辩证发展 张澄清 厦门大学学报(社) 1989年第3期

试论西方近代哲学经验论与唯理论的同一与分歧 张翘楚 松辽学刊(社) 1989年第4期

现代西方哲学的理论贡献 陶济 探索与争鸣 1989年第3期

略论当代国外哲学流派的发展及其特点 黄德兴 社会科学(上海) 1989年第4期

现代西方哲学方法论的宏观分析 陈嘉明 中国社会科学院研究生院学报 1989年第2期

远古希腊人的世界观和早期希腊哲学 王来法 杭州大学学报(社) 1989年第3期

从宗教神话走向理性哲学——前苏格拉底非理性思想初探 李建国 社会科学研究 1989年第6期

存在的意义——兼论赫拉克利特与巴门尼德的一致性 黄勇 学术月刊 1989年第7期

芝诺否定运动的论证及其意义 彭庆云 湘潭大学学报(社) 1989年第3期

“万物皆备于我”与“人是万物的尺度”——兼比较普罗泰戈拉与孟子的哲学思想 高康 中州学刊 1989年第5期

简析苏格拉底的理性主义人生观 寿建纲 内蒙古大学学报(社) 1989年第2期

类概念：亚里士多德逻辑和墨家逻辑的锁钥 冯必扬 中国哲学史研究 1989年第2期

亚里士多德的范畴分类 王路 晋阳学刊 1989年第4期

伊壁鸠鲁的思想与马克思的哲学 张广照 哲学动态 1989年第7期

中世纪哲学教学研究中的一些问题 傅乐安 哲学动态 1989年第12期

简论经院哲学的源与流 姜文闵 河北大学学报(社) 1989年第3期

近代英国经验论范畴思维的逻辑 何宁 北京师范学院学报(社) 1989年第6期

霍布斯并非无神论者 韩震 天津师大学报(社) 1989年第5期

贝克莱“存在就是被感知”命题新探 姜建强 四川师范学院学报(社) 1989年第1期

贝克莱王阳明认识论的主要差异 蔡丹红 学术交流 1989年第5期

评罗素对知识、语言和哲学的观点 袁义江 喀什师范学院学报 1989年第1期

詹姆士、罗素对“主体”的质疑 单少杰 天津社会科学 1989年第4期

波普尔的解释学理论 范靖宇 探索

与争鸣 1989年第1期
当代哲学中的一股反本质主义潮流——波普尔对本质主义的批判及其解释学前提 黄勇 江海学刊 1989年第2期
波普科学哲学中的几个问题 宋炳延 山西大学学报(社) 1989年第3期
弱归纳原理与假设—归纳法——兼评波普尔的反归纳观 洪晓楠 安徽师大学报(社) 1989年第4期
笛卡尔的二元论和现代分析哲学中的身心关系问题 李步楼 青海社会科学 1989年第1期
笛卡尔"天赋观念说"探本 冯俊 中州学刊 1989年第2期
对笛卡尔哲学第一原理的再思考 曹瑞英 辽宁大学学报(社) 1989年第2期
笛卡尔与近现代西方哲学的反思——兼论西方宗教观的发展 卓新平 中国社会科学院研究生院学报 1989年第3期
"我思故我在"新探 汪堂家 学术月刊 1989年第6期
十八世纪法国唯物主义的重新评价 任厚奎 四川大学学报(社) 1989年第3期
评维科的"真理—事实"原理 龙育群 求索 1989年第1期
孟德斯鸠与中国 侯鸿勋 哲学研究 1989年第2期
雅克·拉康的结构主义精神分析学 顾建光 求索 1989年第4期
两种直觉认识的辩析 徐宗良 学术月刊 1989年第6期
关于萨特对马克思主义"融合—剥离"的考察 张自文 求索 1989年第4期
人是自由的吗？——剖析萨特的自由观 杨少菁 学术探讨 1989年第1期
道德行为上的非认识主义——论萨特存在主义伦理思想的核心 秦裕 学术月刊 1989年第8期
论德国文化和德国哲学的双重性 陈锐 学术月刊 1989年第5期
德国古典唯心主义哲学发展的逻辑必然性 尚杰 辽宁大学学报（社） 1989年第5期
康德范畴形而上学演绎的基本思路和影响 田海平 江淮论坛 1989年第1期
论康德"二律背反"是主体的辩证法 温纯如 学术界 1989年第1期
康德研究十年概述(一)(二) 鲍刚毅 哲学动态 1989年第4期；第10期
康德认识论中"综合"思想初探 卢晓华 内蒙古社会科学（文史哲版） 1989年第3期
从理性到反理性的转折——康德、黑格尔和叔本华的哲学思想比较研究 刘景泉 广东社会科学 1989年第2期
康德认识论：主体与客体 单少杰 中国人民大学学报 1989年第4期
论康德主体的二重化与认识过程的双向性 温纯如 求是学刊 1989年第4期
康德的辩证法、认识论和逻辑学是统一的 刘学义 西北师大学报(社) 1989年第4期
视角的转换：对康德哲学的重新理解 范进 中国社会科学院研究生院学报 1989年第5期
费希特研究报告 （联邦德国）H. 霍

尔茨　哲学研究　1989年第10期

通向体系之路——论黑格尔“耶拿逻辑学与形而上学”　郭小平　哲学研究　1989年第5期

黑格尔历史哲学研究　杨耕　陈小平　哲学动态　1989年第6期

黑格尔“真无限”辩证涵义再探　郭小平　学术界　1989年第5期

黑格尔的辩证历史观　陈耀彬　杜志清　河北师范大学学报(社)　1989年第4期

从黑格尔哲学到现代西方哲学的转变　张廷国　社会科学(上海)　1989年第2期

青年黑格尔的理性观　宋祖良　社会科学(甘肃)　1989年第1期

国内外对黑格尔早期思想的研究　宋祖良　辽宁大学学报(社)　1989年第2期

黑格尔哲学起点之思考　王传经　成都大学学报(社)　1989年第2期

一个难题的澄清　郭小平　哲学动态　1989年第5期

黑格尔哲学：一个沉重的精神负担　冒从虎　郜庭台　学术月刊　1989年第5期

青年黑格尔派的兴盛及其政治批判　王兆星　武汉大学学报(社)　1989年第3期

黑格尔逻辑学三题　郭小平　中国社会科学院研究生院学报　1989年第1期

评黑格尔«逻辑学»中的实践概念　贺庆华　河北大学学报(社)　1989年第3期

艺术宗教——«精神现象学»中的美学乐章　岳介先　安徽大学学报(社)　1989年第1期

试论黑格尔«精神现象学»中的宗教哲学思想　卓君　学术界　1989年第2期

费尔巴哈认识论中的辩证法思想　李一宁　苏州大学学报(社)　1989年第1期

尼采与老庄　张世英　学术月刊　1989年第1期

尼采哲学是一座墓穴　张学军　社会科学(甘肃)　1989年第1期

论尼采的人生哲学　张钢成　于华江　广西师范大学学报(社)　1989年第2期

我国哲学教科书对尼采理论的误解　肖永君　中国人民大学学报　1989年第5期

论新康德主义者朗格的认识论特征及其影响　袁义江　沈伟　青海师范大学学报(社)　1989年第2期

胡塞尔的主体性际理论　谢维和　江海学刊　1989年第4期

杜林哲学性质并非唯心主义　郭大俊　湖北大学学报(社)　1989年第1期

奥斯特瓦尔德的能量学和唯能论　李醒民　自然辩证法研究　1989年第6期

考茨基«唯物主义历史观»的理论贡献　金隆德　中国社会科学　1989年第6期

论维特根斯坦早期哲学在本体论上的突破　孙树明　中山大学研究生学刊(社)　1989年第2期

维特根斯坦哲学思想演化蠡评　杜汉生　湖北师范学院学报(社)　1989年第4期

简评弗洛姆的人的理论　张丽仙　北

京师范大学学报(社) 1989年第2期

爱的失落与找寻——弗洛姆哲学意向论 李小兵 天津社会科学 1989年第4期

试论伽达默尔的哲学解释学 王才勇 天府新论 1989年第6期

李退溪的太极说 力涛 江淮论坛 1989年第3期

战后日本分析哲学评介 卞崇道 青海社会科学 1989年第1期

人学唯物主义——日本学者马克思主义哲学体系探讨之三 卞崇道 哲学动态 1989年第2期

简易的哲学——阳明学的起死回生之道 (日)冈田武彦 浙江学刊 1989年第2期

汤川秀树的科学哲学思想 周林东 哲学研究 1989年第5期

评普列汉诺夫关于费尔巴哈哲学的论述 李澄 云南社会科学 1989年第6期

无产阶级政权建设必须重视的一个问题——布哈林关于防止无产阶级国家政权发生蜕变危险的思想 万智 科学社会主义研究 1989年第9期

十载功过重评说——苏联学术界论赫鲁晓夫反对斯大林个人崇拜的是与非 易杰雄 社会科学家 1989年第2期

苏联对系统论、控制论、信息论哲学问题的研究与动向 叶峻 科学技术与辩证法 1989年第1期

论卢卡奇的"历史"概念 张西平 中国社会科学院研究生院学报 1989年第1期

试论卢卡奇与黑格尔的关系 周穗明 翁寒松 天府新论 1989年第3期

卢卡奇晚年对马克思主义命运的关注和展望 宫敬才 河北学刊 1989年第4期

要注重卢卡奇思想的精神实质——实践唯物主义 周穗明 翁寒松 国外社会科学动态 1989年第7期

关于卢卡奇的争论和评价问题(上、下) 燕宏远 国外社会科学动态 1989年第7期;第8期

总体性·辩证法·历史观——评卢卡奇对马克思主义哲学体系的重构 蒋斌 广东社会科学 1989年第3期

近年来我国的卢卡奇研究 宫敬才 哲学动态 1989年第9期

马赫的科学哲学与马克思主义:(二)马赫哲学同马克思主义哲学相容的特征 董光璧 自然辩证法研究 1989年第1期

荣格的原型论与老子的道论 周春生 学术月刊 1989年第6期

R.希尔毕宁的学术思想 沈斌 哲学动态 1989年第2期

马尔科维奇的人道主义辩证法观的历史形成 郑一明 哲学研究 1989年第6期

论克罗齐和柯林武德的历史观念 张志刚 社会科学家 1989年第3期

不要用葛兰西曲解马克思 陈志尚 光明日报 1989.10.14

评范·德·列欧的宗教现象学体系 吴云贵 宁夏社会科学 1989年第6期

神、自然和实体在斯宾诺莎体系里的内在统一 洪汉鼎 北京社会科学 1989年第2期

斯宾诺莎与王夫之伦理思想之比较 王泽应 船山学报 1989年第2期

埃利斯的内在实在论 金吾伦 自然辩证法通讯 1989年第6期

邦格的物理实在论 郭贵春 哲学研

究 1989年第10期

美国颠倒光谱哲学的论争 鲁晨光 齐修远 哲学动态 1989年第8期

意义世界的埋葬——评隐晦哲学家德里达 叶秀山 中国社会科学 1989年第3期

库恩科学发展观探微——从库恩的科学发展因素观谈起 董杨 兰州学刊 1989年第2期

劳丹的反实在论观点 王建伟 自然辩证法报 1989.1.19

认知价值在科学合理性中的作用——评劳丹对科学合理性的新探索 殷正坤 自然辩证法通讯 1989年第3期

劳丹科学哲学观研究一瞥 范燕宁 哲学动态 1989年第10期

新弗洛伊德主义述评 车文博 光明日报 1989.6.12

生命哲学思潮与社会科学中的"培根式的革命" 朱红文 求索 1989年第1期

实用主义在现代西方哲学中的地位 欧阳荣庆 四川大学学报(社) 1989年第1期

评实用主义伦理、审美观 陈望衡 云南社会科学 1989年第4期

二十世纪西方经验主义思潮的演变 郭贵春 自然辩证法通讯 1989年第4期

逻辑经验主义内部两种伦理观的分歧 张国珍 湖南师范大学社会科学学报 1989年第5期

刘易斯实在观的现实的意义 彭越 北京社会科学 1989年第3期

科学实在论研究现状概述 金吾伦 自然科学哲学问题 1989年第3期

八十年代科学实在论与科学反实在论的一场大论争 李晨阳 未定稿 1989年第11期

石里克论伦理学基本问题 张国珍 湖南师范大学社会科学学报 1989年第4期

关于语言哲学的几个问题 江天骥 哲学研究 1989年第7期

论语言与语言困境 王宏维 哲学研究 1989年第9期

语言的诱惑——西方哲学的语言哲学阶段 钱伟量 未定稿 1989年第9期

符号的理解和解释 章士嵘 哲学动态 1989年第8期

《指物论》与指号学 刘宗棠 哲学研究 1989年第12期

存在·主体·价值——存在主义伦理学撷要 万俊人 社会科学家 1989年第4期

存在主义哲学的死亡观 何显明 社会科学家 1989年第4期

分析哲学的分析——评日本学者永井成男对"分析"的理解 李树琦 中国社会科学院研究生院学报 1989年第3期

解构主义及其特征 尚志英 社会科学报 1989.12.14

结构功能统一律初探 刘锋 江海学刊 1989年第5期

文化哲学人类学述评 甫祎勒 李殿斌 杨剑 河北师范大学学报(社) 1989年第4期

生物哲学人类学述评 李殿斌 符扬 河北师范大学学报(社) 1989年第4期

唯物主义阐释学 罗志野 哲学动态 1989年第2期

赫施对现代解释学的贡献　王才勇　学术月刊　1989年第6期

反理性思潮的三重背景　陈炎　文史哲　1989年第1期

论中西近代意志主义的异同　高瑞泉　哲学研究　1989年第6期

传统理性及其哲学心态　甘绍平　天津师大学报(社)　1989年第3期

理性和非理性概念研究　崔秋锁　哲学动态　1989年第11期

逻　辑　学

逻辑学的大趋势　许艾琼　辽宁大学学报　1989年第1期

维护一个传统的信条——兼与李先焜先生商榷　陈波　哲学研究　1989年第6期

逻辑范畴系统的涵义、结构和功能　王经伦　学术研究　1989年第4期

关于问题哲学的基本问题探讨——兼与林定夷先生商榷　魏发辰　哲学研究　1989年第12期

道义逻辑与伦理学研究　陈波　中国人民大学学报　1989年第3期

逻辑哲学和语言哲学　陈波　哲学动态　1989年第6期

逻辑与哲学——历史的回顾　马钦荣　学术界　1989年第6期

近年来关于形式逻辑若干问题讨论的观点综述　吴晓敏　争鸣　1989年第5期

“肯定”和“否定”概念在逻辑学中的涵义　石开贵　四川师范大学学报（社）　1989年第3期

不明确指称词的逻辑语义初探　唐晓嘉　西南师范大学学报(社)　1989年第4期

再论普通逻辑的对象和作用　吴家国　北京师范大学学报(社)　1989年2期

形式逻辑的对象和规律与辩证逻辑的对象和规律　阎庆华　辽宁大学学报(社)　1989年第3期

传统逻辑评论　贺延林　武宏志　延安大学学报(社)　1989年第2期

传统逻辑是形式逻辑吗　陈世清　内蒙古民族师院学报(社)　1989年第2期

关于三段论规则的反思　吴家国　中州学刊　1989年第3期

虚概念的形成和分类　霍士祥　山西大学学报(社)　1989年第1期

关于虚概念定义的探讨　陆玉文　松辽学刊(社)　1989年第2期

再论单独概念不能限制与划分　曹予生　上海师范大学学报(社)　1989年第1期

概念辩证法是辩证逻辑研究的中心内容　张智光　华南师范大学学报（社）　1989年第2期

论概念内涵的构成和概念间的内涵关系　张秀廷　河北师院学报(社)　1989年第4期

关于选言判断定义的质疑　罗绩　松辽学刊(社)　1989年第1期

关于规范判断分类　王效　天津师大学报(社)　1989年第1期

论性质判断的矛盾方阵——性质判断研究之一　罗翊重　云南社会科学　1989年第1期

推理的心理学考察　章士嵘　哲学动态　1989年第11期

演绎推理中可能性推理初探　郑孟煊　黄绍汪　青海社会科学　1989年第2期

扩充三段论驳议　武宏志　江西社会科学　1989年第1期

直言直接推理之思考　吴益民　争鸣　1989年第3期

"二难推理新释"质疑——与徐夕明同志商榷　曾祥云　争鸣　1989年第4期

形式逻辑推理与辩证逻辑推理　于惠棠　文史哲　1989年第6期

词项逻辑与亚里士多德三段论——兼复王路同志　蔡曙山　哲学研究　1989年第10期

对演绎推理两个定义的质疑　谢先仁　江西大学学报(社)　1989年第1期

逻辑证明在领导科学中的重要作用　胡兆年　社会科学(甘肃)　1989年第3期

续论逻辑谬误　武宏志　丁煌　华南师范大学学报(社)　1989年第2期

辩证逻辑哲学体系和现代系统科学及决策科学方法　康洪武　中国人民大学学报　1989年第1期

辩证逻辑和现代科学方法　孙显元　晋阳学刊　1989年第5期

从黑格尔关于逻辑对象的思想看辩证逻辑的对象——兼评当前关于辩证逻辑对象的若干观点　朱耀垠　厦门大学学报(社)　1989年第1期

先验逻辑与辩证逻辑　李福安　学术月刊　1989年第11期

逻辑时空是辩证逻辑的一个重要范畴　李焕奇　云南社会科学　1989年第6期

辩证逻辑的几个相关概念辨析　黎玉琴　贵州师范大学学报(社)　1989年第4期

辩证法能否成为逻辑？——试析我国三十年代逻辑讨论的一个中心问题　缪四平　华东师范大学学报(社)　1989年第4期

思维逻辑的来源和本质　周文彰　中州学刊　1989年第1期

论辩证想象、对立性思维及其在科学和实践中的功能　苗启明　云南社会科学　1989年第1期

关于形象思维与逻辑思维发展的一致性　毕顺堂　河北师范大学学报(社)　1989年第4期

具体抽象律和内涵外延反变律及其比较　孔易人　汪岩桥　理论探讨　1989年第3期

辩证逻辑基本规律新论　蒋以璞　安徽师大学报(社)　1989年第3期

论辩证逻辑方法的性质和特点　金顺福　哲学研究　1989年第3期

论分析综合两种不同类型的区别　刘路光　贵州社会科学(文史哲版)　1989年第6期

集合体概念及其反映对象的分析　陶景侃　社会科学(甘肃)　1989年第3期

语用学与自然逻辑　李先焜　湖北大学学报(社)　1989年第1期

逻辑和语言　王路　哲学研究　1989年第7期

语言的相对性与认识的主观性　邹智贤　求索　1989年第5期

试论狭义悖论的产生和消除　孙启明　安徽大学学报(社)　1989年第2期

奇异悖论——证伪主义可以证伪吗？　金观涛　自然辩证法通讯　1989年第2期

不相容逻辑与"矛盾"理论　张建军　河北学刊　1989年第6期

无须存在公理的指称理论 张盾 哲学研究 1989年第6期

哲学逻辑的兴起 陈波 教学与研究 1989年第1期

论原因逻辑的基本概念 胡晓萍 求索 1989年第5期

论不存在规范方法论 李正风 攀登 1989年第2期

论传统归纳推理的概率特征 连丽霞 逻辑与语言学习 1989年第4期

论归纳逻辑的局部辩护和适用范围——兼评 J. Cohen 的归纳概率逻辑理论 鞠实儿 自然辩证法通讯 1989年第5期

归纳支持逻辑的一个新系统 刘壮虎 哲学研究 1989年第12期

中西逻辑发展的不同特点及其原因 胡泽洪 湖南师范大学社会科学学报 1989年第2期

中国古代逻辑中的思维规律论 孙中原 逻辑与语言学习 1989年第2期

论先秦墨家对古代归纳方法(逻辑)作出的贡献 周云之 社会科学(甘肃) 1989年第3期

简论先秦对逻辑基本规律的理论表述 周云之 光明日报 1989.1.16

浅谈杜国庠先秦逻辑思想的研究 冯曼东 北京师院学报(社) 1989年第3期

公孙龙、墨家、荀子概念论的比较 张俊杰 内蒙古师大学报(社) 1989年第2期

中国先秦的名辩逻辑是形式逻辑的世界三大源流之一 周云之 中国哲学史研究 1989年第4期

概论先秦的逻辑正名学说 周云之 湖北大学学报(社) 1989年第5期

法称在印度逻辑史上的贡献 虞愚 哲学研究 1989年第2期

因明的认识论基础 宋立道 世界宗教研究 1989年第2期

试论因明的三支论式 张忠义 哲学研究 1989年第8期

因明研究四十年述要 姚南强 哲学研究 1989年第11期

现代逻辑的几个重要成果以及所涉及的哲学问题(上)(中)(下) 朱水林 自然辩证法研究 1989年第3期；第4期；第5期

伦 理 学

试论哲学的伦理意蕴 王兴宏 天府新论 1989年第5期

新伦理观构想 王海明 光明日报 1989.3.20

人为地搞学派无异于宗派——周原冰教授谈当代中国伦理学学派问题 季则 社会科学报 1989.2.9

传统伦理精神的形态与内在矛盾 樊浩 学术界 1989年第5期

中西伦理的概念和比较 阮兴树 上海师范大学学报(社) 1989年第4期

生命伦理学的产生及思想基础 邱仁宗 医学与哲学 1989年第1期

人类良心的支点——"生态伦理意识"片论 张业清 社会科学家 1989年第1期

生态伦理学的进展(上)(下) 张云飞 哲学动态 1989年第4期；第5期

生态伦理学与美学 余谋昌 哲学动态 1989年第9期

管理伦理学初探 任建雄 哲学研究 1989年第6期

人道——功利伦理学纲要 程秀波

魏长领 河南师范大学学报(社) 1989年第3期

关于社会主义精神文明建设问题的研究对象和研究方法 马中柱 现代哲学 1989年第2期

社会主义精神文明建设的反思 姚文仓 光明日报 1989.11.8

精神生产是观念地把握存在的历史过程 王晓林 江汉论坛 1989年第4期

论精神生产与广义历史唯物主义 庄春波 天津社会科学 1989年第5期

论道德选择 姚新中 中国人民大学学报 1989年第1期

道德本质的新思考 乔法容 王昕杰 中州学刊 1989年第1期

道德的功能和本质——兼评肖雪慧、夏伟东等同志的争论 谢洪恩 哲学研究 1989年第3期

道德本质新探 黄伟合 学术界 1989年第3期

道德本体论与道德工具论——中西传统伦理文化关于道德本质认识之差异 朱贻庭 黄伟合 文史哲 1989年第6期

论道德思维的特点 李建华 曾钊新 光明日报 1989.7.17

道德活动、审美活动与价值目标 谢洪恩 探索(四川) 1989年第4期

论道德主体 夏伟东 道德与文明 1989年第5期

道德哲学:模式变革及其趋向——兼论狭义道德主体性模式的缺陷 任平 江海学刊 1989年第6期

"道德的不道德性"与"不道德的道德性"研究 张业清 争鸣 1989年第3期

论人在道德发展中的主体作用 张慧彬 学习与探索 1989年第1期

论意志在道德生活中的能动作用 陈楚佳 江淮论坛 1989年第1期

竞争是一个道德范畴 于超 马永庆 东岳论丛 1989年第2期

论人与自然关系的道德问题 王正平 哲学研究 1989年第5期

原始道德诸规范 关键 云南社会科学 1989年第1期

当代中国道德的困惑与进步 龚群 光明日报 1989.4.17

略论社会主义初级阶段的道德和经济基础的关系 李太平 湖北师范学院学报(社) 1989年第4期

社会主义初级阶段的集体主义道德原则及其实践 赖朝荣 西南师范大学学报(社) 1989年第1期

坚持集体主义的价值导向 罗国杰 光明日报 1989.8.28

论集体主义道德原则 唐凯麟 湖南社会科学 1989年第5期

社会主义道德同共产主义道德体系的发展 周原冰 光明日报 1989.12.25

略论共产主义道德基本原则非集体主义 欧阳茂森 丁祖豪 齐齐哈尔师范学院学报 1989年第1期

试论近代唯物主义哲学家人性理论的发展 刘开会 兰州大学学报 1989年第1期

试论当代中国的现实人性与道德建设——兼评传统儒家的人性学说与道德建设理论 黄伟合 社会科学(上海) 1989年第1期

创建人生科学的构想 张恩宏 学习与探索 1989年第1期

命运哲学论(一)、(续) 王生平 社

会科学辑刊 1989年第4期；第5期

关于人生哲学的反思 邵汉明 江淮论坛 1989年第1期

谈谈人生哲学 宋希仁 教学与研究 1989年第2期

论个人奋斗 夏伟东 教学与研究 1989年第1期

评“个人主义积极论”和“个人本原论” 许启贤 教学与研究 1989年第5期

青年应树立正确的人生观 罗国杰 光明日报 1989.12.22

关于信仰界域的思考 任忱 晋阳学刊 1989年第2期

在知情意的交叉点上——信仰论纲 荆学民 山西师大学报(社) 1989年第2期

功利学初探(一)、(续) 冒从虎 天津师大学报(社) 1988年第6期；1989年第1期

功利主义不等于非道德主义 陈根发 文汇报 1989.2.25

功利主义经久不衰的道德依据 徐凯南 文汇报 1989.2.25

两种功利主义比较 江雪莲 社会科学家 1989年第5期

功利主义论 曹景田 理论界 1989年第11期

论离婚道德 金云娥 江西大学学报(社) 1989年第1期

试析现代西方伦理思潮对我国青年道德观念的冲击 万俊人 中国社会科学 1989年第2期

关于中国近代伦理思想研究的几个问题 冯契 学术月刊 1989年第9期

中国传统伦理、审美冲突论 陈望衡 湖南社会科学 1989年第6期

科学·逻辑·道德——现代西方元伦理学纵观(一)、(续) 万俊人 哲学动态 1989年第7期；第8期

美 学

美学研究现状二题议 周志诚 社会科学家 1989年第1期

美学十年话暖寒 毛崇杰 文艺研究 1989年第4期

关于中国当代美学发展中的两个问题 劳承万 学术研究 1989年第4期

美学论辩之一：“和谐”说与“形式”说 李浚文 宁夏社会科学 1989年第2期

实践派：当今中国美学主潮 韩强 海南师范学院学报(社) 1989年第1期

当代美学核心：艺术本体论 王岳川 文学评论 1989年第5期

美学是研究人类审美活动的科学 蒋培坤 中国人民大学学报 1989年第1期

美学作为方法论 高连峻 社会科学战线 1989年第4期

谈美学的哲学基础问题 蔡仪 文艺研究 1989年第4期

美学如何走出困境——评“美因说”兼谈“系统说” 杨曾宪 山东社会科学 1989年第2期

艺术哲学与美学关系刍议 何梓焜 现代哲学 1988年第3期

佛教与美学 程林辉 青海社会科学 1989年第1期

略谈“元哲学”和“元美学” 赵仲牧 贵州日报 1989.2.19

控制论美学的产生及其走向 涂途 文艺研究 1989年第5期

生产美学再探索 庞耀辉 社会科学

(上海) 1989年第9期

"新美学——历史批评"论纲 陈墨 福建论坛(文史哲版) 1989年第5期

对美的哲学的哲学批判——分析美学之精神 张法 中国人民大学学报 1989年第1期

关于美学史的对象 周来祥 张丽凝 文艺研究 1989年第4期

论美的模糊性——对美本质研究的方法论思考 徐宏力 社会科学(上海) 1989年第2期

论物质的二重性和精神的存在方式——有关美的本质的一个哲学问题 孙良康 扬州师院学报(社) 1989年第4期

美的本质新论 刘仁荣 湖南师范大学社会科学学报 1989年第3期

"境界":美的形式与审美效应 杨立民 人文杂志 1989年第4期

美的文化系统与空间景观 皇甫晓涛 社会科学战线 1989年第2期

论作为概念的"美" 李冬妮 江西社会科学 1989年第4期

美是人化的自然 邓泉 晋阳学刊 1989年第4期

论不和谐美——兼评"美是和谐论" 尚君和 天津社会科学 1989年第5期

美感具体形态发展的基本趋势 许钢 文艺评论 1989年第2期

美感的心理功能 蒋孔阳 学术月刊 1989年第6期

审美想象论 杨守森 人文杂志 1989年第1期

审美表体论 何明星 辽宁师范大学学报(社) 1989年第2期

审美发展规律初探 胡师正 湖南师范大学社会科学学报 1989年第3期

论审美情感的生成机制 童庆炳 河北学刊 1989年第4期

审美认识动力机制论 马德邻 中国社会科学院研究生院学报 1989年第6期

审美经验与艺术研究的统一——当代西方美学研究特点的总体审视 彭立勋 文艺研究 1989年第4期

审美自由观从抽象到科学的发展 袁振保 西北师大学报(社) 1989年第5期

美育心理发展史上的二杰——论席勒、赫尔巴特的美育心理思想 蔡正非 云南师范大学学报(社) 1989年第4期

"心动说"——中国古代心理美学思想的重要源流 殷国明 文艺理论研究 1989年第2期

儒家美学与基督教美学之比较 姚文放 江汉论坛 1989年第6期

从反映论到存在论——评一种关于文艺学哲学基础发展的理论 蒋少华 文艺理论与批评 1989年第5期

艺术是什么与为什么是艺术——艺术掌握世界的方式新探 沈金耀 福建师范大学学报(社) 1989年第1期

艺术本质的动态描述 冯宪光 社会科学研究 1989年第2期

论抽象思维与形象思维在多元审美感应中的数学形态 高春梅 山西师大学报(社) 1989年第3期

接受图式论略 丁宁 北京社会科学 1989年第3期

关于艺术审美对象的思考 田佳友 学术月刊 1989年第2期

关于艺术性审美价值的思考 张居华

武汉大学学报(社) 1989年第2期

评一种抽象人道主义和泛异化论的文艺观点 梁胜明 西北师大学报(社) 1989年第5期

关于现实主义和反映论的讨论 李伦 人民日报 1989.1.23

现实主义的对象及其美学特征 杨国良 学术月刊 1989年第3期

中国文艺美学沿革规律探讨 吴功正 文艺研究 1989年第5期

人与美：人体艺术琐谈 邵燕祥 光明日报 1989.1.6

技术美、艺术美与建筑多元论 萧默 光明日报 1989.11.30

浪漫主义音乐美学探略——论器乐的形而上学 蒋一民 学术月刊 1989年第1期

宋金元文艺美学思想巡礼 沈时蓉 詹杭伦 西北师大学报(社) 1989年第1期

重温朱光潜美是主客观统一的命题 阎国忠 北京大学学报(社) 1989年第4期

朱光潜与弗洛伊德 王宁 北京大学学报(社) 1989年第4期

东方美学的历史背景和哲学根基 刘纲纪 文艺研究 1989年第1期

略论当代西方美学的哲学倾向 曾志 中国人民大学学报 1989年第3期

泰纳美学思想的历史地位、局限和影响 周均平 求是学刊 1989年第5期

一个巨大的历史漩涡——从康德、席勒看西方18、19世纪之交的美学思潮 封孝伦 贵州师范大学学报（社） 1989年第1期

E.布洛赫的哲学与美学思想 王才勇 哲学动态 1989年第2期

宗 教

科学与宗教关系的哲学分析 钱时惕 河北学刊 1989年第5期

简论宗教的包容性 陶银骠 社会科学辑刊 1989年第1期

近几年宗教研究上的若干突破 丁光训 汪维藩 江海学刊 1989年第2期

论宗教意识产生于人的需要 何云波 湘潭大学学报(社) 1989年第2期

关于宗教本质的分析 杨丕樵 世界宗教研究 1989年第4期

我国现阶段几个宗教问题的探讨 乐峰 北京大学学报(社) 1989年第5期

略谈社会主义时期的宗教问题 温华 中央民族学院学报 1989年第4期

试论我国现阶段宗教文化的主要特征 黄海德 社会科学研究 1989年第6期

禅宗心性论试析 蒙培元 中国社会科学院研究生院学报 1989年第3期

道生、慧能“顿悟”说的歧异 潘桂明 世界宗教研究 1989年第2期

哲学的“入世”与智慧的复归 蒋德海 戴克霆 社会科学(上海) 1989年第9期

神道无方 触像而寄——试论佛教美学的造象论 袁济喜 松辽学刊(社) 1989年第3期

佛教人生哲学的认识与评价 赖大仁 社会科学战线 1989年第3期

佛教神秘主义：《大同书》的逻辑起点 杨念群 广东社会科学 1989年第3期

从佛学到佛教：佛教中国化的实质

尤西林 陕西师大学报(社) 1989年第3期

论神会的佛教哲学 袁家耀 五台山研究 1989年第2期

儒教是社会化、世俗化的特殊宗教 朱春 西南民族学院学报(社) 1989年第3期

佛性与人性——论儒佛之异同暨相互影响 赖永海 哲学研究 1989年第11期

中日佛教的比较 杨曾文 哲学研究 1989年第1期

中印佛教思维方式之比较 方立天 哲学研究 1989年第3期

道教在中国历史中的地位 林其锬 上海道教(创刊号) 1988年11月

试析隋唐五代道教道论的哲理化 郭树森 江西社会科学 1989年第3期

道教的内蕴及其文化功能 侯才 哲学研究 1989年第9期

道教哲学刍议 李刚 哲学研究 1989年第10期

道教在中国传统文化中的地位 卿希泰 社会科学研究 1989年第6期

道教炼丹术对古代科学技术发展的影响 唐明邦 江西社会科学 1989年第6期

道家·隐者·思想异端 肖萐父 江西社会科学 1989年第6期

一种独特的历史文化现象——回族伊斯兰宗教制度概述 余振贵 宁夏社会科学 1989年第5期

CHINESE PHILOSOPHICAL ALMANAC(1990)
MAIN CONTENTS

PHILOSOPHY RESEARCH PROGRESS OF 1989 IN CHINA

Psychology

History of Marxist Philosophy

History of Chinese Philosophy

Foreign Philosophy

CHINESE PHILOSOPHERS' PARTICIPATION IN INTERNATIONAL CONFERENCES OF PHILOSOPHY

CHINESE PHILOSOPHERS' VISION OF FOREIGN PHILOSOPHY

BRIEF BIOGRAPHY OF LATE CHINESE PHILOSOPHERS

APPENDIX

《中国哲学年鉴》编辑人员

主　　编	陈筠泉			
副 主 编	刘树勋	姚介厚		
执行副主编	李今山			
责任编辑	沙培宁	陈贤德	张　莉	周晓亮
	王桂清	翟　灿	杜天航	张敦敏
特约编辑	王鹏令	张晓明	范瑞平	赵璧如
	黄凤炎	徐素华	王葆玹	程志民
	李学军	刘一虹	王　路	余　涌
	张瑶均	王铁军	孙　健	

（参加本书编辑工作的还有：张幼尘　张武军）

《中国哲学年鉴》特约通讯员

（按姓氏笔划顺序）

于永梓	毛卫平	方广锠	王凤仙	王永祥	王炳福
王　进	王　灿	孔庆连	石倬英	田伯泰	白锡能
冯雁逢	卢　明	史向前	吕骏宝	吕鸿儒	朱传棨
朱瑞基	刘陆鹏	刘若雷	刘传一	孙纪成	汤文曙
李志林	李超元	李毓英	李德育	吴承旺	宋　有
杨　魁	余品华	沈晓珊	张　棨	张仲秋	张同基
张志永	张建民	张淑芬	张维久	张文杰	林辉基
陈献国	季象图	虎世和	周志华	周敦耀	周德丰
郑国平	金　仲	孟祥武	胡可网	赵常林	徐志宏
黄国秋	渠玉九	谢道文	蔡成效	廖晓明	樊汉桢
黎永泰	黎洁华	穆纪光	戴维新		

中国哲学年鉴
1990
中国社会科学院哲学研究所编
中国大百科全书出版社 出版发行
（分社：上海古北路650号）
新华书店经销　上海海峰印刷厂印装
开本850×1168毫米　1/32　印张11.75　插页4　字数379,000
1990年8月第1版　1990年8月第1次印刷
ISBN 7—5000—0296—3/B·38
定价：（平）4.80元